# 제3제국사

# 제3제국사

히틀러의 탄생부터 나치 독일의 패망까지

윌리엄 L. 샤이러 지음 | 이재만 옮김

책과함께

일러두기

- 이 책은 William L. Shirer의 *The Rise and Fall of the Third Reich: A History of Nazi Germany*를 우리말로 옮긴 것이다. 초판(1960년 출간)의 글 일체와 더불어 30주년 기념판(1990년 출간)에 추가된 지은이의 후기도 수록했다.
- 옮긴이가 덧붙인 설명은 〔 〕로 표시했다.
- 책의 성격상 '제1차 세계대전'과 '제2차 세계대전'이 많이 나오는데, 가독성 제고를 위해 '1차대전' '2차대전'으로 축약해 표기했다.
- 인종, 신체 등에 대한 일부 차별적 표현은 원문이 갖는 역사성을 고려하여 그대로 두었다.

# 머리말

나는 단명한 제3제국의 전반기에 이 대단하지만 당혹스러운 나라에서 아돌프 히틀러가 독재자로서 권력을 굳혀가는 과정을 지켜보며 생활하고 일하기는 했지만, 2차대전 말기에 역사상 유례없는 하나의 사건이 일어나지 않았다면 굳이 나의 개인적인 경험을 책으로 쓰려고 시도하지 않았을 것이다.

그 사건이란 독일 외무부, 육해군, 국가사회주의당, 하인리히 힘러의 비밀경찰을 포함해 독일 정부와 그 모든 부처의 기밀문서가 대부분 입수된 것이다. 내가 알기로 그렇게나 방대하고 귀중한 자료가 당대 역사가들의 손에 들어간 것은 일찍이 전례가 없는 일이다. 이제까지 대국의 문서고는 설령 1918년의 독일과 러시아처럼 전쟁에서 패하고 혁명으로 정부가 전복된 경우라 해도 국가에 의해 보존되었고, 결국 그다음 정권에 이익이 되는 문서만이 공개되었다.

그런데 제3제국은 1945년 봄에 급속히 붕괴한 탓에 엄청난 양의 기밀문서뿐 아니라 무척 귀중한 다른 자료까지, 이를테면 개인의 일기, 극비 담화, 회의록, 서한, 심지어 헤르만 괴링Hermann Göring이 항공부 내에 설치한 특수부서에서 도청한 나치 지도부의 전화 통화를 녹취한 기록까지 몽땅 넘겨주게 되었다.

예를 들어 프란츠 할더Franz Halder 장군은 하루도 빠짐없이, 아니 한 시간도 거르지 않고 가벨스베르거식 속기법으로 쓴 방대한 일기를 남겼다. 이 일기는 할더가 육군 참모총장으로서 히틀러를 비롯한 나치 독일 지도부와 매일같이 대면한 1939년 8월 14일부터 1942년 9월 24일에 이르는 기간에 대한 간결한 정보의 비할 바 없는 원천이다. 할더 일기의 정보가 제일 풍부하기는 하지만, 선전장관이자 히틀러의 당내 측근인 요제프 괴벨스Josef Goebbels의 것과 독일 국방군 최고사령부 작전참모장 알프레트 요들Alfred Jodl 장군의 것을 포함해 다른 귀중한 일기들도 있다. 국방군 최고사령부 자체와 해군 최고사령부의 일지도 있다. 1945년 4월 코부르크 인근 탐바흐 성에서 압수된 독일 해군 문서고의 서류 6만 건에는 근대 독일 해군이 창설된 1868년까지 거슬러 올라가는, 해군의 사실상 모든 신호, 항해 기록, 일지, 메모 등이 담겨 있다.

베를린에서 지시한 명령에 따라 소각되기 직전에 미국 제1군이 하르츠 산맥의 여러 성과 갱에서 입수한 독일 외무부 기록물 485톤은 제3제국 기간만이 아니라 바이마르 공화국을 거쳐 비스마르크의 제2제국 초기까지 거슬러 올라가는 기간을 망라한다. 전쟁이 끝나고 나치 문서가 버지니아주 알렉산드리아의 미국 육군 창고에 밀봉된 채로 산더미처럼 쌓여 있던 여러 해 동안, 미국 정부는 포장상자를 열어 그 안에 무슨 역사적 관심거리가 있는지 살펴볼 생각조차 하지 않았다. 문서를 입수하고 10년이 지난 1955년, 미국 역사협회의 발의와 민간 재단 두 곳의 후한 지원 덕분에 마침내 알렉산드리아 문서가 개봉되었고, 정부가 몹시 서둘러 문서를 독일에 반환하기 전에 애처로울 정도로 적은 수의 학자들이 부족한 인력과 장비로나마 서류를 샅샅이 조사하고 사진으로 남기는 작업을 수행했다. 그것은 귀중한 자료로 밝혀졌다.

히틀러의 사령부에서 나날의 군사 정세에 대해 판단하고 논의한 51차례의 '총통 회의' 속기록의 일부나, 이 나치 통수권자가 전쟁 중에 당의 오랜 측근이나 당료들과 나눈 잡담에 대한 더 완전한 기록물 역시 귀중한 자료다. 앞의 자료는 미국 제101공수사단의 한 정보장교가 베르히테스가덴에서 타다 남은 히틀러의 문서 중에서 건져낸 것이고, 뒤의 자료는 마르틴 보어만Martin Bormann의 문서 중에서 발견한 것이다.

압수된 나치 문서 수십만 건은 뉘른베르크로 급히 취합되어 그곳에서 열린 주요 나치 전범들의 재판 증거로 제출되었다. 나는 이 재판의 전반부 보도에 종사하면서 등사물을 잔뜩 모으고 중요한 부분이 영어로 번역된 10권의 부록을 포함해 42권으로 간행된 증언 기록 및 서류도 나중에 입수했다. 12차례 열린 뉘른베르크 후속 재판에 관한 기록은 15권으로 간행되었는데, 이 역시 비록 적잖은 문서와 증언이 누락되긴 했지만 귀중한 자료이다.

마지막으로, 이렇듯 전례없이 방대한 자료에 더해 독일군 장교들과 나치당 및 정부 고관들에 대한 철저한 심문 기록, 그리고 그들이 여러 전후 재판에서 행했던 선서 증언 기록이 있다. 이런 자료는 이전의 전쟁에서는 결코 얻은 적이 없었다고 나는 생각한다.

물론 내가 이렇게 기가 질릴 정도로 방대한 문헌을 전부 읽어본 것은 아니다. 그런 일을 한 사람이 해내기란 도저히 불가능할 것이다. 하지만 나는 이 풍성한 포도밭에서 일하는 모든 사람처럼 적절한 색인이 없어 더디게 나아가면서도 문헌의 상당 부분을 읽어냈다.

저널리스트든 외교관이든 나치 시대의 독일에 주재했던 우리가 제3제국의 외피 뒤에서 벌어지는 일들을 실제로 거의 몰랐다는 것은 정말이지 놀라운 일이다. 전체주의적 독재정은 그 본성상 극비리에 작동하고, 호시탐탐 내부를 엿보려는 외부인의 시선으로부터 비밀을 지키는 법을 알고 있다. 히틀러의 집권, 의사당 화재, 에른스트 룀Ernst Röhm 숙청, 오스트리아 병합, 체임벌린의 항복으로 끝난 뮌헨 회담, 체코슬로바키아 점령, 폴란드·스칸디나비아·서유럽·발칸·소련 침공, 나치 점령지와 강제수용소의 참상, 유대인 말살 등 제3제국에서 일어난 노골적이고 자극적이고 대개 역겨운 사건들을 기록하고 묘사하는 것은 퍽 쉬운 일이었다. 그러나 비밀리에 내려진 중대 결정, 음모, 배신, 그런 결과를 낳은 동기와 탈선, 주요 행위자들이 배후에서 수행한 역할, 그들이 자행한 테러의 규모와 수법—이 모든 것, 아니 그 이상의 것들은 독일의 기밀문서가 발견되기 전까지는 대체로 우리의 눈길을 벗어나 있었다.

어떤 이들은 제3제국의 역사를 쓰기에는 너무 이르다고, 그런 과제는 과거를 조망할 관점을 얻을 수 있는 다음 세대의 몫으로 남겨두어야 한다고 생각할지도 모른다. 이런 견해는 내가 취재차 방문했던 프랑스에 특히 만연해 있었다. 나폴레옹 시대 이후의 일은 아직 역사 저술가가 씨름할 과제가 못 된다고들 했다.

이런 견해에는 상당한 근거가 있다. 대다수 역사가들은 어떤 나라, 어떤 제국, 어떤 시대에 관해 서술하기까지 50년이나 100년, 혹은 그 이상을 기다렸다. 하지만 그렇게 기다린 것은 무엇보다 적절한 문헌이 출현하고 서술에 필요한 믿을 만한 자료를 손에 넣기까지 그만한 세월이 걸렸기 때문이 아닐까? 그리고 장차 과거를 조망할 관점을 얻을 수 있다 해도, 저자가 자신이 쓰려는 시대의 생활상이나 분위기, 또는 역사상의 인물을 직접 겪어보지 못한 까닭에 무언가를 놓치게 되지 않을까?

제3제국은 유례없는 경우로서 거의 모든 문헌 자료가 국가의 몰락과 동시에 입수되었을 뿐 아니라 군인이든 민간인이든 생존한 모든 지도자들의 증언이, 때로는 처형되기 직전의 증언이 확보되어 있다. 이렇게나 일찍 입수한 비할 데 없는 자료를 가지고서, 나치 독일의 생활상에 대한 기억, 아울러 아돌프 히틀러를 비롯해 이 나라를 통치한 자들의 면모와 행위, 본성에 대한 기억을 가지고서, 나는 어쨌거나 제3제국의 흥망의 역사를 써보겠다고 결심했다.

역사서로 손꼽히는 《펠로폰네소스 전쟁사》에서 투키디데스는 이렇게 말한다. "나는 사건을 이해할 만한 나이에 사건의 정확한 진실을 알아내고자 주의를 기울이면서 이 전쟁을 처음부터 끝까지 체험했다."

나는 히틀러 독일의 진실을 정확히 알기가 극히 어렵거니와 그 일이 언제나 가능한 것도 아님을 깨달았다. 산더미 같은 문헌 자료 덕분에 20년 전에 가능해 보였던 것 이상으로 진실에 다가갈 수 있었지만 그 방대한 양 때문에 종종 혼란을 빚기도 했다. 그리고 인간의 모든 기록과 증언에는 당혹스러운 모순이 들어 있기 마련이다.

이 책에서는 필시 나의 경험이나 기질에서 비롯된 편견도 때때로 꿈틀거릴 것이다. 나는 원론적으로 전체주의적 독재정을 혐오하며, 그 체제를 겪으면서 인간 정신에 대한 추악한 공격을 목도하면 할수록 더욱 증오하게 되었다. 그럼에도 이 책에서 나는 엄격히 객관적인 자세로 사실로 하여금 스스로 말하게 하고 전거를 일일이 밝히려고 애썼다. 그 어떤 사건, 장면, 인용도 상상의 산물이 아니다. 하나같이 문서나 목격자의 증언, 혹은 나 자신의 관찰에 근거한다. 사실을 알 수 없어 어느 정도 추측에 기댄 대여섯 사건의 경우에는 그 점을 분명하게 밝혔다.

나의 해석은 의심할 나위 없이 다수에 의해 논박될 것이다. 그것은 불가피한 일인데, 무엇보다 어느 누구의 의견도 완전무결하지 않기 때문이다. 이 책에서 서사에 명확성과 깊이를 더하기 위해 위험을 무릅쓰고 제시한 나의 해석은 어디까지나 증거를 바탕으로, 또 나의 지식과 경험을 바탕으로 나름대로 최선을 다해 도출한 것들이다.

아돌프 히틀러는 아마도 알렉산드로스, 카이사르, 나폴레옹으로 이어지는 위대한 모험가이자 정복자의 계보에서 마지막에 놓일 인물일 것이고, 제3제국은 지난날 프랑스, 로마, 마케도니아가 걸었던 제국의 길을 거친 마지막 제국일 것이다. 적어도 역사의 이 단계는 별안간 발명된 수소폭탄과 탄도미사일, 달을 향해 발사할 수 있는 로켓으로 인해 이제 막을 내렸다.

무시무시하고 치명적인 신형 무기가 너무도 빠르게 구형 무기를 대체한 우리의 새 시대에 만약 대규모 침략전쟁이 발발하기라도 한다면, 그 전쟁은 자멸적인 소인배 미치광이들이 전자버튼을 누름으로써 시작될 것이다. 그런 전쟁은 오래가지 않을 것이고 그 후로는 다른 어떤 전쟁도 일어나지 않을 것이다. 정복자도 정복도 없을 것이고, 아무도 살지 않는 행성에 검게 탄 유골들만이 남을 것이다.

# 차례

**제4권 | 차례**

제1부

# 아돌프 히틀러의 등장

# 제1장

# 제3제국의 탄생

제3제국이 탄생하기 직전, 베를린은 열에 들뜬 긴장감에 휩싸여 있었다. 바이마르 공화국이 곧 숨을 거두리라는 것은 누구의 눈에나 분명해 보였다. 공화국은 이미 1년 전부터 빠르게 무너지고 있었다. 총리 쿠르트 폰 슐라이허Kurt von Schleicher 장군은 전임자 프란츠 폰 파펜Franz von Papen과 마찬가지로 공화국에 별반 신경쓰지 않았고 민주주의에는 더더욱 관심이 없었다. 역시 전임자와 마찬가지로 의회에 의지하지 않고 대통령 긴급령을 통해 총리로서 통치한 슐라이허는 재임 57일 만에 궁지에 몰리고 말았다.

1933년 1월 28일 토요일, 슐라이허는 연로한 공화국 대통령 파울 폰 힌덴부르크Paul von Hindenburg에 의해 돌연 해임되었다. 독일 최대 정당인 국가사회주의당의 지도자 아돌프 히틀러는 지난날 파괴하겠다고 맹세했던 민주공화국의 총리직을 요구하고 있었다.

이 운명적인 겨울 주말에 독일 수도에서는 장차 일어날 사태에 대한 흉흉한 소문들이, 공교롭게도 웬만큼 근거가 있는 소문들이 나돌았다. 슐라이허가 육군 총사령관 쿠르트 폰 하머슈타인Kurt von Hammerstein 장군과 공모해 포츠담 주둔 부대의 지원을 받아 대통령을 체포하고 군사 독재정을 수립할 목적으로 폭동을 준비하고 있다는 소문이 돌았다. 나치 폭동에 대한 풍문도 있었다. 베를린 돌격대가 경찰 내부 나치 동조자들의 지원을 받아 대통령궁과 대부분의 정부 청사들이 자리한 빌헬름슈트라세를 장악한다는 것이었다. 총파업을 벌인다는 소문도 들렸다. 1월 29일 일요일, 노동자 10만 명이 베를린 중심부 루스트가르텐에 모여 히틀러의 총리 취임에 반대하는 시위를 벌였다. 노동자 지도부 중 한 명은 하머슈타인 장군과 접촉해 만약에 히틀러가 새 정부의 수반이 되면 군과 노동계가 공동 행동을 취하자고 제안하려 했다.[1] 과거 1920년에 카프 폭동Kapp Putsch(우익 준군사조직이 바이마르 공화국을 전복하려 기도한 쿠데타. 주모자인 볼프강 카프Wolfgang Kapp에 빗대어 이렇게 부른다. 제1부 제2장 참조)이 일어났을 때 바이마르 정부가 수도에서 자리를 뜬 이후 노동계가 총파업에 돌입해 공화국을 구한 적이 있었다.

일요일에서 월요일로 넘어가는 밤, 히틀러는 총리 관저로 이어지는 거리 아래쪽 라이히스칸슬러플라츠에 면한 카이저호프Kaiserhof 호텔의 방에서 좀처럼 잠을 이루지 못한 채 밤새 서성였다.[2] 초조하긴 했지만 자신의 시간이 왔다는 확신도 들었다. 히틀러는 근 한 달 전부터 파펜을 비롯한 보수 우파의 지도부와 은밀히 협상해온 터였다. 타협은 불가피했다. 순수한 나치 정부를 구성할 수는 없었다. 그러나 각료 11명 중 8명이 나치당원이 아니지만 민주적인 바이마르 체제를 폐지하는 데는 동의하는 연립정부의 총리가 될 수는 있었다. 걸림돌은 고령의 완고한 대통령밖에 없어 보였다. 1차대전에서 독일군 원수를 지낸 백발의 대통령은 이 결정적인 주말을 불과 이틀 앞둔 1월 26일까지도 하머슈타인 장군에게 "저 오스트리아인 상병을 국방장관이나 총리에 임명할 의향이 없네"

라고 말했다.[3]

그러나 아들인 오스카어 폰 힌덴부르크Oskar von Hindenburg 대령, 대통령 비서실장 오토 폰 마이스너Otto von Meissner, 파펜 등 주위 인사들의 영향으로 대통령은 결국 고집을 꺾어야 했다. 86세인 그는 노쇠해가고 있었다. 1월 29일 일요일 오후, 히틀러가 괴벨스를 비롯한 보좌진과 다과를 즐기고 있을 때, 제국의회 의장이자 나치당 2인자인 헤르만 괴링이 황급히 들어서더니 이튿날 히틀러가 총리로 임명될 것이라고 단언하듯이 알렸다.[4]

1933년 1월 30일 월요일 정오 직전, 히틀러는 힌덴부르크와 면담하기 위해 총리 관저까지 차를 타고 갔다. 장차 히틀러 자신과 독일, 나아가 세계의 운명을 좌우할 순간이었다. 카이저호프 호텔의 창가에서 괴벨스와 룀을 비롯한 나치 지도부는 잠시 후면 총통이 모습을 드러낼 총리 관저의 문을 불안한 시선으로 지켜보고 있었다. "그의 얼굴을 보면 성공인지 아닌지 알 수 있었다"고 괴벨스는 일기에 적었다. 그때까지도 그들은 확신하지 못했다. "우리의 심장은 의구심과 희망, 환희, 낙담 사이에서 터질 듯이 쿵쾅거렸다." "그간 너무 자주 실망해온 터라 우리는 위대한 기적을 온전히 믿을 수 없었다."[5]

잠시 후 그들은 기적을 목격했다. 빈에서 빈털터리 부랑자로 청년기를 보낸 사내, 1차대전의 무명 병사, 뮌헨에서 전후의 암울한 시기를 보낸 낙오자, 퍽 우스꽝스러웠던 맥주홀 폭동의 지도자, 독일 사람이 아니라 오스트리아 사람인 웅변가, 찰리 채플린처럼 콧수염을 기른 43세의 이 남자가 독일 총리에 취임한다는 선서를 막 끝낸 터였다.

히틀러가 차를 타고 백여 미터 떨어진 카이저호프 호텔로 돌아오자 곧 오랜 동지 괴벨스, 괴링, 룀 이외에 권력을 잡기까지 파란만장했던 도정에서 고락을 함께해온 갈색셔츠단의 간부들이 한데 모였다. "총통은 아무 말이 없었고 우리 역시 아무 말도 하지 않았다." 괴벨스는 일기에 이렇게 적었다. "하지만 총통의 두 눈에는 눈물이 그렁그렁했다."[6]

기뻐서 어쩔 줄 모르는 나치 돌격대는 그날 해질녘부터 자정을 훌쩍 지나서까지 승리를 축하하는 대규모 횃불 행진을 벌였다. 수만 명에 이른 그들은 질서정연하게 대열을 갖춘 채 티어가르텐의 모퉁이에서 나타나 브란덴부르크 개선문 아래를 지나서 빌헬름슈트라세까지 행진했다. 악대가 우레같이 북을 두드리며 옛 군악을 요란하게 연주하는 가운데 돌격대는 새로운 당가黨歌인 〈호르스트 베셀의 노래Horst Wessel Song〉와 독일만큼이나 오래된 다른 노래들을 불러댔다. 무릎까지 오는 군화는 힘찬 리듬으로 포장도로를 쿵쿵 밟았고, 높이 치켜들어 기다란 띠를 이룬 횃불은 밤을 환히 밝히며 연도에 늘어선 구경꾼들의 환호성을 북돋웠다. 대통령궁의 창가에 서 있던 힌덴부르크는 행진하는 군중을 내려다보며 군대 행진곡의 장단에 맞추어 지팡이로 바닥을 두들겼다. 독일의 전통적인 방식으로 인민을 일으켜 세울 수 있는 총리를 마침내 발탁해 흡족한 듯 보였다. 이 쇠약한 노인이 그날 자신이 고삐를 풀어준 것이 무엇이었는지를 조금이라도 알아챘을지는 의문이다. 행진이 한창일 때 베를린에서 금세 퍼져나간, 아마도 사실이 아닌 듯한 일설에 따르면, 힌덴부르크가 어떤 노장군을 돌아보고서 "우리가 러시아인 포로들을 이렇게나 많이 잡아두고 있었는지 미처 몰랐군" 하고 말했다고 한다.

돌을 던지면 닿을 만큼 가까운 빌헬름슈트라세의 총리 관저에서 아돌프 히틀러는 창문을 활짝 열어둔 채 흥분과 기쁨에 어쩔 줄 몰라 하며 펄쩍펄쩍 뛰고, 연신 팔을 번쩍 들어올려 나치식 경례를 하고, 미소를 짓고 웃음을 터뜨리다가 이내 두 눈 가득 눈물을 머금었다.

어느 외국인은 그날 밤의 광경을 사뭇 다른 심정으로 지켜보았다. "불의 강이 대사관 앞을 흘러 지나갔다"고 프랑스 대사 앙드레 프랑수아-퐁세André François-Poncet는 썼다. "뭔가 불길한 예감으로 가득한 무거운 마음으로 나는 그 빛의 궤적을 주시했다."[7]

괴벨스는 피곤했지만 행복한 기분으로 새벽 3시에 집에 도착했다. 그리고 잠자리에 들기 전에 일기를 휘갈겨 썼다. "마치 꿈만 같다. … 동화 같다. … 새로운 제국이 탄생했다. 14년간의 노력이 승리로 보답받았다. 독일 혁명이 시작되었다!"[8]


1933년 1월 30일에 탄생한 제3제국은 히틀러의 호언장담에 따르면 천년을 이어갈 것이었으며[9] 나치 용어로 흔히 '천년제국'이라 불렸다. 제3제국은 12년하고도 4개월을 버텼지만, 그 짧은 기간에 일찍이 지구상에서 벌어진 그 어떤 분란보다도 폭력적이고 충격적인 분란을 일으켰고, 독일 국민을 그들이 천년 넘게 알지 못했던 권력의 정점에까지 끌어올려 서로는 대서양부터 동으로 볼가 강까지, 북으로는 노스케이프부터 남으로 지중해까지 펼쳐진 유럽의 지배자로 만든 다음, 전쟁 막바지에는 파괴와 황폐의 심연으로 추락시켰다. 제3제국은 냉혹하게 전쟁을 유발한 뒤 전시에 피정복 국민들을 상대로 공포정치를 펼치면서 역사상 그 어떤 야만적 압제와도 비교할 수 없을 정도로 인간의 생명과 정신을 계획적으로 도살했다.

제3제국을 세우고, 비범한 판단력으로 곧잘 기민하게 대응하며 무자비하게 통치하고, 아찔하게 높은 정점과 안타까운 결말로 이끈 남자는 비록 사악하기는 해도 의심할 바 없는 천재였다. 신비로운 섭리와 수 세기에 걸친 경험에 의해 주조된 독일 국민 안에서 그가 자신의 사악한 목적을 구현할 수 있는 자연적 도구를 발견했던 것은 사실이다. 그러나 악마적인 개성, 화강암처럼 단단한 의지, 기이한 본능, 냉정한 무자비함, 뛰어난 지능, 날아오르는 상상력, 그리고 (끝내 권력과 성공에 취해 무리수를 두기 전까지) 인간이나 상황을 판단하는 놀라운 능력을 겸비했던 아돌프 히틀러가 없었다면, 필시 제3제국은 존재하지 못했을 것이다.

저명한 독일 역사가 프리드리히 마이네케Freidrich Meinecke는 이렇게 말했다. "그것은 역사상 독특하고 헤아릴 수 없는 능력을 지닌 개성의 희유한 사례이다."[10]

독일인 일부에게는, 그리고 의심할 나위 없이 대개의 외국인에게는 베를린에서 어느 협잡꾼이 권력을 잡은 것처럼 보였다. 그렇지만 독일인 대다수에게 히틀러는 진정으로 카리스마적 아우라를 지닌—또는 조만간 지니게 될—지도자였다. 그들은 마치 히틀러가 신이 내린 판단력이라도 갖추고 있는 양 폭풍의 12년 동안 그를 덮어놓고 추종할 터였다.

## 아돌프 히틀러의 출현

───

히틀러의 태생과 초년 시절을 고려하면 비스마르크 재상, 호엔촐레른가의 역대 황제들, 힌덴부르크 대통령의 소임을 이어받을 인물이 이 농민 집안의 유별난 오스트리아인 사내일 것이라고는 도무지 상상하기 어려웠을 것이다. 아돌프 히틀러는 1889년 4월 20일 오후 6시 30분경 독일 바이에른과 국경을 접한 오스트리아 소도시 브라우나우 암 인Braunau am Inn의 수수한 집에서 태어났다.

오스트리아와 독일의 접경에 자리한 이 출생지를 히틀러는 젊어서부터 의미심장하게 받아들였다. 일개 청년에 지나지 않았던 히틀러는 독일어를 사용하는 두 국민 사이에 경계가 있어서는 안 되고 둘 모두 같은 국가에 속해야 한다는 생각에 집착했다. 그 생각을 얼마나 오랫동안 고수했던지, 훗날 35세 때 독일의 한 형무소 안에서 장차 제3제국의 청사진이 될 책을 구술하면서도 그 첫머리에서 자기 출생지의 상징적 의미를 짚었다. 《나의 투쟁Mein Kampf》은 이런 말로 시작한다.

> 이제 와 생각하니 운명이 나의 출생지로 브라우나우 암 인을 고른 것은 모종의 섭리로 보인다. 이 작은 도시는 독일어를 사용하는 두 나라의 경계에 자리하고 있어서 적어도 우리 청년 세대는 무슨 수를 쓰든 그 통합을 필생의 과업으로 여기고 있었기 때문이다. … 이 작은 접경 도시는 내게 막중한 사명의 상징으로 생각되었다.[11]

아돌프 히틀러는 오스트리아의 하급 세관원이 세 번째 결혼에서 얻은 셋째 아들이다. 아돌프의 아버지는 사생아였으며 39세가 되기까지 시클그루버Schicklgruber라는 모친 성을 사용했다. 히틀러라는 성은 부계에서도 모계에서도 찾아볼 수 있다. 히틀러의 외할머니와 친할아버지 둘 다 히틀러라는 성 혹은 Hiedler(히들러), Hütler(휘틀러), Hüttler(휘틀러), Hitler(히틀러) 등 다양한 철자의 성을 사용했다. 아돌프의 어머니와 아버지는 육촌 사이였으며, 그런 이유로 결혼에 즈음해서는 교회의 특별허가를 받아야 했다.

미래의 독일 총통의 선조들은 모계나 부계나 대대로 도나우 강과 보헤미아와 모라비아의 경계 사이에 자리한 니더외스터라이히 지역의 발트피어텔Waldviertel에서 살았다. 나는 빈에서 지내던 시절, 프라하나 독일로 향하던 길에 이따금 그곳을 지나갔다. 발트피어텔은 구릉이 많고 나무가 우거진 지대에 농가와 작은 농장이 산재한 시골이며 빈에서 불과 80여 킬로미터 떨어진 곳인데도 마치 오스트리아의 삶의 주류에서 벗어난 듯한 외지고 가난한 분위기가 있었다. 그곳 주민들은 북쪽의 체코 농민들처럼 대체로 무뚝뚝한 편이었다. 히틀러 부모의 사례처럼 근친혼이 흔하고 사생아 출산이 잦았다.

히틀러의 모계는 어느 정도 안정감이 있었다. 어머니 클라라 푈츨Klara Pölzl의 가문은 4세대 동안 슈피탈 마을의 제37번 농지를 보유하고 있었다.[12] 히틀러 부계의 이야기는 사뭇 다르다. 앞에서 언급했듯이 성의 철자가 달라지고 주거지도 바뀌었다. 히틀러 부계에는 방랑벽이 보이는데, 이 마을에서 저 마을로, 한 직업에서 다른 직업으로 옮기고, 사람 간의 끈끈한 유대를 피하고, 여성과의 관계에서도 일종의 보헤미안처럼 살아가려는 충동이 있었다.

아돌프의 친할아버지 요한 게오르크 히틀러Johann Georg Hiedler는 떠돌이 제분공으로, 니더외스터라이히의 마을들을 옮겨다니며 일했다. 1824년 첫 결혼을 하고 다섯 달 후에 아들이 태어났지만, 아이도 그 엄마도 살아남지 못했다. 18년 후 뒤렌탈에서 일하던 그는 슈트로네스 마을 출신인 47세의 농민 여성 마리아 아나 시클그루버Maria Anna Schicklgruber와 결혼했다. 결혼하기 5년 전인 1837년 6월 7일, 마리아는 사생아 아들을 낳고 알로이스Alois라는 이름을 지어주었는데, 이 알로이스가 아돌프 히틀러의 아버지가 된다. 비록 결정적 증거가 없긴 하지만, 알로이스의 아버지는 요한 히들러일 개연성이 가장 높다. 어쨌든 요한은 마리아 아나와 결혼하긴 했지만, 그런 경우의 통례와 달리 결혼 후에도 아들의 입적入籍 절차를 밟는 수고를 들이지 않았다. 그래서 아이는 알로이스 시클그루버로 자랐다.

마리아 아나는 1847년에 죽었고, 요한 히들러는 이후 30년간 자취를 감추었다가 84세가 되어서야 발트피어텔의 소도시 바이트라에 다시 나타났다. 성의 철자를 Hitler로 바꾼 그는 증인 세 명이 입회한 가운데 공증인 앞에서 자신이 알로이스 시클그루버의 아버지라고 인정했다. 이 노인이 그런 절차를 왜 그토록 오랫동안 미루었는가, 또는 왜 결국 그런 절차를 밟았는가 하는 점은 입수 가능한 기록에서 알아낼 수 없다. 콘라트 하이덴Konrad Heiden에 따르면, 훗날 알로이스는 한 친구에게 어린 시절 자신을 거두어 길러준 작은아버지의 유산 일부를 챙기기 위해 그런 절차를 밟은 것이라고 털어놓았다.[13] 어쨌거나 이 때늦은 인정은 1876년 6월 6일에 이루어졌고, 송부된 공증 문서를 받은 될러스하임의 교구사제는 11월 23일에 세례대장에서 알로이스 시클그루버를 지우고 그 자리에 알로이스 히틀러라고 적어넣었다.

그때부터 아돌프의 아버지는 법적으로 알로이스 히틀러로 알려졌고, 그의 아들도 그 성을 이어받았다. 1930년대에 교구 문서고를 뒤져 히틀러의 조상에 관한 사실을 파악한 빈의 진취적인 기자들은 의붓아들을 공정하게 대하려 했던 요한 게오르크 히들러의 뒤늦은 시도를 무시한 채 나치 지도자에게 아돌프 시클그루버라는 이름을 붙이려 했다.

아돌프 히틀러의 희한한 삶에는 운명의 장난이 자주 끼어들었지만 출생 13년 전에 일어난 이 일만큼 기묘한 장난도 없었다. 84세의 떠돌이 제분공이 뜻밖에 다시 나타나 어머니를 여읜 지 거의 30년이 지난 39세 아들의 아버지임을 인정하지 않았다면, 아돌프 히틀러는 아돌프 시클그루버로 태어났을 것이다. 이름이라는 것이 별로 또는 전혀 중요하지 않을지도 모르지만, 만약 히틀러가 시클그루버로 세상에 알려졌다면 과연 독일의 지배자가 될 수 있었을까 하고 의문을 던지는 독일 사람들도 있다. 남부 독일인의 억양으로 발음하면 시클그루버는 다소 익살스럽게 들린다. 열광한 군중이 우레와 같이 '하일 시클그루버!' 하고 외치면서 환호하는 광경을 상상할 수 있을까? '하일 히틀러!'는 거창한 나치 전당 대회의 신비주의적 의식에서 바그너풍의 이교적인 구호로 쓰였을 뿐 아니라 제3제국 시대에 독일인들이 의무적으로 따라야 하는 일상의 인사 말이 되었고, 심지어 전화 통화에서 기존의 '할로'를 대체하기까지 했다. '하일 시클그루버!' 하는 광경은 아무래도 상상하기 어렵다.*

알로이스의 부모는 결혼 후에도 함께 살지 않았기 때문에 훗날 아돌프 히틀러의 아버지가 될 이 사내는 작은아버지 밑에서 자랐다. 요한 게오르크 히들러의 동생임에도 성의 철자가 달랐던 작은아버지는 요한 폰 네포무크 휘틀러Johann von Nepomuk Hütler로 알려져 있다. 나치 총통이 청소년기부터 체코인에 대한 증오심을 키웠고 결국 이 민족을 철저히 파괴했음을 고려할 때, 작은아버지의 세례명은 잠시 언급할 가치가 있다. 네포무크는 체코 민족의 성인이었으며, 일부 역사가들은 히틀러 일가에 이 이름을 가진 사람이 있다는 것은 이 가문에 체코인의 피가 흐른다는 증거라고 보았다.

알로이스 시클그루버는 처음에 슈피탈 마을에서 제화 기술을 익혔지만 아버지와 마찬가지로 한 직업에 진득하게 종사하지 못하고 곧 출세를 위해 빈으로 떠났다. 18세 때 그는 잘츠부르크 인근 오스트리아 세관의

---

* 히틀러 자신도 이를 의식하고 있었던 듯하다. 히틀러는 청소년기의 유일한 친구 아우구스트 쿠비체크(August Kubizek)에게 아버지가 성을 바꾼 것만큼 기쁜 일도 없었다고 털어놓았다. 시클그루버라는 성을 히틀러는 "너무 어색하고 부르기 어려운 데다 너무 투박하고 촌스럽다고 여기는 듯했다. '히틀러'는 … 너무 점잖지만 '히틀러'는 울림도 좋고 기억하기도 쉽다고 했다". (August Kubizek, *The Young Hitler I Knew*, p. 40)

국경경비대에 들어갔고, 9년 후인 1864년에 정식 세관원으로 승진해 근무하다가 1873년 한 세관원의 양녀 아나 글라슬-회러Anna Glasl-Hörer와 결혼했다. 그녀는 약간의 지참금을 가져와 알로이스의 사회적 지위를 높여주었는데, 옛 오스트리아-헝가리 제국의 하급 관리들 사이에는 그런 관례가 있었다. 하지만 결혼생활은 행복하지 않았다. 아나는 알로이스보다 14살 연상으로 병약했으며 자식도 낳을 수 없었다. 7년 후 두 사람은 별거에 들어갔고, 3년 후인 1883년에 아나가 죽었다.

이제 법적으로 히틀러라는 성을 가진 알로이스는 아내와 별거하기 전부터 여인숙 요리사인 프란치스카 마첼스베르거Franziska Matzelsberger라는 여성과 이미 친밀한 사이였다. 그녀는 1882년에 사내아이를 낳고 이름을 알로이스라고 지었다. 아내 아나가 죽고 한 달 후 알로이스는 프란치스카와 결혼했고, 석 달 후 프란치스카는 딸 앙겔라Angela를 낳았다. 이 두 번째 결혼은 오래가지 않았다. 1년도 되지 않아 프란치스카가 결핵으로 사망했다. 그로부터 여섯 달 후, 알로이스 히틀러는 세 번째이자 마지막 결혼을 했다.

머지않아 아돌프 히틀러의 어머니가 될 새색시 클라라 푈츨은 이때 25세이고 남편은 48세였는데, 두 사람은 오래전부터 알고 지내던 사이였다. 클라라는 히틀러 일가가 대대로 살아온 슈피탈 마을 출신이었다. 클라라의 할아버지는 알로이스 시클그루버-히틀러를 양육한 요한 폰 네포무크였다. 따라서 알로이스와 클라라는 육촌지간이었으며, 그런 이유로 앞에서 언급했듯이 결혼에 즈음해서 교회에 특별허가를 신청해야 했다.

이 결합은 알로이스가 일찍이 첫 번째 결혼 기간에 클라라를 양녀로 들였을 때 처음 구상한 것이었다. 클라라는 브라우나우에서 수년간 시클그루버 가족과 함께 생활한 사이였으며, 첫 번째 아내가 병이 들자 알로이스는 아내가 사망하면 곧 클라라와 결혼할 생각이었던 듯하다. 알로이스가 아들로 인정받고 클라라의 할아버지이기도 한 작은아버지의 유산을 받은 시기에 마침 클라라가 법적으로 혼인할 수 있는 16세가 되었다. 그러나 이미 언급했듯이 첫 번째 아내는 별거 중에도 꽤 오래 살았고 그동안 알로이스가 요리사 프란치스카 마첼스베르거와 사귀었기 때문인지, 클라라는 20세 때 알로이스의 집을 떠나 빈으로 가서 가정부 일자리를 구했다.

클라라는 4년 후 육촌오빠의 가정을 돌보기 위해 돌아왔다. 프란치스카 역시 생애 마지막 몇 달 동안을 남편 집에서 나가 지냈다. 알로이스 히틀러와 클라라 푈츨은 1885년 1월 7일에 혼례를 올렸고, 4개월하고도 10일쯤 후에 첫 아이 구스타프Gustav가 태어났다. 구스타프와 1886년에 태어난 둘째 이다Ida 그리고 1887년에 태어난 오토Otto 모두 유아기를 넘기지 못하고 죽었다. 아돌프는 이 세 번째 결혼에서 얻은 넷째 아이였다. 1894년에 태어난 동생 에드문트Edmund는 겨우 6년밖에 살지 못했다. 여섯째이자 마지막 아이인 파울라Paula는 1896년에 태어났고, 유명한 오빠보다도 오래 살았다.

프란치스카 마첼스베르거가 낳은, 아돌프의 이복형 알로이스와 이복누나 앙겔라도 무사히 성장했다. 기품 있는 여성으로 자란 앙겔라는 라우발Raubal이라는 세무관과 결혼했다가 남편이 죽은 뒤 빈에서 가정부로 일했고, 하이덴의 정보가 정확하다면, 한동안 유대인 자선시설에서 요리사로 일하기도 했다.[14] 1928년, 히틀러는 이 이복누나를 베르히테스가덴에 가정부로 불러들였는데, 그 후로 나치 동료들 사이에서는 그녀가 히틀러를 위해 구운 빈풍 페이스트리와 디저트를 히틀러가 게걸스럽게 먹는다는 이야기가 돌았다. 앙겔라는 1936년에 히틀러를 떠나 드레스덴의 건축학 교수와 결혼했으며, 당시 총리이자 독재자였던 히틀러는 그녀가 떠난 데 대해 화가 나서 결혼선물도 보내지 않았다. 성년의 히틀러가 일가친척 중에서 가깝게 지낸 듯한 사람은 단 한 명을 빼면 앙겔라밖에 없었다. 앙겔라에게는 금발의 매력적인 딸 겔리 라우발Geli Raubal이 있었는데, 나중에 언급하겠지만 히틀러는 평생 그녀하고만 진실하고 깊은 애정 관계를 맺었다.

아돌프 히틀러는 자기 이복형의 소식이 화제에 오르는 것을 결코 좋아하지 않았다. 훗날 알로이스 히틀러로 인정받은 알로이스 마첼스베르거는 웨이터가 되었고, 법을 어겨 생애의 오랜 기간에 곤경을 겪었다. 하이덴의 기록에 따르면 알로이스는 18세 때 절도죄로 5개월 징역형을 선고받았고 20세 때 같은 죄명으로 다시 8개월 형을 살았다. 그는 결국 독일로 이주했지만 거기서도 말썽을 피웠다. 1924년, 아돌프 히틀러가 뮌헨에서 정치적 반란을 기도한 죄로 감옥에서 고생하는 동안, 알로이스 히틀러는 함부르크 법원에서 중혼죄로 6개월 징역형을 선고받았다. 하이덴의 서술에 따르면 그 후로 알로이스는 영국으로 이주해 금세 가정을 꾸렸으나 이내 가정을 버렸다.[15]

국가사회주의당이 권력을 잡자 알로이스 히틀러에게도 호시절이 찾아왔다. 그는 베를린 교외에 작은 맥줏집을 열었다가 전쟁 직전에 수도의 번화가에 자리한 비텐베르크플라츠로 옮겼다. 그곳은 나치 관료들의 단골집이었으며 식료품이 부족했던 전쟁 전반기에도 예상대로 식자재를 충분히 공급받았다. 그 시절 나는 이 맥줏집에 이따금 들르곤 했다. 당시 알로이스는 60세에 가까운 통통하고 수더분한 사내였는데, 자신의 유명한 이복동생과는 신체적으로 닮은 구석이 거의 없었다. 실제로 독일이나 오스트리아의 여느 작은 술집 주인들과 구별하기 어려웠다. 장사는 잘되었으며 과거야 어떠했든 그는 분명 유복한 생활을 누리고 있었다. 다만 걱정거리가 한 가지 있었으니, 바로 이복동생이 홧김에 영업허가를 취소할 가능성이었다. 때때로 그 작은 맥줏집에서는 제3제국의 총리이자 총통이 히틀러 가문의 변변찮은 내력을 떠올리게 하는 이곳을 달가워하지 않는다는 풍문이 나돌았다. 내가 기억하기로 알로이스 자신은 이복동생이 화제에 오른 대화에 절대로 끼는 법이 없었다. 현명한 예방책이긴 했지만, 그 무렵 이미 유럽 정복에 나선 남자의 배경에 관해서라면 무엇이든 알고자 했던 우리에게는 실망스러운 일이었다.

자전적 요소가 빈약한 데다 그릇된 정보가 적지 않고 내용상 누락된 대목이 많은 《나의 투쟁》은 제쳐두고라도, 히틀러는 자기 가문의 배경이나 자신의 초년에 대해서는 좀처럼 말하지 않았다. 또 그런 이야기가 자기 앞에서 거론되는 것도 허락하지 않았다. 그의 출신배경이 어땠는지는 이미 살펴보았다. 그렇다면 초년은 어땠을까?

## 아돌프 히틀러의 초년 시절

———

아버지가 58세로 세관원직에서 퇴직한 해에 6세의 아돌프는 린츠에서 남서쪽으로 가까운 피슐함 마을의 공립학교에 입학했다. 이때가 1895년이다. 그다음 네다섯 해 동안 한 곳에 눌러 살지 못하는 이 노령의 연금생활자는 린츠 주변의 이 마을 저 마을로 이사를 다녔다. 아돌프의 기억으로 15세 무렵까지 주소를 일곱 번, 학교를 다섯 번 바꾸었다. 2년간은 아버지가 사들인 농장에서 가까운 람바흐의 베네딕트회 수도원 학교에서 배웠다. 아돌프는 그곳 성가대에 들어가 노래 수업을 듣고,

본인의 말에 따르면 언젠가 성직자가 될 꿈을 꾸었다.[16] 은퇴한 세관원은 마침내 린츠 남쪽 외곽에 자리한 레온딩 마을을 여생의 정착지로 택하고 정원이 딸린 적당한 주택을 마련했다.

11세 때 아돌프는 린츠에 있는 상급학교로 진학했다. 이 일은 아버지에게 경제적 부담인 동시에 아들을 자신과 같은 공무원으로 이끌려는 포부가 있었다는 것을 뜻한다. 하지만 공무원은 아들이 결코 꿈꾸지 않은 직업이었다. 훗날 히틀러는 "당시 겨우 11세였던 나는 (아버지에게) 처음으로 대들 수밖에 없었다. … 나는 공무원이 되고 싶지 않았다"고 회상했다.[17]

아직 여러모로 미숙했을 소년이, 완고하고 (그의 말마따나) 군림하려 드는 아버지에 맞서 끊임없이 격렬하게 싸운 이야기는 히틀러가 《나의 투쟁》에서 아주 자세히, 분명 솔직하고 진실하게 적은 몇 안 되는 자전적 서술 중 하나다. 이 부자간 갈등을 계기로 훗날 극복할 수 없어 보이는 온갖 장애물과 악조건에도 불구하고 앞길을 가로막는 자들을 모조리 격파하며 독일과 유럽에 지워지지 않는 흔적을 남길 정도로 히틀러를 아주 멀리까지 데려간, 맹렬하고 굽힐 줄 모르는 의지가 처음으로 그 모습을 드러냈다.

나는 공무원이 되고 싶지 않았다. 싫고 또 싫었다. 자신의 인생 이야기로 나에게 공무원직에 대한 애정이나 만족감을 불어넣으려는 아버지의 모든 시도는 역효과를 가져왔다. 나는 … 자유를 빼앗긴 채 사무실에 앉아 있어야 한다고 생각하기만 해도 속이 메슥거렸다. 더 이상 내 시간의 주인이 되지 못하고 서류 양식이나 채우면서 평생을 보내야 한다니….

어느 날 나는 화가, 예술가가 되어야겠다는 생각이 분명하게 들었다. … 아버지는 놀라서 말문이 막혔다.

"화가? 예술가?"

아버지는 내가 제정신이 아니라고 생각했거나, 당신이 내 말을 잘못 알아듣거나 오해했다고 생각했던 모양이다. 하지만 문제가 분명해지고 특히 내 의사가 진지하다는 것을 알고 나자 아버지는 특유의 성격대로 기를 쓰고 반대했다. …

"예술가! 안 돼! 내가 살아 있는 한 절대로 안 돼!" … 아버지는 "절대로!"에서 절대로 물러서지 않았다. 그럴수록 나는 "아무리 그래도!"를 한사코 고집했다.[18]

훗날 히틀러가 말했듯이, 이 충돌로 인해 그는 학업을 중단했다. "내가 중등학교에서 얼마나 진전이 없는지를 아버지가 알고 나면 좋든 싫든 내 꿈에 전념하도록 놔둘 줄 알았다."[19]

34년 후에 쓴 이 글은 어느 정도는 학업 실패에 대한 변명일지도 모른다. 히틀러의 초등학교 시절 성적은 늘 좋았다. 그러나 린츠 중등학교 시절의 성적은 워낙 나빠서, 관례적으로 주는 수료증도 받지 못한 채 린츠에서 꽤 멀리 떨어진 슈타이어의 공립 중등학교로 전학을 가야만 했다. 그리고 그 학교에 잠시 다니긴 했지만 졸업 전에 그만두었다.

학업 실패로 한이 맺혔던지, 히틀러는 훗날 학위나 수료증이 있고 학자연하는 태도를 보이는 학계 '신사'들에게 조롱을 퍼부었다. 심지어 생애 마지막 서너 해 동안 육군 최고사령부에서 군사 전략과 전술, 지휘 등의 문제로 정신없이 바쁠 때에도 저녁 무렵이면 이따금 청소년기에 만난 교사들이 얼마나 멍청했는지, 그 시절 이야기를 나치당의 오랜 동지들에게 들려주곤 했다. 당시 볼가 강부터 영불 해협까지 배치된 어마어마한 병력을 통수권자로서 친히 지휘하던 이 미친 천재의 두서없는 이야기 중 일부가 지금까지 전해지고 있다.

나의 교사였던 사람들을 떠올려보면 대개는 조금씩 머리가 돌아 있었어. 훌륭한 교사라고 할 만한 이들이 드물었지. 생각해보면 그런 사람들에게 한 젊은이의 앞길을 막을 힘이 있었다는 깃은 비극이야. — 1942년 3월 3일[20]

나를 가르친 교사들에 대해서는 이런저런 불쾌한 기억이 있어. 외모에서 불결함이 묻어났고 옷깃이 단정하지 않았지. … 프롤레타리아트의 산물인 그들에게는 사고의 독립성이라곤 아예 없었고, 비길 데 없이 무식했고, 감사하게도 이제는 지나가버린 무기력한 통치체제의 기둥이 되기에 감탄스러울 정도로 안성맞춤이었다네. — 1942년 4월 12일[21]

학창 시절 교사들을 떠올려보면 절반은 정상이 아니었어. … 우리 옛 오스트리아 학생들은 노인이나 여성을 존중하라고 배웠지. 하지만 선생들에 대해서는 아무런 정감도 없었다네. 그들은 우리의 천적이었지. 대개는 정신이 약간 이상했고, 상당수는 말년에 진짜로 미쳐버렸어! … 나는 교사들에게 특히 평판이 나빴다네. 외국어에는 조금도 소질이 없었지. 외국어 교사가 타고난 백치가 아니었다면, 조금은 소질을 보였을지도 모르는데 말이야. 그 선생이라면 꼴도 보기 싫었어. — 1942년 8월 29일[22]

교사들은 실로 폭군이었다네. 청년들에게 전혀 공감하지 않았지. 유일한 목표라고는 우리 뇌의 속을 채워서 자기네와 같은 박식한 유인원으로 만드는 것이었어. 어떤 학생이 행여 독창성의 기미를 조금이라도 보일라치면 줄기차게 면박을 주었는데, 당시 내가 알던 모범생들은 모두 훗날 실패자가 되었다네. ― 1942년 9월 7일[23]

분명 히틀러는 죽는 날까지도 일찍이 자신에게 나쁜 성적을 준 교사들을 결코 용서하지 않았을 것이다. 잊을 수도 없었을 것이다. 하지만 그 교사들의 이미지를 기괴하리만치 왜곡하여 떠올릴 수는 있었다.

히틀러가 교사들에게 남긴 인상은 그가 세계적인 인물이 된 후에 정리된 간략한 기록으로 남아 있다. 히틀러가 호감을 가진 듯한 몇 안 되는 교사들 중 한 사람은 그에게 과학을 가르치려 애썼던 테오도어 기싱거Theodor Gissinger였다. 훗날 기싱거는 이렇게 회상했다. "내가 아는 한, 히틀러는 린츠에서 좋은 인상도 나쁜 인상도 남기지 않았다. 학급의 우등생은 결코 아니었다. 체구는 호리호리하고 꼿꼿했고, 몹시 야윈 얼굴은 마치 폐병 환자처럼 창백했고, 눈을 특이하게 뜨고서 응시했고, 눈빛이 초롱초롱했다."[24]

앞에서 히틀러가 언급한 '타고난 백치' ―프랑스어를 가르친 교사― 인 듯한 에두아르트 휘머Eduard Huemer는 1923년에 뮌헨으로 가서 당시 맥주홀 폭동의 결과로 반역죄 재판을 받고 있던 과거의 학생에게 유리한 증언을 했다. 그는 히틀러의 목적을 칭찬하고 히틀러가 이상을 실현하기를 진심으로 바란다고 하면서도 이 제자의 중등학교 시절을 다음과 같이 짤막하게 언급했다.

히틀러는 특정 과목들에서는 확실히 재능이 있었지만 자제력이 부족했고, 적어도 따지기 좋아하고, 고압적이고, 아집이 세고, 심술궂고, 학교 규율에 따르지 않는 학생으로 여겨졌습니다. 또한 근면하지도 않았습니다. 근면했

더라면 그 정도 재능이면 훨씬 나은 성적을 거두었을 것입니다.[25]

린츠 중등학교에는 청소년기 히틀러에게 지대한, 그리고 나중에 드러났듯이 결정적인 영향을 준 교사가 있었다. 바로 역사 교사 레오폴트 푀치Leopold Poetsch 박사다. 독일어를 사용하고 남슬라브족과의 접촉이 잦은 지역 출신인 푀치는 일찍이 그곳에서 끊이지 않았던 민족분쟁을 경험하면서 광적인 독일 민족주의자가 된 사람이었다. 린츠로 오기 전에는 마르부르크에서 가르쳤는데, 그곳은 1차대전 후 유고슬라비아 영토가 되어 마리보르라고 불렸다.

푀치 박사는 학생 히틀러에게 역사 성적을 '보통'만 주었는데도 히틀러의 《나의 투쟁》에서 호의적으로 언급된 유일한 교사다. 히틀러는 이 사람에게 진 빚을 선뜻 인정했다.

소수만이 이해하는, 본질적인 것은 기억하고 비본질적인 것은 잊는다는 이 원칙을 이해하는 역사 교사를 만난 행운은 그 후의 내 생애에 결정적으로 작용했을 것이다. … 나의 스승, 린츠 중등학교의 레오폴트 푀치 박사는 진정 이상적인 방식으로 그것을 이해하고 있었다. 친절한 동시에 단호한 이 노신사는 현란한 달변으로 우리의 관심을 붙잡아두는 것은 물론이고 넋을 잃게 할 수도 있었다. 아직도 나는 이 반백의 노인이 불을 뿜는 듯한 열변으로 이따금 현재를 잊게 하고, 마치 마법처럼 천년의 시간에 걸친 안개를 걷어내며 우리를 과거로 데려가고, 무미건조한 역사적 사실을 생생한 현실로 바꿔놓던 순간을 회상하노라면 진한 감동에 젖곤 한다. 앉아서 수업을 듣던 우리는 자주 열정으로 타올랐고 때때로 감격해 눈물을 흘리기까지 했다. … 그는 막 싹트기 시작한 우리의 민족적 열정을 교육의 수단으로 활용하고,

우리의 민족적 자긍심에 자주 호소했다.

이 교사의 영향으로 나는 역사 과목을 제일 좋아하게 되었다.

그리고 사실 그가 의도한 바는 아니지만, 분명 그때 나는 젊은 혁명가가 되었다.[26]


35년쯤 후인 1938년, 오스트리아를 제3제국에 강제로 병합시킨 뒤 이곳을 의기양양하게 순회하던 히틀러 총리는 잠시 클라겐푸르트에 들러 은퇴 생활 중인 옛 스승과 만났다. 그리고 이 노신사가 오스트리아가 독립을 유지하던 동안 불법이었던 나치 친위대의 지하조직원이었다는 사실을 알고 크게 기뻐했다. 히틀러는 옛 스승과 단 둘이서 한 시간 남짓 이야기를 나누고서 나중에 당 동료들에게 이렇게 말했다. "내가 그 노인에게 얼마나 많은 빚을 졌는지 그대들은 상상도 못 할 거야."[27]

알로이스 히틀러는 1903년 1월 3일, 65세를 일기로 폐출혈로 사망했다. 아침 산책을 하다가 쓰러져 몇 분 뒤 근처 여인숙에서 한 이웃의 품에 안겨 죽었다. 13세의 아들은 아버지의 시신을 보고 주저앉아 울었다.[28]

당시 42세였던 어머니는 린츠 교외 우르파어의 수수한 아파트로 이사했고, 그곳에서 아직 남은 변변찮은 저금과 연금으로 두 자녀 아돌프, 파울라와 함께 생계를 꾸리려 애썼다. 히틀러가 《나의 투쟁》에서 말하듯이 그녀는 남편의 생전 바람대로 아들을 계속 교육시킬 의무, "달리 말하면 공무원이 되도록 공부시킬" 의무가 자신에게 있다고 생각했다. 젊은 과부는 아들에게 너그러웠으며, 아들은 어머니를 끔찍이 사랑한 듯하면서도 "이 직업을 갖지 않겠다고 그 어느 때보다도 굳게 결심했다". 그래서 이들 모자간에는 다정한 사랑이 있음에도 마찰이 생겼고, 아돌프는 공부를 계속 등한시했다.

"그때 갑자기 병에 걸린 덕에 몇 주 후에는 나의 장래가 결정되어 어머니와의 끈질긴 불화도 끝나게 되었다."[29]

16세 무렵에 걸린 폐병 때문에 히틀러는 적어도 1년간은 휴학해야 했다. 그는 가문의 고향 마을인 슈피탈로 가서 어머니의 여동생으로 농사를 짓는 테레자 슈미트Theresa Schmidt의 집에서 한동안 요양했다. 건강을 회복한 후에는 단기간 슈타이어의 공립 중등학교에 복학했다. 1905년 9월 16일자의 마지막 성적표를 보면 독일어, 화학, 물리, 기하, 기하화법幾何畫法에서 '합격'을 받았다. 지리와 역사는 '보통', 자유화自由畫는 '탁월'이었다. 그는 이제 학교와는 영영 이별이라는 생각에 흥분한 나머지 생애 처음이자 마지막으로 술에 취했다. 훗날 상기하기를 그는 새벽녘에 슈타이어 외곽 시골길에 누워 있다가 우유 짜는 여자에게 발견되어 그녀의 부축을 받아 귀가했는데, 그런 짓은 두 번 다시 하지 않겠노라고 그때 맹세했다.* 적어도 이 일에 관한 한 히틀러는 맹세를 지켰다. 종생토록 금주, 금연에 채식주의까지 고수했는데, 초반에는 빈과 뮌헨에서 무일푼 부랑자로 떠돌다보니 그럴 수밖에 없었고, 나중에는 신념에 따라 실천했다.

그다음 두세 해는 인생을 통틀어 가장 행복한 시절이었다고 히틀러는 종종 적었다.** 취직해서 일을 익히는 편이 어떻겠느냐고 어머니가 권했

---

* 히틀러는 이 이야기를 1942년 1월 8일 밤부터 이튿날 새벽에 걸쳐 최고사령부에서 과거를 추억하며 들려주었다. (*Hitler's Secret Conversations*, p. 160)

** "이때가 내 삶에서 가장 행복했던 시절, 마치 꿈만 같던 시절이었다." (*Mein Kampf*, p. 18) 총리가 되고 반년 후에 어릴 적 친구 아우구스트 쿠비체크에게 보낸 편지에 히틀러는 이렇게 썼다. "내 생애 최고의 시절에 대한 기억을 그대와 함께 다시금 떠올릴 생각을 하니 … 무척 즐겁네." (Kubizek, *The Young Hitler I Knew*, p. 273)

는데도, 그리고 친척들이 그렇게나 채근했는데도 히틀러는 예술가가 되겠다는 꿈에 사로잡힌 채 도나우 강변을 거닐며 즐겁게 지냈다. 16세부터 19세 때까지 "어머니의 귀염둥이"로서 "안락한 생활의 공허함"을 만끽하던 이 시절을 그는 결코 잊을 수 없었다.³⁰ 병든 과부가 변변찮은 수입으로 생계를 꾸려가기는 쉽지 않았음에도 청년 아돌프에게는 취직해서 집안 살림을 거들려는 마음이 전혀 없었다. 그는 어엿한 직장에 다니며 자신의 생활비만이라도 책임진다는 생각마저 혐오했고, 그런 태도는 남은 생애 내내 변함이 없었다.

성년을 앞둔 몇 해 동안 히틀러를 그토록 행복하게 해준 것은 일을 하지 않아도 된다는 자유였다. 그런 자유 덕에 생각에 골똘히 잠기고, 몽상에 빠지고, 친구와 함께 시가지나 시골길을 배회하면서 세상의 무엇이 잘못되었고 그것을 어떻게 바로잡을지에 대해 열변을 토했고, 저녁이면 웅크린 자세로 책을 뒤적이고 이따금 린츠나 빈의 오페라하우스를 찾아 뒤쪽 입석에서 리하르트 바그너의 신비주의적이고 이교적인 작품을 넋놓고 감상할 수 있었다.

청소년기의 친구는 훗날 히틀러를 얼굴이 창백하고 병약하고 삐삐 말랐던 사내, 보통은 수줍어하고 과묵하면서도 자신과 의견이 다른 사람에게는 갑자기 신경질적으로 화를 내는 사내였다고 기억했다. 히틀러는 4년간 슈테파니Stefanie라는 이름의 어여쁜 금발 소녀를 깊이 짝사랑하면서 그녀가 종종 어머니와 함께 린츠의 란트슈트라세를 산책하는 모습을 흠모하는 눈길로 바라보긴 했어도 직접 말을 나눠보려 하지는 않았고, 이런저런 애정의 대상들과 마찬가지로 그녀를 자신의 허무맹랑한 공상 세계에 가둬두기를 좋아했다. 히틀러는 그녀에게 바치려고 지었지만 한 번도 보낸 적 없는 무수히 많은 연애시(그중 하나의 제목은 '연인에게 바치는

찬가였다)를 진득한 친구 아우구스트 쿠비체크*에게 억지로 들려주었는데, 그녀는 매끈하고 검푸른 벨벳 가운 차림에 백마를 타고 꽃이 만발한 초원을 달리는, 〈발퀴레Die Walküre〉〔바그너의 악극 〈니벨룽의 반지〉 중 제2부〕에 나오는 젊은 여성으로 그려졌다.[31]

히틀러는 예술가, 가급적 화가, 적어도 건축가가 되기로 결심하긴 했지만 16세에 이미 정치에 사로잡혔다. 그 무렵에는 합스부르크 군주정, 다민족의 오스트리아-헝가리 제국이 통치하는 모든 비독일 인종을 극도로 증오하는 한편, 독일적인 것이라면 무엇이든 지독히 사랑했다. 이미 16세에 광적인 독일 민족주의자가 된 그는 최후의 숨을 거두는 순간까지 이 정체성을 유지했다.

줄곧 빈둥거리면서도 그에게는 청소년기 특유의 태평한 마음은 거의 없었던 듯하다. 세상의 문제들이 그를 짓눌렀다. 훗날 쿠비체크는 이렇게 술회했다. "그는 어디서나 장애물과 적의만을 보았다. … 언제나 세상의 무언가와 대립하고 다투었다. … 무엇이든 가볍게 받아들이는 모습을 나는 본 적이 없다."[32]

학교에 적응하지 못한 히틀러는 바로 이 시기에 열렬한 독서광이 되어 린츠의 성인교육 도서관과 박물관협회 회원으로 가입해 책을 잔뜩 빌렸다. 쿠비체크가 기억하기로 당시 히틀러는 항상 책에 둘러싸여 지냈고

---

* 청소년기 히틀러의 유일한 친구였을 것으로 여겨지는 쿠비체크는 저서 《내가 아는 청소년기의 히틀러》에서 히틀러가 19세에 빈에서 부랑자 생활을 시작하기 전 4년 동안 어떻게 살았는지를 흥미롭게 묘사한다. 이 묘사는 독일 총통의 전기에서 빈 부분을 메워줄 뿐 아니라 이제껏 널리 믿어지던 그의 청소년기 인상을 얼마간 바로잡기까지 한다. 쿠비체크는 히틀러와는 상상할 수 없을 만큼 다른 사람이었다. 린츠의 행복한 가정에서 자랐고, 가구업자였던 아버지 곁에서 일을 열심히 익히고 거들면서도 한편으로는 음악을 공부해 빈 음악원을 우등으로 졸업하고 촉망받는 지휘자 겸 작곡가의 길로 들어섰지만 1차대전 때문에 앞길이 틀어지고 말았다.

특히 독일의 역사와 신화에 관한 책을 제일 좋아했다.[33]

린츠는 지방 소도시였으므로 제국의 번들거리는 바로크풍 수도 빈이 히틀러처럼 야심차고 상상력 풍부한 청년의 마음을 사로잡기까지는 시간이 별로 걸리지 않았다. 1906년, 17세 생일 직후에 히틀러는 어머니와 친척들이 마련해준 돈을 가지고 이 대도시로 가서 두 달을 지냈다. 나중에 빈에 갔을 때는 이따금 문자 그대로 빈민굴에서 비참하게 생활하긴 했지만, 이번 첫 방문에서는 빈에 매료되었다. 여러 날 거리를 쏘다니며 링슈트라세를 따라 늘어선 웅장한 건물들에 감격하고 미술관과 오페라 하우스, 극장에서도 연신 황홀경에 빠졌다.

빈 미술아카데미에 들어가려고 입학 절차에 관해 알아보기도 했고, 1년 후인 1907년 10월에는 다시 빈으로 가서 화가의 꿈을 이루기 위한 실질적인 첫걸음으로 미술아카데미 입학시험을 치렀다. 그러나 18세에 큰 희망을 품었던 그에게 미술아카데미는 찬물을 끼얹었다. 미술아카데미의 전형 기록에 그 이유가 적혀 있었다.

다음 사람은 시험 성적이 부족해 입학을 불허한다. … 아돌프 히틀러, 1889년 4월 20일 브라우나우 암 인 출생, 독일인, 가톨릭. 부친 공무원. 중등학교 4등급. 우수 과목 극소. 실기 미흡.[34]

히틀러는 이듬해에도 입학을 시도했지만 실기 성적이 얼마나 형편없었던지 이번에는 응시조차 허락되지 않았다. 훗날 말했듯이, 야심찬 이 청년에게 그 일은 마른하늘에 날벼락이었다. 성공을 확신하고 있었기 때문이다. 《나의 투쟁》에 따르면 히틀러는 미술아카데미 학장에게 설명을 요구했다.

그 신사가 말하기를, 내가 제출한 그림들은 회화에 소질이 없음을 이론의 여지 없이 보여주며, 오히려 건축 분야에 재능이 있어 보인다고 했다. 미술 아카데미는 부적합하고, 내가 갈 곳은 건축학교라고 했다.[35]

청년 아돌프는 학장의 의견에 동의하는 쪽으로 기울었지만, 애석하게 도 중등학교를 졸업하지 못한 탓에 건축학교에 입학하지 못할 수도 있음을 곧 깨달았다.

그사이에 어머니가 유방암으로 위독해져서 히틀러는 린츠로 돌아왔다. 아돌프가 퇴학한 이래로 클라라 히틀러와 친척들이 3년간 그를 지원했지만 성과는 전혀 없었다. 1908년 12월 21일, 린츠가 크리스마스 축제 의상을 걸치기 시작한 때에 아돌프 히틀러의 어머니는 숨을 거두었고, 이틀 후 레온딩의 남편 옆자리에 묻혔다. 19세 청년에게

그 일은 무시무시한 타격이었다. … 나는 아버지는 존경했지만 어머니는 사랑했다. … [어머니의] 죽음으로 나의 원대한 계획은 갑자기 무산되고 말았다. … 가난과 냉엄한 현실이 내게 결단을 하도록 다그쳤다. … 나는 어떻게든 스스로 생계를 꾸려가야 하는 문제에 직면했다.[36]

어떻게든! 히틀러는 직업이 없었다. 언제나 육체노동을 업신여겼다. 한푼이라도 벌어보려고 시도한 적조차 없었다. 그러나 굴하지 않았다. 친척들에게 작별을 고하면서, 성공하기 전에는 절대로 돌아오지 않겠다고 선언했다.

옷가지와 속옷을 챙긴 가방을 들고 가슴에는 불굴의 의지를 간직한 채 나

는 빈을 향해 출발했다. 아버지가 50년 전에 틀어쥐었던 것을 나 역시 운명으로부터 얻어내기를 바랐다. 나 역시 '무언가'가 되기를 바랐다. 하지만 공무원이 될 생각은 결코 없었다.[37]

## "내 삶에서 가장 비참했던 시기"

——

1909년부터 1913년까지의 4년은 린츠에서 온 의기양양한 청년에게 더없이 비참하고 궁핍한 시기였다. 합스부르크 왕가가 몰락하고 유럽의 심장부로 인구 5200만의 제국이 최후를 맞기 전의 이 덧없는 몇 년 동안, 빈은 세계의 어느 수도에서도 볼 수 없는 유쾌함과 매력을 뽐내고 있었다. 빈은 건축과 조각, 음악뿐 아니라 태평하고 쾌락을 좋아하고 교양 있는 시민들의 기풍에서도 서구의 다른 도시에서는 느낄 수 없는 바로크적이고 로코코적인 분위기를 물씬 풍겼다.

황록색 포도밭이 점점이 박힌 비너발트의 수목 우거진 구릉지대 아래로 푸른 도나우 강을 따라 펼쳐진 빈은 천연의 아름다움을 지닌 곳으로서 방문객들을 매료시키는 한편 주민들에게 지난날 신께서 특별한 친절을 베푸셨다는 믿음을 심어주는 도시였다. 유럽에서 가장 뛰어난 음악가들로 손꼽히는 하이든, 모차르트, 베토벤, 슈베르트의 음악이, 그리고 환난을 앞둔 마지막 평온기에 빈이 사랑한 요한 슈트라우스의 흥겹고 귓가에 맴도는 왈츠가 이 도시의 공기를 가득 채웠다. 그토록 축복을 받고 바로크식 생활양식에 깊이 물든 사람들에게는 삶 자체가 일종의 꿈이었으며, 도시의 선남선녀들은 왈츠를 추고 와인을 마시면서, 취향에 맞는 커피하우스에서 수다를 떨면서, 음악을 듣고 연극이나 오페라, 오페레타의 공상을 맛보면서, 추파를 던지고 사랑을 나누면서, 삶의 대부분을 쾌락과 꿈에 바치면서 낮이고 밤이고 즐겁게 지냈다.

분명 제국을 통치해야 했고, 육해군에 병력을 배치해야 했고, 통신을 유지해야 했고, 상거래와 노동을 해야 했다. 그러나 빈에서는 그런 일을 하느라 초과근무를 하는 사람이 거의 없었다. 심지어 근무시간을 다 채우는 사람도 별로 없었다.

물론 어두운 면도 있었다. 다른 도시들처럼 이 도시에도 빈민들이 있었다. 못 먹고 못 입고 가축우리 같은 집에서 사는 사람들이 있었다. 그러나 제국의 수도이자 중부유럽 최대의 산업 중심지로서 빈은 번영을 누렸으며, 이 번영은 주민들 사이에서 옆으로도 아래로도 퍼져나갔다. 정치적으로는 머릿수가 많은 중간계급 하층이 도시를 지배하고 있었으며, 노동계는 노동조합뿐 아니라 강력한 정당인 사회민주당까지 거느리고 있었다. 당시 인구가 200만까지 늘어난 빈에서 주민들의 삶은 활기로 들끓고 있었다. 민주주의가 합스부르크 가의 케케묵은 전제정을 몰아내고 있었고, 교육과 문화가 대중에게도 개방되고 있던 터라 히틀러가 빈에 도착한 1909년 무렵이면 무일푼 청년에게도 고등교육을 받거나 제법 괜찮은 수입을 올릴 기회, 그리고 100만에 달하는 임금노동자의 일원으로서 이 수도가 주민들에게 거는 문명화의 마법 아래서 살아갈 기회가 있었다. 히틀러의 유일한 친구이자 역시 가난하고 무명인 쿠비체크가 이미 빈 음악원에서 이름을 떨치고 있지 않았던가!

그러나 청년 아돌프는 건축학교에 입학하려던 꿈을 추구하지 않았다. 중등학교 졸업장이 없어도 입학할 기회가 있었지만—그런 증서가 없더라도 '특별한 재능'을 보이는 청년에게는 입학이 허용되었다—이제까지 알려진 바로는 지원 절차를 밟은 적이 없다. 다른 업종에서 일을 배우거나 정식 직장을 구하는 데 관심을 보이지도 않았다. 오히려 눈 치우기,

카펫 털기, 서부 철도역 바깥에서 짐 나르기, 이따금 며칠간 건설노동자로 일하기 등 이런저런 일거리를 틈틈이 설렁설렁 하는 편을 선호했다. 1909년 11월, "운명의 기선을 제압하기 위해" 빈에 도착한 지 1년이 채 못 되어 그는 지몬덴크 골목의 가구 딸린 방에서 나와야 했고, 이후 4년 간은 싸구려 여인숙에서 지내거나 도나우 강 근처 빈 제20구의 멜데만 슈트라세 27번지에 있는, 싸구려 여인숙 못지않게 누추한 남성 노숙자 쉼터에서 지내며 시에서 운영하는 무료급식소에 자주 찾아가 겨우 허기를 달래곤 했다.

근 20년이 지나 히틀러가 다음과 같이 쓴 것도 놀랄 일이 아니다.

수많은 이들이 순수한 쾌락의 공간이자 흥청거리는 축제의 장으로 꼽는 도시 빈이 내게는 유감스럽게도 내 삶에서 가장 비참했던 시기를 보낸 기억으로만 남아 있다.

지금도 이 도시를 생각하면 울적할 뿐이다. 내게 이 파이아케스인[오디세우스가 트로이 전쟁 후 표착했다는 섬의 주민]의 도시는 5년에 걸친 고난과 비참함을 뜻한다. 그 5년 동안 처음에는 날품팔이로, 그다음에는 변변찮은 화가로 생계를 꾸려야만 했다. 허기마저 충분히 달랜 적이 없을 정도로 하루하루가 몹시 궁핍한 시절이었다.[38]

이 시기를 말할 때면 언제나 굶주림을 들먹였다.

당시에 굶주림은 나의 충직한 경호원인 양 한시도 내 곁을 떠나지 않고 무엇을 하든 나와 함께했다. … 이 인정사정없는 친구와의 부단한 투쟁, 그것이 내 생활이었다.[39]

그렇지만 이런 굶주림에도 불구하고 히틀러는 끝끝내 어엿한 직장을 구하려고 애쓰지 않았다. 《나의 투쟁》에서 밝혔듯이, 그는 행여 프롤레타리아트 신분으로, 육체노동자 신분으로 미끄러져 내려갈까 봐 전전긍긍하는 프티부르주아지의 두려움을 가지고 있었다ー훗날 그는 그때까지 지도자 없이 낮은 급료를 받으며 무시당하던 광범한 화이트칼라층을 토대로 삼아 국가사회주의당을 조직해서 이 두려움을 활용했다. 이 두려움은 또한 수백만에 달하는 이 화이트칼라층 사이에서 적어도 사회적으로는 자신들이 '노동자'보다 낫다는 환상을 조장했다.

히틀러는 생활비의 일부나마 '변변찮은 화가'의 솜씨로 벌었다고 말하면서도 자서전에서 화가 일에 대해서는 자세히 서술하지 않는다. 다만 1909~1910년에는 더 이상 평범한 노동자처럼 일하지 않아도 될 만큼 형편이 나아졌다고 언급할 뿐이다.

"이 무렵에 나는 어설픈 제도공 겸 수채화가로서 독립해 있었다."[40]

이 대목은 《나의 투쟁》의 자전적 서술 태반이 그렇듯이 실상을 다소 호도하는 것이다. 비록 신빙성 면에서 그리 나을 것이 없어 보이긴 하지만 이 무렵 히틀러를 알던 사람들의 증언이 그간 제법 모아졌으므로 그것들을 종합하면 아마 더 정확하고 분명 더 완전한 실상을 파악할 수 있을 것이다.*

정적들이 히틀러가 한때 주택 도장공이었다고 조롱하긴 했지만 그랬

---

* 빈 시절의 히틀러와 알고 지냈던 요제프 그라이너(Josef Greiner)의 *Das Ende des Hitler-Mythos*와 루돌프 올덴(Rudolf Olden)의 *Hitler, the Pawn* 참조. 이 책에는 주데텐란트 출신 부랑자로 남성 노숙자 쉼터에서 한동안 히틀러와 같은 방을 쓰면서 그의 그림 일부를 대신 팔아준 라인홀트 하니슈(Reinhold Hanisch)의 진술이 담겨 있다. 콘라트 하이덴도 *Der Führer*에서 하니슈의 자료를 인용하는데, 거기에는 히틀러가 이 부랑자를 고소한 소송 사건의 기록이 들어 있다. 하니슈가 그림을 대신 팔아준다면서 그림 값을 몰래 가로챘다는 것이 고소의 이유였다.

을 리 없다는 것은 꽤 확실하다. 적어도 히틀러가 그런 직업에 종사했다는 증거는 없다. 그가 한 일은 빈의 풍경을, 대개는 성 슈테판 대성당이나 오페라하우스, 부르크 극장, 쇤브룬 궁, 쇤브룬 공원의 로마 시대 유적 같은 잘 알려진 명소를 서투른 솜씨로 화폭에 담는 것이었다. 당시 지인들에 따르면 그는 기존 그림들을 베꼈다. 실물을 보고 그릴 실력은 없었던 모양이다. 그의 그림들은 풋내기 건축가가 멋대로 거칠게 스케치한 것과 비슷했고, 이따금 그려넣은 인물들도 만화를 연상시킬 정도로 조잡해 보였다. 나는 히틀러의 스케치 포트폴리오 원본을 직접 살펴본 적이 있는데, 그때 적어둔 메모가 남아 있다. "인물 소수. 조잡. 하나는 거의 악귀 같은 얼굴." 하이덴은 "그 인물들은 장엄한 궁전 바깥에 마치 속을 채운 작은 자루처럼 서 있다"고 그 느낌을 적었다.[41]

히틀러의 이런 한심한 그림 수백 점은 벽장식용으로서 소상인에게, 비어 있는 액자에 넣어 가게에 진열하려는 판매업자에게, 혹은 당시 빈의 유행을 좇아 값싼 소파나 의자의 뒤쪽 벽에 압정으로 붙여두도록 상술을 부린 가구점에 팔렸을 것이다. 그는 더 상업적인 그림을 그리기도 했다. 예컨대 테디 땀띠약 같은 제품을 선전하는 가게 주인을 위해 포스터를 자주 그렸는데, 아마도 크리스마스 시즌에 푼돈이나마 벌려고 그린 듯한, 밝은 색깔의 양초를 파는 산타클로스를 그린 것도 있고, 산처럼 쌓인 비누 더미 위로 솟아오른, 히틀러가 지칠 줄 모르고 베낀 성 슈테판 대성당의 고딕식 첨탑을 그린 것도 있었다.

히틀러의 '예술적' 성취는 이 정도였다. 그럼에도 그는 죽는 날까지 '예술가'를 자처했다.

빈에서 이렇게 부랑자로 지내던 시절에 히틀러는 분명 보헤미안 같아 보였다. 당시 그를 알던 사람들의 기억에 따르면, 그는 카프탄과 비슷하게 발목까지 늘어지는 낡아 빠진 검정 외투를 걸치고 있었는데, 남성 노숙자 쉼터에서 함께 지내며 친구가 된 헝가리계 유대인 헌옷장수가 준 것이었다. 또한 기름기로 번들거리는 검정 중산모자를 일년 내내 썼고, 윤기 없는 머리를 훗날과 마찬가지로 이마가 보이도록 빗어 넘겼으며, 뒤쪽으로는 꼬질꼬질한 옷깃 위까지 헝클어진 머리를 늘어뜨렸다. 이발이나 면도는 좀처럼 한 적이 없었던 듯하며, 턱은 대개 짧고 검은 수염으로 덮여 있었다. 나중에 일종의 예술가가 된 하니슈의 말을 믿어도 된다면, 히틀러는 "기독교도들 중에는 좀처럼 없는 유령" 같아 보였다.[42]

함께 생활한 다른 젊은이들과 달리 히틀러는 청년기의 악습에 전혀 물들지 않았다. 담배도 술도 안 했다. 여성과의 관계도 아예 없었다—지금까지 알려지기로는 육체적으로 이상異常이 있었기 때문이 아니라 그저 타고난 수줍음 때문이었다.

《나의 투쟁》에서 히틀러는 드물게 유머를 구사하며 이렇게 쓰고 있다. "그 시절 나를 알던 사람들은 저 인간 괴짜라고 생각했을 것이다."[43]

지난날 히틀러를 가르쳤던 교사들과 마찬가지로 그들 모두에게 가장 인상적으로 남은 것은 그의 두 눈이었다. 얼굴에서 단연 돋보일 뿐 아니라 꾀죄죄한 부랑자라는 비참한 처지에 어울리지 않게 내면에서 우러난 특유의 무언가를 드러내는, 상대를 빤히 쳐다보는 강렬한 눈빛이었다. 그리고 다들 이 청년이 육체노동에는 그토록 게으름을 피우면서도 독서만큼은 게걸스럽게 해치우는, 낮이고 밤이고 대부분의 시간을 책에 빠져 보낸 사람이었다고 회상했다.

그 시기에 나는 엄청나게 많이, 철저하게 읽었다. 일에서 벗어난 시간은 전부 공부하는 데 썼다. 그렇게 해서 수년 만에 지식의 토대를 다졌고 지금까

지도 거기서 양분을 얻고 있다.[44]

《나의 투쟁》에는 독서법에 대해 제법 길게 논하는 대목이 있다.

분명 내가 말하는 '독서'는 이른바 우리 '인텔리겐치아'의 평균적 일원이 생
각하는 독서와는 다를 것이다.
엄청나게 많이 '읽는' 사람들은 있다. ⋯ 그러나 나는 그들을 '박식가'라고
부르지는 않을 것이다. 그들이 방대한 '지식'을 보유하고 있는 것은 사실이
지만, 그들에게는 읽어 들인 자료를 조직화하고 정리할 능력이 없다. ⋯ 반
면에 올바른 독서법을 터득한 사람은 ⋯ 자신의 목적에 들어맞거나 전반적
으로 알아둘 가치가 있어서 영원히 기억해둘 만하다고 판단한 것이라면 무
엇이든 본능적으로 즉시 인식할 것이다. ⋯ 독서의 기술이란 학습의 기술과
마찬가지로 ⋯ **본질적인 것은 새겨두고 비본질적인 것은 잊는 것이다.** ⋯ 이
런 종류의 독서만이 의미와 목적을 지닌다. ⋯ 이런 관점에서 보면 나의 빈
시절은 특히 보람차고 소중한 시기였다. [강조는 히틀러][45]

무엇이 소중했다는 것인가? 히틀러의 답변은 빈 시절에 독서로부터,
그리고 가난하고 아무런 유산도 없는 사람들과 어울리는 생활로부터 훗
날 살아가는 데 필요한 모든 것을 배웠다는 것이다.

빈은 내게 가장 철저하면서도 가장 힘겨운 인생 학교였고 지금도 그렇다. 나
는 이 도시에 아직 반쯤은 소년일 적에 발을 들여놓았지만, 차분하고 의젓
한 성인이 되어 이 도시를 떠났다.
이 시기에 나의 내면에서 내 모든 행위의 단단한 토대가 된 세계관과 철학이

형성되었다. 그 무렵에 형성된 것 외에는 그동안 배운 것이 별로 없었고, 바꿔야 했던 것은 전혀 없었다.[46]

그렇다면 빈이 그토록 넉넉하게 안겨준 고난의 학교에서 히틀러는 과연 무엇을 배웠을까? 빈에서 독서와 경험을 통해 획득한 이념, 그의 말미따니 최후까지 고수할 수 있었던 이념이란 무엇이었을까? 그 이념이 대부분 빈약하고 조잡하고 괴상하고 터무니없고 기이한 편견에 물들어 있었다는 것은 대충 훑어보기만 해도 분명하게 드러날 것이다. 그 이념이 작금의 세계와 역사에 있어서 중요하다는 것도 분명하다. 그것이 이 책벌레 부랑자가 머지않아 건설할 제3제국의 토대 중 일부를 형성했기 때문이다.

## 아돌프 히틀러의 이념이 싹트다

히틀러의 이념은 한 가지 예외를 빼면 독창적인 것이 아니라 20세기 초에 소용돌이치던 오스트리아의 정치와 생활에서 원형 그대로 주워 모은 것이다. 도나우 강 유역의 이 군주국은 소화불량으로 죽어가고 있었다. 수백 년에 걸쳐 십여 민족으로 이루어진 다언어 제국을 소수집단인 독일계 오스트리아인이 지배하며 자기네 언어와 문화를 제국에 각인시켜오던 터였다. 그러나 1848년 이후로 오스트리아인의 지배력은 약해지기 시작했다. 소수민족들을 다 동화시킬 수 없게 된 것이다. 오스트리아는 도가니가 아니었다. 1860년대에 이탈리아인이 제국에서 이탈했고, 1867년에는 헝가리인이 이른바 이중군주국 치하에서 독일인과 동등한 권리를 획득했다. 20세기에 들어선 당시에는 여러 슬라브 민족들―체코인, 슬로바키아인, 세르비아인, 크로아티아인 등—이 평등한 권리를 달라고, 적어도 민족의 자치권이라도 달라고 요구하고 있었다. 오스트리아의 정치는 민족들 간의 격렬한 다툼에 좌우되는 지경이었다.

그런데 이게 전부가 아니었다. 사회적 봉기도 있었고 이것이 인종 간 투쟁을 넘어서곤 했다. 선거권 없는 하층계급 사람들은 참정권을 요구했고, 노동자들은 (임금 인상과 노동조건 개선뿐 아니라 민주적인 정치적 목적을 이루기 위해서도) 노동조합을 결성하고 파업을 일으킬 권리를 요구했다. 실제로 총파업 끝에 마침내 남성 보통선거권이 도입되었고, 이로써 제국의 절반인 오스트리아 측 인구의 3분의 1에 불과했던 오스트리아계 독일인의 정치적 우위는 막을 내렸다.

이런 전개에 대해 린츠 출신의 광신적인 독일-오스트리아 민족주의자 청년 히틀러는 강한 불만을 품고 있었다. 그가 보기에 제국은 "악취 나는 늪"으로 빠져들고 있었다. 이를 극복하려면 지배적 인종인 독일인이 과거와 같은 절대적 권위를 재천명해야만 했다. 독일인 이외의 인종들, 특히 슬라브인, 그중에서도 체코인은 열등한 부류였다. 독일인이 그들을 철권으로 통치해야 했다. 의회를 폐지하고 모든 민주적 '난센스'를 끝장내야 했다.

비록 정치에 참여하진 않았지만 히틀러는 옛 오스트리아의 3대 정당인 사회민주당, 기독교사회당, 범독일당의 활동을 예의주시했다. 이 무렵 부스스한 행색으로 무료급식소를 단골처럼 드나든 이 사내의 내면에서는 기민한 정치적 판단력이 싹트고 있었다. 그 덕에 히틀러는 당대 정치 운동들의 강점과 약점을 놀랍도록 명석하게 간파할 수 있었고, 훗날 독일을 지배하는 정치가로 거듭날 수 있었다.

처음에 그는 사회민주당에 대한 극도의 증오심을 키웠다. "나에게 가장 경악스러운 것은 사회민주당이 범독일주의를 견지하기 위한 투쟁에 적대적 태도를 보이고, 수치스럽게도 슬라브인 '동지'에게 아양을 떠는 것이었다. … 보통은 수십 년이 걸려야 알 수 있는 것을 나는 몇 달 만에 알아차렸다. 바로 사회적 미덕과 형제애로 위장한 역병 같은 매춘부*에 대한 분별이었다."[47]

이런 증오심에도 불구하고 그는 이미 이 노동계급 정당을 향한 분노의 감정을 억누르고 이 당이 대중적 인기를 누리는 이유를 신중히 따져볼 만한 지성을 갖추고 있었다. 그는 몇 가지 이유가 있다고 결론지었고, 훗날 그 이유들을 기억해내 국가사회주의독일노동자당을 건설하는 데 활용했다.

《나의 투쟁》에 썼듯이, 어느 날 그는 빈 노동자들의 대중 시위를 목격했다. "거의 두 시간 동안 그곳에 서서 거대한 인간 용이 천천히 꿈틀대며 지나가는 모습을 숨죽인 채 지켜보았다. 불안감에 휩싸인 나는 결국 그곳을 떠나 어슬렁어슬렁 집으로 향했다."[48]

집에 돌아와서는 사회민주당의 기관지를 펼쳐 읽고, 당 지도부의 연설을 검토하고, 당 조직을 살펴보고, 당의 심리학과 정치적 수법을 곱씹고, 그 결과에 대해 숙고하기 시작했다. 그리고 사회민주당의 성공을 설명하는 세 가지 결론에 도달했다. 첫째, 그들은 어떻게 대중운동을 일으키는지 알고 있었다. 대중운동 없이는 그 어떤 정당도 무력하다. 둘째, 그들은 대중 사이에서 구사하는 선전술을 터득한 상태였다. 셋째, 그들은 그가 말하는 "정신적·육체적 테러"의 가치를 알고 있었다.

---

* 《나의 투쟁》 제2판과 이후의 모든 판본에서 이 '매춘부'라는 단어는 삭제되고 '역병 같은 매춘부'도 '역병'으로 대체되었다.

이 세 번째 교훈은 분명 부실한 관찰에 근거했고 거기에 터무니없는 편견이 섞여 있긴 했지만, 이것이 청년 히틀러를 흥미를 돋우었다. 10년이 지나기 전에 그는 자신의 목적을 위해 이 교훈을 활용할 터였다.

나는 이 운동이 특히 부르주아지에게 가하는 악명 높은 정신적 테러를 이해했다. 부르주아지는 도덕적으로도 정신적으로도 그런 공격을 감당하지 못한다. 누구든 가장 위험해 보이는 적을 향해 정해진 신호에 따라 거짓말과 중상의 진정한 일제사격을 퍼붓기 시작하고, 마침내 상대의 신경이 쇠약해질 때까지 계속 퍼붓는다. … 이 전술은 인간의 모든 약점에 대한 정확한 계산에 근거하며, 그 결과는 거의 확실하게 성공으로 이어질 것이다. …
또한 나는 개인과 대중을 겨냥한 육체적 테러의 중요성도 이해했다. … 지지자들 사이에서는 자신들이 거둔 승리가 정의로운 대의의 승리로 여겨지는 반면에 패배한 상대는 대체로 더 이상 저항해봐야 소용없다며 절망하기 때문이다.[49]

장차 히틀러가 구사할 나치의 전술에 대해 이보다 더 적확하게 분석한 글도 없다.

빈 시절 풋내기 히틀러의 관심을 강하게 끈 정당이 둘 있었으며, 분석력이 점점 강해지던 히틀러는 두 정당에 대해 예리하고 냉철한 분석을 가했다. 처음에 그는 게오르크 리터 폰 쇠네러Georg Ritter von Schönerer가 창립한 범독일당에 끌렸는데, 쇠네러는 히틀러 일가와 마찬가지로 니더외스터라이히의 슈피탈 인근 지역 출신이었다. 당시 범독일당은 다민족 제국에서의 독일인의 우위를 위해 필사적인 투쟁을 펼치고 있었다. 히틀러는 쇠네러를 "심오한 사상가"라고 여기고 폭력적 민족주의, 반유대주의, 반사회주의, 독일과의 통일, 합스부르크 가와 교황청에 대한 반대 같은 그의 기본 강령을 열렬히 받아들이면서도, 범독일당이 실패한 이유를 금세 간파했다.

"이 운동은 사회문제의 중요성을 충분히 인식하지 못한 탓에 진정으로 전투적인 인민 대중을 잃어버렸다. 의회에 들어가는 바람에 강한 추동력을 상실하고 이 기관 특유의 약점을 모조리 떠안게 되었다. 가톨릭 교회와 다툼으로써 … 민족이 거느릴 수 있는 최상의 부류를 무수히 잃어버렸다."[50]

나중에 독일에서 집권했을 때 잊어버리긴 했지만,《나의 투쟁》에서 히틀러가 길게 강조하는 빈 시절의 교훈 중 하나는 정당이 교회와 대립해봐야 소용없다는 것이었다. 쇠네러의 '로스 폰 롬Los-von-Rom'(로마로부터의 분리) 운동은 전술적 실책이었다고 설명하면서 히틀러는 이렇게 쓴다. "상대가 어떤 교파든, 비판받을 여지가 얼마나 많든 간에, 과거의 모든 역사적 경험으로 보건대 순전히 정치적인 당파가 종교적 개혁에 성공한 사례는 없다는 것을 정당이라면 한순간도 잊어서는 안 된다."[51]

그러나 히틀러가 생각한 범독일당의 최대 과오는 대중을 일으켜 세우지 못한 것, 보통사람들의 심리를 이해조차 못한 것이었다. 21세를 갓 넘긴 때에 머릿속에서 형성되기 시작한 이 이념을 거듭 표명하는 것을 보면 그는 분명 이것을 극히 중대한 과오로 인식했다. 훗날 자신의 정치운동을 조직했을 때 히틀러는 같은 잘못을 되풀이하지 않았다.

범독일당에는 히틀러라면 범하지 않을 과오가 또 하나 있었다. 국가의 강력한 기성 제도권 중 적어도 일부—교회는 아니더라도 이를테면 군대나 내각, 국가원수—의 지지를 얻는 데 실패한 것이었다. 그런 지지를 얻지 못한 정치 운동은 권력을 잡기가 불가능하진 않더라도 곤란할 것이라고 히틀러는 생각했다. 바로 이런 지지를 얻기 위해 히틀러는 1933년 1월, 베를린에서의 결정적인 며칠에 이르기까지 빈틈없는 계획을 짰으며, 그 결과로 그와 국가사회주의당은 대국의 통치권을 차지할 수 있었다.

히틀러가 살던 무렵의 빈에는 이러한 지지의 필요성과 대중이라는 토대 위에서 정당을 구축할 필요성을 이해한 정치 지도자가 한 사람 있었다. 바로 빈의 시장이자 기독교사회당 지도자인 카를 뤼거Karl Lueger 박사였다. 비록 만난 적은 없지만 히틀러는 다른 누구보다도 뤼거를 정치적 멘토로 삼았다. 히틀러는 마지막까지 뤼거를 "이제껏 가장 위대한 독일인 시장 … 작금의 이른바 '외교 고수'의 어느 누구보다도 위대한 정치가"로 여겼다. "만약 카를 뤼거 박사가 독일에 살았다면 우리 민족의 위인 반열에 들었을 것이다."[52]

훗날의 히틀러와, 빈의 중간계급 하층의 우상인 덩치 크고 화통하고 상냥한 시장 사이에는 분명 닮은 구석이 별로 없었다. 뤼거가 불만 많은 프티부르주아지를 끌어들이고 나중의 히틀러와 마찬가지로 극성스러운 반유대주의를 동원한 정당의 당수로서 오스트리아에서 가장 유력한 정치가가 되었던 것은 사실이다. 그러나 넉넉하지 않은 환경에서 성장해 고학으로 대학을 나온 뤼거는 상당한 지적 성취를 거둔 사람이었으며, 유대인을 포함한 반대자들도 그가 본심으로는 점잖고 예의 바르고 관대한 사람이라는 것을 선뜻 인정했다. 저명한 오스트리아계 유대인 작가로 이 시기 빈에서 성장한 슈테판 츠바이크Stefan Zweig는 뤼거가 반유대주의를 표방하면서도 한편으로는 유대인에게 우호적인 태도로 그들을 줄곧 도왔다고 증언했다. "그의 시정은 지극히 공정했고 전형적으로 민주적이기까지 했다. … 이 반유대주의 정당의 승리에 몸을 사렸던 유대인들은 종전과 다를 바 없는 권리와 존중을 누리며 살았다."[53]

이 점이 청년 히틀러에게는 신경에 거슬렸다. 뤼거가 지나치게 관대하고 유대인의 인종 문제를 제대로 알지 못한다고 생각했다. 히틀러는 시장이 범독일주의를 받아들이지 않는 것에 분개했고 로마가톨릭의 교권주의에 따르고 합스부르크 가에 충성을 바치는 것에도 회의적인 태도를 취했다. 노황제 프란츠 요제프Franz Josef는 뤼서의 시장 당선 재가를 두 번이나 거부하지 않았던가?

그러나 히틀러는 결국 뤼거의 천재성을 인정할 수밖에 없었다. 뤼거는 대중의 지지를 받는 법을 알았고, 현대사회의 온갖 문제와 대중을 사로잡는 선전 및 웅변술의 중요성을 이해하고 있었다. 히틀러는 뤼거가 강력한 교회를 상대하는 방식에 경탄하지 않을 수 없었다―"그의 정책은 더없이 주도면밀하게 설계된 것이었다". 마지막으로 뤼거는 "유서 깊은 제도권의 지지를 얻기 위해 어떠한 수단이든 기민하게 활용했고, 그리하여 오랜 권력의 원천들로부터 자신의 운동에 이로운 것을 최대한 끌어낼 수 있었다".[54]

요컨대 바로 여기에 훗날 히틀러가 독일에서 자신의 정당을 조직하고 권력을 잡는 과정에서 활용한 이념과 수법이 담겨 있다. 그의 독창성은 1차대전 이후 우파 정치인 가운데 유일하게 그런 이념과 수법을 독일 정세에 적용했다는 데 있다. 이로써 민족주의적이고 보수적인 정당들 중에서 나치 운동만이 대규모 추종 세력을 얻었고, 이를 바탕으로 군대, 공화국 대통령, 대기업 협회―"유서 깊은 제도권"의 3대 세력―의 지지를 확보해 히틀러가 독일 총리 자리까지 차지할 수 있었다. 빈에서 얻은 교훈이 실로 유익한 것이었음을 입증한 셈이다.

카를 뤼거 박사는 뛰어난 웅변가였지만, 범독일당에는 대중을 효과

적으로 휘어잡을 수 있는 연설가가 부족했다. 히틀러는 이 점에 주목해
《나의 투쟁》에서 정치에서는 웅변술이 중요하다고 힘주어 말했다.

> 태곳적부터 대규모의 종교적·정치적 눈사태를 촉발한 힘은 언제나 발화된
> 언어의 마력, 그것뿐이었다.
> 광범한 인민 대중을 움직일 수 있는 것은 연설의 힘뿐이다. 모든 위대한 운
> 동은 대중 운동이며, 잔혹한 고난의 여신에 의해 혹은 대중 사이에 던져진
> 말의 불씨에 의해 촉발된 인간의 정념이나 감정이 화산처럼 폭발하는 것이
> 다. 문학 애호가나 응접실 주인의 레모네이드 같은 심경 토로가 아니다.[55]

오스트리아의 정당정치에 참여하기를 꺼리긴 했지만, 청년 히틀러는
이미 빈의 간이숙소, 무료급식소, 길모퉁이 같은 곳에서 청중을 상대로
웅변술 연습을 시작하고 있었다. 히틀러의 웅변술은 (나중에 히틀러의 주
요 연설들을 수십 차례 직접 들은 내가 확언할 수 있듯이) 양차 대전의 전간기戰
間期에 독일에서 좀처럼 볼 수 없는 막강한 재능으로 발전했으며, 그가
놀라운 성공을 거두는 데 크게 기여했다.

그리고 히틀러가 빈에서 체험한 것들 중에는 마지막으로 유대인이라
는 존재가 있었다. 그의 말대로 린츠에는 유대인이 거의 없었다. "아버지
가 살아 있었을 때에는 집에서 유대인이라는 말을 들어본 기억이 없다."
중등학교 때에는 유대인 학생이 한 명 있었지만 "우리는 그 문제를 별로
의식하지 않고 … 그들[유대인]을 독일인으로 여길 정도였다".[56]
히틀러의 어린 시절 친구에 따르면, 이 말은 진실이 아니다. 아우구
스트 쿠비체크는 린츠에서 함께 지낸 시절을 회상하며 이렇게 말했다.

"처음 만났을 때 아돌프 히틀러는 이미 반유대주의를 확연히 드러냈다. … 빈에 갔을 무렵에는 이미 확고한 반유대주의자였다. 그리고 빈에서의 경험으로 그런 감정이 깊어졌을지는 몰라도 분명 거기서 처음 싹튼 것은 아니었다."[57]

"그 후 나는 빈으로 갔다"며 히틀러는 말한다.

넘쳐나는 흥밋거리에 사로잡히고 … 내 몫의 고난에 짓눌려 있었던 탓에 처음에는 이 거대 도시 내부의 계층화를 전혀 간파할 수 없었다. 그 무렵 빈의 주민 200만 명 가운데 거의 20만 명이 유대인이었음에도 나는 그들을 알아차리지 못했다. … 내게 유대인의 특징이라곤 여전히 종교밖에 없었으므로 인간적 관용이라는 입장에서 다른 경우처럼 이 경우에도 종교적 공격을 하는 것은 줄곧 삼갔다. 그런 이유로 빈의 반유대주의 신문의 논조는 내게 위대한 민족의 문화적 전통에는 어울리지 않아 보였다.[58]

어느 날 히틀러는 시내를 거닐고 있었다. "검은 카프탄을 걸친 채 검은 머리채를 양옆으로 늘어뜨린 유령 같은 것과 갑자기 맞닥뜨렸다. 이게 유대인인가? 이 생각이 퍼뜩 들었다. 분명 린츠의 유대인은 그런 모습이 아니었기 때문이다. 그 남자를 몰래 유심히 관찰했지만, 이 낯선 얼굴의 이목구비를 하나하나 살피며 쳐다보면 쳐다볼수록 나의 첫 의문은 형태를 바꿔갔다. 이게 독일인인가?"[59]

히틀러의 답변은 쉽게 짐작할 수 있을 것이다. 그렇지만 히틀러는 스스로 답하기 전에 "나의 의문을 책으로 풀기로" 마음먹었다고 말한다. 그는 당시 빈에서 널리 팔리던 반유대주의 문헌에 몰두했다. 그런 다음 거리로 나가 그 '현상'을 더욱 면밀히 관찰했다. "어디를 가든 유대인이 눈에 들어왔고, 보면 볼수록 내 눈에는 그들이 다른 인간과 확연히 구별되었다. … 나중에는 이 카프탄 착용자들의 냄새만 맡아도 속이 울렁거리곤 했다."[60]

그 후로 "이 '선택받은 민족'의 도덕적 오점"이 보였다. "타락이나 방탕, 특히 문화 면에서의 그것에 유대인이 단 한 명이라도 관여하지 않은 것이 있을까? 만약에 여러분이 그런 종양을 조심스럽게 절개한다면 갑작스러운 빛에 눈부셔하는, 마치 썩어가는 시체 안의 구더기 같은 존재를 발견할 것이다. 유대인이다!" 그가 보기에 매춘이나 여자를 매춘부로 팔아넘기는 일의 책임은 대체로 유대인에게 있었다. "대도시의 뒷골목에서 이 역겨운 악덕 매매를 관리하는 냉혹하고 파렴치하고 타산적인 부류가 유대인이라는 것을 처음 알았을 때, 나는 등골이 오싹해졌다."[61]

유대인에 관해 히틀러가 쏟아낸 헛소리에는 다분히 그의 병적인 성의식이 배어 있었다. 이는 당시 빈의 반유대주의 신문의 특징이었다. 또한 훗날 뉘른베르크의 외설적인 주간지 《슈튀르머Der Stürmer》〔돌격자, 전위의 뜻〕의 특징이기도 했는데, 이 잡지를 발행한 율리우스 슈트라이허Julius Streicher는 히틀러의 눈에 든 동료로 프랑켄 지역의 나치 우두머리였으며, 유명한 변태 성욕자로 제3제국에서 가장 고약한 인물들 중 한 사람이었다. 《나의 투쟁》에는 순진한 기독교도 소녀를 유혹하여 그 피를 더럽히는 비천한 유대인을 암시하는 선정적인 대목이 드문드문 나온다. 히틀러는 "혐오스럽고 다리가 굽은 유대인 사생아들이 수만 명이나 되는 소녀들을 유혹하는 악몽 같은 광경"을 묘사할 수 있었다. 루돌프 올덴이 지적했듯이, 히틀러의 반유대주의의 뿌리 중 하나는 그의 충족되지 않은 성적 선망이었을지도 모른다. 그는 빈에 머무는 동안 20대 초반이었음에도 알려진 바로는 어떠한 여성과도 관계를 갖지 않았다.

"나는 점차 유대인을 증오하게 되었다. … 그 무렵은 내게 일찍이 겪어보지 못한 정신적 격동기였다. 나는 유약한 세계시민주의자를 그만두고 반유대주의자가 되었다."[62]

그 후로 히틀러는 생을 마칠 때까지 줄곧 맹목적이고 광적인 반유대주의자였다. 죽기 몇 시간 전에 쓴 유서에도 그 자신이 개시했고 이제 그와 제3제국을 끝장낼 전쟁의 책임을 유대인에게 돌리는 최후의 악담이 담겼다. 제3제국에서 수많은 독일인을 감염시킨 이 불타는 증오심은 결국 너무도 끔찍하고 너무도 광범한 대학살로 이어져, 지구상에서 인간이 살아가는 한 지워지지 않을 흉한 상처를 문명에 남겼다.

1913년 봄, 히틀러는 빈을 떠나 그의 말대로 마음이 항상 가 있었던 독일에서 살기 시작했다. 당시 24세의 히틀러는 그 자신을 뺀 모두에게 완전한 낙오자로 보였을 것이다. 화가도 건축가도 되지 못했다. 아직까지는 누가 보더라도 한낱 부랑자에 불과했다—분명 괴짜 책벌레이긴 했다. 친구도, 가족도, 직업도, 집도 없었다. 가진 것이라고는 스스로에 대한 사그라지지 않는 확신과 불타오르는 사명감뿐이었다.

아마도 히틀러는 병역을 피하려고 오스트리아를 떠났을 것이다.* 겁쟁

---

* 21세가 된 1910년부터 히틀러는 병역 대상이었다. 하이덴에 따르면 오스트리아 당국은 히틀러가 빈에서 지내는 동안 그의 소재를 파악할 수 없었다. 그 후 뮌헨에서의 소재를 확인하고 린츠에서 신체검사를 받으라고 명령했다. 요제프 그라이너의 《히틀러 신화의 종말(Das Ende des Hitler-Mythos)》에는 히틀러와 오스트리아 군 당국이 주고받은 서신의 일부가 실려 있는데, 거기에 따르면 그가 병역을 피하기 위해 독일로 간 것은 아니다. 그는 여비가 부족하다는 이유로 뮌헨에서 가까운 잘츠부르크에서 신체검사를 받게 해달라고 요청했다. 1914년 2월 5일, 잘츠부르크에서 신체검사를 받았지만 건강상의 이유로 현역은 물론이고 보충역에도 부적합하다는 판정을 받았다—여전히 폐병을 앓고 있었던 듯하다. 24세 때 결국 당국이 소재를 파악하기까지 병역 신고를 하지 않은 사실은 훗날 독일에서 거물이 된 히틀러를 분명 괴롭혔을 것이다. 그라이너는 내가 베를린에서

이였기 때문이 아니라 유대인과 슬라브인을 비롯한 제국 내의 소수민족들과 어울려 군복무를 하기가 몹시 싫었던 것이다. 《나의 투쟁》에서 그는 1912년 봄에 뮌헨으로 갔다고 썼지만 이는 오류다. 경찰의 등록명부에는 그가 1913년 5월까지 빈에 거주했다고 나온다.

본인 입으로 밝힌 오스트리아를 떠난 이유는 꽤나 거창하다.

합스부르크 국가에 대한 혐오감은 꾸준히 커졌다. … 나는 이 수도에서 볼수 있는 온갖 민족 집단에 역겨움을 느꼈다. 체코인, 폴란드인, 헝가리인, 루테니아인, 세르비아인, 크로아티아인이 뒤섞여 있고 어디서나 눈에 띄는 인간 버섯 — 유대인 — 이 계속 늘어나는 상황에 역겨움을 느꼈다. 내게 이 거대 도시는 민족 모독의 화신으로 여겨졌다. … 이 도시에 오래 살면 살수록 독일 문화를 자랑하던 이곳이 외래 민족들의 혼교에 의해 부식되기 시작한데 대한 증오심이 커져갔다. … 이 모든 이유로 어릴 적부터 남몰래 욕구하고 남몰래 사랑해온 곳으로 드디어 가야겠다는 갈망이 점점 더 심해졌다.[63]

그토록 사랑한 땅에서 히틀러의 운명은, 당시 허황되기 그지없는 꿈을 꾸던 그조차도 상상하지 못한 방향으로 펼쳐졌다. 당시는 물론이고 총리가 되기 직전까지도 그는 독일국에서 법적으로 외국인, 즉 오스트리아인이었다. 그 무렵의 히틀러는 합스부르크 제국이 무너지기 전 마지막 10년 사이에 성인이 되었고, 그 제국의 세련된 수도에 정착하지 못했

---

근무할 때에 반나치 세력 사이에서 회자된 일화가 사실임을 확인해주었는데, 그에 따르면 1938년 독일군이 오스트리아를 점령하자 히틀러는 게슈타포에 자신의 병역과 관련한 공문서를 찾으라고 명령했다. 린츠에서 그 기록을 뒤졌으나 발견하지 못하자 히틀러는 버럭 화를 냈다. 그 문서는 한 지방 관리가 빼돌렸다가 전후에 그라이너에게 제시되었다.

으며, 당시 독일어를 사용하는 극단주의자들 사이에 만연한 터무니없는 편견과 증오를 받아들였고, 체코인이건 유대인이건 독일인이건, 가난한 사람이건 부유한 사람이건, 예술가이건 수공업자이건 간에 동료 시민들 절대다수가 갖추고 있던 점잖고 정직하고 고상한 면모를 알아보지 못한 오스트리아인으로 여겨질 수밖에 없었다. 당시에 독일인이라면 북부 출신, 서부 라인란트 출신, 동부 프로이센 출신 중 누구라도, 더 나아가 남부 비이에른 출신 중 누구라도 어떤 경험을 쌓았든 간에 아돌프 히틀러를 결국 정점까지 밀어올린 성분들의 혼합물과 똑같은 혼합물을 과연 자신의 피와 마음에 담고 있었을지는 심히 의문스럽다. 물론 그 혼합물에는 예측할 수 없는 천재성의 자유로운 손길이 더해져 있었다.

그러나 1913년 봄에는 아직 그 천재성이 드러나지 않았다. 빈에서처럼 뮌헨에서도 히틀러는 무일푼에 친구도 없고 일정한 직업도 없었다. 그러다가 1914년 여름에 전쟁이 발발하자 다른 수백만 명과 마찬가지로 그 역시 암울한 상황에 빠졌다. 8월 3일, 그는 바이에른 왕 루트비히 3세 앞으로 바이에른 연대에 자원입대하도록 해달라는 탄원서를 보내 허락을 받았다.

그것은 하늘이 내려준 기회였다. 이제 이 젊은 부랑자는 스스로 선택한 사랑하는 나라를 위해 그의 말대로 국가의 존망이 걸린 싸움─'죽느냐 사느냐'─에 동참하여 자신의 정열을 바칠 수 있었을 뿐 아니라 개인적 삶의 모든 실패와 좌절로부터 벗어날 수도 있었다.

《나의 투쟁》에서 그는 이렇게 썼다. "내게 그 시절은 청년기 내내 나를 짓눌렀던 고통으로부터의 해방으로 다가왔다. 부끄럼 없이 말하건대, 그때 열정에 사로잡혔던 나는 이런 시기를 살아가는 행운을 베풀어주신 것에 감개무량하여 무릎을 꿇고 하늘에 감사했다. … 모든 독일인과 마찬가지로 내게도 이제 인생에서 가장 잊을 수 없는 시기가 시작되고 있었다. 이 거대한 투쟁 앞에서 과거의 모든 것은 서서히 망각의 저편으로 사라져갔다."[64]

참전과 함께 히틀러는 초라하고 외롭고 실망스러운 기억으로 가득한 과거, 그리고 앞으로도 그의 정신이나 성격에 두고두고 영향을 끼칠 과거를 가슴 한구석에 묻어두었다. 장차 수백만 명의 목숨을 앗아갈 전쟁이 25세의 히틀러에게는 새로운 인생의 출발점이었던 것이다.

# 제2장

# 나치당의 탄생

1918년 11월 10일 음산한 일요일, 아돌프 히틀러는 증오심과 좌절감에 잠긴 채 그가 '금세기 최대의 악행'*이라 부르는 것을 경험한다. 베를린 북동쪽 포메른 지역의 소도시 파제발크의 군병원에 입원한 부상병들에게 한 목사가 찾아와 믿을 수 없는 소식을 전했다. 한 달 전 이프르 인근에서 영국군에게 독가스 공격을 당해 일시적 실명 상태가 된 히틀러는 그곳에서 회복 중이었다.

그 일요일 오전에 목사가 전한 소식은 카이저가 퇴위해 네덜란드로 망명했다는 것이었다. 전날에 베를린에서는 공화국의 탄생이 선포된 터였다. 다음날인 11월 11일에는 프랑스 콩피에뉴에서 휴전협정이 체결되었다. 패전한 것이었다. 독일은 승전한 연합국의 처분에 맡겨졌다. 목사는 흐느껴 울기 시작했다.

"더는 참을 수가 없었다." 그 순간을 떠올리며 히틀러는 말을 이었다.

---

\* 이 '악행'이라는 표현은 《나의 투쟁》 독일어판 초판에만 나오고 이후 모든 판본에서는 '혁명'으로 바뀌었다.

"눈앞이 온통 캄캄해졌다. 비틀거리고 더듬으며 병실로 돌아와 침상에 몸을 던진 채 후끈대는 머리를 베개에 파묻고 담요를 뒤집어썼다. … 결국 모든 게 허사였다. 그 모든 희생과 고통도 허사요, … 심장을 옥죄는 죽음의 공포를 느끼면서도 우리의 의무를 다한 시간도 허사요, 죽은 200만 명의 목숨도 허사였다. … 그들이 이 꼴을 보려고 죽었단 말인가? … 고작 비열한 범죄자 무리가 조국을 차지하는 꼴을 보려고?"[1]

어머니의 무덤 앞에 섰을 때 이후로 히틀러는 처음으로 쓰러져 울었다고 한다. "울지 않을 수가 없었다." 수백만 명의 동포들도 그랬겠지만, 히틀러는 그 후로도 독일이 전쟁에서 졌다는 충격적이고 적나라한 사실을 도저히 받아들일 수가 없었다.

또한 다른 독일인 수백만 명과 마찬가지로 히틀러는 용감하고 대담한 병사였다. 나중에 일부 정적들이 히틀러가 전투에서 겁쟁이였다고 비난했지만, 공정하게 말해 그의 기록에는 그런 혐의를 뒷받침하는 증거가 티끌만큼도 없다. 1914년 10월 말, 그는 약 3개월간의 훈련을 마치기 무섭게 바이에른 제16예비보병연대 제1중대의 연락병으로 전선에 투입되었다. 영불 해협으로 진격하려는 독일군을 영국군이 저지하려 한 제1차 이프르 전투에서 나흘간 격전을 치르면서 그의 부대는 큰 타격을 입었다. 히틀러가 뮌헨의 하숙집 주인인 재단사 포프Popp에게 보낸 편지에 따르면, 그의 연대는 나흘 사이에 병력이 3500명에서 600명으로 줄고 장교가 불과 30명만 살아남아 4개 중대를 해체해야 했다.

전시에 히틀러는 두 번 부상당했다. 먼저 1916년 10월 7일 솜 전투에서 다리를 다쳤는데, 독일의 병원에 입원했다가 1917년 3월에 리스트연대―초대 지휘관의 이름을 따서 이렇게 불렸다―로 복귀했고, 상병으로 진급해 아라스 전투를 치르고 여름 동안 제3차 이프르 전투에서 싸웠다. 1918년 봄과 여름, 리스트연대는 독일군의 마지막 총공세 기간에 전투의 한복판에 있었다. 10월 13일 밤, 마지막 제5차 이프르 전투 때는 베르비크 남부 언덕에서 영국군의 치열한 독가스 공격을 받았다. "나는 두 눈이 타는 듯한 상태로 마지막 전황 보고서를 지닌 채 비틀거리며 후퇴했다. 몇 시간 뒤 내 눈은 새빨갛게 타는 석탄으로 변했고 사방이 캄캄해졌다."[2]

히틀러는 두 차례 무공 훈장을 받았다. 1914년 12월에 철십자 2급 훈장을, 1918년 8월에는 옛 독일 제국군에서 사병에게는 좀처럼 주지 않은 철십자 1급 훈장을 받았다. 같은 부대의 한 전우는 히틀러가 영국군 15명을 단독으로 생포해 그 탐나는 훈장을 받았다고 증언했는데, 일설에는 프랑스 병사들을 생포해 받았다고 한다. 리스트연대의 공식 기록에는 그런 공훈에 대한 언급이 한 마디도 없다. 훈장을 받은 많은 대원들의 개인적 전공에 대해서는 별도로 언급하지 않았던 것이다. 그 이유가 무엇이든, 히틀러 상병이 철십자 1급 훈장을 받은 사실에는 의문의 여지가 없다. 그는 생애 마지막까지 그 훈장을 자랑스럽게 달고 다녔다.

그런데 몇몇 전우들이 증언하듯이, 히틀러는 사뭇 특이한 병사였다. 여타 병사들과 달리 히틀러에게는 고향에서 편지도 위문품도 오지 않았다. 휴가를 낸 적이 한 번도 없었고, 여느 전투원과 달리 여성에도 관심을 보이지 않았다. 아무리 용맹한 병사라도 투덜대기 마련인 전선의 불결함, 이[虱], 진창, 악취에 대해서도 결코 불평하지 않았다. 그는 전쟁의 목적과 독일의 명백한 운명에 대해 시종일관 지독하리만치 진지한 열성적 전사였다.

"우리 모두 그에게 악담을 퍼부었고 그를 눈엣가시처럼 여겼다"고 훗날 같은 중대의 한 병사는 회고했다. "우리가 전쟁을 저주할 때에도 이

별종은 동조하지 않았다."[3] 또 다른 병사가 기억하기로 히틀러는 "난장판의 한쪽 구석에 앉아 두 손으로 머리를 감싼 채 깊은 사색에 잠겨 있었다. 그러다가 벌떡 일어나 흥분해 뛰어다니면서 독일 민족의 보이지 않는 적들이 적군의 가장 큰 대포보다도 위험하기 때문에 우리에게 거포가 있더라도 승리를 얻을 수 없을 거라고 말하곤 했다".[4] 그런 이유로 그는 이 '보이지 않는 적들'—유대인과 마르크스주의자—을 신랄하게 공격하곤 했다. 일찍이 빈에서 그들이 모든 악의 근원임을 배우지 않았던가?

그리고 전쟁 도중 독일 본국에서 다리의 상처를 회복하는 동안 그런 실상을 직접 목격하지 않았던가? 베를린 인근 벨리츠의 병원에서 퇴원한 뒤 히틀러는 수도를 방문한 다음 뮌헨으로 갔다. 어디서나 전쟁을 저주하고 전쟁이 일찍 끝나기를 바라는 '불한당들'이 눈에 들어왔다. 병역 기피자들이 넘쳐났다. 그들이 유대인이 아니면 누구겠는가? "사무실마다 유대인으로 가득했다. 거의 모든 사무원이 유대인이었고 거의 모든 유대인이 사무원이었다. … 1916~17년에는 거의 모든 생산이 유대인 자금의 통제 아래 있었다. … 유대인은 민족 전체를 강탈하고 지배력으로 내리눌렀다. … 나는 다가오는 파국을 공포에 질린 눈으로 지켜보았다."[5] 히틀러는 자신이 목격한 모든 것을 견딜 수 없었고 전선으로 복귀해 기뻤다고 말한다.

1918년 11월, 사랑하는 조국에 닥친 참사를 히틀러는 더더욱 견딜 수 없었다. 거의 모든 독일인처럼 히틀러도 그것을 '기괴'하고 부당한 참사라고 생각했다. 독일군은 전장에서 패한 게 아니었다. 국내의 반역자들에게 등을 찔린 것이었다.

그리하여 수많은 독일인에게 그랬듯이 히틀러의 내면에서도 '등 뒤에서 찔렸다'는 전설, 다른 무엇보다도 바이마르 공화국의 토대를 좀먹고 히틀러에게 궁극의 승리로 가는 길을 닦아준 전설에 대한 광적인 신앙이 생겨났다. 그 전설은 날조된 것이었다. 1918년 9월 28일, 독일군 최고사령부의 실질적 총사령관이었던 에리히 루덴도르프Erich Ludendorff 장군은 '당장' 휴전해야 한다고 역설했고 힌덴부르크 원수도 장군을 지지했다. 10월 2일, 베를린에서 카이저 빌헬름 2세가 주재한 내각 회의에서 힌덴부르크는 즉시 휴전해야 한다는 최고사령부의 요구를 되풀이했다. "군은 48시간을 기다릴 수 없습니다." 같은 날 쓴 편지에서 힌덴부르크는 **군사** 정세 때문에 "싸움을 멈출" 수밖에 없다고 잘라 말했다. '등 뒤에서 찔렸다'는 말은 전혀 없었다. 독일의 이 위대한 전쟁 영웅은 나중에야 그 전설에 옳다구나 맞장구를 쳤다. 전쟁이 끝나고 1년 후인 1919년 11월 18일, 의회 조사위원회에 출석한 힌덴부르크는 "한 영국군 장군이 아주 진실하게 말한 대로, 독일군은 '등 뒤에서 찔렸다'"고 단언했다.*

  사실을 말하자면, 바덴의 막스 공Prince Max of Baden을 수반으로 하는 문민정부는 전황이 계속 나빠진다는 보고를 9월 말까지 최고사령부로부

---

* 이 전설을 영국군 장군 탓으로 돌리는 발언은 사실과 거리가 먼 것이다. 휠러-베넷은 *Wooden Titan: Hindenburg*에서 영국군 장군 두 명이 공교롭게도 그 거짓 전설의 유포에 얼마간 관여했다고 설명한다. "먼저 소장 프레더릭 모리스(Frederick Maurice) 경은 1919년에 저서 *The Last Four Months*를 출간했는데, 독일 언론의 서평가들이 독일군은 후방에서 사회주의자들에게 배신당한 것이지 전장에서 패한 것이 아님을 입증하는 책이라면서 그 내용을 터무니없이 왜곡했다." 모리스 장군은 독일 언론의 이런 해석을 부인했지만 소용이 없었다. 루덴도르프는 그 서평들을 활용해 힌덴부르크를 납득시키려 했다. "또 한 사람인 맬컴(Malcolm) 소장은 베를린에 파견된 영국 군사사절단의 단장이었다. 어느 날 저녁, 루덴도르프는 맬컴 장군과 식사를 함께하면서 평소처럼 허풍 섞인 달변으로 문민정부의 지원이 늘 부족해 최고사령부가 얼마나 고생했고 혁명이 어떻게 군을 배신했는지에 대해 시시콜콜 이야기하고 있었다. 루덴도르프의 장황한 설명의 의미를 한 줄로 요약하고자 맬컴 장군은 '그러니까 장군님 말씀은 여러분이 등 뒤에서 찔렸다는 것입니까?' 하고 물었다. 그러자 루덴도르프는 두 눈을 번뜩이며 마치 개가 뼈다귀를 향해 달려들 듯이 그 표현을 향해 달려들었다. '등 뒤에서 찔렸냐고요?' 그가 거듭 말했다. '맞아요, 바로 그렇습니다. 우리는 등 뒤에서 찔렸습니다.'"

터 받지 못했고, 그 후로 몇 주 동안 루덴도르프의 휴전 요구를 받아들이지 않고 버텼다.

두 차례 세계대전 사이에 누군가가 독일 국민들이 이 믿기 어려운 전설을 얼마나 널리 받아들였는지 실감할 수 있으려면 독일에 거주하는 수밖에 없었다. 그 전설이 기만임을 드러내는 사실들은 도처에 널려 있었다. 하지만 우파 독일인들은 그런 사실들을 직시하지 않으려 했다. 그들은 '11월의 범죄자들' — 히틀러가 독일 민족의 의식에 주입한 표현 — 이 원흉이라고 끝없이 외쳐댔다. 독일군이 약삭빠르고 비겁한 술책으로 공화국 정부로 하여금 휴전협정을 체결하도록 했고, 그 후로 정부에 베르사유 강화조약을 받아들이도록 조언했다는 사실은 전혀 문제가 되지 않았다. 사회민주당이 1918년에 볼셰비즘으로 흐를 우려가 있는 극심한 혼돈 상황에서 그저 국가를 구하기 위해 마지못해 집권했다는 사실도 대수롭지 않게 보였다. 사회민주당은 독일의 붕괴에 책임이 없었다. 그 책임은 권력을 잡고 있던 구체제에 있었다.* 그러나 독일인 수백만 명은 이를 인정하지 않으려 했다. 그들은 패전의 책임, 자신들의 치욕과 고통의 책임을 전가할 희생양을 찾아야 했다. 항복문서에 서명하고 옛 전제정 대신 민주정을 수립한 '11월의 범죄자들'이야말로 그들이 선뜻 납득할 만한 희생양이었다. 독일인의 잘 속는 특성은 히틀러가 《나의 투쟁》에서 자주 언급하는 주제다. 그것은 히틀러가 머지않아 최대한으로 활용할 특

---

* 소수의 장군들은 이렇게 공언했다. 1924년 8월 23일자 《프랑크푸르터 차이퉁(Frankfurter Zeitung)》에는 독일의 패전 원인을 분석하는 파울 폰 쇠나이히(Paul von Schoenaich) 장군의 논설이 실렸다. 그는 "우리가 파멸한 원인은 문민 당국에 대한 군사 당국의 우위에 있었다고 결론지을 수밖에 없다. … 사실 독일 군국주의는 그야말로 자살을 했던 것이다". (텔퍼드 테일러(Telford Taylor)의 Sword and Swastika, p. 16에서 인용)

성이었다.

1918년 11월 10일 저녁에 앞에서 말한 목사가 파제발크의 병원을 떠난 뒤 아돌프 히틀러에게는 "끔찍한 낮과 더 끔찍한 밤이 이어졌다". 그는 이렇게 말한다. "나는 모든 것을 잃었음을 알았다. 멍청이, 거짓말쟁이, 범죄자만이 적의 자비를 바랄 수 있었다. 이 시기에 밤마다 내 안에서 증오가, 이 사태에 책임이 있는 자들에 대한 증오가 자라났다. … 비열하고 타락한 범죄자들! 이 무렵 그 기괴한 사건을 선명하게 정리하고자 애를 쓰면 쓸수록 분노와 수치심이 차올라 눈두덩이 화끈거렸다. 이 비참함에 비하면 내 눈의 통증 따위는 아무것도 아니었다."

그리고 이렇게 덧붙인다. "나 자신의 운명을 알게 되었다. 나는 정치에 뛰어들기로 결심했다."[6]

나중에 밝혀지듯이 이것은 히틀러 자신과 세계의 운명을 바꾸어놓을 결심이었다.

## 나치당의 시작

친구도, 자금도, 일자리도, 번듯한 직업에 종사한 경력도 없는 데다 정치 경험마저 전무한 이 30세 오스트리아인이 독일 정계에서 뜻을 펼치기는 결코 유망하지 않았고, 히틀러 자신도 처음에는 잠시 그 사실을 인정했다. "며칠간 내가 무엇을 할 수 있을지 궁리했지만 숙고 끝에 알아차린 냉엄한 사실은 무명인 내게는 모종의 의미 있는 행동에 필요한 최소한의 기반조차 없다는 것뿐이었다."[7]

히틀러는 1918년 11월 말에 뮌헨으로 돌아왔다. 뮌헨은 알아볼 수 없을 만큼 변해 있었다. 혁명은 이곳에서도 일어났던 것이다. 비텔스바흐 왕가(바이에른을 통치해온 가문)의 국왕 역시 퇴위한 상태였다. 바이에른은 사회민주당의 수중에 있었고, 베를린 태생의 유대인 대중작가 쿠르트 아이스너Kurt Eisner를 수반으로 하는 바이에른 '인민국Volksstaat'이 수립되어 있었다. 11월 7일, 풍성한 회색 턱수염과 코안경, 너무 큰 검정 모자, 작달막한 체구로 뮌헨에서 널리 알려져 있던 아이스너는 불과 수백 명의 군중을 이끌고 거리를 터벅터벅 걸어가 총 한 발 쏘지 않고도 의사당과 정부 청사를 장악하고 공화국 수립을 선포했다. 그리고 3개월 후에 젊은 우파 장교 안톤 아르코-팔라이Anton Arco-Valley 백작에게 암살당했다. 그러자 노동자들이 들고일어나 레테(노동자-병사 평의회) 공화국을 수립했지만 이 체제는 오래가지 못했다. 1919년 5월 1일, 베를린에서 파견된 정규군 병력과 바이에른 '자유군단Freikorps' 의용군은 뮌헨에 진입해 공산주의 정권을 전복하고, 레테 측이 인질 12명을 총살한 데 대한 보복으로 다수의 비공산주의자를 포함해 수백 명을 학살했다. 표면상으로는 요하네스 호프만Johannes Hoffmann을 수반으로 하는 온건한 사회민주당 정부가 잠시 질서를 회복하긴 했지만, 바이에른 정계의 실권은 우파에 넘어간 상태였다.

이런 혼란기에 바이에른의 우파로는 누가 있었는가? 바이마르 공화국의 정규군, 즉 국가방위군Reichswehr이 있었다. 비텔스바흐 왕가의 복귀를 바라는 군주제 지지자들이 있었다. 베를린에 수립된 민주공화국을 경멸하는 다수의 보수주의자들이 있었다. 그리고 무엇보다 시간이 갈수록 늘어난 대규모 제대 군인의 무리, 1918년의 패전으로 바닥을 모르고 추락한 무리가 있었다. 뿌리째 뽑힌 그들은 직업을 구하지도, 1914년 당시의 평화로운 사회로 돌아가지도 못했다. 전쟁을 겪으며 난폭해진 그들은 몸에 밴 습관을 떨쳐버리지 못했고, 그들 중 한 사람이었던 히틀러가 훗날 말했듯이 "혁명 그 자체를 위한 혁명을 좋아하고 혁명이 일상적으로 지속되기를 바라는 혁명가들이 되었다".

무장한 자유군단 무리는 독일 각지에서 잇따라 등장했고 은밀히 국가 방위군으로부터 장비를 공급받았다. 처음에 자유군단 무리는 분쟁이 끝나지 않은 동부 국경 지대에서 폴란드군 및 발트군과 싸우는 데 주로 투입되었지만, 곧 공화국 정권을 전복하려는 음모를 뒷받침하게 되었다. 1920년 3월, 그 무리 중 하나로 약탈자 에어하르트Ehrhardt 소령이 이끄는 악명 높은 에어하르트 여단이 베를린을 점령했고, 평범한 극우 정치인 볼프강 카프 박사*가 스스로 총리가 되었음을 선포했다. 한스 폰 젝트Hans von Seeckt 장군 휘하 정규군은 공화국 대통령과 정부가 독일 서부로 허둥지둥 달아나는 동안 팔짱을 낀 채 보고만 있었다. 노동조합들이 총파업에 돌입한 덕에 공화정은 가까스로 복구되었다.

같은 시기 뮌헨에서 일어난 다른 종류의 군사 쿠데타는 더 성공을 거두었다. 1920년 3월 14일, 국가방위군은 호프만의 사회민주당 정부를 전복하고 구스타프 폰 카르Gustav von Kahr를 수장으로 하는 우파 정권을 수립했다. 이로써 이 바이에른의 주도는 공화국을 뒤엎고 권위주의 정권을 세워 베르사유 조약의 강제 조항을 거부하기로 결의한 독일 내 모든 세력을 끌어들이는 중심지가 되었다. 이곳에서 에어하르트 여단의 단원들을 비롯한 자유군단의 용병들은 피난처를 마련했고 또 환영을 받았다. 루덴도르프 장군과 불만 많은 다수의 퇴역 장교들도 뮌헨에 정착했다.**

---

* 카프는 1858년 7월 24일, 뉴욕에서 태어났다.
** 전쟁 막바지에 루덴도르프는 가짜 수염과 파란색 안경으로 변장한 채 스웨덴으로 달아났다. 1919년 2월에 독일로 돌아온 그는 아내에게 보낸 편지에 이렇게 썼다. "혁명가들이 우리 모두를 살려둔 것은 가장 어리석은 판단으로 드러날 것이오. 내가 다시 권력을 잡는 날에는 용서란 없을 테니까.

정적 살해도 이곳에서 모의되었다. 그런 음모의 희생양으로는 과거 장군들이 등을 돌렸을 때 용감하게 휴전협정에 서명했던 온건한 가톨릭계 정치인 마티아스 에르츠베르거Matthias Erzberger, 그리고 유대인이라는 이유로, 또 베르사유 조약의 조항들 중 적어도 일부라도 이행하려는 중앙정부의 방침을 실행했다는 이유로 극단주의자들의 미움을 산 총명하고 교양 있는 외무장관 발터 라테나우Walter Rathenau 등이 있었다.

이런 비옥한 땅 뮌헨에서 아돌프 히틀러는 첫걸음을 내디뎠다. 1918년 11월 말, 히틀러가 뮌헨으로 돌아왔을 때 그의 대대는 '노동자-병사 평의회'의 수중에 있었다. 그것이 너무 역겨워 그는 "하루라도 일찍 떠나기로" 결심했다. 그 겨울은 오스트리아 국경 근처 트라운슈타인의 포로수용소에서 감시 근무를 하며 보냈다. 그러다 봄이 되어서야 뮌헨으로 돌아왔다. 《나의 투쟁》의 본인 주장에 따르면, 히틀러는 좌파 정부의 "반감"을 사서 세 명의 "무뢰한"이 체포하러 왔지만 그들에게 카빈총을 겨눠 그 자리를 벗어났다. 공산주의 정권이 전복되자마자 히틀러는 "얼추 첫 번째의 정치 활동"을 시작했다. 단명한 뮌헨의 노동자-병사 평의회 정권 관계자들을 조사하기 위해 제2보병연대가 설치한 조사위원회에 정보를 제공하는 활동이었다.

히틀러의 일처리는 육군에서 추가 임무를 배정받을 정도로 높이 평가받았던 듯하다. 그는 관구사령부 예하 정치부 정보과에서 임무를 배정받았다. 당시 독일 육군은 그 전통과는 달리 정치에 깊이 관여하고 있었으

---

나는 양심에 거리낌 없이 에베르트, 샤이데만 일파를 교수형에 처하고 놈들의 숨이 끊어지는 꼴을 지켜볼 것이오." (Margarethe Ludendorff, *Als ich Ludendorffs Frau war*, p. 229) 에베르트는 바이마르 공화국의 초대 대통령, 샤이데만은 초대 총리다. 루덴도르프는 힌덴부르크의 부관이었지만 전쟁 막바지 2년간 사실상 독일의 독재자였다.

며, 마침내 입맛에 맞는 정부를 수립한 바이에른에서 특히 그러했다. 육군은 병사들에게 보수적인 사고를 주입하려는 '정치 교육'에 나섰으며, 아돌프 히틀러도 그런 교육을 열심히 받았다. 본인 이야기에 따르면, 어느 날 히틀러는 교육 도중 누군가가 유대인에 대해 좋게 말하자 즉시 끼어들며 항의했다. 히틀러의 반유대주의 장광설을 아주 흡족하게 들은 상관들은 곧 그를 뮌헨 어느 연대의 교육교관Bildungsoffizier으로 전속시켰다. 주요 임무는 평화주의, 사회주의, 민주주의 같은 위험한 이념들과 싸우는 것이었다—민주공화국에 충성하기로 맹세한 육군은 스스로의 역할을 이 정도로 인식하고 있었다.

이때가 히틀러에게는 중요한 분기점, 이제 막 들어서려는 정치의 세계에서 처음으로 인정받은 순간이었다. 무엇보다 그는 연설 능력—그가 줄곧 주장해온 대로 정치인으로서 성공하기 위한 제1의 전제조건—을 시험해볼 기회를 얻었다. "갑자기 더 많은 청중 앞에서 연설할 기회를 얻었다. 그리고 내가 순전히 느낌만으로 추측해오던 것이 이제 확증되었다. 나는 '연설'을 할 수 있었던 것이다." 이 발견은 그리 놀라운 일은 아니었지만, 그를 아주 기쁘게 해주었다. 전선에서 당한 가스 공격으로 혹시 목청이 상해버리지는 않았을까 걱정해온 터였다. 이제 "적어도 작은 내무반의 구석구석까지" 들릴 정도로 목청을 회복했음을 확인했다.[8] 이는 장차 그를 독일에서 가장 유능한 연설가로 만들어줄 재능, 라디오에서 흘러나오는 목소리로 수백만 명을 휘어잡을 마력을 지닌 재능의 시초였다.

1919년 9월의 어느 날, 히틀러는 독일노동자당이라는 뮌헨의 작은 정치 단체를 조사해보라는 명령을 육군 정치부로부터 받았다. 군부는 노동자 단체를 대개 사회주의나 공산주의 성향이라는 이유로 미심쩍게 보았지만 이 정당은 다를지도 모른다고 생각했다. 히틀러로서는 "전혀 모르는" 단체였다. 그렇지만 자신이 조사해야 하는 이 정당의 회합에서 연설을 하기로 예정된 한 인물을 알고 있었다.

몇 주 전 육군의 교육 과정에서 히틀러는 건축기사이자 경제학 분야에서는 괴짜인 고트프리트 페더Gottfried Feder의 강의를 들은 적이 있었다. 페더는 '창조적' 자본이나 '생산적' 자본과 대비되는 '투기적' 자본이 독일의 경제적 곤경의 한 요인이라는 견해에 사로잡혀 있었다. 투기적 자본의 근절을 주장한 페더는 이 목표를 달성하기 위해 1917년 '이자 노예제 철폐를 위한 독일 투쟁동맹'을 조직한 바 있었다. 경제학에 무지했던 히틀러는 페더의 강의에 깊은 감명을 받았으며, '이자 노예제 철폐'라는 페더의 호소에서 "신당 설립의 필수 전제들" 중 하나를 발견했다. 페더의 강의를 듣다가 "나는 다가오는 투쟁에 필요한 강력한 표어를 떠올렸다"고 히틀러는 말했다.[9]

그러나 처음에는 독일노동자당을 조금도 중시하지 않았다. 명령을 받았기에 회합에 참석했을 뿐이고, 맥주 양조장 슈테르네커브로이Sterneckerbräu의 어두침침한 지하실에 모인 25명 남짓한 당원들의 따분한 행사를 히틀러는 끝까지 지켜보았지만 이렇다 할 감명을 받지는 못했다. "다른 수많은 단체와 별 차이가 없는 새로운 조직"이었다. 당시에는 "시국에 불만을 품은 사람이라면 누구나 … 신당 결성을 천명이라고 생각했다. 어디서나 이런 단체들이 속속 등장했다가 얼마 못 가서 소리 없이 사라지곤 했다. 나는 독일노동자당도 그중 하나일 것이라고 판단했다".[10] 페더가 연설을 마치고 히틀러가 막 떠나려는데 어떤 "교수"가 불쑥 일어나 페더의 논변에 의문을 제기하고는 바이에른이 프로이센과 결별하고 오스트리아와 함께 남독일 국가를 수립해야 한다고 주장했다. 이는 당시 뮌헨에서 인기 있는 발상이었지만 정작 히틀러를 격분시킨 것은 교수의 표현법이었다. 훗날 회상한 대로, 히틀러는 자리에서 일어나 "그 박식한 신사"에게 자신의 소신을 거침없이 피력했다. 그런데 얼마나 심하게 몰아세웠던지 그 "교수"는 마치 "흠뻑 젖은 푸들처럼" 행사장을 떠났고, 청중은 "어안이 벙벙한 얼굴로" 낯이 익지 않은 청년을 바라보았다. 한 남자—히틀러는 그의 이름을 제대로 알아듣지 못했디고 한나—가 쫓아와 히틀러에게 작은 책자를 쥐여주었다.

그 사람은 국가사회주의의 실질적 창시자라고 불릴 만한 자물쇠 수리공 안톤 드렉슬러Anton Drexler였다. 병약한 외모에 안경을 썼고, 정규 교육을 받지 못했고, 독립심은 있지만 도량이 좁고 정신이 혼란스러웠으며, 글솜씨가 부족하고 연설 실력은 더더욱 없었던 드렉슬러는 당시 뮌헨의 철도공장에서 일하고 있었다. 1918년 3월 7일, 그는 자유노조들의 마르크스주의와 싸우고 독일을 위한 '공정한' 강화講和를 촉구하기 위해 '독립노동자위원회'를 결성했다. 사실 이 단체는 북독일에서 발족한 노동계급전선평화증진연합(당시부터 1933년까지 독일에는 이렇게 거창한 명칭의 압력단체들이 즐비했다)이라는 더 큰 운동의 한 지부였다.

드렉슬러는 회원을 40명 이상 모으지 못했으며, 1919년 1월 카를 하러Karl Harrer라는 신문기자가 이끌던 동종의 단체인 정치노동자동우회와 합병했다. 회원이 채 100명도 안 되는 이 새로운 단체는 독일노동자당이라 불렸으며 하러가 초대 의장이 되었다. 히틀러는 《나의 투쟁》에서 초기의 동료들에 대해 거의 언급하지 않지만 하러에 대해서는 "정직"하고 "확실히 폭넓은 교양"을 갖추긴 했으나 "연설 재능"이 없었다고 썼다. 하러가 짧게 언급된 것은 무엇보다 그가 히틀러의 연설은 형편없다고 끈질기게 주장했기 때문일 텐데, 이 판단은 《나의 투쟁》에서 분명하게 드러나듯이 나치 지도자를 두고두고 화나게 했다. 어쨌든 드렉슬러는 이 작고 알려지지 않은 독일노동자당의 주역이었던 것으로 보인다.

이튿날 아침, 히틀러는 드렉슬러가 쥐어준 소책자를 펼쳐 정독했다. 그 장면은 《나의 투쟁》에 길게 묘사되어 있다. 오전 5시에 잠에서 깬 히틀러는 평소처럼 제2보병연대 막사 안의 간이침대에 몸을 기댄 채 쥐들이 그가 전날 밤 바닥에 뿌려놓은 빵 부스러기를 야금야금 먹는 모습을 지켜보았다. "나는 삶의 경험으로 빈곤을 속속들이 알고 있었기에 이 작은 동물의 굶주림을, 따라서 그 기쁨을 능히 상상할 수 있었다." 그는 소책자를 떠올리고는 읽기 시작했다. '나의 정치적 각성'이라는 제목이 붙어 있었다. 놀랍게도 거기에는 히틀러 자신이 여러 해에 걸쳐 획득한 이념의 상당 부분이 담겨 있었다. 드렉슬러의 주된 목표는 노동계급 대중에 기반을 두되 사회민주당과 달리 민족주의를 강하게 표방하는 정당을 조직하는 것이었다. 드렉슬러는 한때 애국 단체인 조국전선의 일원이었지만 곧 대중과의 아무런 접점도 없어 보이는 이 단체의 중간계급 의식에 환멸을 느꼈다. 앞에서 봤듯이 일찍이 히틀러도 빈에서 같은 이유로, 즉 노동계급 가정이나 그들의 사회적 문제에 전혀 신경쓰지 않는다는 이유로 부르주아지를 경멸하게 되었다. 그리하여 드렉슬러의 이념은 확실히 히틀러의 관심을 끌었다.

그날 늦게 히틀러는 독일노동자당 입당을 허락한다는 내용의 엽서를 받고는 깜짝 놀랐다. 훗날 기억하기로 "화를 내야 할지 웃어야 할지 알 수가 없었다". "나는 기성 정당에 가입할 생각이 없었고 직접 나의 당을 세우고자 했다. 그들은 내게 무례하고 터무니없는 요구를 했다."[11] 히틀러는 편지에 그런 식으로 쓰려다가 "호기심을 이기지 못하고" 초대받은 위원회에 나가서 "이 우스꽝스러운 소조직"에 참여하지 않는 이유를 직접 설명하기로 결심했다.

회합이 진행될 술집은 헤렌슈트라세에 있는 알테 로젠바트라는 몹시 허름한 장소였다. … 나는 사람 그림자도 보이지 않는 어두침침한 식당을 지나 뒷방의 문을 열고서 위원회와 대면했다. 때묻은 가스등의 어둑한 조명 아래 청년 네 명이 탁자에 둘러앉아 있었고, 그들 중 소책자이 필지가 나에게 무척 반가운 기색으로 인사하고서 독일노동자당 입당을 환영한다고 말했다. 사실 나는 약간 어리둥절했다. 그들은 지난번 회합의 의사록을 낭독하고 서기에 대한 신임 투표를 했다. 이어서 회계 보고를 하고 — 이 단체는 모두 합해 7마르크 50페니히를 가지고 있었다 — 회계 담당자에 대한 신임 투표를 했다. 이 역시 의사록에 기입되었다. 그러고는 초대 의장이 킬에서 온 편지, 뒤셀도르프에서 온 편지, 그리고 베를린에서 온 편지에 대한 답장을 읽었고 모두가 동의를 표했다. 다음으로 수신 우편물에 대한 보고가 있었다. …
끔찍하고도 끔찍했다! 최악의 방식으로 운영되는 최악의 유형의 사교 클럽이었다. 내가 이런 조직에 가입한다는 말인가?[12]

그럼에도 어두침침한 뒷방에 모인 이 초라한 남자들에게는 히틀러를 끌어당기는 무언가가 있었다. 바로 "종래의 정당을 넘어서는 새로운 운동을 향한 열망"이었다. 그날 저녁 막사로 돌아온 그는 "생애에 가장 어려운 질문과 마주했다. 가입해야 할까?" 그가 인정하듯이 이성은 거절하라고 말했다. 그러나 … 조직이 보잘것없기에 오히려 정열과 이념에 불타는 청년에게 "실제로 개인적 역량을 발휘할" 기회를 줄 수도 있었다. 히틀러는 자신의 무엇을 "이 과제에 쏟을" 수 있을지 곰곰이 생각했다.

내가 가난하고 재력이 없다는 것은 그나마 감내할 수 있었다. 그런데 정작 이름 없는 사람들 축에 든다는 것, 우연에 따라 살 수도 있고 거들먹거리는 가까운 이웃조차 전혀 모르게 횡사할 수도 있는 수백만 명 중 하나라는 것이 더 견디기 힘들었다. 게다가 학교 교육을 마치지 못한 탓에 불가피하게 따르는 곤란함이 있었다.

이틀간 심사숙고한 끝에 나는 결국 이 한 걸음을 내디뎌야 한다는 확신에 이르렀다. 그것은 내 인생에서 가장 결정적인 결단이었다. 거기서 더는 되돌아갈 길도 없고 되돌아갈 수도 없었다.[13]

이제 아돌프 히틀러는 독일노동자당 위원회의 일곱 번째 위원으로 등록되었다.

이 대수롭지 않은 당에도 여기서 언급해둘 만한 두 인물이 있었다. 에른스트 룀 대위는 뮌헨의 육군 제7관구사령부 소속으로 히틀러보다 먼저 독일노동자당에 입당했다. 룀은 체격이 다부지고 목이 황소처럼 굵고 눈이 돼지처럼 탐욕스럽고 얼굴에 큰 흉터가 있는(1914년에 코의 상반부가 날아가는 부상을 입었다) 직업군인으로, 정치적 감각이 뛰어나고 타고난 조직가 능력을 갖추고 있었다. 히틀러와 마찬가지로 룀은 민주공화국과 이 체제에 책임이 있는 '11월의 범죄자들'에 대한 불타는 증오심을 품고 있었다. 룀은 강력한 민족주의적 독일의 재건을 목표로 삼았으며, 역시 히틀러와 마찬가지로 이 목표는 하층계급에 기반을 두는 정당만이 달성할 수 있다고 생각했다. 대개의 정규군 장교들과 달리 룀은 이 하층계급 출신이었다. 거칠고 무자비하고 추진력 강한 이 사내는 (초기의 수많은 나치 당원들과 마찬가지로 동성애자이긴 했지만) 나치의 첫 완력 단체를 조직해서 장차 SA 즉 돌격대로 키워내는 데 기여했고, 1934년 히틀러에 의해 숙청될 때까지 돌격대를 지휘했다. 룀은 다수의 퇴역군인과 자유군단 의용병을 이 신생 정당으로 끌어들여 조직의 중추로 삼았을 뿐 아니라, 바이에른을 통제하는 육군 장교로서 히틀러와 그의 운동을 위해 당국의 보호와 때로는 지원을 얻어내기까지 했다. 이런 도움이 없었다면, 히틀러는 독일 국민을 선동해 공화국을 전복하려는 운동에 결코 돌입할 수 없었을 것이다. 바이에른 정부와 경찰이 묵과하지 않았다면, 테러와 위협이라는 방법을 구사한 히틀러는 처벌을 면할 수 없었을 것이다.

히틀러보다 21세 연상인 디트리히 에카르트Dietrich Eckart는 국가사회주의의 정신적 창시자로 불리곤 했다. 재기 넘치는 신문기자이며 평범한 시인이자 극작가인 에카르트는 입센의 희곡《페르 귄트》를 번역하고 상연되지 않은 다수의 희곡을 남겼다. 빈 시절의 히틀러가 그랬듯이, 에카르트는 베를린에서 한동안 자유분방한 부랑자로 지냈고, 술고래였으며, 모르핀에 중독되었고, 하이덴에 따르면 정신병원에 수용된 적도 있었다. 그곳에서는 환자들을 배우로 부려서 마침내 자신의 희곡을 무대에 올릴 수 있었다. 전쟁이 끝나고 고향 바이에른으로 살아 돌아온 그는 뮌헨의 예술가 지구인 슈바빙에 있는 브레네셀 포도주 술집에서 일군의 찬미자들에게 장광설을 늘어놓으며 아리아인의 우월성을 설교하는 한편 유대인을 말살하고 베를린의 '돼지들'을 타도하자고 부르짖었다.

당시 뮌헨에서 신문기자로 활동하던 하이덴은 1919년에 에카르트가 브레네셀 포도주 술집의 단골들 앞에서 다음과 같이 열변을 토했다고 전한다. "우리에겐 기관총 소리를 견디며 선두에 설 수 있는 동료가 필요합니다. 어중이떠중이에게 공포심을 심어줄 필요가 있습니다. 장교는 써먹을 수 없습니다. 사람들이 더는 장교를 존중하지 않기 때문입니다. 최상의 후보는 연설에 능한 노동자일 것입니다. … 머리는 그리 좋지 않아도 됩니다. … 미혼남이라야 여자들이 몰려들 것입니다."[14]

이 주정뱅이 시인*이 자신이 찾고 있던 남자의 모습을 아돌프 히틀러 에게서 발견한 것은 극히 자연스러운 일이었다. 에카르트는 독일노동자 당에서 떠오르는 히틀러라는 청년의 가까운 조언자가 되어 책을 빌려주 고, 독일어 구사―글말과 입말 모두―를 개선하도록 도와주고, 자신의 각계각층 지인들을 소개해주었다. 그중에는 당의 자금이나 히틀러의 생 활비로 쓰일 돈을 기부한 몇몇 부자들뿐 아니라, 루돌프 헤스Rudolf Hess 나 알프레트 로젠베르크Alfred Rosenberg처럼 장차 히틀러의 측근이 될 사 내들도 있었다. 에카르트에게 탄복하는 히틀러의 마음은 끝내 흔들리지 않았으며,《나의 투쟁》말미의 문장은 이 괴짜 멘토에게 바치는 감사의 뜻을 드러내고 있다. 히틀러의 말처럼 에카르트는 "자신의 글로, 사상으 로, 그리고 행동으로 우리 국민을 일깨우는 데 일생을 바친 가장 훌륭한 인물들 중 한 명"이었다.[15]

이렇게 특이한 부적응자들이 한데 모여 국가사회주의를 창시하고 부 지불식간에 하나의 운동을 형성하기 시작했다. 그 운동은 향후 13년 사 이에 독일 전역을 휘어잡고 유럽 최강 세력이 되어 독일을 제3제국으로 이끌 터였다. 정신이 혼란스러운 자물쇠 수리공 드렉슬러가 씨앗을 뿌 렸고, 주정뱅이 시인 에카르트가 '정신적' 토대의 일부를 다졌으며, 괴짜 경제학자 페더가 이데올로기로 통하는 것을 내놓았고, 동성애자 룀이 군 부와 퇴역군인의 지지를 얻어냈다. 그러나 뒷방 토론회에 지나지 않았던

---

* 에카르트는 1923년 12월에 과음으로 사망했다.

모임의 세를 불려 곧 강력한 정당으로 만든 주역은 지난날 부랑자였고 아직 31세가 되지 않은 무명의 아돌프 히틀러였다.

빈에서 굶주리며 외롭게 지내던 시절에 히틀러의 마음속에서 싹튼 모든 이념이 이제 배출구를 찾았고, 그의 겉모습만 봐서는 알아챌 수 없는 내면의 에너지가 분출하기 시작했다. 그는 소심한 위원회를 밀어붙여 더 큰 집회를 열도록 했다. 초대장을 직접 타이핑하고 돌리기도 했다. 한번 온 초대상 80장을 뿌린 뒤 "우리는 사람들이 무리지어 나타나기를 기대하며 앉아서 기다렸다. 한 시간 후, '의장'이 '집회'를 개시할 수밖에 없었다. 처음 그대로 우리 일곱 명뿐이었다".[16] 그러나 히틀러는 낙심할 사람이 아니었다. 등사판으로 인쇄해 초대장의 수를 늘렸다. 몇 마르크의 돈을 모아 한 지역 신문에 집회 안내문을 집어넣었다. "정말이지 놀라운 성공이었다. 100명하고 11명이 모였다." 히틀러는 어느 "뮌헨 교수"의 주 연설에 이어 처음으로 많은 사람들 앞에서 연설을 하기로 되어 있었다. 명목상 당수인 하러가 반대하고 나섰다. 히틀러는 이렇게 회고한다. "분명 다른 면에서는 정직했던 이 신사는 공교롭게도 내가 다른 일들은 할 수 있지만 연설만은 할 수 없다고 확신했다. 나는 30분 동안 연설했고, 그전까지는 알 길이 없어 그저 내면에서 느끼고만 있었던 것이 그 순간 사실로 입증되었다. 나는 연설을 할 수 있었던 것이다!"[17] 히틀러는 자신의 웅변에 청중이 "감전"되었고, 그 열기가 당의 자금 걱정을 한동안 덜어준 300마르크의 기부금으로 입증되었다고 주장한다.

1920년 초에 히틀러는 당의 선전 부문을 넘겨받았다. 빈에서 사회민주당이나 기독교사회당의 경우 선전 활동이 얼마나 중요한지를 관찰한 이래로 그는 선전에 대해 깊이 생각해왔다. 그는 이 초라하리만치 작은 정당이 꿈꿔본 적 없는 큰 집회를 당장 준비하기 시작했다. 날짜는 1920년

2월 24일, 장소는 약 2000석을 갖춘 유명한 호프브로이하우스의 대연회장이었다. 동료 위원들은 히틀러가 미쳤다고 생각했다. 하러는 항의의 뜻으로 의장직에서 사임했고, 그 자리를 대신한 드렉슬러 역시 회의적이었다.* 히틀러는 자신이 집회 준비를 지휘했다고 강조한다. 이 집회를 묘사하며 《나의 투쟁》 제1권을 끝맺었을 정도로 그는 이 사건을 중시했다. 그의 설명대로 "당이 작은 클럽의 틀을 깨부수고 우리 시대의 가장 강력한 요인인 여론에 처음으로 결정적인 영향을 준" 사건이었기 때문이다.

히틀러는 주 연설자로 예정되어 있지도 않았다. 그 역할은 동종요법 의사이자 '게르마누스 아그리콜라'라는 필명으로 신문에 경제 관련 글을 기고한 괴짜로 사람들의 뇌리에서 금세 잊힌 요하네스 딩펠더Johannes Dingfelder 박사의 몫이었다. 그의 연설에 청중은 침묵했다. 다음 차례로 히틀러가 연설하기 시작했다. 그 광경을 히틀러 본인은 이렇게 묘사한다.

고함이 빗발쳤고, 장내에서 실랑이가 벌어졌으며, 몇 안 되는 가장 충직한 전우들과 지지자들이 훼방꾼들 … 공산주의자들이나 사회주의자들과 맞섰고, 조금씩 겨우 질서를 회복할 수 있었다. 나는 그제야 연설을 시작할 수 있었다. 30분이 지나자 점차 박수갈채가 고함이나 아우성을 제압하기 시작했다. … 약 4시간 뒤 홀이 텅 비기 시작할 즈음, 더 이상 잊을 수 없는 운동의 원칙들이 독일 국민들 사이에 퍼져나가고 있음을 나는 깨달았다.[18]

---

* 하러는 히틀러의 폭력적인 반유대주의에 반대했고 히틀러가 노동계급 대중을 소외시킨다고 생각했다. 이 두 가지가 하러 사임의 진짜 이유였다.

이 연설에서 히틀러는 독일노동자당의 강령 25개조를 처음으로 발표했다. 드렉슬러, 페더, 히틀러가 서둘러 기초한 강령이었다. 히틀러가 받은 야유의 대부분이 실은 그 강령에 대한 것이었지만 그는 강령의 모든 조항이 채택되었다고 생각했다. 그 조항들은 1920년 4월 1일 국가사회주의독일노동자당으로 당명을 바꾼 나치당의 공식 강령이 되었다. 1926년, 히틀러는 전술상의 이유로 이 강령은 "변경 불가"라고 선언했다.

이 강령은 분명 뒤죽박죽이었다. 노동자를 위한 조항, 중간계급 하층을 위한 조항, 농민을 위한 조항이 뒤섞여 있었고, 나치당이 집권할 무렵에는 대부분 잊힌 상태였다. 독일에 관해 논평하던 제법 많은 사람들이 이 강령을 조롱했으며, 훗날 히틀러 자신도 몇몇 조항을 상기하고는 당황할 정도였다. 그럼에도 《나의 투쟁》에서 언급한 주요 원칙들과 마찬가지로 강령의 가장 중요한 부분은 제3제국에 의해 실행되어 독일 안팎의 수백만 명에게 재앙을 불러왔다.

강령의 제1조는 모든 독일인을 대독일로 통합할 것을 요구했다. 이것이야말로 훗날 총리에 오른 히틀러가 역설한 것, 오스트리아와 그 600만 명의 독일계 국민을 병합하고 주데텐란트와 그 300만 명의 독일계 주민을 장악함으로써 달성한 것이 아니었던가? 또한 주민 대부분이 독일인인 단치히와 그 밖의 폴란드 지역들을 돌려달라는 히틀러의 요구가 독일의 폴란드 침공으로 이어지고 2차대전을 야기하지 않았던가? 더욱이 전간기에 수많은 사람들이 히틀러가 공들여 작성한 나치의 목표를 무시하거나 웃어넘긴 것이 세계의 불행 중 하나였다고 말할 수 있지 않은가? 1920년 2월 24일 저녁 뮌헨의 맥주홀에서 선언된 강령 속의 반유대주의 조항들은 분명 섬뜩한 경고였다. 유대인은 독일 내에서 공직은 물론 시민권조차 획득하지 못하고 언론기관에서 배제될 터였다. 1914년 8월 2일

이후 독일로 이주한 모든 비독일인은 추방될 터였다.

　당 강령의 상당 부분은 그저 궁핍하게 살아가던 하층계급의 분위기에 호소하고 과격한 표어와 심지어 사회주의적인 표어에까지 동조하는 선동적인 내용이었다. 예를 들어 제11조는 불로소득의 철폐를 요구했고, 제13조는 기업의 국유화를, 제14조는 대기업 이익의 분배를, 제17조는 지대 폐지와 토지 투기 금지를 요구했다. 제18조는 반역자, 고리대금업자, 폭리 취득자에 대한 사형을 요구했고, 제16조는 "건전한 중간계급"을 유지하기 위해 대형 소매점을 공유화하고 소상인에게 염가로 임대할 것을 주장했다. 이 요구사항들은 국가사회주의의 '사회주의'를 실제로 믿었던 듯한 드렉슬러와 페더가 고집해 강령에 집어넣은 것이었다. 나중에 대기업 총수들과 지주들이 나치당의 금고에 돈을 쏟아붓기 시작하자 히틀러는 이 조항들 때문에 당황했고, 당연히 하나도 실행하지 않았다.

　끝으로, 히틀러가 총리직에 오르자마자 실행하려 한 두 조항이 있었다. 제2조는 베르사유 조약과 생제르맹 조약의 철폐를 요구했다. 그리고 마지막 제25조는 "국가의 강력한 중앙정부 수립"을 역설했다. 각각 대독일 내 모든 독일인의 통합과 강화조약의 철폐를 요구한 제1조, 제2조와 마찬가지로 제25조도 히틀러가 고집해 강령에 포함된 것이었다. 제25조는 나치당이 뮌헨 밖에서는 거의 무명이던 때부터 이미 히틀러가 자신의 세력권에서 대중의 지지를 잃을 위험을 무릅쓰고 더 멀리까지 내다보고 있었음을 알려준다.

　당시 바이에른에서는 분리주의가 아주 강했으며, 베를린의 중앙정부와 사사건건 충돌하던 바이에른 주민들은 자기네 주의 자치를 위해 가능한 한 중앙집권화를 피하려 했다. 실제로 당시 상황은 그렇게 흘러가고 있었다. 베를린 중앙정부의 명령은 여러 주에서 그다지 권위가 없었다.

히틀러는 바이에른뿐 아니라 궁극적으로는 독일 전역에서의 권력을 노렸고, 그 권력을 거머쥐고 행사하려면 그가 이미 구상해두었듯이 강력한 중앙집권 국가로 독재정을 수립하는 한편 호엔촐레른 제국 치하에서처럼 바이마르 공화국 치하에서도 자체 의회와 정부를 갖춘 주들의 반半자치제를 폐지할 필요가 있었다. 1933년 1월 30일 이후 히틀러의 첫 조치들 중 하나는 거의 아무도 눈여겨보거나 진지하게 받아들이지 않았던 나치당 강령의 마지막 제25조를 신속히 실시하는 것이었다. 히틀러가 맨 처음부터 서면으로 충분히 경고하지 않았다고는 누구도 말할 수 없었다.

선동적인 연설과 과격한 잡탕 강령은 신생 정당으로서 이목을 끌고 다수의 지지를 얻는 데 필요하기는 했지만 그걸로 충분하지는 않았다. 그러자 히틀러는 더 많은 것, 훨씬 더 많은 것을 제공하는 쪽으로 눈길을 돌렸고, 그리하여 그의 특이한 천재성의 조짐이 비로소 드러나고 느껴지기 시작했다. 그가 생각하기에 대중에게 필요한 것은 이념—그가 대중의 뇌리에 끊임없이 주입할 수 있었던 단순한 몇몇 이념—만이 아니었다. 대중의 신뢰를 얻을 수 있는 상징, 대중을 자극할 수 있는 구경거리와 색채, 그리고 성공할 경우 지지자를 끌어모으고(독일인 대다수가 강자에게 이끌리지 않았던가?) 약자에 대한 권력의식을 갖게 해줄 폭력과 테러 행위 역시 필요했다.

앞에서 봤듯이 히틀러는 일찍이 빈에서 사회민주당이 정적들에게 자행한다고 생각한 "악명 높은 정신적·육체적 테러"에 흥미를 보인 바 있었는데, 그 수법을 이제는 자신의 반사회주의 정당에서 매우 효과적으로 구사했다. 처음에는 방해꾼의 입을 닫고 필요하다면 내쫓기 위해 퇴역군인을 집회에 배치했다. 1920년 4월, '독일노동자당'에 '국가사회주의'를 추가해 '국가사회주의독일노동자당Nationalsozialistische Deutsche

Arbeiterpartei'(약칭은 오늘날 널리 알려진 NSDAP)으로 당명을 바꾼 직후에 히틀러는 난폭한 참전용사들을 모아 '완력' 집단인 질서유지대Ordnertruppe로 조직하고 전과자인 시계공 에밀 마우리체Emil Maurice에게 지휘를 맡겼다. 이 집단은 베를린 중앙정부의 탄압을 피하기 위해 한동안 당의 '체육스포츠대Turn- und Sportabteilung'로 위장한 뒤 1921년 10월 5일에 정식으로 돌격대Sturmabteilung라는 이름을 얻었고, 여기에서 SA라는 약칭이 나왔다. 갈색 제복을 갖춰 입은 돌격대원은 주로 자유군단의 약탈자들 중에서 충원되었고, 악명 높은 에어하르트 소령의 부관 출신으로 에르츠베르거 살해에 연루되어 투옥되었다가 그 무렵에 석방된 요한 울리히 클린치히Johann Ulich Klintzich의 지휘를 받았다.

이 제복 입은 무뢰한들은 나치 집회의 질서를 유지하는 데 만족하지 못하고 이내 다른 정당들의 집회를 무력으로 해산시키기 시작했다. 1921년에는 히틀러가 직접 돌격대를 이끌고서 발러슈테트Ballerstedt라는 바이에른의 연방주의자가 연설하기로 되어 있는 집회에 난입해 이 사람을 구타했다. 이 사건으로 히틀러는 3개월 형을 선고받고 1개월을 복역했다. 이 첫 번째의 투옥 경험으로 히틀러는 얼마간 순교자 대접을 받으며 인기가 더 높아졌다. "괜찮습니다"라고 히틀러는 경찰에게 뽐내듯이 말했다. "우리는 원하는 걸 얻었어요. 발러슈테트가 연설을 못했잖습니까." 그 몇 달 전에 히틀러는 청중 앞에서 "국가사회주의 운동은 앞으로 우리 동포들의 정신을 어지럽힐 만한 집회나 연설을 필요하다면 힘으로라도 무자비하게 막을 것입니다"라고 말하기도 했다.[19]

1920년 여름, 한때는 좌절한 예술가였으나 이제는 선전의 명수가 된 히틀러는 천재성의 발휘라고밖에 말할 수 없는 영감을 떠올렸다. 그가 보기에 당은 새로운 조직이 지향하는 바를 표현하고 대중의 상상력에 호소할 만한 문장紋章, 깃발, 상징을 결여하고 있었다. 대중이 뒤따르고 그 아래서 싸울 만한 강렬한 이미지가 긴요하다고 그는 생각했다. 골똘히 궁리하고 다양한 도안을 시도해본 끝에 그는 빨간색 바탕의 중앙에 흰색 원이 있고 그 안에 검은색 스와스티카(만자卍字무늬)를 그려넣은 깃발을 떠올렸다. 스와스티카의 갈고리 십자가—하켄크로이츠—는 고대로부터 차용한 것이긴 했지만 나치당, 더 나아가 나치 독일의 강력하고도 섬뜩한 상징이 되었다. 히틀러는《나의 투쟁》에서 이 주제에 대해 길게 논하면서도 하켄크로이츠를 당의 깃발과 문장에 사용할 아이디어를 어디에서 얻었는지는 말하지 않는다.

하켄크로이츠의 역사는 거의 인류의 역사만큼이나 오랜 것이다. 그것은 트로이, 이집트, 중국의 유적에서 발견된다. 나는 인도의 힌두교나 불교의 오랜 유적에서 하켄크로이츠를 직접 본 적이 있다. 근래에는 에스토니아나 핀란드 같은 발트 국가들의 공식 문장에 사용된 바 있었으며, 독일 자유군단들은 1918~19년 전투 때 이 문장을 목격하기도 했다. 에어하르트 여단은 1920년 카프 폭동 때 하켄크로이츠가 그려진 철모를 쓰고서 베를린에 입성했다. 히틀러는 오스트리아 시절에 이런저런 반유대주의 정당들의 문장에서 틀림없이 하켄크로이츠를 봤을 것이고, 아마도 에어하르트 여단이 뮌헨에 왔을 때 그것을 보고는 강한 인상을 받았을 것이다. 그는 당원들이 제안한 수많은 도안에 한결같이 스와스티카가 들어 있었고 그중 "슈테른베르크 출신 치과의사"가 제출한 도안이 "결코 나쁘지 않았고 나의 안과 흡사했다"고 말한다.

색상과 관련해 히틀러는 자신이 증오하는 바이마르 공화국을 상징하는 검은색, 빨간색, 금색을 당연히 거부했다. 그는 빨간색, 흰색, 검은색으로 이루어진 제2제국 국기를 피하려 했으면서도 그 색상 조합은 좋아했는데, 그에 따르면 그것이 "현존하는 가장 훌륭한 조화"일 뿐 아니라 자신이 목숨 걸고 싸웠던 독일의 색이었기 때문이다. 하지만 거기에 새로운 형태를 부여해야 했으므로 같은 색상 조합에 스와스티카를 추가했던 것이다.

히틀러는 독특한 창안물을 한껏 즐겼다. 《나의 투쟁》에서는 "진정한 상징이란 이런 것이다!"라고 힘주어 말했다. "우리는 **빨간색**에서 운동의 사회적 이념을, **흰색**에서 민족주의적 이념을, **스와스티카**에서 아리아인의 승리를 위한 투쟁의 사명감을 본다."[20]

곧 돌격대원과 당원의 제복을 위한 스와스티카 완장이 고안되었다. 그리고 2년 후 히틀러는 장대한 퍼레이드 때 함께하고 대규모 집회의 단상을 장식할 나치 당기를 도안했다. 옛 로마의 도안에서 차용한 나치 당기를 살펴보면, 꼭대기의 독수리 밑에 은 화환을 두른 검은색 금속 스와스티카가 자리하고, 그 아래 옆으로 네모난 금속판에 당명의 머리글자 NSDAP가 들어가 있으며, 다시 그 아래로 가장자리에 술이 달린 네모난 스와스티카 깃발에 큰 글자로 "독일이여 깨어나라Deutschland Erwache"라고 새겨져 있다.

이것은 '예술'은 아니었을지 몰라도 선전으로서는 최상급이었다. 이제 나치당은 다른 어떤 정당에도 뒤지지 않을 상징을 가지게 되었다. 갈고리 십자가는 그 자체로 모종의 신비한 힘, 전후 혼란기의 불확실성 속에서 허우적대던 불안정한 중간계급 하층을 향해 새로운 방향으로 행동하라고 손짓하는 힘을 가지고 있는 듯했다. 그들은 나치의 깃발 아래로 모여들기 시작했다.

## '총통'의 출현

1921년 여름, 연설가뿐 아니라 조직가, 선전가로서도 놀라운 재능을 보이며 떠오른 젊은 선동가는 당의 절대적 지도권을 차지했다. 그 과정에서 히틀러는 장차 더 중요한 위기 국면들에서 대단한 성공을 거둘 무자비함과 전술적 기민함을 동료들에게 처음으로 선보였다.

초여름에 히틀러는 북부 독일의 민족주의자들과 접촉하고 그들의 정신적 본부인 민족클럽에서 연설하기 위해 베를린으로 갔다. 자신의 운동을 바이에른의 경계를 넘어 독일 전역으로 넓힐 수 있을지 가늠해볼 생각이었다. 어쩌면 이 목표를 이루는 데 유용한 동맹을 맺을 수도 있을 터였다. 그런데 히틀러가 자리를 비운 사이에 나치당 위원회의 다른 위원들은 그 순간이 그의 지도권에 도전할 적기라고 판단했다. 그들이 보기에 히틀러는 지나치게 독재적이었다. 그들은 남부 독일에서 마음이 맞는 집단들, 특히 악명이 자자한 유대인 박해자요 당시만 해도 히틀러의 앙숙이자 경쟁자였던 율리우스 슈트라이허가 뉘른베르크에서 세력을 키우는 중인 '독일사회당'과 동맹을 맺는 방안을 제안했다. 이 위원들은 만약 야심찬 지도자들이 이끄는 집단들과 나치당을 합칠 수 있다면 히틀러의 존재감도 약해질 것이라고 확신했다.

자신의 지위가 위태로움을 알아차린 히틀러는 급히 뮌헨으로 돌아와, 《나의 투쟁》의 표현을 빌리자면, "멍청한 미치광이들"의 음모를 진압했다. 그는 탈당 신청을 했다. 다른 위원들이 금방 알아차렸듯이, 이는 당으로서 감당할 수 없는 일이었다. 히틀러는 당에서 가장 뛰어난 연설가일 뿐 아니라 최고의 조직가이자 선전가였다. 더구나 조직의 자금을 대부분 그에게 의지하고 있었다—그는 자신이 연설하는 대중집회에서 모금을 하거나 군부 등으로부터 돈을 끌어왔다. 히틀러가 떠난다면 신생 나치당은 와해될 게 뻔했다. 위원회는 히틀러의 탈당을 수락하지 않았다. 자기 지위의 힘을 재확인한 히틀러는 나머지 지도부에게 완전 항복을 강요했다. 당의 유일한 지도자로서의 독재권, 위원회 폐지, 그리고 슈트라이허의 정당 같은 다른 집단들과의 결탁 포기를 요구했다.

그러나 다른 위원들에게는 지나친 요구였다. 당 창건자인 안톤 드렉슬러 등은 독재자가 되려는 히틀러에 대한 탄핵의 뜻을 팸플릿에 담아 뿌렸다. 그것은 그때까지 히틀러가 당원들—즉 그의 성격과 수법을 직접 겪어본 사람들—로부터 받은 비난 중 가장 맹렬한 것이었다.

아돌프 히틀러 씨는 아직까지 밝혀지지 않은 이유로 베를린에 6주간 머문 후 권력욕과 개인적 야심에 사로잡혀 원래의 지위로 돌아갔다. 그는 자기 뒤에 그림자처럼 숨은 사람들을 활용해 우리 내부에서 불화와 분열을 야기하고 그리하여 유대인과 그 친구들의 이익을 증진할 호기라고 생각하고 있다. 갈수록 분명해지고 있듯이, 그의 목적은 국가사회주의당을 그저 자신의 부도덕한 목적 달성을 위한 발판으로 삼는 것, 그리고 이 절호의 기회에 당의 노선을 바꾸기 위해 지도권을 장악하는 것이다. 이 점을 가장 뚜렷하게 보여주는 것이 그가 며칠 전 당 지도부에 보낸 최후통첩인데, 거기서 그는 무엇보다 자신이 당의 유일하고도 절대적인 독재권을 가져야 하고, 당의 창건자이자 지도자인 자물쇠 수리공 안톤 드렉슬러를 위시한 위원회가 물러나야 한다고 요구했다. …

그런데 그는 자신의 캠페인을 어떻게 수행하는가? 유대인처럼 수행한다. 그는 모든 사실을 … 국가사회주의자들을 왜곡한다! 여러분은 그런 성격에 대해 마음을 정하라! 명심하라. 히틀러는 선동가다. … 그는 진실과는 거리

가 먼 온갖 이야기로 여러분의 머리를 가득 채울 … 수 있다고 스스로 믿고 있다.[21]

비록 히틀러의 반유대주의를 어이없이 오해하긴 했지만(히틀러가 유대인처럼 행동한다니!), 이 팸플릿에서 제기한 혐의는 상당 부분 진실이었다. 그러나 이런 혐의를 알렸음에도 당내 반히틀러 세력은 별다른 성과를 거두지 못했다. 히틀러는 즉각 팸플릿 작성자들을 명예훼손 혐의로 고소했고, 드렉슬러 본인이 공개석상에서 팸플릿의 내용을 부인하도록 다그쳤다. 당의 두 차례 특별회의에서 히틀러는 화해의 조건을 제시했다. 당규를 변경해 위원회를 폐지하고 자신이 당수로서 독재권을 쥔다는 조건이었다. 굴욕을 당한 드렉슬러는 명예당수로 밀려났다가 이내 당에서 모습을 감추었다.* 하이덴의 표현대로라면 그것은 당의 왕당파가 의회파를 상대로 거둔 승리였다. 그러나 그 이상이었다. 바로 당시 1921년 7월에 '지도자 원리'가 확립되어, 처음에는 나치당의, 향후에는 제3제국의 법칙이 되었다. 독일이라는 무대에 '총통'이 등장한 것이다.

'지도자'는 곧바로 당 조직의 개편에 착수했다. 히틀러가 보기에 "사무소보다 납골당"에 더 가까웠던 슈테르네커브로이 안쪽의 음침한 방에서 나와 코르넬리우스슈트라세에 있는 다른 술집에 새 사무소를 꾸렸다. 이번에는 한결 밝고 넓었다. 중고 아들러 타자기를 할부로 구입하고 금고, 문서보관함, 의자와 책상, 전화기를 차례차례 갖추었고 상근 비

---

* 드렉슬러는 1923년에 당을 떠났지만 1924년부터 1928년까지 바이에른 의회의 부의장을 역임했다. 1930년에 히틀러와 화해했으나 정치 현역으로 복귀하지는 않았다. 하이덴의 말마따나 모든 창안자의 숙명이 드렉슬러까지 덮쳤던 것이다.

서도 들었다.

　돈이 들어오기 시작했다. 거의 1년 전인 1920년 12월, 당은 주 2회 발행되는 반유대주의 가십지로 당시 심각한 부채에 허덕이던 한물간 신문 《민족의 파수꾼Völkischer Beobachter》을 인수하기도 했다. 6만 마르크의 인수 자금 출처는 비밀이었고 히틀러도 함구하긴 했지만, 국가방위군에서 룀의 상관이며 그 자신이 당원이었던 프란츠 리터 폰 에프Franz Ritter von Epp 소장을 에카르트와 룀이 설득해 자금을 융통한 것으로 밝혀졌다. 십중팔구 그 돈은 군의 기밀비에서 나왔을 것이다. 1923년 초, 《민족의 파수꾼》은 일간지로 바뀌었고, 이로써 히틀러는 모든 독일 정당의 필수조건, 즉 당의 복음을 전하는 일간지를 갖게 되었다. 정치 일간지를 발행하려면 추가로 돈이 필요했는데, 그 돈은 당의 프롤레타리아 출신 무뢰한들로서는 잘 모르는 사람들한테서 나왔다. 부유한 피아노 제조업자의 아내인 헬레네 벡스타인Helene Bechstein 부인도 그중 한 명이었다. 부인은 처음 만났을 때부터 이 젊은 선동가에게 호감을 느껴 히틀러가 베를린에 오면 자기 사저에서 묵도록 권하고, 그가 부유층을 만날 수 있도록 파티를 열어주고, 상당한 액수를 당에 기부하기도 했다. 새 일간지의 운영 자금 일부는 핀란드의 유수 제지회사 몇 곳의 주식을 보유한 발트인 게르트루트 폰 자이틀리츠Gertrud von Seidlitz 부인에게서도 나왔다.

　1923년 3월, 하버드대 출신의 에른스트 한프슈텡글Ernst Hanfstaengl이 《민족의 파수꾼》을 담보로 당에 1000달러를 빌려주었다. 푸치Putzi라는 애칭으로 불린 한프슈텡글의 어머니는 미국인이었고 그의 부유한 가문은 뮌헨의 미술출판사를 소유하고 있었다.* 독일에서 인플레이션이 극심하던 이 시기에 1000달러는 마르크로 환산하면 거액이었고 당과 기관지 발행에 막대한 도움이 되었다. 더욱이 한프슈텡글의 우정은 자금 지원으로 그치지 않았다. 그의 가문은 뮌헨에서 신망 있는 재력가들 중 처음으로 시끄러운 젊은 정치인 히틀러에게 문을 열어주었다. 푸치는 히틀러의 가까운 친구가 되었고 나중에 당의 외신담당부장에 임명되었다. 냉소적인 독설로 얄팍한 정신을 보완한 이 별나고 멀쑥한 남자 한프슈텡글은

---

* 한프슈텡글은 회고록《들어주지 않는 증언(Unheard Witness)》에서 어느 미국인의 소개로 히틀러를 처음 만났다고 말한다. 그 사람은 당시 베를린 주재 미국 대사관의 육군 무관보(武官補) 트루먼 스미스(Truman Smith) 대위였다. 1922년 11월, 스미스는 대사관의 지시에 따라 뮌헨으로 가서 아돌프 히틀러라는 무명의 정치 선동가와 신생 국가사회주의독일노동자당에 대해 조사했다. 스미스 대위는 미 육군의 젊은 직업장교치고는 정치 분석에 놀라운 소질이 있었다. 11월 15일부터 22일까지 일주일간 뮌헨에 머무르면서 그는 융케 루덴도르프, 루프레히트 왕세자 등의 바이에른 정치지도자 십여 명을 만났는데, 그들 대부분이 히틀러는 떠오르는 별이며 그의 운동도 급속히 정치적 세력을 키우는 중이라고 평가했다. 스미스는 지체 없이 히틀러가 연설자로 나설 나치 야외 집회에 참석했다. 그러고는 그날 일기에 "그런 광경은 태어나 처음 봤다!"고 썼다. "히틀러를 만났고 월요일에 자신의 목표를 내게 설명해주기로 약속했다." 그 월요일에 스미스는 히틀러의 거처—"허름한 주택 이층의 작고 휑한 침실"이었다—로 찾아가 뮌헨 외부에서는 무명에 가까운 미래의 독재자와 장시간 대화를 나눴다. 이 미국 무관보는 "끝내주는 대화!"라는 말로 그날 일기를 시작했다. "그토록 논리적이고 열광적인 남자의 말은 거의 들어본 적이 없다." 날짜는 1922년 11월 22일이었다.
그날 저녁, 베를린으로 복귀하기 직전에 스미스는 한프슈텡글과 접촉해 히틀러를 만난 이야기를 하면서 그를 한번 만나보라고 권했다. 나치 지도자가 그날 저녁 집회에서 연설할 예정이라면서 스미스는 자신의 입장권을 한프슈텡글에게 건넸다. 다른 수많은 사람들처럼 한프슈텡글도 히틀러의 웅변에 압도되어 집회 이후 그를 따라다니며 금세 나치즘으로 개종했다.
베를린으로 돌아온 스미스 대위는 당시로서는 히틀러가 거의 주목받지 못하던 상황에서 장문의 보고서를 작성했고, 대사관은 1922년 11월 25일에 이 보고서를 워싱턴으로 발송했다. 작성된 시기를 고려하면 놀라운 문서이다.
"[스미스 작성] 현재 바이에른에서 가장 활동적인 정치 세력은 국가사회주의노동자당이다. 정당이라기보다 정치 운동에 더 가까운 이 세력은 이탈리아 파시스트파의 바이에른판이라 할 수 있다. … 최근에는 실제 당세와는 걸맞지 않은 정치적 영향력을 획득했다. …
아돌프 히틀러는 맨 처음부터 이 운동의 중심 인물이었으며, 이 운동을 성공으로 이끈 최대 요인은 의심할 나위 없이 이 인물의 개성에 있었다. … 대중집회에 영향을 끼치는 그의 능력은 불가사의하다. 사적인 대화에서 그는 힘차고 논리적인 연설가로 비쳤는데, 여기에 광신적인 열정을 가미해 기존의 중립적인 청자에게도 아주 깊은 인상을 주었다."
훗날 나치 정권 초기에 베를린에서 미국 무관으로 근무한 스미스 대령은 친절하게도 뮌헨 출장 당시의 일기와 노트를 자유롭게 참고하라면서 나에게 제공했다. 그것들은 이 장을 준비하는 동안 내게 헤아릴 수 없이 귀중한 자료가 되었다.

뛰어난 피아노 연주자였으며, 친구가 베를린에서 집권한 이후에도 총통에게서 급한 호출이 오면 우리 외신기자들과 저녁시간을 함께 보내려다가도 기자들에게 양해를 구하고 자리를 뜨곤 했다. 한프슈텡글은 피아노 연주—미친듯이 두들겼다—와 우스갯짓으로 히틀러의 마음을 달래주고 지친 하루를 보낸 그의 기운을 북돋기까지 했다고 한다. 훗날, 이 특이하면서도 상냥한 하버드 졸업생은 히틀러의 몇몇 초기 친구들과 마찬가지로 목숨을 건지기 위해 외국으로 달아나야 했다.*

장차 히틀러의 최측근 부하가 될 사내들은 대부분 당시 이미 입당했거나 곧 입당할 터였다. 루돌프 헤스는 1920년에 입당했다. 이집트에 거주하는 독일인 도매상의 아들로 태어난 헤스는 그곳에서 14년을 보낸 뒤 교육을 받기 위해 라인란트로 옮겨갔다. 전시에 한동안 히틀러가 있는 리스트연대에서 복무했고—서로 알지는 못했다—두 차례 부상을 당한 뒤 비행사가 되었다. 전쟁이 끝나고 뮌헨 대학에 경제학도로 입학했지만, 반유대주의 팸플릿을 뿌리고 당시 바이에른에서 빈둥거리던 여러 무장단체와 충돌하는 데 대부분의 시간을 썼던 것으로 보인다. 1919년 5월 1일, 뮌헨의 노동자-병사 평의회 정권이 무너졌을 때에는 전투의 한복판에서 다리에 부상을 입었다. 그로부터 1년 후 어느 저녁에 히틀러의 연설을 들으러 갔다가 그의 웅변에 매료되어 입당했고, 곧 나치 지도자의 가까운 친구, 헌신적인 추종자, 비서가 되었다. 당시 뮌헨 대학의 지정학 교수였던 카를 하우스호퍼Karl Haushofer 장군의 지정학 이념을 히

---

* 한프슈텡글은 2차대전 중 한동안 워싱턴에서 지냈는데, 겉으로는 억류된 적국인인 척했지만 실은 나치 독일에 관한 미국 정부의 '고문'이었다. 이 생애 마지막 역할, 그와 나치 독일을 아는 미국인들에게는 너무나 터무니없어 보인 역할을 그는 분명 즐겁게 수행했을 것이다.

틀러에게 소개한 이도 헤스였다.

헤스는 학위논문으로 써서 상을 받은 〈독일을 다시금 지난날의 영광으로 이끌 인물은 어떠해야 하는가?〉라는 글로 히틀러를 감동시켰다.

모든 권위가 사라지는 곳에서는 인민을 이해하는 사람만이 권위를 세울 수 있다. … 독재자는 처음부터 광범한 대중에게 더 깊이 뿌리박고 있을수록 그들을 심리적으로 어떻게 다루어야 하는지를 더 잘 이해할 것이고, 노동자들로부터 불신을 덜 받을 것이고, 인민 가운데 가장 정력적인 이 계층 사이에서 지지자를 더 많이 얻을 것이다. 그 자신은 대중과 아무런 공통점도 없다. 모든 위대한 인물과 마찬가지로 그는 개성 그 자체이다. … 불가피할 때면 그는 유혈 사태도 피하지 않는다. 중대한 문제들은 언제나 피와 철에 의해 결정된다. … 목표에 이르기 위해서라면 그는 가장 가까운 친구들마저 짓밟고 넘어설 각오가 되어 있다. … 입법자는 지독히 무정하게 일을 처리한다. … 필요할 때면 척탄병의 군화로 그들[인민]을 짓밟을 수 있다.[22]

히틀러가 이 청년을 마음에 들어한 것도 놀랄 일은 아니다. 헤스가 묘사한 인물은 당시의 히틀러와 같은 지도자는 아니었을지 몰라도 히틀러가 되고 싶어하는 지도자의 모습이었다—그리고 그렇게 되었다. 헤스는 진중하고 학구적이긴 했지만 그 지성에는 한계가 있었고, 때로 괴상한 발상도 열광적으로 받아들였다. 거의 마지막까지 헤스는 히틀러의 가장 충직하고 믿음직한 추종자들 중 한 명이자, 개인적 야심에 사로잡히지 않은 몇 안 되는 부하들 중 한 명이었다.

알프레트 로젠베르크는 나치당의 '지적 지도자'로 자주 칭송받았고 실제로 당의 '철학자'이긴 했지만 역시 평범한 지성의 소유자였다. 로젠베르크가 러시아인 취급을 받은 것은 그럴 만했을지도 모른다. 수많은 러시아 '지식인들'처럼 그 역시 발트-독일계 혈통이었다. 그는 1893년 1월 12일, 에스토니아의 레발(현 탈린)에서 제화공의 아들로 태어났다. 그곳은 1721년 이래 차르 제국의 일부였다. 독일이 아닌 러시아에서 교육을 받기로 선택한 그는 1917년 모스크바 대학에서 건축학 학위를 받았다. 볼셰비키 혁명 시기에는 모스크바에서 살았고, 훗날 나치당 내부의 적대자들이 주장한 대로 스스로 젊은 볼셰비키 혁명가가 되어볼까 생각했을지도 모른다. 그렇지만 1918년 2월에 레발로 돌아갔고, 독일군이 시내로 진입했을 때 자원입대하려다가 '러시아인'이라는 이유로 거부되었다. 결국 1918년 말에 뮌헨으로 가서 처음에는 백계白系 러시아인〔1917년 러시아 혁명 때 국외로 망명한 러시아인〕 사회에서 활동했다.

그 후 로젠베르크는 디트리히 에카르트를 만나 그를 통해 히틀러와 접촉했고, 1919년 말에 입당했다. 실제로 건축학 학위를 받은 사람이 건축학교에 들어가지도 못한 사람에게 강한 인상을 준 것은 당연한 일이었다. 히틀러는 로젠베르크의 '학식'에도 감명을 받았고, 이 젊은 발트인의 유대인과 볼셰비키에 대한 증오심도 마음에 들었다. 1923년 말 에카르트가 죽기 직전에 히틀러는 로젠베르크를 《민족의 파수꾼》의 편집장에 임명했고, 이후 여러 해 동안 이 흐리멍덩하고 혼란스럽고 천박한 '철학자'를 나치 운동의 지적 멘토로, 그리고 나치 외교 정책의 최고 권위자 중 한 명으로 지지했다.

루돌프 헤스처럼 헤르만 괴링도 전쟁이 끝나고 얼마 지나 뮌헨 대학에서 경제학을 공부한답시고 이 도시로 이주했고, 역시 헤스처럼 아돌프 히틀러의 매력에 사로잡혔다. 독일의 위대한 전쟁 영웅들 중 한 명이자 유명한 리히트호펜 전투비행단의 마지막 지휘관, 독일 최고의 무공훈장인 푸르 르 메리트Pour le Mérite의 수훈자인 괴링은 평시의 단조로운 시민 생활로 돌아가는 것을 대다수 참전용사들보다 훨씬 더 어려워했다. 그는 한동안 덴마크에서, 이어 스웨덴에서 수송기 조종사로 일했다. 어느 날 에리크 폰 로젠Eric von Rosen 백작을 태우고 스톡홀름에서 제법 떨어진 그의 사유지까지 날아간 괴링은 그곳에 손님으로 머무는 동안 백작의 처제로 스웨덴에서 미인으로 손꼽히던 카린 폰 칸초브Carin von Kantzow(결혼 전에는 포크Fock 백작녀)와 사랑에 빠졌다. 그런데 약간의 문제가 있었다. 카린 폰 칸초브는 간질을 앓고 있는 데다 이미 결혼해서 8세의 아들이 있었다. 그러나 그녀는 이혼하고 나서 용맹하고 젊은 비행사와 결혼했다. 재산이 상당했던 그녀는 새 남편과 함께 뮌헨으로 이주해 호화롭게 살았으며, 괴링은 취미 삼아 뮌헨 대학을 다녔다.

하지만 오래가지 않았다. 괴링은 1921년에 히틀러를 만나 입당했고, 적지 않은 자금을 당에(그리고 히틀러 개인에게) 기부했으며, 룀을 도와 돌격대를 조직하는 일에 지칠 줄 모르는 에너지를 쏟았고, 1년 후인 1922년에 돌격대 지휘관에 임명되었다.

상술한 인물들보다 덜 유명하고 대부분 더 고약한 부류도 당의 독재자 주위로 우르르 몰려들었다. 리스트연대에서 히틀러의 선임하사였던 막스 아만Max Amann은 거칠고 상스러운 성격이었지만 유능한 조직가로서 당과《민족의 파수꾼》의 경리를 맡아 얼마 안 가서 양쪽의 재정을 다 잡았다. 히틀러는 개인 경호원으로 아마추어 레슬러이자 도축업 견습생, 소문난 싸움꾼인 울리히 그라프Ulich Graf를 선발했다. 히틀러가 '궁정 사진사'로 뽑은 사람은 실력이 어설픈 하인리히 호프만Heinrich Hoffmann이었는데, 오랫동안 히틀러를 찍도록 허용된 단 한 명의 사진사였던 그는 마치 개처럼 충성했으며 수익도 많이 올려 결국 백만장자가 되었다. 또

다른 싸움꾼 크리스티안 베버Christian Weber는 한때 뮌헨의 싸구려 술집에서 문지기로 일했던 말장수로 맥주를 엄청나게 마셔댔다. 이 무렵 히틀러의 측근이었던 헤르만 에서Hermann Esser는 지도자에 버금갈 만큼 연설을 잘했으며, 유대인을 헐뜯는 내용의 그의 기고문은 《민족의 파수꾼》에 특집으로 실렸다. 한때는 몇 명의 애인에게서 금전 지원을 넉넉히 받아 유복하게 지냈다는 사실도 숨기지 않았다. 자신에게 거역할 경우 당의 동지라도 뭔가를 '폭로'하겠다고 윽박지르는 악명 높은 협박꾼이었던 그는 당내의 일부 연장자나 점잖은 당원들의 반감을 사 출당 요구를 받기에 이르렀다. 그 요구에 히틀러는 이렇게 공개적으로 응수했다. "나도 에서가 깡패라는 건 알지만 내게 쓸모가 있는 한 붙잡아둬야 해."[23] 이것이 거의 모든 측근 협력자들을 대하는 히틀러의 태도였다. 그들의 과거가, 아니 현재가 얼마나 어두운가 하는 것은 아무 상관이 없었다. 살인자든 뚜쟁이든 변태 성욕자든 마약 중독자든 아니면 그저 무뢰한이든, 자신의 목표에 도움만 된다면 아무래도 괜찮다는 식이었다.

일례로 히틀러는 율리우스 슈트라이허를 거의 마지막까지 참아냈다. 초등학교 교사로 경력을 시작한 이 타락한 사디스트는 1922년부터 결국 내쳐진 1939년까지 히틀러의 측근들 중 가장 평판이 나쁜 축에 들었다. 스스로 떠벌렸듯이 자기 정부情婦들의 남편들까지 협박할 만큼 간통으로 유명했던 슈트라이허는 맹목적이고 광신적인 반유대주의자로 이름을 떨치며 재물도 얻었다. 그의 악명 높은 주간지 《슈튀르머》는 유대인의 성범죄나 유대교의 '의례적儀禮的 살해'에 관한 충격적인 이야기를 즐겨 실었다. 이 잡지의 음란성은 다수의 나치당원들조차 역겨워할 정도였다. 슈트라이허는 이름난 외설물 작가이기도 했다. 그는 뉘른베르크를 권력 중심으로 하는 '프랑켄의 무관의 왕'으로 알려졌는데, 이 지역에서는 그의 말이 곧 법이었고 그를 거역하거나 불쾌하게 하는 사람은 누구도 투옥과 고문을 피할 수 없었다. 슈트라이허가 전범으로 회부되어 뉘른베르크 재판의 피고석에 구부정하게 앉아 있는 꼴을 대면하기 전까지 나는 그의 손이나 허리띠에 채찍이 없는 모습을 단 한 번도 본 적이 없다. 그는 여태까지 무수히 채찍질을 했다면서 즐거운 듯이 자랑했다.

루터, 칸트, 괴테, 실리, 마흐, 베토벤, 브람스를 세상에 내놓은 민족의 독재자가 되고자 질주하던 초기에 히틀러가 자기 주위에 모은 무리는 바로 이런 자들이었다.


1920년 4월 1일, 독일노동자당이 국가사회주의독일노동자당(나치)으로 명칭이 바뀐 날에 히틀러는 군을 영원히 떠났다. 이때부터 모든 시간을 나치당에 바쳤고, 당시에도 나중에도 당으로부터 어떠한 급여도 받지 않았다.

그렇다면 히틀러는 어떻게 생활했을까 하는 의문이 들 것이다. 당의 동료들도 이따금 이 점을 궁금해했다. 당 위원회의 히틀러 반대파는 1921년 7월에 작성한 고발장에서 이 의문을 직설적으로 드러냈다. "당의 누구라도 그에게 어떻게 생활하고 있고 과거의 직업이 무엇이었는지 물으면 그는 항상 흥분하며 화를 냈다. 지금까지 이런 물음에 어떠한 답변도 내놓지 않았다. 따라서 그의 양심은 깨끗하다고 볼 수 없다. 특히 걸핏하면 '뮌헨의 왕'을 자처하면서 여인들과 교제하는 데 큰돈을 들이고 있기 때문이다."

히틀러는 뒤이어 팸플릿 작성자들을 상대로 제기한 명예훼손 소송에서 이 의문에 답변했다. 구체적으로 어떤 수입으로 생활하느냐는 판사의 질문에 히틀러는 이렇게 답변했다. "국가사회주의당을 위해 연설할 경우 저는 돈을 전혀 받지 않습니다. 하지만 다른 조직들을 위해서도 연설하고 … 그때는 물론 사례금을 받습니다. 또 저는 당의 여러 동료들과 돌아가며 점심을 먹습니다. 당의 몇몇 동지들로부터 얼마간의 지원을 받기도 합니다."[24]

아마도 이 발언은 진실에 가까웠을 것이다. 디트리히 에카르트, 괴링, 한프슈텡글 같은 유복한 친구들이 틀림없이 집세를 내고 옷을 사고 식비로 쓰라며 돈을 '빌려주었을' 것이다. 히틀러는 확실히 검소했다. 1929년까지 이자르 강 근처 티어슈슈트라세의 중간계급 하층 구역에 있는 방 두 개짜리 아파트에서 살았다. 겨울이면 낡은 트렌치코트—나중에 수많은 사진을 통해 독일 내 모든 사람에게 익히 알려졌다—를 걸쳤다. 여름이면 대다수 바이에른 남자들이 입는 레더호젠Lederhosen이라는 가죽 반바지 차림으로 나타나곤 했다. 1923년, 에카르트와 에서는 히틀러와 그 친구들이 피서용으로 묵을 만한 베르히테스가덴 인근 플라터호프Platerhof라는 여관을 우연히 알게 되었다. 히틀러는 산간의 이 경치 좋은 곳에 푹 빠졌고, 나중에 이곳에 베르크호프Berghof라는 널찍한 별장을 짓고서 전쟁 막바지까지 여기서 많은 시간을 보냈다.

그렇지만 1921년에서 1923년에 이르는 격동기에는 휴식과 여가에 쓸 시간이 별로 없었다. 히틀러 자신만큼이나 물불 안 가리는 시샘 많은 경쟁자들에 맞서 당을 건설하고 통제력을 유지해야 했다. 국가사회주의독일노동자당은 바이에른에서 대중의 관심과 지원을 얻고자 투쟁하는 몇몇 우파 단체들 중 하나에 지나지 않았으며, 바이에른 너머 독일 곳곳에도 다른 운동 조직들이 숱하게 있었다.

정치인 한 사람이 지켜보고 평가하고 이용하기에는 현기증이 날 정도로 다양한 사건들이 연달아 일어나고 상황이 바뀌었다. 1921년 4월,

연합국은 독일에 배상금 청구서를 들이밀었다. 1320억 금마르크―당시 액수로 330억 달러―라는 경악스러운 금액에 독일인들은 도저히 지불할 수 없다며 울부짖었다(금마르크란 독일제국에서 1873년부터 1924년까지 사용된 통화를 가리킨다). 통상 1달러에 4마르크였던 마르크화의 가치가 떨어지기 시작했다. 1921년 여름에는 1달러에 75마르크로 떨어졌고, 1년 후에는 400마르크로 폭락했다. 1921년 8월, 에르츠베르거가 살해되었다. 1922년 6월, 공화국을 선포했던 사회민주당의 필리프 샤이데만Philipp Scheidemann을 암살하려는 시도가 있었다. 같은 달 24일, 외무장관 라테나우가 길거리에서 총에 맞아 죽었다. 세 사건 공히 범인은 극우파의 일원이었다. 휘청거리던 베를린 중앙정부는 결국 정치적 테러를 엄벌하는 내용의 공화국 보호를 위한 특별법 발포로 이 도전에 응수했다. 나아가 수많은 무장동맹의 해체와 정치적 폭력 행위의 근절을 요구했다. 바이에른 정부는 1921년에 그 수반이 극단주의자 카르에서 온건한 레르헨펠트Lerchenfeld 백작으로 바뀌어 있었음에도 베를린 중앙정부와 보조를 맞추는 데 어려움을 겪었다. 바이에른 정부가 특별법을 시행하려 하자, 이제 인정받는 젊은 지도자 축에 드는 히틀러를 비롯한 이 지역 우파는 레르헨펠트를 끌어내리고 베를린으로 진격해 공화국을 쓰러뜨릴 음모를 꾸몄다.

　햇병아리 민주정 바이마르 공화국은 극우파뿐 아니라 극좌파로부터도 존재 자체를 위협받는 심각한 곤경에 처해 있었다.

# 제3장

# 베르사유, 바이마르, 맥주홀 폭동

승전한 서방 연합국의 대다수 사람들에게 1918년 11월 9일 베를린에서 행해진 공화국 선포는 독일인과 그 국가의 새로운 여명을 알리는 사건으로 보였다. 우드로 윌슨Woodrow Wilson은 휴전협정을 위한 각서 교환 과정에서 호엔촐레른 가의 군국주의 전제정을 폐지할 것을 강하게 요구했으며, 독일 측은 비록 내키진 않더라도 그 요구에 따르는 모습을 보였다. 카이저는 퇴위하고 망명하는 수밖에 없었다. 군주정은 무너졌고, 독일 내 모든 왕가가 금세 일소되었으며, 결국 공화제 정부의 수립이 선포되었다.

그러나 그 선포는 우연한 것이었다! 11월 9일 오후, 프리드리히 에베르트Friedrich Ebert와 필리프 샤이데만이 이끄는 이른바 다수파 사회민주당 인사들은 바덴의 막스 공이 총리직에서 사임했다는 소식에 부랴부랴 베를린의 국회의사당으로 모였다. 그들은 어떻게 해야 할지 몰라 몹시 허둥댔다. 막스 공이 카이저의 퇴위를 막 발표한 시점이었다. 전직 마구 제작자인 에베르트는 카이저 빌헬름의 아들들 중 한 명이—방탕한 황태자만 빼고 누구라도—제위를 계승할 수도 있다고 생각했다. 영국식 입헌군주제를 선호했기 때문이다. 에베르트는 사회민주당의 당수이면서도 사회 혁명을 혐오했다. 언젠가 그는 "그것을 죄악처럼 싫어합니다"라고 단언한 바 있었다.

그러나 베를린에는 혁명의 기운이 감돌았다. 수도는 총파업으로 마비 상태였다. 대로인 운터 덴 린덴을 따라 의사당에서 몇 블록 떨어진 곳에서는 좌파 사회주의자 로자 룩셈부르크Rosa Luxemburg와 카를 리프크네히트Karl Liebknecht가 이끄는 스파르타쿠스단이 카이저 황궁 내의 자기네 요새에서 소비에트 공화국 선포를 준비하고 있었다. 이 소식이 전해지자 의사당에 모인 사회민주당원들은 화들짝 놀랐다. 스파르타쿠스단에 앞서 당장 무언가를 결행해야 했다. 샤이데만이 무언가를 생각해냈다. 동료들과 상의도 하지 않고 인파로 북적대는 쾨니히스플라츠가 내려다보이는 창가로 다가선 샤이데만은 밖으로 머리를 내밀고는 마치 방금 떠오른 생각인 양 단독으로 공화국을 선포해버렸다! 마구제작자 에베르트는 격노했다. 내심 어떻게 해서든 호엔촐레른 군주정을 구하고자 했기 때문이다.

이렇게 해서 마치 요행처럼 독일 공화국이 탄생했다. 사회민주당원들 자신이 확고한 공화주의자가 아닌 마당에 보수주의자들이 공화주의자일 리 없었다. 그러나 후자는 책임을 회피한 전력이 있었다. 그들과 군 수뇌인 루덴도르프, 힌덴부르크는 내키지 않아 하는 사회민주당의 손에 정치 권력을 쥐어주었다. 이로써 그들은 이 민주적 노동계급의 지도부에게 항복문서에 서명하고 결국 강화조약에도 서명하는 외관상의 책임까지 용케 떠넘길 수 있었고, 그리하여 독일의 패배에 대한 책임, 패전과 강요된 평화로 인해 독일 국민들이 겪을 법한 모든 고난에 대한 책임도 전가할 수 있었다. 이는 비열한 속임수, 어린아이도 간파할 만한 속임수였지만,

독일에서는 통했다. 이런 이유로 공화국은 처음부터 파멸할 운명이었다.

어쩌면 파멸하지 않았을 수도 있다. 1918년 11월, 절대권력을 쥔 사회민주당은 영속적인 민주공화국의 토대를 재빨리 닦을 수도 있었다. 그러나 그렇게 하려면 호엔촐레른 제국을 지탱했던 세력들, 민주정 독일을 온전히 받아들이지 않을 세력들을 영원히 탄압하거나 적어도 영원히 억제해야 했을 것이다. 그 세력들이란 봉건적인 융커 지주를 비롯한 상류층, 거대 카르텔을 주무르는 대자본가들, 자유군단의 떠돌이 용병들, 행정조직의 관료들, 그리고 무엇보다 군부와 참모본부였다. 사회민주당은 낭비가 많고 비경제적인 광대한 사유지, 독점기업과 카르텔을 해체하고, 나아가 새로운 민주정에 충성스럽고도 성실하게 봉사하지 않을 모든 사람을 관료제, 사법부, 경찰, 대학, 군대에서 남김없이 내쫓아야 했을 것이다.

이 사회민주당원들 대다수는 독일의 다른 계급들과 마찬가지로 기성 권위에 머리를 숙이는 습관이 몸에 밴 선량한 노동조합주의자였던 터라 그렇게 할 수가 없었다. 오히려 그들은 근대 독일에서 시종일관 지배적 세력이었던 군부에 권위를 양도하기 시작했다. 비록 전장에서 패하긴 했지만 군은 여전히 국내에서 조직을 유지하고 혁명을 물리칠 태세였다. 이 목적을 위해 군은 신속하고 대담하게 움직였다.

1918년 11월 9일 밤, 공화국이 '선포'된 지 몇 시간 후에 베를린의 총리 관저에서 생각에 잠겨 있던 에베르트에게 전화가 걸려왔다. 스파Spa에 있는 최고사령부와 연결된 전용 극비회선이었다. 에베르트는 혼자 있었다. 수화기를 집어들자 "그뢰너입니다"라는 목소리가 들렸다. 허물어지는 독일에 그나마 남아 있던 정치권력을 느닷없이 떠안게 된 그날의 사건으로 여전히 얼떨떨한 기분이었던 전직 마구제작자는 그 목소리에 감명을 받았다. 빌헬름 그뢰너Wilhelm Groener는 루덴도르프에 이어 제 1병참총감Erster Oberquartiermeister〔직함과 달리 실제로는 참모차장 격이었다〕이 된 장군이었다. 그날 스파에서 힌덴부르크 원수가 머뭇거릴 때 카이저에 게 이제 더는 군의 충성을 받으실 수 없으니 퇴위하셔야 한다고 직언했 던―군부가 결코 용서하지 않은 용감한 행동―인물도 그뢰너였다. 에 베르트와 그뢰너는 1916년 이래 서로 존중하는 사이였는데, 당시 전시 생산 책임자였던 장군과 사회민주당 지도자는 긴밀히 협력한 바 있었다. 며칠 전인 11월 초에도 두 사람은 베를린에서 만나 군주정과 조국을 어 떻게 구할지에 대해 상의한 터였다.

그 조국이 극도의 곤경에 처한 순간에 두 사람은 비밀 전화선을 통해 재회했다. 바로 그때 사회민주당 지도자와 독일군 2인자는 한동안 공개 되지 않을 테지만 국가의 운명을 결정할 협약을 맺었다. 에베르트는 무 정부 상태와 볼셰비즘을 진압하고 군과 그 모든 전통을 유지한다는 데 동의했다. 그 대가로 그뢰너는 신정부가 자리를 잡고 목표를 수행할 수 있도록 군이 지원하겠다고 약속했다.

"원수(힌덴부르크)께서 통수권을 계속 보유합니까?" 에베르트가 물었다.

그뢰너 장군은 그렇다고 답했다.

"원수께 정부의 감사의 뜻을 전해주십시오." 에베르트가 말했다.[1]

독일군은 구조되었지만, 공화국은 탄생한 바로 그날 침몰하고 말았 다. 그뢰너 자신과 지조 있는 소수를 제외한 다른 장군들은 공화국에 충 성할 마음이 결코 없었다. 결국 힌덴부르크의 주도로 그들은 공화국을 나치당에 팔아넘겼다.

분명 당시에는 얼마 전 러시아에서 일어난 사태가 에베르트와 동료 사회민주당원들의 뇌리에서 떠나지 않고 있었다. 그들은 독일의 케렌스키〔러시아의 총리였다가 1917년 10월 혁명이 일어나자 국외로 망명했다〕가 되고 싶지 않았다. 볼셰비키에 의해 대체되고 싶지 않았다. 지난날 러시아에서처럼 독일 어디서나 노동자-병사 평의회가 생겨나 세력을 얻어가고 있었다. 바로 이 집단들이 11월 10일에 에베르트를 수반으로 하는 인민대표평의회를 선출하고 한동안 독일을 통치하도록 했다. 12월, 제1회 독일 노동자-병사 평의회 대회가 열렸다. 독일 전역의 노동자-병사 평의회 대의원들로 이루어진 이 대회는 힌덴부르크를 해임할 것, 정규군을 폐지할 것, 그리고 사병들이 장교를 직선하고 인민대표평의회의 최고 권위에 복종하는 시민자위대를 구성해 정규군을 대체할 것을 요구했다.

힌덴부르크와 그뢰너로서는 도저히 받아들일 수 없는 요구였다. 그들은 노동자-병사 평의회 대회의 권한을 인정하려 들지 않았다. 에베르트 본인도 대회의 요구를 전혀 이행하려 들지 않았다. 그러나 존립을 위해 필사적이었던 군은 자기들이 지원하기로 한 정부가 더 적극적으로 행동해줄 것을 요구했다. 크리스마스 이틀 전, 당시 공산당 스파르타쿠스단의 통제하에 있던 인민해병단이 빌헬름슈트라세를 점거하고 총리 관저에 침입해 전화선을 절단했다. 그렇지만 최고사령부와 연결된 비밀회선은 계속 작동했으므로 에베르트는 군에 지원을 호소할 수 있었다. 군은 포츠담 주둔 수비대를 동원해 구출해준다고 약속했지만, 수비대가 도착하기 전에 해병단은 여전히 스파르타쿠스단의 수중에 있는 황궁 내 마구간의 막사로 철수했다.

독일에서 가장 유능한 두 선동가 카를 리프크네히트와 로자 룩셈부르크가 이끄는 스파르타쿠스단은 소비에트 공화국의 수립을 줄기차게 요구했다. 베를린에서 그들의 무장 세력은 점점 증대되고 있었다. 크리스마스 이브에 인민해병단은 자신들을 황궁 마구간에서 몰아내려는 포츠담 정규군의 시도를 쉽게 물리쳤다. 힌덴부르크와 그뢰너는 에베르트에게 협약대로 볼셰비키를 진압하라며 압박을 가했다. 이 일을 사회민주당 지도자는 아주 기꺼이 수행했다. 크리스마스 이틀 후, 에베르트는 구스타프 노스케Gustav Noske를 국방장관에 임명했고, 이때부터 사태는 신임 장관을 아는 모든 사람이 예상했을 법한 논리대로 진행되었다.

학살 전문가인 노스케는 노동조합 운동과 사회민주당에서 두각을 나타내 1906년 제국의회 의원이 되었고, 의회에서 당의 군사 문제 전문가로 인정받았다. 또한 확고한 민족주의자이자 완력가로도 인정받았다. 바덴의 막스 공은 11월 초 킬에서 일어난 수병 반란을 진압할 인물로 노스케를 선택했고, 노스케는 실제로 진압했다. 다부진 체격에 각진 턱을 지닌 노스케는 지능이 좀 모자라긴 해도—적들의 말마따나 그의 학살자답게—육체적인 힘이나 에너지는 대단한 사나이로, 국방장관에 임명되자 "누군가는 블러드하운드가 되어야 합니다"라고 소감을 밝혔다.

1919년 1월 상순에 노스케는 공격에 나섰다. 1월 10일부터 17일까지—베를린에서는 한동안 '피의 주간'이라 불렸다—노스케의 지시와 뤼트비츠 장군*의 지휘를 따르는 정규군과 자유군단은 스파르타쿠스단을 분쇄했다. 로자 룩셈부르크와 카를 리프크네히트는 자유군단 근위기병 사단의 장교들에게 붙잡혀 살해되었다.

---

* 반동적인 구식 장교 발터 폰 뤼트비츠(Walter von Lüttwitz) 장군은 1년 후 카프 폭동을 지원하고자 자유군단을 이끌고 베를린을 장악함으로써 공화국 일반과 특히 노스케에 대한 자신의 충성심이 어느 정도인지를 보여주었다. 에베르트와 노스케를 비롯한 정부 각료들은 1920년 3월 13일 새벽 5시에 베를린에서 도주해야 했다. 육군 참모총장이자 명목상 국방장관 노스케의 하급자였던 한스 폰 젝트 장군은 뤼트비츠와 카프에 맞서 육군을 동원해 공화국을 방어하기를 거부했다. "오늘밤 나의 모든 정책은 파탄났습니다"라고 노스케는 울분을 토했다. "장교단에 대한 나의 신뢰는 산산이 부서졌습니다. 당신들 모두 나를 버렸습니다." (Wheeler-Bennett, *The Nemesis of Power*, p. 77에서 인용)

베를린에서 전투가 끝나자마자 새 헌법을 제정할 국민의회를 구성하기 위한 선거가 전국적으로 실시되었다. 1919년 1월 19일의 투표 결과, 중간계급과 상층계급이 '혁명' 이후 두 달 남짓 사이에 원기를 웬만큼 회복했음이 드러났다. 다른 정당이 책임 나누기를 꺼려서 단독으로 정권을 유지해온 사회민주당은 (다수파 사회민주당과 독립사회민주당을 합해) 총 3000만 표 중 1380만 표를 얻어 의회 421석 중 185석을 차지했지만, 이는 과반에 한참 못 미치는 의석수였다. 노동계급만으로는 새로운 독일을 건설할 수 없을 것이 분명했다. 두 중간계급 정당, 즉 로마 가톨릭교회의 정치 활동을 대표하는 중앙당과, 1918년 12월에 옛 진보당과 국가자유당 좌파가 결합해 탄생한 민주당은 합해서 1150만 표와 166석을 얻었다. 두 당 모두 속으로는 끝내 군주정을 복원하겠노라 벼르면서도 겉으로는 온건한 민주공화국을 지지한다고 공언했다.

이미 11월에 지도부 일부가 몸을 숨겼고 쿠노 폰 베스트라프Kuno von Westrap 백작처럼 에베르트에게 비호를 청하기도 했던 보수파는 비록 당원 수가 줄긴 했지만 소멸할 상태는 결코 아니었다. 독일국가인민당으로 개명한 그들은 300만 표를 얻어 의원 44명을 당선시켰다. 독일국가인민당의 우파 동맹으로서 국가자유당에서 개명한 독일인민당은 약 150만 표와 19석을 얻었다. 확실히 소수파이긴 했지만 이들 보수주의 당은 국민의회에서 목소리를 낼 만한 의석수를 확보한 셈이었다. 실제로 1919년 2월 6일 바이마르에서 의회가 소집되자 두 당의 지도부는 벌떡 일어나 카이저 빌헬름 2세의 이름과 휘하 장군들이 전쟁을 수행한 방식을 옹호했다. 독일인민당의 당수 구스타프 슈트레제만Gustav Stresemann은 훗날 전향으로 비친 변화를 아직 겪기 전이었다. 1919년에 슈트레제만은 여전히 의회 내에서 최고사령부의 대변인—'루덴도르프의 애인'이라 불렸다―으로서 병합 정책의 맹렬한 지지자, 무제한 잠수함전의 광적인 옹호자로 알려져 있었다.

의회에서 6개월에 걸친 토론 끝에 내놓은 헌법―1919년 7월 31일 의회에서 통과되고 8월 11일 대통령에 의해 승인되었다―은 문서상으로는 20세기 들어 당시까지 가장 자유주의적이고 민주적인 헌법이며, 구성 면에서 완벽에 가까운 헌법, 결함이 거의 없는 민주주의의 구현을 보장하는 듯한 치밀하고 찬탄할 만한 장치들로 이루어진 헌법이었다. 내각제는 잉글랜드와 프랑스에서, 강력하고 인기 있는 대통령은 미국에서, 국민투표는 스위스에서 각각 빌려온 발상이었다. 비례대표제와 후보자 명부에 의한 투표라는 정교하고 복잡한 시스템은 사표死票를 막고 소수 집단도 의회에 대표를 보낼 권리를 갖도록 하기 위해 도입되었다.*

바이마르 헌법의 조문은 민주주의로 기울어진 누구에게나 달콤하고 설득력 있는 말로 들렸다. 국민은 주권자로 천명되었다. "정치권력은 국민으로부터 나온다." 남녀 모두 20세에 선거권을 얻었다. "모든 독일인은 법 앞에 평등하다. … 개인의 자유는 침해할 수 없다. … 모든 독일인은 … 의견을 자유롭게 표현할 권리를 가진다. … 모든 독일인은 결사의 권

---

* 분명 바이마르 헌법에는 여러 결함이 있었으며 그중 일부는 종국에 파멸적인 결과를 가져왔다. 비례대표제와 후보자 명부에 의한 투표는 사표를 줄였을지 몰라도 군소정당들이 난립해 결국 의회에서 안정적인 다수당이 출현하지 못하고 정권이 자주 바뀌게 되었다. 1930년 총선에는 무려 28개 정당이 등록했다.
헌법을 기초한 주요 멤버였던 후고 프로이스(Hugo Preuß) 교수의 아이디어 중 일부가 거부되지 않았다면, 공화국이 더 안정되었을지도 모른다. 프로이스는 바이마르에서 독일을 중앙집권 국가로 수립하고, 프로이센을 비롯한 주들을 해체해 각각 다수의 지방 행정단위로 재편하자고 제안했다. 그러나 국민의회는 그의 제안을 받아들이지 않았다.
마지막으로, 헌법 제48조는 비상사태의 경우 대통령에게 독재권을 부여했다. 힌덴부르크 대통령이 재임하는 동안 브뤼닝, 파펜, 슐라이허 총리는 이 조항에 근거해 의회의 승인 없이 통치할 수 있었으며, 그리하여 히틀러가 총리가 되기도 전에 독일의 민주적 의회정치를 끝장냈다.

리를 가진다. … 독일국의 모든 주민은 신앙과 양심의 완전한 자유를 누린다. …" 세상에 독일인만큼 자유로운 국민도 없을 터였고, 독일 정부만큼 민주적이고 자유주의적인 정부도 없을 터였다. 적어도 문서상으로는.

## 베르사유의 그림자

바이마르 헌법의 초안이 작성되기 전에 그 헌법과 그것에 의해 수립될 공화국에 암운을 드리우는 불가피한 사건이 일어났다. 바로 베르사유 조약의 조문이 작성되었던 것이다. 전후의 혼란하고 소란스러운 초기에도, 심지어 바이마르에서 국민의회의 심의가 시작된 이후에도 독일 국민은 패전의 결과로서 도래할 일에 대해 별로 생각하지 않는 듯했다. 설령 생각했더라도 거만하리만치 자신만만해 보였는데, 연합국이 채근한 대로 호엔촐레른 가를 몰아내고 볼셰비키를 진압하고 민주공화정 수립에 착수했으니, 패전했을지라도 윌슨 대통령의 유명한 14개조에 근거해 공정한 평화를 누릴 자격이 있다고 생각했기 때문이다.

독일인의 기억력은 1년 남짓 지난 1918년 3월 3일에 브레스트-리토프스크에서 승전국 독일의 최고사령부가 패전국 러시아 측에 강요한 강화조약까지도 거슬러 올라가지 않는 듯 보였다. 전쟁의 격정이 가라앉은 지 20년 후에 영국의 한 역사가는 이 강화조약을 가리켜 "근대 역사에서 다른 선례나 유례가 없는 치욕"이었다고 썼다.[2] 이 조약으로 러시아는 오스트리아-헝가리와 터키를 합친 넓이에 가까운 영토, 전체 인구의 32퍼센트에 달하는 주민 5600만 명, 철도 총연장의 3분의 1, 철광석의 73퍼센트, 석탄 총생산량의 89퍼센트, 그리고 5000개 이상의 공장과 산업시설을 독일에 빼앗겼다. 게다가 러시아는 독일에 배상금으로 60억 마르크를 지불해야 했다.

독일인에게 심판의 날은 1919년 늦봄에 찾아왔다. 연합국이 독일과 협상하지 않고 일방적으로 정한 베르사유 조약의 조건은 5월 7일 베를린에서 발표되었다. 그것은 마지막 순간까지 스스로를 속이려 한 국민들에게 까무러칠 정도의 충격이었다. 전국 곳곳에서 집회를 연 성난 대중은 조약의 조건에 항의하며 조인 거부를 요구했다. 바이마르 국민의회 회기 중에 총리에 취임한 샤이데만은 "이 조약에 서명하는 자의 손은 썩어문드러지리라!"라고 소리쳤다. 5월 8일, 임시대통령 에베르트와 정부는 "실행할 수도 없고 견딜 수도 없는" 조건이라고 공식적으로 성토했다. 이튿날 베르사유의 독일 대표단은 확고부동한 조르주 클레망소Georges Clemenceau에게 이런 조약은 "어떤 국가라도 참을 수 없는" 것이라고 써 보냈다.

무엇을 그렇게 참을 수 없었을까? 베르사유 조약은 독일로 하여금 알자스-로렌을 프랑스에, 영토의 일부를 벨기에에, 이전 세기에 비스마르크가 슐레스비히 공국과 싸워 획득한 영토를—주민투표를 거친 후에—덴마크에 반환하도록 했다. 또한 독일이 폴란드 분할 때 차지했던 영토의 일부를 그마저도 주민투표를 거친 후에 폴란드 측에 반환하도록 했다. 이는 독일인을 가장 격분시킨 조항들 중 하나였는데, 발트해로 통하는 회랑지대를 폴란드에 넘겨줌으로써 동부 프로이센을 조국으로부터 분리하게 될 뿐 아니라 폴란드인을 열등한 인종으로 업신여기고 있었기 때문이다. 이 못지않게 독일인을 격분시킨 조항은 전쟁을 개시한 책임이 독일에 있다고 규정하고 카이저를 위시한 '전범' 800여 명을 연합국에 인도하도록 요구한 것이었다.

배상금 총액은 나중에 정하기로 했지만, 1차로 50억 달러 상당의 금마르크를 1919년부터 1921년까지 지불해야 했다. 게다가 일부는 현금이 아닌 현물—석탄, 선박, 목재, 가축 등—로 지불하도록 요구했다.

그러나 독일인의 감정을 가장 크게 해친 것은 베르사유 조약으로 독일이 사실상 무장해제되고* 그로 인해 장차 유럽의 패권국으로 발돋움할 길이 차단된 사실이었다. 그럼에도 베르사유 조약은 독일이 지난날 러시아에 강요했던 조약과 달리 지리적·경제적 측면에서 독일을 대체로 온전하게 남겨두었고 정치적 통일과 대국으로서의 잠재력을 유지하도록 해주었다.

이러한 조항을 쉽사리 뒤집을 수도 있다는 이유로 조약 수락을 재촉했던 에르츠베르거를 제외하면, 바이마르의 임시정부는 베르사유 강권(당시 이렇게 불렀다)의 수락에 강하게 반대했다. 우파와 좌파를 막론하고 국민의 압도적 다수도 정부의 입장을 지지했다.

그렇다면 군부는? 조약을 거부할 경우 군은 연합군이 서부에서 공격해오는 것을 막을 수 있는가? 에베르트는 포메른의 콜베르크로 본부를 옮겨가 있던 최고사령부에 문의했다. 6월 17일, 힌덴부르크 원수는 독일의 군사적 저항은 헛되다고 보는 그뢰너 장군의 재촉을 받고 이렇게 회답했다.

교전이 재개될 경우 우리는 [폴란드의] 포젠 지방을 재점령하고 동부에서 우리 전선을 방어할 수 있습니다. 그렇지만 서부에서는 연합군의 수적 우세와 우리 군의 양 날개를 포위할 능력을 고려할 때, 적군의 대공세를 견딜 수 있

---

* 육군을 10만 명의 장기 지원병으로 제한하고 군용기나 전차의 보유를 금지했다. 참모본부도 불법화되었다. 해군은 거의 이름뿐인 전력으로 축소되고 잠수함과 1만 톤 이상의 군함의 건조를 금지당했다.

으리라고는 거의 기대할 수 없습니다.

그러므로 전반적으로 작전의 성공은 대단히 회의적이지만, 나는 군인으로서 불명예스러운 평화를 받아들이느니 명예롭게 죽는 편이 낫다고 생각하지 않을 수 없습니다.

존경받는 총사령관의 이 마지막 말은 독일군의 훌륭한 전통을 따르는 것이었지만, 그 진실성에 관해서는 당시 독일 국민들은 알지 못했던 사실에 입각해서 판단해야 할 것이다. 그 사실이란 지금 연합국에 저항하는 것은 부질없을 뿐 아니라 육군에, 더 나아가 독일 자체에 소중한 장교단이 궤멸당하는 사태로 귀결되리라는 그뢰너의 의견에 힌덴부르크가 동의했다는 것이다.

당시 연합국은 독일의 확답을 요구하고 있었다. 6월 16일, 힌덴부르크가 에베르트에게 답신하기 전날, 연합국은 독일에 최후통첩을 보냈다. 6월 24일까지 조약을 수락하지 않으면 휴전협정이 종료되고 연합국이 "조약을 실행하기 위해 필요하다고 여겨지는 조치들을 취할" 예정이라는 것이었다.

에베르트는 다시금 그뢰너에게 호소했다. 만약 최고사령부에서 연합국에 저항할 가능성이 아주 미미하게라도 있다고 판단한다면, 자신이 의회에서 조약을 거부하도록 힘써보겠다고 약속했다. 그러나 최고사령부의 회답을 당장 받아야 했다. 최후통첩의 마지막 날인 6월 24일이 되었다. 오후 4시 30분, 내각은 최종 결정을 내리기 위해 회의를 열었다. 힌덴부르크와 그뢰너는 다시 한 번 상의했다. "자네도 나도 무력 저항이 불가능하다는 것은 잘 알고 있네"라고 지친 노원수가 말했다. 그러나 1918년 11월 9일 스파에서 카이저에게 최종 진실을 직접 말하지 못하고 그 내키지 않는 소임을 그뢰너에게 떠넘겼던 때와 마찬가지로, 힌덴부르크는 공화국 임시대통령에게 진실을 말하기를 회피했다. "나만큼이나 자네도 대통령에게 답변을 드릴 수 있지 않은가"라고 그뢰너에게 말했다.[3] 이번에도 용감한 장군이 본래 원수가 져야 하는 책임을 떠맡았다. 이 일로 언젠가 장교단의 희생양이 되리라는 것을 충분히 알아차렸을 텐데도 그렇게 했다. 그뢰너는 전화를 걸어 최고사령부의 견해를 대통령에게 전했다.

군 지도부가 책임을 졌다—독일에서 곧 잊힐 사실이었다—는 데 안도한 국민의회는 표결 결과 큰 표차로 강화조약 수락을 승인한 뒤 연합국의 최후통첩 기한을 겨우 19분 남기고 클레망소에게 의사를 전달했다. 나흘 후인 1919년 6월 28일, 베르사유 궁전의 거울의 방에서 강화조약이 체결되었다.

### 분열된 집안

———

그날부터 독일은 분열된 집안이었다.

보수파는 강화조약도, 그것을 비준한 공화국도 받아들이지 않으려 했다. 새로운 민주정을 지지한다고 선서했을 뿐 아니라 베르사유 조약에 서명하기로 최종 결정까지 내렸던 군부 역시—그뢰너 장군을 제외하면—마찬가지였다. 11월의 '혁명'에도 불구하고 보수파는 여전히 경제권력을 쥐고 있었다. 기업과 대토지, 국가 자본의 태반을 틀어쥐고 있었다. 그들의 재력은 향후 공화국의 토대를 서서히 침식할 정당과 그 신문을 지원하는 데 쓰일 수 있었고 실제로 쓰였다.

군부는 강화조약의 잉크가 채 마르기도 전에 그 군사적 제약을 우회하기 시작했다. 그리고 사회민주당 지도부의 소심함과 근시안 덕에 장교단은, 앞에서 언급했듯이, 옛 프로이센 전통을 따르는 육군을 용케 유지했을 뿐 아니라 신생 독일에서 정치세력의 실질적 중심이 되기까지 했다. 단명한 공화국의 마지막 날까지 군은 특정 정치세력에 자기네 운명을 거는 일을 하지 않았다. 그러나 10만 국가방위군의 창설자인 탁월한 한스 폰 젝트 장군 휘하의 군은 비록 수는 적을지언정 국가 안의 국가가되어 독일의 외교와 내정에 점점 더 강한 영향력을 행사했으며, 결국 공화국의 존립이 장교단의 의사에 좌우될 지경이 되었다.

국가 안의 국가로서 군은 중앙정부로부터의 독립성을 유지했다. 다른 서구 민주국가들의 군 조직처럼 바이마르 헌법 체제에서 독일군을 내각과 의회에 종속시킬 수도 있었을 것이다. 그러나 독일군은 종속되지 않았다. 장교단의 군주제적이고 반공화제적인 사고방식도 불식되지 않았다. 샤이데만과 그셰진스키Grzesinski 같은 일부 사회민주당 지도부는 군대의 '민주화'를 촉구했다. 그들은 권위주의적이고 제국주의적인 전통을 따르는 장교들에게 군을 돌려주는 것이 위험하다고 보았다. 그러나 그들의 시도는 장성들의 반발뿐 아니라 국방장관 노스케를 위시한 사회민주당 동료들의 반대에 부딪혀 실패했다. 이 프롤레타리아 출신의 공화국 장관은 "세계대전에 대한 군인의 자랑스러운 기억"을 되살리고 싶다고 공공연히 떠벌렸다. 정식으로 선출된 정부가 민주적 정신에 충실하고 나아가 내각과 의회에 복종할 새로운 군을 건설하지 못한 것은 시간의 경과가 알려준 대로 공화국으로서는 치명적인 실책이었다.

사법부를 숙청하지 못한 것도 치명적인 실책이었다. 법 집행자들은 반혁명의 중심 중 하나가 되어 반동적인 정치적 목적을 위해 사법을 악용했다. 역사가 프란츠 L. 노이만Franz L. Neumann은 "정치적 사법이 독일 공화국의 생애에서 가장 암울한 페이지라는 결론을 내리지 않을 수 없다"고 단언했다.[4] 카프 폭동 이후 정부는 705명을 반역죄로 기소했지만, 그중 오로지 베를린 경찰청장만이 형벌—5년간의 '명예로운 금고'—을 받았다. 프로이센 정부가 그의 연금 지급을 중단하자 대법원은 다시 지급하라고 명령했다. 1926년 12월, 독일의 한 법원은 카프 폭동의 군사 지도자 뤼트비츠 장군에게 그가 정부에 대한 반역자였던 기간의 연금뿐 아니라 재판을 피하려고 헝가리에 머문 5년간의 연금까지 배상해주었다.

반면에 독일 자유주의자 수백 명은 언론이나 연설을 통해 군이 베르사유 조약을 끊임없이 위반한다는 사실을 폭로하거나 비난했다는 혐의로 반역죄에 몰려 장기형을 선고받았다. 반역 관련 법은 공화국 지지자에게는 가차없이 적용되었지만, 조만간 아돌프 히틀러가 알아챌 것처럼 공화국을 전복하려 시도한 사람은 무죄로 풀려나거나 가벼운 처벌만 받았다. 설령 암살 사건일지라도 범인이 우파이고 피해자가 민주주의자일 경우 법원은 관대하게 처리했다. 또 수감을 피해 달아날 수 있도록 군 장교나 우파 극단주의자가 범인을 도와주는 일도 많았다.

이런 사정으로 온건한 사회민주당은 민주주의자와 가톨릭 중앙당의 지원을 받아가며 탄생 당시부터 비틀거린 공화국을 운영해야 했다. 사회민주당은 갈수록 늘어나고 결연해지는 적들로부터 증오와 모욕, 때로는 흉탄의 표적이 되었다. 저서 《서구의 몰락》으로 일약 유명해진 오스발트 슈펭글러Oswald Spengler는 "국민의 마음속에서 바이마르 헌법은 이미 죽었다"고 단언했다. 남부 바이에른에서 젊은 선동가 아돌프 히틀러는 민족주의적이고 반민주주의적이고 반공화주의적인 새로운 시대 조류의 힘을 간파했다. 그리고 그 조류에 올라타기 시작했다.

히틀러는 특히 두 가지 사태의 추이로부터 큰 도움을 받았다. 하나는 마르크화의 폭락, 다른 하나는 프랑스의 루르 지역 점령이었다. 앞에서 언급했듯이 마르크화의 가치는 1921년 들어 떨어지기 시작해 1달러에 75마르크가 되었다가 이듬해에 400마르크, 1923년 초에는 7000마르크로 떨어졌다. 1922년 가을에 벌써 독일 정부는 연합국 측에 배상금 지불을 유예해달라고 요청했다. 프랑스 정부의 레몽 푸앵카레Raymond Poincaré 수반은 이 요청을 퉁명스럽게 거절했다. 독일이 목재를 인도하지 않자 전시에 프랑스 대통령을 지낸 이 고집불통 총리는 프랑스군에 당장 루르 지역을 점령하라고 명령했다. 그리하여 오버슐레지엔을 폴란드에 넘겨준 이후 석탄과 철강 생산량의 5분의 4를 공급해온 이 독일 산업의 심장부가 본국에서 떨어져 나갔다.

　독일 경제를 마비시킨 이 일격을 계기로 독일 국민은 1914년 이후 상실한 국민적 단합을 일시적으로 회복했다. 루르의 노동자들은 총파업을 선언했고, 소극적 저항운동을 부르짖는 베를린 중앙정부로부터 경제적 지원을 받았다. 또 군의 도움을 받아 사보타주와 게릴라전을 준비했다. 프랑스 측은 체포와 추방, 심지어 사형으로 대응했다. 그러나 루르에서는 바퀴 하나 돌아가지 않았다.

　독일 경제의 목이 졸리자 마르크화는 바닥을 모르고 급락했다. 루르를 점령당한 1923년 1월, 1달러에 1만 8000마르크, 7월 1일경 16만 마르크, 8월 1일경 100만 마르크로 가치가 뚝뚝 떨어졌다. 히틀러가 자신의 때가 왔다고 여긴 11월에는 1달러를 사려면 40억 마르크가 필요했고, 이후 숫자는 조 단위까지 도달했다. 독일 통화는 아예 가치가 사라졌다. 봉급과 임금의 구매력은 제로가 되었다. 중간계급과 노동계급이 평생 모은 저금도 휴지조각이 되어버렸다. 게다가 더욱 중요한 것, 즉 독일

사회의 경제 구조에 대한 국민의 신뢰가 파괴되고 말았다. 저축과 투자를 장려하고 안전한 수익을 굳게 약속하고는 결국 그것을 저버리는 식의 사회 규범과 관행이 대관절 무슨 소용이 있는가? 국민을 상대로 사기 친 것이 아닌가?

그리고 적에게 항복하고 배상금 부담을 감수한 민주공화국에 이 참사의 책임이 있는 것 아닌가? 불행히도 공화국은 연명하기 위해 그 책임을 떠맡았다. 인플레이션은 그저 예산의 균형을 맞추는 방법으로 멈출 수도 있었을 것이다─어렵지만 불가능한 일은 아니었다. 적절히 과세하는 방법으로 이 목표를 달성할 수도 있었겠지만, 새 정부는 적절히 과세할 엄두를 내지 못했다. 결국 1차대전의 비용─1640억 마르크─가운데 공화국이 직접 과세로 충당한 비용은 조금도 없었다. 930억 마르크는 전쟁공채로, 290억 마르크는 재정증권으로, 나머지는 지폐 발행량을 늘려서 충당했다. 납부 가능한 사람들에게 물리는 세금을 극적으로 올리기는커녕 공화국 정부는 1921년에 실제로 그들의 세금을 줄여주었다.

그때부터 인민 대중의 경제가 파탄났음에도 기어코 이익을 얻으려는 대기업 총수나 지주에게 들들 볶여가면서, 정부는 국가의 공채를 없애고, 배상금 지불에서 벗어나고, 루르에서 프랑스를 방해하기 위해 마르크화가 폭락하도록 일부러 내버려두었다. 더욱이 통화 가치가 급락한 덕에 독일 중공업은 무가치한 마르크화로 변제함으로써 부채에서 벗어날 수 있었다. 강화조약에 의해 불법화되었는데도 '병무국Truppenamt'이라는 명칭으로 가장해 잔존하던 참모본부는 마르크화 폭락 덕에 전채戰債가 청산되었고 따라서 독일의 다음 전쟁을 방해할 재정적 장애물이 사라졌다는 것을 알아차렸다.

그렇지만 인민 대중은 산업계 거물들, 군, 국가가 통화 폭락으로 얼마나 많은 이득을 보는지 알아차리지 못했다. 그들이 알았던 것이라곤 은행 잔고가 아무리 많더라도 대충 묶은 당근 한 다발이나 감자 반근, 설탕 수백 그램, 밀가루 1파운드도 살 수 없다는 사실이 전부였다. 개인으로서 자신들이 파산했음을 알았다. 그리고 날마다 굶주림의 고통을 몸으로 알았다. 궁핍과 절망 속에서 그들은 모든 사태의 책임을 공화국에 돌렸다.

이런 시절이 아돌프 히틀러에게는 하늘의 선물이었다.

## 바이에른 반란

"정부는 묵묵히 이 종잇조각을 계속 인쇄하고 있다. 멈추면 정부도 끝장나기 때문이다"라고 히틀러는 외쳤다. "당장 인쇄기를 멈추면—인플레이션을 진정시키기 위해서는 그것이 급선무이지만—협잡 행각이 훤히 드러날 것이기 때문이다. … 내 말을 믿으라. 우리의 고통은 늘어날 것이다. 악당은 용케 빠져나갈 것이다. 그 이유는 국가 자체가 최대의 협잡꾼이자 사기꾼이라는 데 있다. 도둑놈들의 나라! … 겁에 질린 사람들이 수십 억 마르크를 가지고 있어도 굶어죽게 된다는 것을 알아차린다면, 이런 결론에 도달할 수밖에 없다. 우리는 다수결이라는 협잡꾼의 발상에 의거하는 국가에 더 이상 복종하지 않겠다. 우리는 독재를 원한다."[5]

날뛰는 인플레이션으로 인한 고통과 불확실성은 분명 독일인 수백만 명을 이 결론으로 몰아가고 있었고, 히틀러는 그들을 이끌 각오가 되어 있었다. 실제로 히틀러는 1923년의 혼돈 상태 덕에 공화국을 전복할 절호의 기회가 생겼다고 믿기 시작한 터였다. 그러나 반혁명을 직접 이끌 경우 온갖 곤경에 부딪힐 게 뻔했다. 또한 자신이 이끌지 않는 반혁명에는 별로 관심이 없었다.

당시 나치당은 나날이 당원 수를 늘려가고 있긴 했지만 바이에른 안에서조차 가장 주요한 정치세력이 아니었고, 밖으로 나가면 그야말로 무명이었다. 이렇게 작은 당으로 어떻게 공화국을 전복할 수 있을까? 역경에 쉽게 굴하지 않는 히틀러는 한 가지 방안을 떠올렸다. 우선 바이에른에서 반공화주의적이고 민족주의적인 모든 세력을 자신의 지도력 아래 통합한다. 그런 다음 바이에른 정부, 여러 무장단체, 그리고 바이에른 주둔 국가방위군의 지원을 받아 베를린으로 진격해―1년 전에 무솔리니가 로마로 진격했던 것처럼―바이마르 공화국을 무너뜨린다. 무솔리니가 쉽게 거둔 성공이 히틀러에게 생각할 거리를 준 것이 틀림없다.

프랑스의 루르 점령은 독일에서 숙적에 대한 증오심을 새삼 불러일으키며 민족주의 정신을 되살리긴 했지만, 그 때문에 히틀러의 과제는 더 복잡해졌다. 독일 국민은 프랑스에 항거하기로 결정한 베를린의 공화국 정부를 한마음으로 지지하기 시작했다. 이는 히틀러가 바라던 바가 결코 아니었다. 그의 목표는 공화국을 없애는 것이었다. 프랑스에 대해서는 독일에서 민족주의 혁명이 일어나고 독재정이 수립된 후에 신경써도 괜찮았다. 여론의 거센 흐름에 맞서 히틀러는 과감히 인기 없는 노선을 택했다. "아니다, 프랑스를 타도할 게 아니라 조국의 배신자들, 11월의 범죄자들을 타도해야 한다! 그것이 우리의 표어가 되어야 한다."[6]

1923년에 들어 수개월 동안 히틀러는 그 표어를 현실화하는 데 몰두했다. 2월에 대체로 룀의 조직 능력 덕에 바이에른의 4개 무장 '애국동맹'이 나치당과 함께 히틀러의 정치적 지도 아래 이른바 조국투쟁동맹 노동공동체Arbeitsgemeinschaft der Vaterländischen Kampfverbände를 결성했다.

9월에는 독일투쟁동맹Deutscher Kampfbund이라는 더욱 강력한 단체가 결성되었고, 히틀러는 지도부 3인에 들었다. 이 조직은 1870년의 스당 전투에서 프로이센군이 프랑스군을 상대로 거둔 승리를 기념하기 위해 9월 2일 뉘른베르크에서 열린 대규모 군중집회에서 탄생했다. 남부 독일의 파시스트 성향 단체들을 대변한 이 집회에서 히틀러는 중앙정부에 맹공을 퍼붓는 연설로 제법 갈채를 받았다. 신생 독일투쟁동맹은 자기네 목표가 공화국을 전복하고 베르사유 조약을 파기하는 것이라고 소리 높여 선언했다.

이 뉘른베르크 집회에서 시위행진이 이루어지는 동안 히틀러는 사열대에 루덴도르프 장군과 나란히 섰다. 이는 우연이 아니었다. 이 무렵에 젊은 나치 수장은 이 전쟁 영웅과 친분을 쌓으려 했다. 유명한 루덴도르프는 베를린에서 카프 폭동을 일으킨 자들에게 지지를 표명한 바 있었고 우파의 입장에서 반혁명을 줄곧 독려하고 있었으므로 히틀러의 마음속에 싹트기 시작한 행동 계획을 밀어줄 수도 있었다. 노장군에게는 정치적 감각이 없었다. 당시 뮌헨 교외에 거주하던 그는 바이에른 주민들, 바이에른 왕위계승자를 참칭하는 루프레히트 왕세자, 그리고 독일에서 가장 가톨릭색이 강한 이 지역 가톨릭교회에 대한 자신의 경멸감을 숨기지 않았다. 히틀러는 루덴도르프의 이 모든 면모를 알면서도 오히려 자신에 목적에 적합하다고 여겼다. 히틀러는 루덴도르프가 민족주의적 반혁명의 정치 지도자가 되는 것을 원하지 않았다. 이 역할을 차지하려는 전쟁 영웅의 야심이 알려져 있었지만, 히틀러는 자기가 그 역할을 맡을 심산이었다. 그렇지만 루덴도르프의 이름, 그리고 장교단이나 독일 전역의 보수파 사이에서 누리는 그의 명성은 아직 바이에른 밖에서는 대체로 무명인 지방 정치인에게 자산이 될 터였다. 히틀러는 루덴도르프를 자신의 계획에 집어넣기 시작했다.

　1923년 가을, 독일 공화국과 바이에른 주는 위기를 맞았다. 9월 26일, 구스타프 슈트레제만 총리는 루르에서의 소극적 저항을 끝내고 배상금 지불을 재개한다고 발표했다. 한때 힌덴부르크와 루덴도르프의 대변인이었던 슈트레제민은 확고한 보수주의자요 내심 군주제 지지자였는데, 독일을 구하고 통합하고 강국으로 재건하려면 적어도 당분간은 공화국을 받아들이고, 연합국과 타협하고, 평온한 시기를 유지하면서 경제력을 회복해야 한다는 결론에 도달했다. 더 이상 표류할 경우 내전으로 귀결될 뿐이고 어쩌면 국가가 멸망할 수도 있었다.

　루르에서 프랑스에 대한 저항을 포기하고 배상금 지불을 재개한다는 발표가 나오자 독일의 민족주의자들은 분노와 히스테리를 분출했으며, 세력을 키워가던 공산주의자들도 공화국을 맹렬히 비난하는 데 가세했다. 슈트레제만은 극우와 극좌 양편의 심각한 봉기에 직면했다. 이를 예상한 그는 루르와 배상금 문제에 관한 정책 변경을 발표한 당일에 에베르트 대통령에게 비상사태를 선포하게 했다. 1923년 9월 26일부터 1924년 2월까지 독일의 집행권은 비상사태법에 따라 국방장관 오토 게슬러Otto Gessler와 육군 총사령관 젝트 장군의 수중에 있었다. 이 기간에 독일은 사실상 젝트 장군과 육군에 의한 독재에 맡겨져 있었다.

　바이에른은 이런 해결책을 받아들일 분위기가 아니었다. 바이에른의 오이겐 폰 크닐링Eugen von Knilling 내각은 9월 26일에 자체 비상사태를 선포하고, 우파 군주제 지지자이며 전임 주州 총리인 구스타프 폰 카르를 독재권을 가진 주 판무관에 지명했다. 베를린에서는 바이에른이 독일국에서 분리 독립하고, 비텔스바흐 군주정을 부활시키고, 어쩌면 오스트리아와 함께 남독일연합을 결성할지 모른다고 우려했다. 에베르트 대통령은 급히 각의를 소집하고 젝트 장군에게도 참석해달라고 청했다. 에베르트는 군이 어느 편인지 알고 싶어했다. 젝트는 퉁명스럽게 답했다. "군은, 대통령 각하, 저의 편입니다."[7]

무표정한 얼굴에 외알안경을 낀 프로이센인 총사령관의 입에서 쌀쌀맞은 말이 나왔건만 예상과 달리 독일 대통령도 총리도 당황하지 않았다. 군은 국가 안의 국가이며 누구의 부하도 아니라는 것을 그들은 이미 인식하고 있었다. 앞에서 언급했듯이 3년 전에 카프 쿠데타 세력이 베를린을 점령한 상황에서 정부가 젝트에게 비슷한 물음을 던졌을 때 군은 공화국 편이 아니라 이 장군 편에 선 적이 있었다. 1923년 시점에 유일한 문제는 젝트가 어느 편에 서느냐는 것이었다.

공화국으로서는 천만다행으로 젝트는 이때 공화국 편에 서기로 했다. 공화주의와 민주주의의 원칙을 믿어서가 아니라, 바이에른과 북부 독일에서 일어난 봉기로 위협받는 군 자체를 지키는 한편 파멸적인 내전에서 독일을 구해내려면 당분간 현 정권을 지지할 필요가 있다고 판단했기 때문이다. 젝트는 뮌헨 주둔 육군 사단의 주요 장교들 중 일부가 바이에른 분리주의자들을 편든다는 사실을 알고 있었다. 또한 전 참모본부 장교인 부흐루커Buchrucker 소령 휘하의 '흑색 국가방위군Schwarze Reichswehr'이 베를린을 점령하고 공화국 정부를 몰아내려는 음모도 간파하고 있었다. 젝트는 군을 바로잡고 내전의 싹을 자르고자 냉철하고 치밀하면서도 더 없이 결연하게 움직였다.

1923년 9월 30일 밤, 부흐루커 소령 휘하 '흑색 국가방위군'은 베를린 동부의 요새 세 곳을 장악했다. 젝트는 요새 탈환을 정규군에 명령했고, 이틀 후 부흐루커는 항복했다. 부흐루커는 반역죄로 재판을 받고 요새에서의 금고 10년형을 선고받았다. 10만 국가방위군을 비밀리에 증강하기 위해 젝트 자신이 노동특공대Arbeitskommandos라는 가명으로 창설했던 '흑색 국가방위군'은 해체되었다.*

다음으로 젝트는 작센, 튀링겐, 함부르크, 루르에서의 공산당의 봉기에 주의를 돌렸다. 좌파를 진압할 경우 군의 충성에 대한 의구심을 잠재울 수 있었다. 작센의 사회민주당-공산당 연합성부 인사들은 현지 국가방위군의 사령관에 의해 체포되었고, 이곳을 통치할 제국판무관이 중앙정부에 의해 임명되었다. 함부르크 등지의 공산당은 신속하고도 가혹하게 제압당했다. 베를린 중앙정부는 비교적 쉽게 볼셰비키를 진압함으로써 바이에른 음모자들의 핑계, 즉 실은 공산주의로부터 공화국을 지키기 위해 행동하는 것이라는 핑계를 가로챘고, 이제 그들이 중앙정부의 권위를 인정할 것이라고 보았다. 하지만 사태는 그렇게 흘러가지 않았다.

바이에른은 베를린에 계속 반항했다. 당시 바이에른은 삼두정치의 독재적 통제 아래 있었다. 삼두는 주 판무관 카르, 바이에른 주둔 국가방위군 사령관 오토 폰 로소브Otto von Lossow 장군, 주 경찰청장 한스 폰 자이서Hans von Seisser 대령이었다. 카르는 에베르트 대통령의 독일 비상사태 선포가 바이에른 주에도 적용된다는 것을 조금도 인정하지 않았다. 또 베를린에서 어떤 명령을 내리든 수행하기를 거부했다. 중앙정부에서 히

---

* 병력이 거의 2만에 달한 '흑색 국가방위군'은 1920~23년의 격동기에 폴란드군으로부터 독일을 지키는 데 일조하기 위해 동부 국경에 배치되었다. 이 비합법 조직은 '흑색 국가방위군'의 활동 내용을 연합국 관리위원회에 누설한 독일인들을 자의적으로 사형에 처함으로써 중세식 비밀재판(Femegerichte)의 공포를 되살렸다는 악명을 얻었다. 이런 잔혹한 살인 중 몇 건은 재판을 받게 되었다. 어느 재판에 회부된 노스케의 후임 국방장관 오토 게슬러는 이 조직을 전혀 알지 못한다고 우기며 그 존재를 부정했다. 그러나 어느 검사의 심문에 게슬러는 "'흑색 국가방위군'에 대해 말하는 자는 반역죄를 저지르는 것이오!" 하고 소리쳤다.

틀러의 《민족의 파수꾼》이 공화국 일반과 특히 젝트, 슈트레제만, 게슬러를 신랄하게 공격한다는 이유로 이 신문을 단속하도록 요구했을 때, 카르는 경멸스럽다는 듯이 거절했다.

바이에른 내 무장단체들의 악명 높은 세 지도자 하이스Heiss 대위, 에어하르트 소령(카프 폭동의 '영웅'), 로스바흐Rossbach 중위(룀의 친구)를 체포하라는 베를린의 두 번째 명령도 카르는 무시했다. 인내심이 바닥난 젝트는 로소브 장군에게 나치 기관지의 발행을 금지하고 자유군단 지도자 셋을 체포하라고 명령했다. 어찌할 바를 모르던 이 나약한 바이에른 출신 장군은 히틀러의 능변과 카르의 설득에 넘어가 명령에 복종하기를 주저했다. 10월 24일, 젝트는 로소브를 파면하고 그의 자리에 크레스 폰 크레센슈타인Kress von Kressenstein 장군을 임명했다. 그렇지만 카르는 이런 식의 명령을 따르지 않을 작정이었다. 카르는 로소브가 바이에른 국가방위군 사령관 자리를 유지한다고 선언했고, 젝트뿐 아니라 헌법까지 무시하면서 주둔군 장병들에게 바이에른 주 정부에 충성한다는 특별선서를 강요했다.

베를린 중앙정부가 보기에 이는 정치적 반란일 뿐 아니라 군사적 반란이기도 했다. 젝트 장군은 이런 사태를 모두 진압하기로 결심했다.[8]

젝트는 바이에른의 삼두, 히틀러, 무장단체들에게 어떠한 반항도 무력으로 진압하겠다고 확실하게 경고했다. 그러나 나치 지도자는 때를 놓쳐 발을 빼려야 뺄 수가 없었다. 돌격대 지휘부의 일원인 빌헬름 브뤼크너Wilhelm Brückner 중위는 즉각 행동에 나설 것을 히틀러에게 진언했다. "대원들을 자제시키지 못할 날이 다가오고 있습니다. 당장 아무 일도 일어나지 않는다면 그들이 우리에게서 떠나갈 것입니다."

히틀러 역시 만일 슈트레제만이 시간을 충분히 확보하고 국내의 평화를 회복하려는 그의 노력이 성공을 거두기 시작한다면 자신의 기회가 사라지리라는 것을 깨달았다. 히틀러는 카르와 로소브에게 중앙정부가 뮌헨으로 진격해오기 전에 선수를 쳐 베를린으로 진격하자고 호소했다. 또한 삼두가 몸을 사리거나, 바이에른을 독일에서 떼어내려는 분리주의 쿠데타를 자신을 제쳐둔 채 계획하고 있을지도 모른다는 의심을 품었다. 강력하고 민족주의적인 통일독일 수립이라는 광신적 이념을 가진 히틀러는 그런 계획에 시종일관 반대했다.

카르, 로소브, 자이서는 젝트의 경고를 받고서 용기를 잃게 되었다. 세 사람은 자멸로 이어질지 모르는 헛된 행동에 관심이 없었다. 11월 6일, 그들은 히틀러가 정치적 지도자로 있는 독일투쟁동맹 측에 '우리는 자칫 서두르다가 경솔하게 움직이지 않을 것이고 우리만이 언제 어떻게 행동할지 결정한다'고 통보했다. 히틀러에게 이것은 자기가 직접 주도권을 쥐어야만 한다는 신호였다. 단독으로 폭동을 일으킬 만한 지지세력이 히틀러에게는 없었다. 바이에른 주정부, 주둔군, 경찰의 지원을 받아야만 했다—이는 빈에서 빈털터리로 지내던 시절에 배운 교훈이었다. 히틀러로서는 어떻게 해서든 카르, 로소브, 자이서를 돌이킬 수 없는 곤경에 빠뜨려 자신에게 동조하도록 만들어야 했다. 그러자면 대담함이, 심지어 무모함이 필요했는데, 당시 히틀러는 두 가지 모두 자신에게 갖춰져 있음을 확신했다. 그는 삼두를 납치해 자신의 분부대로 권력을 사용하도록 강제하기로 결정했다.

이런 방안은 러시아 출신의 두 망명자 로젠베르크와 쇼이프너-리히터가 히틀러에게 처음 제시했다. 아내의 성을 따서 막스 에르빈 폰 쇼이프너-리히터Max Erwin von Scheubner-Richter라는 이름으로 귀족을 자처한 후자는 미덥지 않은 인물인데, 로젠베르크와 마찬가지로 생애의 대부분을 러시아령 발트 지방에서 보내다가 전후에 다른 망명자들과 함께 뮌헨으로 이주했고 그곳에서 나치당에 입당해 히틀러의 측근이 되었다.

11월 4일 전몰자 추모일에 뮌헨 중심부에서 군사 퍼레이드가 펼쳐질 예정이었는데, 신문에는 그날 인기 있는 루프레히트 왕세자뿐 아니라 카르, 로소브, 자이서도 펠트헤른할레Feldherrnhalle(장군 묘당)에서 나오는 좁은 거리에 설치된 사열대에서 열병할 것이라는 보도가 나왔다. 쇼이프너-리히터와 로젠베르크의 제안은 열병식 대열이 그곳에 당도하기 전에 돌격대원 수백 명을 트럭에 태워 길목에 집결시키고 기관총으로 위협해 봉쇄하자는 것이었다. 그런 다음 히틀러가 사열대에 올라가 혁명을 선포하고, 주요 인사들에게 권총을 겨눈 채 혁명에 가담해 협조해달라고 설득한다는 계획이었다. 히틀러는 이 계획을 마음에 들어하며 열렬히 지지했다. 그러나 예정된 당일에 로젠베르크가 사전 점검차 일찍 도착해보니 당혹스럽게도 중무장한 다수의 경찰관들이 좁은 거리를 빈틈없이 경비하고 있었다. 음모, 아니 '혁명'은 포기할 수밖에 없었다.

실제로 계획은 뒤로 미루어졌을 뿐이었다. 거점에 배치된 경찰의 방해를 받지 않을 제2의 계획이 세워졌다. 11월 10일에서 11일로 넘어가는 밤에 돌격대와 독일투쟁동맹의 다른 무장단체들을 뮌헨 북쪽 외곽의 프뢰트마닝거 벌판에 집결시킨 뒤 증오스럽고 수치스러운 휴전협정 기념일인 11일 아침에 시내로 진격해 들어가 주요 거점들을 장악하고, 민족 혁명을 선포하고, 주저하는 카르, 로소브, 자이서에게 기정사실이 된 혁명을 들이민다는 계획이었다.

이 시점에 히틀러는 그리 중요하지 않은 한 공지를 보고서 이 계획을 중단하고 즉석에서 새로운 계획을 짰다. 신문에 실린 짧은 공지에 따르면 재계의 몇몇 단체의 요청으로 카르가 뮌헨 남동부 외곽에 있는 큼지막한 맥주홀 뷔르거브로이켈러의 집회에서 연설할 예정이었다. 행사 일시는 11월 8일 저녁이었다. 주 판무관의 연설 주제는 바이에른 정부의 향후 계획에 관해서라고 적혀 있었다. 로소브 장군과 자이서 대령을 비롯한 주요 인사들도 참석한다고 했다.

히틀러가 성급히 결단을 내린 것은 두 가지 고려사항 때문이었다. 먼저 히틀러는 카르가 그 집회에서 바이에른의 독립과 비텔스바흐 왕가의 복위를 선포할지도 모른다고 의심했다. 11월 8일 온종일 히틀러는 카르를 만나려 했으나 실패하고 9일에나 만나자는 회답을 받았다. 이 일로 나치 지도자의 의심은 더욱 커지기만 했다. 카르를 반드시 저지해야 했다. 두 번째 고려사항은 뷔르거브로이켈러의 집회가 지난 11월 4일에 놓쳤던 기회, 삼두를 모두 붙잡아놓고 권총을 겨눈 채 나치당과 함께 혁명을 수행하자고 강요할 기회를 제공한다는 것이었다. 히틀러는 당장 행동하기로 마음먹었다. 11월 10일의 동원 계획을 취소하고 서둘러 돌격대에 대규모 맥주홀에서 수행할 임무를 알렸다.

## 맥주홀 폭동

1923년 11월 8일 저녁 8시 45분경, 대충 만든 탁자에 놓인 바이에른풍 머그잔의 맥주를 벌컥벌컥 마시는 주민 3000여 명 앞에서 카르가 연설을 30분쯤 했을 때, 돌격대원들이 뷔르거브로이켈러를 포위한 채 히틀러가 홀 안으로 들이닥쳤다. 몇몇 대원이 입구에 기관총을 거치하는 동안 히틀러는 탁자 위로 뛰어올라가 군중의 이목을 모으려고 천장을 향해 권총을 발사했다. 카르는 연설을 멈췄다. 청중은 소란의 원인을 찾아 두리번거렸다. 전직 도축업자, 아마추어 레슬러, 싸움꾼에서 이제 나치

지도자의 경호원이 된 울리히 그라프와 루돌프 헤스의 안내로 히틀러는 연단으로 나아갔다. 한 경찰관이 저지하려 했지만 히틀러는 그에게 권총을 들이대며 나아갔다. 어느 목격자에 따르면 카르는 "새파랗게 질려 허둥댔다". 카르가 연단에서 뒤로 물러나고 히틀러가 앞으로 나섰다.

"민족 혁명이 시작되었습니다!" 히틀러가 소리쳤다. "이 건물은 중무장한 600명이 점거하고 있습니다. 아무도 이 홀에서 나갈 수 없습니다. 당장 조용히 하지 않으면 복도에 기관총을 배치하겠습니다. 바이에른 정부와 독일국 정부는 제거되었고 임시 중앙정부가 구성되었습니다. 국가방위군의 병영과 경찰의 막사는 점거되었습니다. 군과 경찰은 스와스티카 깃발 아래 이곳 시가지를 행진하는 중입니다."

이 마지막 말은 거짓이었다. 순전히 허세였다. 그러나 혼란한 판에 아무도 확실히 알 수가 없었다. 히틀러의 권총은 진짜였다. 조금 전에 발사되었다. 돌격대와 그들이 지닌 소총이나 기관총도 진짜였다. 히틀러는 카르, 로소브, 자이서에게 연단에서 내려가 별실로 따라오라고 명령했다. 군중이 놀라서 지켜보는 가운데 바이에른 정부의 세 거물이 돌격대원들에게 떠밀려 히틀러의 명령대로 움직였다.

그러나 반감도 커지고 있었다. 여러 기업인들은 여전히 히틀러를 벼락출세자 정도로 치부했다. 그들 중 한 명이 경찰을 향해 "1918년처럼 겁쟁이가 되지 마. 발사해!" 하고 외쳤다. 하지만 자기네 상관들이 아주 고분고분하게 굴고 돌격대가 홀을 장악하고 있던 터라 경찰은 꼼짝도 하지 않았다. 히틀러는 경찰 본부에서 근무하는 나치 스파이 빌헬름 프리크Wilhelm Frick에게 맥주홀에서 근무 중인 경찰에 전화를 걸어 간섭하지 말고 그저 보고만 하도록 지시하라고 미리 손을 써둔 터였다. 군중의 부루퉁한 기색이 역력해지자 괴링은 연단에 올라가 그들을 달랠 필요가 있다고 판단했다. "걱정할 것 없습니다. 우리의 의도는 호의적인 것입니다. 이 문제로 투덜거릴 이유가 없으니 맥주나 드십시다!" 이렇게 말하고는 별실에서 지금 새로운 정부가 구성되고 있다고 알렸다.

과연 아돌프 히틀러의 총구 아래 새로운 정부가 구성되고 있었다. 포로들을 그 옆방으로 데리고 들어간 히틀러는 "내 허락 없이는 아무도 이 방에서 살아서 나갈 수 없소"라고 말했다. 그런 다음 그늘 모두 바이에른 정부에서, 또는 자신이 루덴도르프와 함께 구성 중인 중앙정부에서 요직에 앉게 될 거라고 알려주었다. 루덴도르프와 함께라고? 그날 이른 저녁에 히틀러는 쇼이프너-리히터를 루트비히스회헤Ludwigshöhe(뮌헨 남부의 고급주택단지)로 보내 나치 음모에 관해서는 아무것도 모르는 이 저명한 장군을 맥주홀로 서둘러 데려오도록 지시했다.

처음에 세 포로는 히틀러에게 입도 열려 하지 않았다. 히틀러는 계속 열변을 토했다. 셋 모두 자신과 함께 혁명과 신정부 수립을 선포해야 하고, 자신이 임명하는 직책을 맡아야 하며, 따르지 않으면 "살아 있을 권리가 없소"라고 윽박질렀다. 카르는 바이에른 섭정, 로소브는 국방장관, 자이서는 중앙 경찰청장을 맡을 터였다. 셋 모두 그런 고위직이 마련되어 있다는 것에 아무 감명도 받지 않았다. 그들은 대꾸하지 않았다.

계속되는 침묵에 히틀러는 신경이 곤두섰다. 이윽고 그들을 향해 총을 흔들었다. "이 권총에 네 발이 들어 있소. 세 발은 나를 저버리는 세 협력자들에게 쏠 것이오. 마지막 한 발은 나 자신에게 쏠 것이오!" 히틀러는 자기 이마에 총구를 대고서 소리쳤다. "내일 오후까지 생각대로 안 되면 나는 죽은 사람이오!"

카르는 그리 총명하진 않았지만 배포는 있었다. "히틀러 씨, 내가 나를 쏴도 좋고 당신이 나를 쏴도 좋소. 내가 죽든 안 죽든 그건 중요하지 않소."

자이서도 목소리를 높였다. 경찰에 맞서 폭동을 일으키지 않겠다던 명예로운 약속을 어겼다며 히틀러를 나무랐다.

"그래, 어겼소"라고 히틀러가 대꾸했다. "용서하시오. 하지만 조국을 위해 어쩔 수 없었소."

로소브 장군은 경멸스럽다는 듯이 침묵을 고수했다. 하지만 카르가 로소브에게 속삭이기 시작하자 히틀러가 곧장 말을 끊었다. "멈춰! 내 허락 없이 말하지 마시오!"

히틀러의 말은 전혀 효과가 없었다. 바이에른 주의 권력을 거머쥔 세 사람은 권총 앞에서도 히틀러와 손잡는 데 동의하지 않았다. 폭동은 계획대로 흘러가지 않고 있었다. 그러자 히틀러는 갑자기 충동적으로 행동했다. 더 이상 아무 말도 하지 않다가 급히 홀로 되돌아가 연단에 오르고는 뚱한 얼굴의 군중을 향해 지금 옆방에서 삼두가 자신과 함께 새 정부를 구성하기로 했다고 발표했다.

"바이에른 내각은 제거되었습니다. … 11월의 범죄자들로 구성된 정부를 해체하고 독일 대통령을 해임하기로 결의했습니다. 새로운 중앙정부는 바로 오늘 이곳 뮌헨에서 지명될 것입니다. 독일 국군은 즉시 조직될 것입니다. … 마침내 11월의 범죄자들을 단죄할 때까지 중앙정부의 정책 방향은 제가 잡을 것을 제안합니다. 루덴도르프는 독일 국군의 지휘부를 장악할 것입니다. … 독일 임시 중앙정부의 과제는 저 죄악의 바빌론, 베를린으로의 진격을 준비해 독일 국민을 구하는 것입니다. … 내일 독일에서 중앙정부가 수립되든가 우리가 죽든가 둘 중 하나입니다!"

히틀러는 처음도 아니고 분명 마지막도 아닌 거짓말을 능수능란하게 했고, 그것이 통했다. 카르, 로소브 장군, 자이서 경찰청장이 히틀러와 힘을 합쳤다는 말에 군중의 분위기는 돌변했다. 환호성이 터져나왔고, 그 소리는 줄곧 작은 방에 갇혀 있던 세 사람의 마음을 움직였다.

그때 쇼이프너-리히터가 마치 모자에서 토끼를 꺼내듯이 루덴도르프 장군을 등장시켰다. 이 전쟁 영웅은 히틀러에게 감쪽같이 기습을 당했다는 데 격노했고, 작은 별실에 이끌려온 뒤로 자신이 아니라 일개 상병이 독일의 독재자가 되리라는 것을 알고서 더욱 분노했다. 루덴도르프는 이 버르장머리 없는 청년에게 거의 한 마디도 하지 않았다. 그러나 히틀러는 루덴도르프의 명성을 빌려 자신의 필사적인 시도를 뒷받침하고 그때까지 자신의 회유나 협박에 반응하지 않았던 바이에른의 완고한 세 지도자를 설득할 수 있기를 기대하며 장군의 분노에 개의치 않았다. 루덴도르프는 실제로 그들을 설득하기 시작했다. 지금 이것은 국가의 대의가 걸린 문제라고 말하면서 이 청년을 돕도록 권했다. 사태해결에 나선 대원수의 태도에 황송해진 세 거물은 마지못해 고집을 꺾는 듯 보였다—다만 나중에 로소브는 루덴도르프의 지휘에 따르는 데 동의했음을 부인했다. 몇 분 동안 카르는 자신에게 최대의 관심사였던 비텔스바흐 왕가 복위 문제를 놓고 소란을 피웠다. 마침내 카르는 "국왕의 대리인"으로서 협력하겠다고 말했다.

루덴도르프가 때맞춰 도착한 덕에 히틀러는 곤경에서 벗어났다. 이렇게 운 좋은 상황 타개에 너무도 기뻐한 나머지 히틀러는 네 사람을 다시 연단으로 데려갔으며, 그들은 각자 짧은 연설로 서로에게, 그리고 새 정권에 충성하겠다고 맹세했다. 군중은 열광에 휩싸여 의자와 탁자 위로 뛰어올라갔다. 히틀러는 희색이 만면했다. 당시 현장에 있었던 어느 저명한 역사가는 훗날 "그가 어린아이처럼 기쁨을 솔직하게 드러내던 모습을 나는 결코 잊을 수 없다"고 말했다.[9]

다시 연단에 오른 히틀러는 군중에게 마지막 발언을 했다.

5년 전 군병원에서 눈먼 불구자로 지내던 때에 나 자신에게 했던 맹세를 이제 실행하고자 합니다. 그것은 11월의 범죄자들을 타도할 때까지, 오늘날 비참한 독일의 폐허 위에서 강력하고 위대하고 자유롭고 영광스러운 독일을 재건할 때까지는 휴식도 평온도 구하지 않겠다는 맹세였습니다.

이 집회는 곧 끝날 참이었다. 출구 쪽에서 루돌프 헤스가 돌격대원들의 지원을 받아 바이에른 내각 각료들과 명사들이 인파에 섞여 빠져나가지 못하게 막았다. 히틀러는 카르, 로소브, 자이서에게서 눈을 떼지 않았다. 그때 투쟁동맹의 한 단체인 오버란트동맹Bund Oberland의 대원들과 군 공병대 병영의 정규군 사이에 충돌이 일어났다는 소식이 전해졌다. 그러자 히틀러는 현장에 가서 사태를 직접 수습하고자 맥주홀을 루덴도르프에게 맡기고 떠났다.

이는 치명적인 실책이 되었다. 로소브가 맨 먼저 빠져나갔다. 로소브는 루덴도르프에게 자신은 서둘러 주둔군 사령부로 가서 필요한 명령을 내려야 한다고 말했다. 쇼이프너-리히터가 제지하자 루덴도르프는 뻣뻣하게 응수했다. "독일군 장교의 말을 의심하는 것은 용납하지 않겠네." 카르와 자이서도 사라졌다.

히틀러가 기세등등하게 뷔르거브로이켈러로 돌아와서 보니 새들이 새장에서 날아가고 없었다. 그날 밤의 첫 번째 타격에 히틀러는 망연자실했다. 루덴도르프와 로소브가 베를린으로 진격할 계획을 짜는 사이에 '각료들'이 새로운 직무를 바쁘게 수행하고 있을 거라 짐작하고 있던 터였다. 그러나 실제로는 거의 아무 일도 진행되지 않고 있었다. 혁명 세력은 뮌헨조차 제압하지 못하고 있었다. 룀이 투쟁동맹의 다른 단체인 제국군기Reichskriegsflagge의 돌격대 분대를 지휘해 쇤펠트슈트라세에 있는 전쟁부의 육군 본부를 장악했지만, 다른 전략적 거점들은 확보하지 못했다. 심지어 전신국도 점거되지 않아서 이곳의 회선을 통해 쿠데타 소식이 베를린으로 전해졌고, 그러자 젝트 장군으로부터 바이에른 주둔군에 폭동 진압을 명령하는 회신이 왔다.

하급장교들과 일부 병사들 가운데 히틀러나 룀에게 동조하는 움직임이 있긴 했지만, 뮌헨 수비대 사령관 야코프 리터 폰 다너Jakob Ritter von Danner 장군이 이끄는 고급장교들은 젝트의 명령을 수행할 준비가 되어 있었을 뿐 아니라 로소브 장군이 당한 처사에 몹시 분개했다. 군법에 따르면 장군에게 권총을 겨눈 민간인은 장교의 휴대무기로 후려쳐야 마땅했다. 로소브가 다너와 합류한 제19보병연대에서는 외곽의 수비대들에 증원 병력을 시내로 급파하라는 명령을 내렸다. 새벽녘에 정규군 병력은 전쟁부에 진을 친 룀의 병력 주위에 포위망을 둘렀다.

이에 앞서 히틀러와 루덴도르프는 전쟁부에서 룀을 만나 잠시 상황을 점검했다. 룀은 자신을 제외하고는 누구도 거점을 점거할 군사행동을 취하지 않았다는 것을 알고 충격을 받았다. 히틀러는 로소브, 카르, 자이서와 다시 연락하고자 기를 썼다. 루덴도르프의 이름으로 제19보병연대에 전령들을 보냈지만 한 명도 돌아오지 않았다. 또한 전 뮌헨 경찰청장이자 당시 히틀러의 지지자였던 에른스트 푀너Ernst Pöhner를 아돌프 휜라인Adolf Hühnlein 소령 및 돌격대 한 무리와 함께 경찰 본부를 점거하도록 보냈다. 그들은 본부에서 즉각 체포되었다.

그렇다면 바이에른 정부의 수반 구스타프 폰 카르는 어땠을까? 카르는 뷔르거브로이켈러에서 나오자마자 제정신과 용기를 되찾았다. 두 번 다시는 히틀러와 그 무뢰배의 포로가 되고 싶지 않았던 카르는 정부를 레겐스부르크로 옮겼다. 하지만 그전에 다음과 같은 포고문을 뮌헨 전역에 나붙이라고 명령했다.

> 민족을 다시 일깨우기 위한 시위집회가 야망을 품은 인사들의 기만과 배신으로 인해 역겨운 폭력의 장으로 변질되었다. 나를 위시해서 폰 로소브 장군과 자이서 대령에게 권총을 들이대고 강요한 선언은 무효다. 국가사회주의 노동자당을 오버란트동맹 및 제국군기와 마찬가지로 해산시킨다.
>
> 주 판무관 폰 카르

저녁까지만 해도 히틀러에게 그토록 가깝고도 쉬워 보였던 승리가 밤이 깊어갈수록 빠르게 멀어졌다. 히틀러가 줄곧 강조해온 성공적인 정치 혁명의 기반—군, 경찰, 집권 중인 정치집단 같은 기성 제도권의 지원—이 허물어졌다. 루덴도르프의 마법 같은 이름으로도 바이에른 주둔군을 끌어들일 수 없다는 사실이 분명히 드러났다. 히틀러는 루덴도르프에게 자기와 함께 일단 로젠하임 근교까지 후퇴해 무장세력을 지지하는 농민층을 규합한 뒤 뮌헨을 기습하자고 제안했으나 장군은 단칼에 거절했다.

어쩌면 적어도 파국은 피할 수 있는 다른 길이 있을지도 몰랐다. 루덴도르프와 앙숙지간인 루프레히트 왕세자는 폭동 소식을 듣자마자 짧은 성명을 발표해 폭동을 즉각 진압하도록 다그쳤다. 그런데 히틀러는 현 사태를 명예롭고 평화적으로 해결할 수 있도록 로소브 및 카르와의 협의를 중재해달라고 왕세자에게 간청하기로 결정했다. 히틀러의 친구이고 루프레히트의 친구이기도 한 노인체르트Neunzert 중위가 이 까다로운 임무를 맡고서 새벽에 베르히테스가덴 인근 비텔스바흐 성을 향해 급히 출발했다. 자동차를 구할 수 없어 기차를 기다려야 했던 그는 정오에야 목적지에 도착했는데, 그때쯤이면 히틀러도 예견하지 못했고 루덴도르프도 상상하지 못한 쪽으로 상황이 돌아가고 있었다.

히틀러가 의도한 것은 폭동이지 내진이 아니었다. 몹시 흥분하긴 했으나 경찰과 군을 압도할 만한 힘이 자신에게는 없음을 알아차릴 분별력은 지니고 있었다. 그가 원한 것은 군대와 **함께하는** 혁명이었지 군대에 **맞서는** 혁명이 아니었다. 최근 연설에서, 그리고 바이에른 삼두에게 권총을 겨눈 순간에는 피에 굶주린 모습을 보이긴 했지만, 공화국을 증오하는 사람들끼리 피를 보는 일 따위는 생각하고 싶지 않았다.

루덴도르프도 마찬가지였다. 지난번에 아내에게 말한 대로 에베르트 대통령과 '그 일파'가 교수대에 목이 매달린 모습이야 기꺼이 지켜볼 작정이었다. 그러나 자신처럼 전국적인 반혁명을 믿고 있는 경찰관이나 군인을 적어도 뮌헨에서 살해할 마음은 없었다.

갈팡질팡하는 젊은 나치 지도자에게 루덴도르프는 급기야 승리를 가져오면서도 유혈사태를 피할 수도 있는 계획을 제안했다. 독일 군인들은 물론이고 경찰관들—대부분 군인 출신이었다—도 동부와 서부 양 전선에서 독일에 대승을 안겨준 전설적인 사령관에게 감히 발포하지 못할 것이라고 루덴도르프는 확신하고 있었다. 자신과 히틀러가 동조자들을 이끌고 시내 중심부까지 진입해 그곳을 장악한다. 경찰과 군은 감히 자신에게 맞서지 못할 뿐 아니라 자신의 편에 합류해 자신의 명령에 따라 싸울 것이라고 루덴도르프는 믿어 의심치 않았다. 다소 회의적이긴 했지만 히틀러도 이 계획에 동의했다. 달리 빠져나갈 길이 없어 보였다. 왕세자

측으로부터는 중재 호소에 대한 회답이 아직 없었다.

　독일 공화국 선포 기념일인 11월 9일 오전 11시경, 히틀러와 루덴도르프는 돌격대원 3000여 명을 이끌고서 맥주홀 뷔르거브로이켈러에서 출발해 뮌헨 중심부로 향했다. 선두에는 두 사람 외에 돌격대 사령관 괴링, 쇼이프너-리히터, 로젠베르크, 히틀러의 경호원 울리히 그라프, 그리고 다른 나치당 간부 대여섯 명과 투쟁동맹의 지도부가 있었다. 스와스티카 깃발과 오버란트동맹 깃발이 대열의 맨 앞에서 펄럭였다. 선두를 저 앞에 두고 천천히 따라가는 트럭에는 기관총 몇 정과 함께 사수들이 타고 있었다. 돌격대원들은 소총을 어깨에 둘러맸고 일부는 착검까지 했다. 히틀러는 여봐란 듯이 권총을 쥐고 있었다. 그다지 강한 병력이 아니었지만, 한때 독일의 최정예 병력 수백만 명을 지휘했던 루덴도르프는 이번 목적에는 이 정도면 충분하다고 생각하는 듯했다.

　맥주홀에서 북쪽으로 수백 미터 이동한 지점에서 반란군은 첫 장애물과 맞닥뜨렸다. 이자르 강을 건너 시내 중심부로 이어지는 루트비히 다리 위에서 무장한 경찰 부대가 길을 막고 있었다. 괴링이 앞으로 튀어나가 경찰 대장에게 만약 경찰이 발포하면 대열 맨 뒤의 인질 여럿을 사살하겠다고 협박했다. 간밤에 헤스를 비롯한 대원들이 이런 상황에 대비해 각료 두 명을 포함한 다수의 인질을 붙잡아온 터였다. 괴링이 허세를 부렸는지 여부는 알 수 없지만, 경찰 대장은 허풍이 아니라고 믿은 듯 반란군이 다리를 통과하도록 놔두었다.

　마리엔플라츠에서 나치 대열은 유대인 박해자 율리우스 슈트라이허의 장광설을 듣고 있는 대규모 군중과 마주쳤다. 뉘른베르크 출신의 슈트라이허는 폭동 소식을 듣자마자 한걸음에 뮌헨으로 달려온 터였다. 혁명에 동참하고 싶었던 그는 연설을 중단하고 반란군 대열에 합류해 히틀러 바로 뒤에서 걸어갔다.

정오가 막 지나서 대열은 목적지인 전쟁부에 가까워졌다. 전쟁부에 진입했던 룀과 그의 돌격대는 국가방위군에 포위되어 있었다. 포위당한 쪽이나 포위한 쪽이나 그때까지 한 발도 쏘지 않았다. 룀과 그의 부하들은 모두 전직 군인이었으며, 철조망 너머에는 옛 전우들이 다수 있었다. 양편 모두 서로를 죽일 마음은 전혀 없었다.

전쟁부에 도착해서 룀을 구출하기 위해 히틀러와 루덴도르프는 레지덴츠슈트라세로 대열을 이끌었다. 펠트헤른할레 바로 뒤편의 이 좁은 거리를 빠져나가면 탁 트인 오데온스플라츠가 나왔다. 도랑 같은 그 거리 끝에 소총으로 무장한 백여 명의 경찰 부대가 길을 막고 있었다. 그 부대는 전략적으로 중요한 위치에 있었고 이번에는 물러서려고 하지 않았다.

그러나 나치당은 또다시 말로 구슬려서 통과하려 했다. 충직한 경호원 울리히 그라프가 앞으로 나서서 경찰 대장으로 보이는 사내에게 "쏘지 마라! 루덴도르프 각하께서 오고 계신다!" 하고 다급히 외쳤다. 이런 절체절명의 순간에도, 지난날 아마추어 레슬러이자 술집 문지기였음에도, 이 독일 혁명가는 루덴도르프에게 적절한 경칭을 붙이는 것을 잊지 않았다. 히틀러도 "항복하라! 항복하라!" 하고 소리쳤다. 하지만 무명의 그 경찰 대장은 항복하지 않았다. 루덴도르프의 이름도 그에게는 마법 같은 힘을 갖지 못했던 모양이다. 이번 상대는 군대가 아닌 경찰이었다.

어느 쪽이 먼저 발포했는지는 확인되지 않았다. 양편 모두 서로를 탓했다. 한 구경꾼은 히틀러가 맨 먼저 자신의 권총을 쐈다고 훗날 증언했다. 다른 구경꾼은 슈트라이허가 먼저 쐈다고 했으며, 나중에 몇몇 나치당원들은 무엇보다도 슈트라이허의 이 행위 때문에 히틀러가 그토록 오랫동안 그를 총애한 것이라고 내게 말해주었다.*

어쨌든 누군가 처음 발포하기 무섭게 양편 모두 일제사격을 퍼부었고, 그 순간 히틀러의 희망도 사라졌다. 쇼이프너-리히터는 치명상을 입고 쓰러졌다. 괴링은 허벅지에 중상을 입고 주저앉았다. 채 60초도 지나지 않아 총성이 멎었지만 거리에는 이미 거꾸러진 사람들이 널려 있었다. 나치당원 16명과 경찰관 3명이 죽었거나 죽어가고 있었고, 더 많은 이들이 부상을 당했으며, 히틀러를 포함한 나머지는 목숨을 부지하고자 길바닥에 바짝 엎드려 있었다.

단 한 사람만은 예외였다. 만일 반란군이 그런 본보기를 따랐다면 그날의 결말이 달라졌을지도 모른다. 루덴도르프는 길바닥에 몸을 던지지 않았다. 가장 훌륭한 군인 전통에 긍지를 갖는 그는 꼿꼿이 선 자세로 부관 슈트레크Streck 소령을 대동하고서 태연히 경찰 측의 총구 앞을 지나 오데온스플라츠에 이르렀다. 그 모습은 분명 고고하고 기이하게 보였을 것이다. 나치당원은 단 한 명도 그를 뒤따르지 않았다. 나치 최고지도자 아돌프 히틀러조차도.

미래의 제3제국 총리는 맨 먼저 안전한 곳으로 도망쳤다. 반란군 대열이 경찰의 저지선 가까이 다가갔을 때 히틀러의 왼팔과 쇼이프너-리히터의 오른팔이 팔짱을 끼고 있었는데(이상하지만 의미심장한 몸짓), 총탄에 후자가 쓰러지면서 전자를 길바닥으로 잡아당겼다. 히틀러는 부상을 당했다고 생각했을 것이다. 날카로운 통증을 느꼈는데, 나중에 어깨 탈구

---

* 수년 후에 히틀러는 당원 다수의 반대를 무릅쓰고 슈트라이허를 프랑켄의 나치당 지도자로 임명하면서 이렇게 힘주어 말했다. "슈트라이허 동지의 코 생김새를 이상하게 보는 사람도 한둘 있을 테지. 하지만 그날 펠트헤른할레 근처 도로에서 함께 엎드려 있을 때, 나는 그가 나를 저버리지 않는 한 절대로 그를 저버리지 않겠다고 맹세했네." (Heiden, *Hitler: A Biography*, p. 157)

로 밝혀졌다. 그렇다 해도 히틀러가 길바닥에서 죽거나 부상으로 나동그라진 동지들을 남겨두고 "맨 먼저 일어나 등을 돌렸다"는 사실은 변하지 않는다. 나치 대열에 가담해 있던 의사 발터 슐츠Walter Schultz가 그렇게 증언했고, 다른 몇몇 목격자도 이 증언을 뒷받침했다. 히틀러는 대기 중이던 자동차에 몸을 우겨넣고 우펑에 있는 한프슈텡글(애칭은 푸치)의 별장으로 급히 피신했으며, 그곳에서 푸치의 아내와 누나의 산호를 받다가 이틀 뒤 체포되었다.

루덴도르프는 현장에서 체포되었다. 그는 함께 행진하지 않은 반란군을 경멸했고, 자신의 편을 들지 않은 군에 격노한 나머지 앞으로는 독일군 장교를 인정하지도 않고 장교 제복을 입지도 않겠다고 선언했다. 부상당한 괴링은 근처 은행의 소유주인 유대인의 도움을 받아 은행 안으로 옮겨져 응급처치를 받고 아내가 손을 쓴 덕에 오스트리아로 밀입국해 인스부르크의 한 병원에 입원했다. 헤스도 오스트리아로 달아났다. 전쟁부의 룀은 펠트헤른할레 앞에서 반란군이 무너지고 두 시간 후에 항복했다. 며칠 사이에 괴링과 헤스를 제외한 반란군 지도부 전원이 검거되어 투옥되었다. 나치 폭동은 그야말로 대실패로 끝났다. 나치당은 해산되었다. 국가사회주의는 어느 모로 보나 죽었다. 총탄이 빗발치자 달아나기 바빴던 나치당의 독재 지도자는 신임을 완전히 잃었고 유성처럼 잠시 빛났던 정치생명도 끝난 듯이 보였다.

## 반역죄 재판

나중에 드러났듯이 히틀러의 정치생명은 그저 중단되었을 뿐이고 그 기간도 길지 않았다. 히틀러는 재판으로 모든 것이 끝나기는커녕 새로운 무대가 마련된다는 것을 알아챌 만큼 판단이 빨랐다. 그 무대를 잘 활용하면 자신을 체포한 수상쩍은 당국자의 평판을 떨어뜨릴 수 있을 뿐 아니라—이 점이 더 중요했는데—비로소 자기 이름을 바이에른 너머, 더 나아가 독일을 넘어 알릴 수도 있었다. 히틀러는 독일의 주요 신문은 물론이고 세계 언론의 특파원들까지 자신의 재판을 취재하러 뮌헨으로 몰려들 것도 잘 알고 있었다. 재판은 1924년 2월 26일 블루텐부르크슈트라세에 있는 옛 보병학교에 설치된 특별법정에서 열렸다. 재판은 24일 후에 끝났는데, 이로써 히틀러는 패배를 승리로 바꾸고, 카르와 로소브, 자이서에게도 자신과 동일한 죄가 있다는 인상을 대중의 마음에 심어주어 그들 셋에게 낭패감을 안기고, 유창한 언변과 민족주의를 향한 열의로 독일 국민에게 감명을 주면서 세계 신문들의 제1면을 자신의 이름으로 장식했다.

피고석에 앉은 10명 중에서는 루덴도르프가 분명 가장 유명했지만, 히틀러는 재판 시작과 동시에 세상의 이목을 끌었다. 처음부터 끝까지 법정을 독점했다. 나치 지도자의 오랜 친구이자 보호자인 바이에른 주 법무장관 프란츠 귀르트너Franz Gürtner는 재판부가 사건을 적당한 선에서 관대하게 처리하도록 미리 손을 써두었다. 히틀러는 말허리를 얼마든지 자르고, 증인들을 마음껏 반대심문하고, 자기 변론을 아무 때나 원하는 만큼 길게 할 수 있었다—자신의 모두진술에는 무려 네 시간을 썼지만 그것은 누차 늘어놓을 장광설의 시작에 불과했다.

히틀러는 과거 카프 폭동의 주모자들이 법정에서 "아무것도 몰랐고, 아무것도 의도하지 않았고, 아무것도 바라지 않았다"고 항변했던 잘못을 되풀이할 마음이 없었다고 훗날 말했다. "그것이 부르주아의 세계를 파괴했다—그들은 자신의 행위를 옹호하고 … 판사 앞에서 '맞습니다, 그

것이 우리가 **하려던** 일입니다. 우리는 국가를 파괴하려 했습니다'라고 말할 용기가 없었다."

당시 히틀러는 재판부와 뮌헨에 모인 세계의 보도진 앞에서 당당하게 선언했다. "저 혼자 책임을 지겠습니다. 그렇다고 해서 유죄라는 것은 아닙니다. 오늘 제가 혁명가로서 이 자리에 서 있다 할지라도, 어디까지나 혁명에 맞서는 혁명가로서 서 있는 것입니다. 1918년의 반역자들에 비하면 반역죄 따위는 있을 수 없습니다."

만약 그런 반역죄가 있다면, 바이에른 주정부, 군대, 경찰을 이끄는 삼인방, 히틀러와 함께 중앙정부에 맞설 음모를 꾸민 삼인방도 똑같이 유죄이므로 주± 고발인으로서 증인석에 앉을 것이 아니라 히틀러와 나란히 피고석에 앉아야 했다. 히틀러는 불안해하고 죄책감에 시달리는 삼두에게 예리한 역공을 가했다.

한 가지는 확실합니다. 로소브, 카르, 자이서는 우리와 똑같은 목표, 현 정부를 제거한다는 목표를 가지고 있었습니다. … 우리의 계획이 실제로 반역죄라면, 전 기간 내내 로소브, 카르, 자이서는 틀림없이 우리와 함께 반역죄를 저지른 셈인데, 그 기간에 우리는 지금 우리가 추궁당하고 있는 목표 말고는 아무것도 이야기하지 않았기 때문입니다.

이 말은 진실이었으므로 세 사람은 도저히 부인할 수가 없었다. 카르와 자이서는 히틀러의 가시 돋친 언변을 당해낼 재간이 없었다. 로소브 장군만이 시비조로 자기를 변호했다. "저는 실직한 코미타지(발칸 지역의 비정규병)가 아니었습니다"라고 법정에 상기시켰다. "저는 주州의 고위직 인사였습니다." 그런 다음 나이든 장교로서의 온갖 경멸을 예전의 상병에게, 지독한 야망을 좇아 군과 주를 주무르려 했던 이 무직의 벼락출세자에게 퍼부었다. 얼마 전까지만 해도 애국 운동에서 그저 '북 치는 사람'이 되려 했던 이 파렴치한 선동가가 용케도 여기까지 왔느냐고 일갈했다.

그저 북 치는 사람이라고? 히틀러는 어떻게 받아쳐야 할지 알고 있었다.

이 얼마나 소인배의 생각입니까! 진실로 저는 장관 자리를 굳이 노력해서 얻을 만한 것으로 여기지 않습니다. 그저 장관이 되어 역사에 이름을 남기려고 노력하는 것은 위대한 인물에게 걸맞지 않은 일이라고 생각합니다. 그럴 경우 다른 장관들에게 묻힐 위험이 있습니다. 저의 목표는 처음부터 장관이 되는 것보다 천 배는 더 높았습니다. 저는 마르스크주의를 파괴하는 자가 되고 싶었습니다. 저는 이 소임을 완수할 것이고, 그럴 경우 저에게 장관직은 하찮은 자리로 여겨질 것입니다.

히틀러는 바그너를 예로 들었다.

리하르트 바그너의 묘소를 처음 찾았을 때 저의 심장은 "추밀고문관, 음악감독, 리하르트 바그너 남작 각하, 이곳에 잠들다" 따위 묘비명을 일체 금지했던 인물에 대한 자랑스러움으로 고동쳤습니다. 독일 역사에서 이 분과 그 밖의 수많은 분들이 직위 없이 자신의 이름만 역사에 남기는 것으로 만족했다는 사실이 자랑스러웠습니다. 그 시절 제가 북 치는 사람이 되고자 했던 것은 겸손 때문이 아닙니다. 그것이 첫째가는 열망이었기 때문입니다. 그 밖의 것은 아무것도 아닙니다.

히틀러는 북 치는 사람에서 독재자로 뛰어오르려 한다는 비난을 받았다. 그것을 부인할 마음은 없었다. 그것은 운명의 명령이었다.

독재자가 될 운명을 타고난 사람은 독재자 되기를 강요받지 않습니다. 스스로 되고자 합니다. 앞으로 내몰리지 않고 스스로 나아갑니다. 그것은 결코 건방진 일이 아닙니다. 노농자가 자진해서 중노동을 하는 것이 건방진 일입니까? 사상가의 넓은 이마를 가진 사람이 세상에 발명품을 선보일 때까지 밤을 새워가며 숙고하는 것이 주제넘은 일입니까? 한 나라의 국민을 통치하라는 부름을 감지하는 사람은 "여러분이 나를 원하거나 불러준다면 협력하겠습니다"라고 말할 권리가 없습니다. 그게 아닙니다! 앞에 나서는 것이 그의 의무입니다.

피고석에서 국가에 대한 반역죄로 장기 징역형 선고를 앞두고 있었음에도, 자기 자신과 "국민을 통치하라"는 부름에 대한 히틀러의 확신은 약해지지 않았다. 구치소에서 재판을 기다리는 동안 히틀러는 이미 폭동이 실패한 이유를 분석하고 미래에 같은 실수를 되풀이하지 않겠다고 다짐했다. 13년 후, 목표를 달성한 뒤 폭동 기념일을 축하하기 위해 뷔르거브로이켈러에 모인 오랜 추종자들에게 히틀러는 과거를 회상하며 이렇게 말했다. "그것이 내 생애에 가장 경솔한 결정이었다고 이제는 차분히 말할 수 있습니다. 지금 돌이켜 생각하면 현기증이 날 지경입니다. … 1923년의 우리 부대 중 하나가 행진하는 모습을 오늘날 본다면 여러분은 '저것들은 어느 노역장에서 탈출한 거야?' 하고 물을 겁니다. … 하지만 운명은 우리에게 호의적이었습니다. 운명은 그날의 성공을 허락하지 않았습니다. 만약 성공했다면, 그 시절 운동의 내부가 미성숙하고 조직적·지적 토대가 취약했던 탓에 결국 파탄이 날 수밖에 없었을 것입니다. … 우리는 낡은 국가를 전복하는 것만으로는 충분하지 않고 새로운 국가를 미리 건설하여 실제로 곧장 가동할 수 있도록 준비해두어야 한다고 생각했습니다. … 1933년에는 폭력 행위로 국가를 전복하는 것이 더 이상 문제가 안 되었습니다. 그사이에 새로운 국가를 건설해둔 터였고, 남은 일이라곤 낡은 국가의 마지막 잔재를 파괴하는 것뿐이었습니다. 그리고 그 일에는 몇 시간밖에 걸리지 않았습니다."

재판 중 판사, 검사를 상대하는 히틀러의 뇌리에는 이미 새로운 나치 국가를 어떻게 건설할 것인가 하는 구상이 서 있었다. 무엇보다 다음번에는 독일군을 **반대편**이 아니라 **내 편**에 두어야만 했다. 최종 변론에서 그는 군대와 화해할 생각을 교묘히 내비쳤다. 군에 대한 비난을 한 마디도 하지 않았다.

저는 오늘 우리의 스와스티카 깃발과 함께 거리에 서 있는 대중이 자신들을 향해 발포했던 사람들과 손을 잡는 날이 올 것이라 믿습니다. … 발포한 쪽이 녹색 경찰[당시 바이에른 경찰의 제복 색깔이 녹색과 검정색이었다]임을 알았을 때, 저는 오점을 남긴 쪽이 국가방위군이 아니라는 데 기뻤습니다. 국가방위군은 예전처럼 흠결이 없습니다. 언젠가 국가방위군이 장교든 사병이든 우리 편에 서는 날이 올 것입니다.

이는 정확한 예언이었지만, 여기서 재판장이 끼어들었다. "히틀러 씨, 당신은 녹색 경찰이 전통을 더럽혔다고 말하시네요. 그런 발언은 용납할 수 없습니다."

피고는 이 경고에 조금도 개의치 않았다. 히틀러는 법정의 청중을 휘어잡은 다음과 같은 말로 최종 변론을 끝맺었다.

우리가 건설한 군대는 나날이 성장하고 있습니다. … 저는 지금의 이 미비한 중대들이 언젠가 대대로, 대대에서 연대로, 연대에서 사단으로 성장하는 날, 낡은 모표帽標에서 흙먼지를 털어내고 지난날의 깃발을 다시 드는 날, 그리고 마침내 우리가 각오하고 있는 위대한 신의 심판이 내려져 정화가 이루어지는 날이 오리라는 자랑스러운 희망을 품고 있습니다.

그러고는 이글거리는 시선을 판사들 쪽으로 돌렸다.

왜냐하면 여러분, 우리를 심판하는 것은 여러분이 아니기 때문입니다. 그 심판은 역사의 영원한 법정에서 내려집니다. 그러나 그 법정은 우리에게 "여러분은 반역죄를 범했습니까, 범하지 않았습니까?" 하고 묻지 않을 것입니다. 그 법정은 우리, 옛 육군 제1병참총감[루덴도르프], 그의 장병을 오로지 국민과 조국에 이바지하고 싸우다가 죽기를 원했던 독일인으로서 심판할 것입니다. 여러분은 우리에게 천 번이라도 유죄를 선고할지 모르지만, 역사의 영원한 법정의 여신은 검사의 기소장과 이 법정의 선고문을 웃으면서 찢어버릴 것입니다. 그 여신은 우리에게 무죄를 선고할 것이기 때문입니다.[10]

실제로 판사들의 선고는, 배심원의 평결이 아니긴 했지만, 콘라트 하이덴의 말마따나 역사의 심판과 크게 다르지 않았다. 루덴도르프는 무죄를 선고받았다. 히틀러를 비롯한 피고들에게는 유죄 판결이 내려졌다. 그러나 "누구든 독일국 헌법 또는 주 헌법을 강제로 변경하려 시도하는 사람은 종신형에 처한다"라고 언명하는 법률—독일 형법 제81조—에도 불구하고, 히틀러는 옛 란츠베르크 요새에서의 5년 징역형을 선고받았다. 평판사들이 이 선고마저도 가혹하다고 항의했지만, 재판장은 히틀러가 6개월 복역한 후 가석방될 수 있을 것이라는 말로 그들을 달랬다. 히틀러를 외국인—여전히 오스트리아 시민권을 가지고 있었다—으로서 추방하려던 경찰의 노력은 수포로 돌아갔다. 판결은 1924년 4월 1일에 내려졌다. 그로부터 채 아홉 달도 지나지 않은 12월 20일, 히틀러는 석방되어 민주국가를 전복하기 위한 싸움을 자유롭게 재개할 수 있었다. 반역죄를 범했다고 해도 그 결과는, 범행자가 극우파일 경우, 법조문에도 불구하고 그리 무겁지 않았으며, 공화국 반대파의 다수는 그 사실을 알고 있었다.

비록 대실패로 끝났긴 했지만 맥주홀 폭동 덕에 히틀러는 전국적인 인물로 떠올랐고, 많은 이들에게 애국자이자 영웅으로 비쳤다. 나치당은 곧 선전을 통해 맥주홀 폭동을 자기네 운동의 위대한 전설 중 하나로 부각시켰다. 매년, 심지어 집권한 후나 2차대전이 발발한 후에도 히틀러는 11월 8일 저녁이면 뮌헨의 맥주홀에 찾아와 당시 지도자를 따르다가 터무니없는 대실패를 겪었던 옛 동지들—전우alte Kämpfer라고 불렸다—의 면전에서 연설을 했다. 1935년, 총리 히틀러는 지난날 짧은 교전 중에 쓰러졌던 나치당원 16명의 유해를 발굴하게 해서 이제는 국가의 성지가 된 펠트헤른할레의 납골당에 안치했다. 그러면서 히틀러는 이 16명에게 이런 말을 바쳤다. "이제 그들은 불멸의 독일인 대열에 들어섭니다. 여기서 그들은 독일을 대표하고 우리 국민을 지켜나갈 것입니다. 그들은 우리 운동의 진정한 증인으로서 여기에 누워 있습니다." 히틀러가 바로 그들을 죽게 내버려둔 채 혼자 길바닥에서 일어나 달아났다는 사실은 그의 입에서 나오지 않았고, 그 어떤 독일인도 기억하지 못하는 듯했다.

그 1924년 여름, 레흐 강변에 높이 솟은 옛 란츠베르크 요새에서 경관이 아름다운 방을 배정받고 귀빈으로 대접받은 아돌프 히틀러는 그에게 경의를 표하고 선물을 주고자 몰려드는 방문객들을 물리치고는 루돌프 헤스—끝내 뮌헨으로 돌아와 형을 선고받은 충직한 측근—를 불러놓고 책을 한 장씩 구술하면서 받아적게 했다.*

---

* 헤스가 오기 전에는 전파자, 시계공, 나치 '완력' 부대의 첫 지휘관인 에밀 마우리체가 예비 구술을 얼마간 받아적었다.

# 제4장

# 히틀러의 정신과 제3제국의 뿌리

히틀러는 구술로 집필한 그 책에 '거짓말과 어리석음, 비겁함에 맞선 4년 반의 투쟁'이라는 제목을 붙일 생각이었지만, 나치당의 출판 관련 운영담당자 막스 아만은 실무자답게 그런 장황한—그리고 팔리지 않을—제목보다는 짧게 '나의 투쟁'으로 줄이자고 했다. 아만은 책의 내용에 몹시 실망했다. 우선 그는 히틀러가 빈의 무명 '노동자'에서 일약 세계적인 유명인사로 떠오르기까지의 개인사를 상세하고 생생하게 서술하기를 기대했지만, 앞에서 언급했다시피 책에는 자전적 요소가 거의 없었다. 이 나치당 운영담당자는 맥주홀 폭동의 내막, 그 드라마와 속임수에도 기대를 걸며 재미있는 읽을거리가 되리라 확신했다. 하지만 히틀러는 당세가 가장 쇠락했던 당시에도 흑역사를 구태여 들추지 않을 정도로 통찰력이 있었다.* 《나의 투쟁》에는 실패로 끝난 폭동에 대한 언급이

---

* 《나의 투쟁》 제2권 말미에 그는 이렇게 썼다. "낫지 않은 듯한 옛 상처를 헤집는 것은 쓸데없는 짓이다. … 모두 똑같은 애정으로 조국에 헌신했을 사람들, 다만 상궤를 벗어났거나 이해하지 못했을 뿐인 사람들의 죄를 운운하는 것은 쓸데없는 일이다." 히틀러처럼 복수심 강한 사람이 자신의 봉기를 진압하고 자신을 감옥에 가둔 사람들에게 이런 관용을 보인 것은 뜻밖이었다. 히틀러를 방해

거의 없다.

제1권은 1925년 가을에 나왔다. 400여 쪽 분량으로 정가는 당시 독일에서 출간된 대다수 서적 정가의 두 배에 달하는 12마르크(3달러)였다. 출간 즉시 베스트셀러가 된 것은 결코 아니었다. 아만은 첫해에 2만 3000부가 팔렸고 판매량이 계속 늘어난다고 자랑했다—이에 대해 반나치 측에서는 의심스럽게 여겼다.

1945년에 연합국이 나치 소속 에어 출판사Eher Verlag의 인세 보고서를 압수한 덕분에 결국 《나의 투쟁》의 실제 판매 부수가 밝혀졌다. 1925년에 9473부가 팔렸고, 이후 3년간 판매량이 해마다 감소했다. 1, 2권 합해서 1926년에 6913부, 27년에 5607부로 떨어졌고, 28년에는 고작 3015부였다. 1929년에는 7664부로 조금 늘었고, 8마르크의 저렴한 단권본이 나온 30년에 나치당의 세력 확장과 함께 5만 4086부로 급증했으며, 31년에 5만 808부로 조금 내려갔다가 32년에 9만 351부로 껑충 뛰었다.

히틀러가 받은 인세—1925년 이후로 주요 수입원이었다—는 처음 7년간 평균으로 치면 상당한 액수였다. 하지만 총리가 된 1933년에 받은 액수에 비하면 아무것도 아니었다. 총리에 취임하고 첫해에 《나의 투쟁》이 100만 부 팔렸고 1933년 1월 1일부터 인세율도 10퍼센트에서 15퍼센트로 올랐으므로 인세 수입은 100만 마르크(약 30만 달러)가 넘었다. 이로써 히틀러는 독일에서 가장 부유한 저자로 올라서며 생애 처음으로 백만장자가 되었다.* 가정마다 거실 탁자 위에 한 부를 올려놓지

---

했던 카를를 비롯한 사람들이 나중에 당한 일을 고려하면, 그것은 의지력—전술적 이유로 잠시 자제하는 능력—을 보여준 것으로 여겨질지도 모른다. 어쨌든 히틀러는 맞대응을 삼갔다.

\* 대다수 저술가들처럼 히틀러도 소득세 징수관과 옥신각신했다. 뒤에 가서 언급하겠지만, 적어도

않고는 안심할 수 없었던 나치 시대에 《나의 투쟁》은 성서를 제외하면 다른 어떤 책보다도 잘 팔렸다. 결혼하는 신랑신부에게 한 부를 선물하는 것이 거의 의무처럼—분명 현명한 처사였다—여겨졌고, 어느 학교에서든 거의 모든 학생이 졸업하면서 한 부씩 받았다. 2차대전이 발발하고 이듬해 1940년까지 이 나치 성서는 독일 국내에서 600만 부가 팔렸다.[1]

《나의 투쟁》을 구매한 독일인들 모두가 그 책을 통독했던 것은 아니다. 나는 다수의 충직한 나치당원들로부터 내용을 이해하기 어렵다는 불평을 들었고, 적지 않은 이들이 782쪽이나 되는 이 책을 도저히 다 읽어보지는 못하겠다고 사석에서 털어놓았다. 그러나 나치당원이 아닌 더 많은 독일인들이 1933년 이전에 이 책을 읽었더라면, 그리고 다른 나라 정치인들이 아직 시간이 있을 때 이 책을 정독했더라면, 독일도 세계도 대참사를 겪지 않았을지도 모른다. 아돌프 히틀러에게 다른 어떤 비난이든 할 수 있지만, 만약에 권력을 잡는다면 독일을 어떤 나라로 건설하려고 하는지, 무력 정복으로 어떤 세계를 이룩하려고 하는지 그 구체적인 청사진을 제시하지 않았다는 비난만은 할 수 없기 때문이다. 제3제국의 청사진, 더 나아가 1939년에서 1945년에 걸쳐 독일이 이기고 있던 기간에 히틀러가 유럽에 강요한 야만적 신질서의 청사진이 이 의미심장한 책에 시종일관 끔찍하리만치 조잡한 필치로 아주 장황하고도 상세하게 담겨 있다.

앞에서 언급했듯이 히틀러의 기본적 이념은 20대 초반에 빈에서 형성

---

독일의 독재자가 되기 전까지는 말이다.

되었으며, 본인 말대로라면 그 후로 배운 것이 별로 없고 소신도 전혀 변함이 없었다. 1913년, 24세에 오스트리아를 떠나 독일로 갔을 때 그의 정신은 독일 민족주의를 향한 불타는 열정, 그리고 민주주의와 마르크스주의와 유대인에 대한 증오, 더 나아가 신께서 아리아인, 특히 독일인을 지배인종으로 선택하셨다는 확신으로 가득했다.

《나의 투쟁》에서 히틀러는 자신의 견해를 확장하여 패전 속에 혼란스러운 독일을 과거 어느 때보다도 유력한 위치로 재건하는 과제뿐 아니라 새로운 종류의 국가로 만들어내는 과제에도 구체적으로 적용했다. 그새로운 국가는 민족에 바탕을 두고 당시 독일 국경 바깥에 거주하는 모든 독일인을 포괄하는 국가, 그리고 최고지도자—히틀러 자신—가 몇몇 하위 지도자들에게 명령을 내리고 그들이 다시 아래로 명령을 내리는 절대적 독재권을 확립하는 국가였다. 요컨대《나의 투쟁》은 첫째로 미래 독일 국가의 윤곽과 독일이 언젠가 "세계의 주인"이 될 수 있는 방법의 개요를 맨 마지막 장에 이르기까지 기술하고, 둘째로 저자의 관점, 인생관, 또는 히틀러가 즐겨 사용한 단어를 빌리자면 세계관Weltanschauung을 담고 있다. 20세기의 정상적인 사람에게 이 견해가 미숙하고 못 배운 신경증 환자가 이것저것 섞어놓은 기이한 잡탕으로 비쳤으리라는 것은 말할 필요도 없다. 이 견해가 중요한 것은 그것이 독일인 수백만 명에게 매우 열광적으로 받아들여졌거니와, 종국에 그들을 파멸로 이끈 동시에 독일 내부와 특히 외부의 무고하고 품위 있는 수백만 명까지 함께 파멸시켰기 때문이다.

그렇다면 새로운 독일은 어떻게 하면 세계 강국으로서의 지위를 되찾고 더 나아가 세계를 지배할 수 있을까? 히틀러는 1924년에 옥중에서 대부분을 쓴 제1권에서 이 문제를 숙고했고, 1926년에 탈고한 제2권에서 다시 더 길게 논했다.

우선 "독일 민족의 불구대천의 원수" 프랑스와 결판을 내야 했다. 그에 따르면 프랑스의 목표는 언제나 "잘게 쪼개진 독일 … 자잘한 주들의 잡탕"이었다. 그리고 이것이 너무나 자명해서 "… 설령 내가 프랑스인이라도 … 클레망소와는 조금도 달리 행동할 수 없을 것이고 행동하지도 않을 것이다"라고 덧붙였다. 그러므로 "프랑스와 최종적인 일대 결판 … 최후의 결정적인 싸움"을 치러야 했다. "그래야만 우리와 프랑스 사이의 끝도 없고 본질적으로 성과라고는 없는 싸움을 끝낼 수 있을 것이다. 물론 여기에 깔린 전제는, 먼저 프랑스를 파괴해야만 비로소 우리 민족이 향후 다른 곳에서 팽창할 수 있다고 실제로 생각하는 것이다."[2]

다른 곳에서 팽창한다고? 어디서? 이 대목에서 히틀러는 훗날 독일의 통치자가 되어 아주 충실히 실행하게 될 외교 정책에 관한 핵심 구상을 내놓는다. 다시 말해 **독일은 동방에서, 대체로 러시아를 희생양 삼아 팽창해야 한다고 대놓고 말한다.**

《나의 투쟁》 제1권에서 히틀러는 이 생존공간Lebensraum(생활권) 문제, 마지막 순간까지 그를 사로잡았던 주제를 길게 논한다. 호엔촐레른 제국이 아프리카에서 식민지를 구한 것은 실책이었다고 히틀러는 단언한다. "영토 정책은 카메룬에서는 실현할 수 없다. 오늘날에는 대체로 유럽에서만 실현할 수 있다." 그러나 유럽의 땅은 이미 소유자가 있다. 히틀러는 그렇다고 인정하면서도 "그러나 자연은 장차 이 땅을 특정한 민족이나 인종이 차지할 소유물로 정해두지 않았다. 오히려 이 땅은 이것을 차지할 만한 힘을 가진 국민을 위해 존재한다"라고 말한다. 현재의 소유자가 반대하면 어떻게 하는가? "그때는 자기보존의 법칙이 작동한다. 그리고 원만한 방식을 거부하면 완력으로 차지해야 한다."[3]

이어서 히틀러는 전쟁 전의 독일 외교 정책의 맹목성을 설명하면서 새로운 영토 획득은 "동방에서만 가능했다. … 유럽 내에서 땅을 원한다면 대체로 러시아를 희생시켜야만 얻을 수 있었고, 이는 새로운 제국이 옛 튜턴기사단의 길을 따라 다시 행군하여 독일의 칼로써 장차 독일 민족이 쟁기질하고 매일 빵을 얻을 땅을 획득해야 한다는 것을 의미했다"라고 말한다.[4]

마치 제1권에서 한 설명이 충분하지 않았다는 듯이, 히틀러는 제2권에서 그 주제를 다시 논했다.

이 지구상에서 충분한 넓이의 공간만이 한 민족에게 존재의 자유를 보장한다. … '전통'이나 편견에 사로잡히지 않은 채 [국가사회주의 운동은] 용기를 내어 우리 국민과 그 힘을 결집함으로써 현재의 한정된 생존공간에서 새로운 국토와 토지를 얻기 위한 길로 국민을 이끌어야 한다. … 국가사회주의 운동은 우리의 인구와 국토 면적 사이의 불균형을 해소하기 위해 분투해야 한다. 국토 면적이 권력정치의 기반일 뿐 아니라 식량의 원천이기도 하기 때문이다. … 우리는 흔들림 없이 목표를 고수하여 … 자격 있는 독일 국민을 위한 국토와 토지를 확보해야 한다.[5]

독일 국민은 얼마나 넓은 국토를 가질 자격이 있는가? "미래를 위한 단 하나의 창의적인 정치이념도 가지고 있지 않은" 부르주아지는 이제껏 1914년 당시의 독일 국경을 회복하자고 아우성이었다고 히틀러는 경멸조로 말한다.

1914년의 국경을 회복하자는 요망은 범죄적이라고 볼 수 있을 정도로 터무니없고 심각한 정치적 바보짓이다. 1914년의 제국 국경이 전혀 논리적이지 않았다는 사실은 말할 나위도 없다. 실제로 그 국경은 독일 국적을 가진 모든 사람들을 에워싸는가 하는 점에서도 완전하지 않았고 군사지리학상의 유용성이라는 면에서도 합리적이기 않았기 때문이다. 그 국경은 심사숙고한 정치적 행동의 결과가 아니라 결코 결판나지 않을 정치적 분쟁 속에서 일시적으로 그어진 것이었다. … 우리는 똑같은 권리로, 많은 경우 더 큰 권리로 독일 역사에서 별도의 표본 연도를 몇 개든 고를 수 있고, 당시 조건의 회복을 외교의 목표로 천명할 수도 있다.[6]

히틀러가 말하는 '표본 연도'는 독일인이 슬라브인을 다시 동쪽으로 몰아내던 무려 600년 전으로 거슬러 올라갈 터였다. 동쪽으로 밀어내기를 재개해야 한다는 것이다. "오늘날 유럽에서 우리 독일인은 8000만 명을 헤아린다! 이 외교 정책은 불과 100년 후에 이 대륙에 독일인이 2억 5000만 명 존재하기만 해도 옳은 정책으로 인정받을 것이다."[7] 그리고 그들 모두가 새롭고 더 확장된 제국의 국경 안에 존재하게 된다.

그러자면 분명 어디선가 다른 국민이 이토록 많은 독일인에게 땅을 내주어야 한다. 그들은 누구인가?

따라서 우리 국가사회주의자들은 … 우리가 600년 전에 중단했던 일을 다시 이어간다. 우리는 남방과 서방으로 향하는 독일인의 끝없는 이동을 멈추고 동방의 토지로 시선을 돌리려 한다. **오늘날 유럽 내 토지에 대해 말하려면 우선 러시아, 그리고 러시아와 국경을 맞대고 있는 그 속국들을 염두에 두어야 한다.** [강조는 샤이러][8]

이 점에서 운명은 독일에 친절했다고 히틀러는 말한다. 운명은 러시아를 볼셰비즘에 넘겨주었는데, 그에 따르면 실제로는 유대인에게 넘겨준 것이다. "동방의 거대 제국은 무너질 때가 되었다. 그리고 러시아에서 유대인 지배의 종식은 곧 러시아 국가의 종식일 것이다." 따라서 러시아의 붕괴 덕에 독일인의 피를 많이 흘리지 않고도 동방의 드넓은 스텝지대를 쉽게 차지할 수 있을 것이라고 히틀러는 내비친다.

이 청사진이 분명하거나 명확하지 않다고 그 누가 말할 수 있겠는가? 독일은 프랑스를 파괴할 테지만, 이는 동방 진출에 비하면 부차적인 문제다. 우선은 주로 독일인이 거주하는 동쪽의 인접한 지역들부터 차지할 것이다. 그 지역들은 어디인가? 오스트리아와 체코슬로바키아 내 주데텐란트, 단치히를 포함하는 폴란드 서부는 확실히 들어간다. 그다음은 러시아 본국이다. 이렇게 써놓았는데도 불과 수년 후에 히틀러 총리가 바로 이 목표를 성취하겠다고 나섰을 때 세계는 왜 그토록 놀랐던 것일까?

《나의 투쟁》에서 미래의 나치 국가의 성격에 관한 이념은 생존공간에 관한 이념보다는 간명하지 않다. "민주주의적 허튼수작"은 없을 것이고 제3제국은 지도자 원리Führerprinzip에 따라—즉 독재정에 의해—통치될 것임을 히틀러는 분명하게 밝혔다. 이 책에 경제에 관한 언급은 거의 없다. 히틀러는 이 주제를 따분하게 여겼고, '이자 노예제'에 반대하는 괴짜 경제학자 고트프리트 페더의 황당한 이념에 잠시 흥미를 보인 것 말고는 그 이상의 무언가를 조금도 배워보려 하지 않았다.

히틀러의 관심은 정치권력에 있었다. 경제는 그냥 놔두어도 어떻게든 굴러간다는 식이었다.

국가는 어떤 명확한 경제적 구상이나 개발과는 전혀 상관이 없다. … 국가
는 인종적 유기체이지 경제조직이 아니다. … 국가의 정신적 힘과 이른바 경
제적 번영이 상응하는 경우는 별로 없다. 경제적 번영은 많은 경우에 국가
가 쇠망해가고 있음을 가리키는 지표로 보인다. … 프로이센은 물질적 우수
성이 아니라 이념상의 힘만이 국가의 형성을 가능케 한다는 것을 놀라울 만
큼 뚜렷하게 입증한다. 이념상의 힘의 보호 아래에서만 경제생활은 번영할
수 있다. 독일에서는 언제나 정치권력이 급격히 강해질 때 경제적 여건이 나
아지기 시작했다. 그러나 경제문제가 우리 국민의 삶의 유일한 중심이 되어
이념상의 힘을 질식시킬 때면 언제나 국가가 무너지고 얼마 안 가서 경제생
활도 덩달아 무너졌다. … 평화로운 경제적 수단에 의해 수립된 국가는 이
제껏 하나도 없었다. …[9]

그러므로 히틀러가 1923년 뮌헨 연설에서 말했듯이 "칼 없이는 어떠
한 경제 정책도 불가능하고, 권력 없이는 어떠한 산업화도 불가능하다".
이런 모호하고 조잡한 철학과 《나의 투쟁》에서 "국가의 경제를 계속 기
능하게 해줄" "경제회의소", "토지회의소", "중앙경제회의" 등을 지나가
듯이 언급하는 대목을 빼면, 히틀러는 제3제국의 경제적 토대에 관한 의
견 표명을 전혀 하지 않는다.

그리고 나치당의 이름 자체가 '사회주의'를 표방하고 있음에도 불구하
고, 히틀러가 새로운 독일을 위해 어떤 '사회주의'를 구상하고 있었는지
는 더욱 모호했다. 1922년 7월 28일 연설에서 그가 말한 '사회주의자'의
정의를 고려하면, 이는 놀랄 일이 아니다.

누구든 민족의 대의를 자신의 대의로 삼아서 민족의 안녕보다 더 높은 이상

은 없다고 생각하는 사람, 누구든 우리의 위대한 국가國歌인 〈독일, 만물 위에 있는 독일Deutschland, Deutschland über alles〉이 광대한 세계에서 이 독일국가, 국민, 국토보다 뛰어난 것은 아무것도 없음을 의미한다는 것을 이해하고 있는 사람, 바로 그 사람이 사회주의자다.[10]

적어도 세 명의 조력자가 편집과 관련해 이런저런 조언을 하고 불필요한 부분을 쳐내기까지 했지만, 《나의 투쟁》에서 히틀러가 한 주제에서 다른 주제로 두서없이 넘어가는 것을 막지는 못했다. 먼저 란츠베르크 형무소에서, 나중에 베르히테스가덴 근처 바헨펠트 별장에서 구술의 대부분을 받아적은 루돌프 헤스는 최선을 다해 원고를 정리하긴 했으나 지도자에게 반대 의견을 피력할 만한 인물은 아니었다. 그런 일이 가능했던 인물은 과거 히에로니무스회 수도자로 바이에른에서는 꽤 악명 높은 반유대주의 저널리스트인 베른하르트 슈템플레Bernhard Stempfle 신부였다. 뒤에 가서 더 언급하게 될 이 이상한 사제는 히틀러의 문법상의 오류를 얼마간 바로잡고, 거친 문장을 다듬고, 정치적 반감을 살 것이 분명한 일부 구절을 삭제했다. 세 번째 조언자는 체코 출신으로 나치 기관지 《민족의 파수꾼》에서 일했고 반유대주의 시를 써서 히틀러의 환심을 산 요제프 체르니Josef Czerny였다. 체르니는 《나의 투쟁》 제1권의 2쇄를 찍기 전에 수정 작업을 도우면서 부적절한 단어나 문장을 없애거나 고쳤고, 제2권의 교정쇄를 꼼꼼하게 살폈다.

그럼에도 두서없는 서술은 대부분 그대로 남았다. 히틀러는 문화, 교육, 연극, 영화, 만화, 예술, 문학, 역사, 성性, 결혼, 매춘, 매독 등 머리에 떠오르는 거의 모든 주제에 관한 자신의 생각을 내키는 대로 밝히기를 고집했다. 실제로 매독에 관해서는 따분하게 10쪽에 걸쳐 쓰면서 매독을 근절하는 것은 "그저 **또 하나의** 과제가 아니라 국가의 **중대** 과제"라고 단언한다. 그리고 이 무서운 질병과 싸우기 위해 국가의 모든 선전 수단을 동원하도록 요구한다. "모든 것은 이 문제의 해결에 달려 있다"는 것이다. 또한 조혼을 장려해 매독과 매춘 문제를 해결해야 한다면서 "결혼은 그 자체로 목적일 수 없고 더 높은 목적, 즉 종과 그 인종을 늘리고 보존하는 목적에 이바지해야만 한다. 그것이야말로 결혼의 의미이자 과제다"라고 역설하며 제3제국의 우생학을 미리 내비친다.[11]

이러한 종과 인종의 보존에 대한 언급과 함께 우리는《나의 투쟁》에서 고찰해야 할 두 번째 중요한 문제를 마주한다. 바로 히틀러의 세계관이다. 일부 역사가들, 특히 영국 역사가들은 히틀러의 세계관을 조야한 형태의 다윈주의로 여겨왔지만, 앞으로 살펴볼 것처럼 사실 그 세계관은 독일의 역사와 사상에 깊이 뿌리박고 있다. 다윈과 마찬가지로, 그러나 동시에 독일의 여러 철학자, 역사가, 국왕, 장군, 정치인과 마찬가지로, 히틀러는 모든 사람의 인생을 끝없는 투쟁으로 보았고, 세계를 적자가 살아남고 최강자가 지배하는 밀림─"한 생물이 다른 생물을 잡아먹고 약자의 죽음이 강자의 삶을 의미하는 세계"─으로 여겼다.

《나의 투쟁》에는 이런 식의 단언이 곳곳에 박혀 있다. "결국에는 자기 보존의 충동만이 승리한다. … 인류는 끝없는 투쟁을 통해 위대하게 성장하고, 평화만 지속되면 소멸한다. … 자연은 … 생물들을 이 지구상에 올려놓고 힘들의 자유로운 작용을 지켜본다. 그런 다음 자연은 가장 사랑하는 자식, 가장 용감하고 근면한 자식에게 지배자의 권리를 부여한다. … 강자는 군림해야지 약자와 섞여 자신의 위대함을 희생해서는 안 된다. 타고난 약골만이 이를 잔인하다고 여길 것이다." 히틀러가 보기에 문화의 보존은 "엄격한 필연의 법칙에 좌우되고 세계에서 가장 뛰어나고 강한 자가 승리할 권리와 맞물려 있다. 살고자 하는 자들은 싸우도록 놔두어야 하고, 이 끝없는 투쟁의 세계에서 싸우지 않으려는 자들은 살아갈 자격이 없다. 이 세상이 아무리 힘겹다 해도, 원래 이렇게 생겨먹은 것이다!"[12]

그렇다면 신의 섭리에 따라 "지배자의 권리"를 부여받은 자연이 "가장 사랑하는 자식, 가장 용감하고 근면한 자식"은 누구인가? 아리아인이다.《나의 투쟁》의 이 대목에서 우리는 나치의 인종 우월성 관념, 지배인종 관념, 즉 제3제국과 히틀러의 신질서의 기반을 이룬 관념의 핵심을 만난다.

모든 인간 문화, 오늘날 우리 눈앞에 보이는 예술과 과학, 기술의 모든 결과는 아리아인의 창조적 산물이다. 바로 이 사실로 미루어 아리아인만이 모든 고등한 인간성의 창시자이고 따라서 우리가 '인간'이라는 말로 이해하는 모든 것의 원형을 대표한다는, 근거가 없지 않은 추론을 해볼 수 있다. 아리아인은 인류의 프로메테우스로서, 그 빛나는 이마에서는 언제나 천재성의 신성한 불똥을 튀기고, 고요한 신비의 밤을 밝히는 지식의 불을 영원히 새롭게 지핌으로써 인간으로 하여금 이 지구상의 다른 생물들을 지배하는 길을 따라 올라가게 한다. … 인간 문화에서 모든 위대한 구조물의 토대를 놓고 벽을 세운 것은 아리아인이다.[13]

그렇다면 아리아인은 어떻게 그토록 많은 것을 성취하고 그토록 뛰어난 존재가 되었을까? 히틀러의 답변은 다른 인종들을 짓밟음으로써 그렇게 되었다는 것이다. 19세기 독일의 많은 사상가들과 마찬가지로 히틀러도 사디즘에, 독일 정신을 연구하는 외국 학자들이 이해하는 데 줄곧 애를 먹어온 사디즘(그리고 그 반대인 마조히즘)에 탐닉했다.

> 요컨대 고등한 문화가 형성되려면 하등한 인종들의 존재가 가장 필수적인 전제조건 중 하나였다. … 인류 최초의 문화가 길들여진 동물보다 오히려 하등한 인간을 부리는 데 기반을 두었던 것은 확실하다. 종속인종들이 노예화된 뒤에야 짐승들에게도 같은 운명이 닥쳤다. 정복당한 전사가 맨 먼저 쟁기를 끌었고, 그 후에야 말이 쟁기를 끌었기 때문이다. 이런 이유로 아리아인이 하등한 인종들과 조우하여 그들을 예속시키고 자기 의지에 따르도록 복종시킨 장소들에서 초창기 문화들이 생겨난 것은 우연이 아니다. … 아리아인이 지배자의 태도를 가차없이 고수하는 한, 그들은 줄곧 지배자였을 뿐 아니라 문화의 보존자이자 증진자이기도 했다.[14]

그런데 히틀러가 독일인에 대한 경고로 여긴 어떤 사태가 일어났다.

> 종속인종이 발돋움해 정복자의 수준에 가까워지기 시작하면, 아마도 정복자의 언어를 사용하는 단계일 텐데, 그러면 주인과 하인 사이의 경계가 곧장 무너진다.

그러나 지배자의 언어를 공유하는 것보다 더 나쁜 사태가 따로 있다.

> 아리아인은 순수한 혈통을 포기했고, 이로써 스스로 일구어낸 낙원에 머무르지 못하게 되었다. 아리아인은 인종이 뒤섞인 상태에 매몰된 채 문화적 창의성을 점차 잃어갔다.

젊은 나치 지도자가 보기에 이것은 엄청난 잘못이었다.

혼혈과 그에 따른 인종 수준의 저하는 오랜 문화들이 사멸하는 유일한 원인이다. 사람들은 패전의 결과로 소멸하는 것이 아니라 순수한 혈통 속에서만 유지되는 저항력을 상실해 소멸하는 것이기 때문이다. 이 세상에서 우수한 인종에 속하지 않는 모든 사람은 폐물이다.[15]

폐물이란 유대인과 슬라브인을 뜻했다. 히틀러는 얼마 후 독재자이자 정복자가 되어 이들 인종의 일원과 독일인이 결혼하는 것을 금지할 터였다—그렇지만 초등학교 4학년 교사만 되어도 독일인 중에는 슬라브인 혈통이 수두룩하다고, 특히 동부 지방 주민들 사이에 많다고 히틀러에게 알려줄 수 있었을 것이다. 히틀러가 인종 이념을 말했을 뿐 아니라 실행에 옮기기도 했다는 점은 인정할 수밖에 없다. 전쟁 중에 동유럽의 슬라브인에게 강요한 신질서 안에서 체코인, 폴란드인, 러시아인은 독일인 주인을 위해 땔나무를 패고 물을 긷는 하인이었다. 게다가 이런 기이한 신질서가 유지되었다면 계속 같은 신세였을 것이다.

히틀러처럼 역사와 인류학에 무지한 사람이 독일인을 근대의 아리아인으로, 따라서 지배인종으로 생각하기란 쉬운 일이었다. 히틀러는 독일인이 "이 지구상 인류 가운데 최고의 종"이며 "개나 말, 고양이를 번식시키는 일뿐 아니라 독일인 혈통의 순수성을 지키는 일에도 열중"한다면 언제까지나 최고일 것이라고 보았다.[16]

히틀러는 인종에 집착한 나머지 '원민중적volkisch' 국가를 제창했다. 이것이 구체적으로 어떤 종류의 국가인지—또는 어떤 종류의 국가를 세울 의도인지—나는 결코 명확하게 이해하지 못했다. 《나의 투쟁》을 여러 번 읽고 이 주제에 관한 총통 자신의 연설을 수십 차례 들었음에도, 이 '원민중적' 국가야말로 자신의 사상 전체의 핵심이라고 독재자 스스로 단언하는 것을 몇 번이고 들었음에도 끝내 이해하지 못했다. 독일어 단어 'Volk(원민중)'는 영어로 정확하게는 번역할 수 없다. 보통 'nation'이나 'people'로 옮기지만 독일어에서 이 단어는 더 깊고 사뭇 다른 뉘앙스, 피와 흙에 기반을 두는 원시적인 부족 공동체를 함의한다. 《나의 투쟁》에서 히틀러는 원민중적 국가를 정의하려고 애를 먹는다. 예를 들어 379쪽(영어판)에서 "'원민중' 개념"을 명확히 밝히겠다면서도 결국 아무런 설명도 없이 슬그머니 다른 주제들로 넘어가 몇 쪽에 걸쳐 딴 얘기를 한다. 그러고는 마침내 설명을 시도한다.

[부르주아지 사회나 마르크스주의자-유대인 사회와는] 반대로 원민중적 철학에서는 인간의 중요성을 인종이라는 기본적 요소들에서 찾는다. 이 철학에서는 국가를 목적을 위한 하나의 수단으로만 보고, 그 목적을 인간의 인종적 존재의 보존으로 이해한다. 따라서 이 철학에서는 인종 간의 평등을 결코 믿지 않고 오히려 차이에 따라 그 우열을 인정하며, 이 우주를 지배하는 영원한 의지에 부합하도록 우월하고 강한 인종의 승리를 촉진하는 한편 열등하고 약한 인종의 예속을 요구할 의무가 있다고 본다. 이런 이유로 원민중적 철학은 원리상 기본적으로 귀족적 본성 관념에 이바지하고, 이 법칙이 말단의 개개인에 대해서도 유효하다고 믿는다. 또한 인종들의 가치만 상이한 것이 아니라 개인들의 가치도 상이하다고 본다. 이 철학은 대중 속에서 중요한 개개인의 인성을 추출하고 그리하여 … 조직화의 효과를 발휘한다. 또한 인류의 이상화가 필요하다고 믿고, 그런 이상화만을 인간 존재의 전제로 본다. 그러나 어떤 윤리적 관념이 더 높은 윤리를 가진 인종의 삶을 위협

할 경우에는 그 관념에조차 존재할 권리를 주지 않는다. 사생아로 여겨지거나 흑인 취급을 받는 세계에서는 인간적으로 아름답고 숭고한 모든 개념, 아울러 우리 인류의 이상화된 미래에 관한 모든 관념이 영원히 사라질 것이기 때문이다. …

그리고 원민중적 생生철학은 자연의 가장 내밀한 의지에 부합하는데, 힘들의 자유로운 작용을 복원하기 때문이다. 그 힘들은 끊임없이 상호작용하면서 인류를 점점 더 뛰어나게 개량할 것이고, 마침내 가장 뛰어난 인종이 이 지구를 손에 넣고서 일부는 지구 위에 있고 일부는 지구 밖에 있는 영역들에서 활동하기 위해 자유로운 길을 낼 것이다.

우리는 모두 먼 미래에 인류가 여러 문제에 직면하리라 느끼고 있으며, 그 문제들은 지배인종이 되어 지구 전체의 모든 수단과 가능성을 지원받는 가장 고등한 인종만이 제 역량으로 극복할 수 있을 것이다.[17]

조금 뒤에서 히틀러는 "따라서 원민중적 국가의 가장 높은 목표는 문화를 선사하고 고등한 인류의 아름다움과 위엄을 창조하는 본래의 인종적 요소들을 보존하는 데 힘쓰는 것이다"라고 단언한다.[18] 이 말은 다시 우생학 문제로 이어진다.

원민중적 국가는 … 인종을 모든 생활의 중심에 두어야 한다. 순수성을 유지하도록 주의해야 한다. … 반드시 건강한 사람만이 자식을 얻게 해야 한다. 자신의 질병이나 육체적 결함에도 불구하고 아이를 낳는 것만큼 수치스러운 일도 없다. 그런 사람이 아이 낳기를 포기하는 것이야말로 가장 명예로운 일이다. 역으로, 건강한 아이를 민족에 제공하지 않는 것은 책망 받을 일로 여겨져야 한다. 여기서 [원민중적] 국가는 천년왕국적 미래의 수호자로 행동해야 하는데, 그 미래 앞에서 개개인의 소망이나 이기심은 아무것도 아니며, 복종만이 바람직한 것으로 보인다. … 그러므로 원민중적 국가는 우선 결혼을 인종이 계속 불결해지는 수준에서 끌어올려야 하고, 인간과 유인원의 중간쯤인 괴물이 아니라 신을 닮은 사람을 낳도록 하는 기관을 통해 결혼을 축성해야 한다.[19]

원민중적 국가에 대한 히틀러의 허무맹랑한 견해는 이 외에도 온갖 장황한 고찰로 이어지는데, 그런 고찰에 유의한다면 장차 독일인이 지구를 지배할 것이라고 말한다―독일의 지배는 그의 강박관념이 되었다. 어느 대목에서는 진정한 독일 인종을 유지하지 못한 탓에 "우리는 세계 지배를 빼앗겼다. 다른 국민들이 지닌 인종으로서의 통일성을 독일 국민이 지녔더라면 오늘날 독일국은 틀림없이 지구의 주인이 되어 있었을 것이다"라고 주장한다.[20] 원민중적 국가는 인종에 기반을 두어야 하므로 "독일국은 모든 독일인을 포괄해야 한다"―이것이 히틀러 주장의 요점, 그가 잊지 않고 있다가 권력을 잡고서 실행에 옮긴 요점이다.

원민중적 국가는 "귀족적 본성 관념"에 기초할 것이므로 민주주의를 논외로 하고 지도자 원리로 대체해야 한다는 결론이 나온다. 제3제국은 프로이센 육군의 권위주의, 즉 "모든 지도자가 그 권위는 아래로, 책임은 위로 보내는" 권위주의를 채택할 터였다.

다수결은 절대 없어야 하고 책임자들만 있어야 한다. … 분명 누구에게나 곁에 조언자가 있을 테지만, **결정은 한 사람이 내릴 것이다.** … 그 사람만이 권위와 명령권을 가질 것이다. … 의회를 없애기란 여의치 않을 것이다. 그러나 의원들은 실제로 조언을 할 것이다. … 상원에서든 하원에서는 표결은 하지 않는다. 의회는 실행하는 기관이지 투표하는 기계가 아니다. 이 원리—절대적 책임과 절대적 권한의 무조건적 결합—는 오늘날처럼 무책임한 의회주의의 시대에는 도저히 상상할 수도 없는 엘리트 지도자들을 차츰 길러낼 것이다. [강조는 히틀러][21]

이상이 아돌프 히틀러의 이념이다. 란츠베르크 형무소에 앉아 레흐강 기슭에 꽃을 활짝 피운 과수원을 내다보면서 구술한 지독하리만치 조잡한 이념,* 또 얼마 후인 1925~26년에 베르히테스가덴에 있는 쾌적한 산장의 발코니에 몸을 기댄 채 맞은편의 고국 오스트리아 쪽으로 우뚝 솟은 알프스 산맥을 바라보면서 자신의 말을 받아적은 충직한 루돌프 헤스에게 봇물 터지듯 쏟아낸 이념이다. 히틀러는 앞에서 살펴본 허술한 토대 위에 건설하여 철권으로 통치할 제3제국을 꿈꾸었다. 그 제국을 자신이 언젠가 건설하고 통치하리라는 것을 히틀러는 조금도 의심하지 않았는데, 어느 시대에나 어딘지 모를 곳에서 아무것도 없이 불쑥 등장한 듯한 많은 천재들처럼 그 역시 특유의 불타는 사명감을 가지고 있었기 때문이다. 히틀러는 이제껏 정치적으로 하나가 된 적이 한 번도 없는 선택받은 사람들을 통일하려 했다. 그 인종을 정화하려 했다. 강하게 만들고자 했다. 지구상의 지배자로 만들고자 했다.

조잡한 다윈주의일까? 사디스트적 망상일까? 무책임한 자기중심주

* 훗날 히틀러는 이렇게 말했다. "투옥되지 않았다면 《나의 투쟁》을 결코 쓸 수 없었을 걸세. 그 기간에 당시까지는 본능적인 느낌밖에 없었던 여러 개념을 심도 있게 가다듬을 수 있었지. … 또 이제 무력으로는 더 이상 권력을 얻을 수 없다는—내 지지자들 다수는 결코 이해하지 못했던—확신도 그 기간에 섰어. 주정부는 그사이 공고해진 상태였고 무기를 확보하고 있었지." (*Hitler's Secret Conversations*, p. 235) 이 담화는 1942년 2월 3일에서 4일로 넘어가는 밤, 러시아 전선의 본부에서 오랜 몇몇 동지와 나눈 것이다.

의일까? 과대망상일까? 어느 쪽이든 웬만큼 들어 있었다. 그러나 히틀러의 이념에는 그 이상의 무언가가 있었다. 히틀러의 정신과 열정―열에 들뜬 두뇌의 온갖 이상 요소―은 독일의 경험과 사상에 깊이 뿌리박고 있었다. 나치즘과 제3제국은 사실 독일 역사의 논리적 연속선상에 있었다.

## 제3제국의 역사적 뿌리

매년 9월 초순, 뉘른베르크에서 나치당 전당대회가 열리는 광란의 기간이면 프리드리히 대왕, 비스마르크, 힌덴부르크, 그리고 히틀러의 초상이 담긴 그림엽서를 파는 한 무리의 행상들이 내게 다가오곤 했다. 그런 엽서에는 "국왕이 정복한 것을 영주가 형성했고, 원수가 방어했고, 사병이 구하고 통일했다"라고 적혀 있었다. 요컨대 사병 히틀러는 단지 독일을 구하고 통일한 사람이 아니라 독일을 위대하게 만든 이 위인들의 후계자로 묘사된 것이다. 독일 역사는 줄기차게 이어지며 히틀러의 통치로 정점에 이르렀다는 함의가 대중에게도 통했다. '제3제국'이라는 표현 자체도 이런 견해를 강화했다. 제1제국은 중세의 신성로마제국, 제2제국은 1871년 프로이센이 프랑스를 무찌른 뒤 비스마르크가 형성한 제국이었다. 두 제국 모두 독일의 이름에 영광을 더해주었다. 나치의 선전에 따르면 바이마르 공화국은 그 명성을 더럽혔다. 반면에 제3제국은 히틀러가 공약한 대로 그 명성을 되살렸다. 당시 히틀러의 독일은 선행하는 모든 전개―또는 적어도 선행하는 모든 영광스러운 전개―의 연장선상에 있는 논리적 귀결로 묘사되었다.

그러나 지난날 빈의 부랑자는 비록 정신이 혼란스럽긴 했지만 과거에 독일이 실패를 겪었고 그것이 프랑스 및 영국의 성공과 명백히 대비된다는 것을 인식할 정도의 역사 지식은 갖추고 있었다. 영국과 프랑스가 통일국가로 등장한 중세 말에 독일은 무려 300여 개별 국가들로 이루어진 기이한 조각보 수준에 머물렀다는 사실을 히틀러는 결코 잊지 않았다. 이렇게 하나의 통일국가로 발전하지 못한 현실은 중세 말부터 19세기 중엽까지 독일 역사의 행로를 대체로 결정했으며, 그 결과 독일은 서유럽의 다른 대국들과 현저히 다른 국가가 되었다.

독일은 정치와 왕조의 통일성을 결여한 데 더해 16세기와 17세기에는 종교개혁 후의 종교 간 불화라는 재앙까지 겪었다. 작센 출신으로 아우구스티누스회 수도자가 되어 독일의 종교개혁을 개시한 마르틴 루터Martin Luther가 당대의 독일인과 그 후의 독일사에 끼친 엄청난 영향에 관해 여기서 상술할 지면은 없다. 그래도 굳이 말하자면, 이 걸출하지만 괴팍한 천재, 이 맹렬한 반유대주의자이자 로마가톨릭 혐오자, 자신의 격정적인 성격과 독일적인 최상·최악의 특성―한편으로는 정직하고, 소박하고, 스스로를 반성하고, 학문과 음악과 시에 열정을 보이고, 신의 관점에서 보면 의로운 동시에, 다른 한편으로는 상스럽고, 떠들썩하고, 광신적이고, 관용이 부족하고, 폭력적인 특성―을 결합한 인물은 독일인의 삶에 좋은 흔적과 나쁜 흔적, 그 이전과 이후의 다른 어떤 개인이 남긴 흔적보다도 더 지우기 어렵고 더 운명적인 흔적을 남겼다. 루터는 설교와 탁월한 성서 번역을 통해 근대 독일어를 창조했고, 독일인의 내면에서 새로운 개신교적 비전뿐 아니라 열렬한 독일 민족주의까지 불러일으켰으며, 독일인에게 적어도 종교에서는 개인의 양심이 가장 중요하다고 가르쳤다. 그러나 독일인에게는 비극적이게도 루터는 대체로 자신의 사상에 고무된 농민들이 봉기를 일으키자 제후들의 편을 들었고, 전

제정을 열렬히 지지하여 독일인 절대다수를 빈곤으로, 지독한 무기력과 비굴한 복종으로 몰아넣은 지방의 분별없는 정치적 절대주의에 일조했다. 더 나쁜 점은 이런 지방 수준의 정치적 절대주의가 계급들 사이뿐 아니라 독일 민족의 여러 왕조들과 정치 집단들 사이에서도 가망 없는 분열을 영속화하고 더욱 격화하는 데 한몫했다는 사실일 것이다. 그로 인해 독인의 통일은 수백 년간 불가능해졌다.

엎친 데 덮친 격으로 30년 전쟁과 이 전쟁을 종결한 1648년의 베스트팔렌 조약으로 독일은 치명상을, 피해가 워낙 커서 결코 완전하게는 회복하지 못할 타격을 입었다. 30년 전쟁은 유럽의 마지막 대규모 종교전쟁이었지만, 그 사태가 채 끝나기도 전에 이미 개신교-가톨릭 분쟁에서 혼란스러운 왕조 간 투쟁으로, 즉 프랑스의 가톨릭 부르봉 가와 스웨덴의 개신교 왕가가 한편을 먹고서 오스트리아의 가톨릭 합스부르크 가와 대립하는 투쟁으로 변질되었다. 이 흉포한 싸움으로 독일은 초토화되었다. 도시와 시골 모두 철저히 파괴되고 유린당했으며 인구가 격감했다. 이 야만적인 전쟁으로 독일 인구의 3분의 1이 목숨을 잃은 것으로 추정된다.

베스트팔렌 강화조약 역시 30년 전쟁 못지않게 독일의 미래에 재앙으로 작용했다. 프랑스와 스웨덴의 편을 들었던 독일 제후들은 저마다 350여 곳의 작은 영역에서 절대적인 통치자로 자리잡았으며, 합스부르크 가의 황제는 독일의 국토에 관한 한 명목상의 우두머리에 불과한 신세가 되었다. 15세기 말에서 16세기 초에 걸쳐 독일 전역을 휩쓴 개혁과 계몽주의의 물결은 사라지고 말았다. 이 시기에 큰 자유도시들은 사실상 독립을 누렸고, 봉건제를 청산했으며, 예술과 상업을 번창시켰다. 시골에서도 독일 농민들은 당대 잉글랜드와 프랑스의 농민들보다 훨씬 폭넓은 자유를 얻었다. 사실 16세기 초의 독일은 유럽 문명의 한 원천이었다고 해도 과언이 아닐 것이다.

그런데 베스트팔렌 강화조약 이후, 독일은 모스크바 대공국과 같은 수준의 미개 상태로 전락했다. 농노제가 부활해서 심지어 기존에 농노가 존재하지 않았던 지역들에까지 도입되었다. 도시들은 자치권을 상실했다. 농민과 노동자에 더해 중간계급 도시민까지 그들을 모멸적인 노예 상태로 끌어내린 제후들에 의해 극한까지 착취당했다. 학문과 예술 추구는 거의 중단되었다. 탐욕스러운 통치자들은 독일 민족주의나 애국심에 아무런 공감도 갖지 않았고 오히려 신민들의 민족주의나 애국심의 표출을 근절했다. 문명은 독일에서 멈추어 섰다. 어느 역사가의 말마따나 독일은 "혼란스럽고 허약한 중세의 수준에서 인위적으로 안정되었다".[22]

이런 퇴행을 독일은 끝내 극복하지 못했다. 전제정을 묵인하는가 하면 제후로서 통치하는 소인배 폭군들에게 맹목적으로 복종하는 태도가 독일의 정신에 깊이 뿌리내렸다. 17세기와 18세기 잉글랜드에서 급속도로 진전되고 1789년에 프랑스에서 폭발한 민주주의 이념, 의회정치의 이념이 독일에서는 싹트지 못했다. 수많은 소국들로 갈라진 채 당대 유럽을 휩쓰는 사상과 발전의 물결로부터 단절된 이런 정치적 후진성 때문에 독일은 서방의 다른 국가들에 뒤처진 외톨이 상태가 되었다. 한 민족으로서의 자연스러운 성장도 없었다. 이 점을 염두에 둬야만 그 이후 독일인이 걸어간 파멸의 길과 그 위에 자리잡은 뒤틀린 정신 상태를 이해할 수 있다. 요컨대 독일 민족은 적나라한 무력에 의해 주조되고 적나라한 침략에 의해 결속되었던 것이다.

엘베 강 건너 동쪽에는 프로이센이 있었다. 1848~49년에 프랑크푸르트에서 여러모로 갈팡질팡하는 소심한 자유주의자들이 어느 정도 민주적인 통일 독일을 건국하려던 시도가 유감스럽게도 실패한 뒤 19세기가 저물어갈 무렵, 프로이센이 독일의 운명을 넘겨받았다. 독일의 이 영방은 수백 년간 독일 역사의 발전과 문화의 주류 바깥에 놓여 있었다. 거의 역사의 기형처럼 보일 정도였다. 프로이센은 11세기부터 슬라브인으로부터 서서히 빼앗은, 엘베 강 동쪽의 모래투성이 황무지 변경에 자리한 브란덴부르크 변경백작령으로 출발했다. 브란덴부르크를 통치한 호엔촐레른 가문, 군사적 모험가에 지나지 않았던 이 가문의 제후들은 발트 해안을 따라 대부분 폴란드인으로 이루어진 슬라브인을 차츰차츰 밀어냈다. 저항하는 자들은 몰살하거나 토지 없는 농노로 삼았다. 신성로마제국의 법은 제후가 왕의 칭호를 쓰는 것을 금했지만, 1701년에 황제는 선제후 프리드리히 3세[즉위 후에는 프리드리히 1세]가 쾨니히스베르크에서 **프로이센만의** 왕위에 오르는 것을 묵인했다.

　이 무렵 프로이센은 자력으로 유럽에서 손꼽히는 군사 강국이 되어 있었다. 다른 나라들이 가진 여러 자원이 프로이센에는 없었다. 프로이센은 땅이 척박하고 광산물도 없었다. 인구도 적었다. 대도시와 산업도 없고, 문화도 변변찮았다. 귀족조차 가난했고 토지 없는 농민은 가축처럼 살았다. 그럼에도 호엔촐레른 가문은 굳센 의지력과 천재적인 조직력으로 스파르타식 군사국가를 건설하여 훈련이 잘된 육군으로 연전연승을 거두는 한편, 가장 강해 보이는 어떠한 국가와도 한시적인 동맹을 맺는 마키아벨리식 외교를 펼쳐 영토를 끊임없이 넓혀나갔다.

　이렇게 해서 인민의 힘에 기반하지 않고, 심지어 정복 이념 말고는 다른 어떤 이념에도 기반하지 않는 국가, 그리고 통치자의 절대권력과 그 명령대로 움직이는 편협한 관료제, 나아가 규율 잡힌 무자비한 군대에 의해 결속되는 국가가 탄생했다. 프로이센은 연간 국가 세입의 3분의 2를, 어느 해에는 6분의 5까지도 육군에 지출했으며, 국왕 휘하의 육군은 국가 자체가 되었다. "프로이센은 군대를 가진 국가가 아니라 국가를 가진 군대다"라고 미라보Mirabeau 백작은 말했다. 그리고 공장처럼 효율적이고도 비정하게 운영되는 국가가 모든 것이 되었다. 인민은 국가라는 기계의 톱니에 지나지 않았다. 국왕이나 훈련교관뿐 아니라 철학자까지 나서서 개인생활의 역할은 복종하고 노동하고 희생하고 의무를 다하는 것이라고 가르쳤다. 이마누엘 칸트마저 의무는 인간적 감정의 억제를 요구한다고 설파했고, 프로이센 시인 빌리발트 알렉시스Willibald Alexis는 호엔촐레른 가문 치하에서 이루어지는 인민의 노예화를 반겼다. 이를 좋아하지 않았던 고트홀트 에프라임 레싱Gotthold Ephraim Lessing에게 "프로이센은 유럽에서 가장 노예 같은 나라였다".

장차 근대 독일에서 중대한 역할을 담당할 융커 역시 프로이센의 독특한 산물이었다. 융커 계층은 자칭 지배인종이었다. 슬라브인에게서 빼앗은 토지를 차지하고 그들을 서방의 농민과는 확연히 다른 토지 없는 농노로 부려 대규모 사유지를 경작한 부류도 이들 융커였다. 프로이센의 농지제도와 서부 독일 및 서유럽의 농지제도 사이에는 근본적인 차이가 있었다. 후자의 경우 귀족은 대부분의 토지를 소유하고서 농민층으로부터 지대나 봉건적 세금을 거두었다. 농민층은 대개 농노 신분에서 벗어나지 못하긴 했지만 모종의 권리를 가지고 있었거니와, 점차 토지와 시민적 자유를 획득할 수 있었고 실제로 획득했다. 그리하여 서방의 농민들은 지역사회의 견고한 일부를 이루었다. 지주들은 온갖 결점에도 불구하고 여가시간에 교양을 쌓아 무엇보다 문명화된 삶의 질에 도달했으며, 세련된 매너와 사상, 예술을 통해 문명인의 삶을 보여주었다.

프로이센의 융커는 여가를 누리는 부류가 아니었다. 오늘날의 공장 관리책임자와 흡사하게 대규모 사유지를 경영하느라 바빴다. 토지 없는 노동자는 사실상 노예 취급을 당했다. 자신의 광대한 사유지에서 융커는 절대군주였다. 서방과 달리 프로이센에는 대도시도 없었고, 사회를 문명화하며 융커와 마찰을 빚을 수도 있는 실질적인 중간계급도 없었다. 서방의 교양 있는 귀족과 달리 융커는 무례하고 고압적이며 오만한 인간 유형, 일부 독일 역사가들이 가장 성공한 융커인 오토 폰 비스마르크의 사생활을 살펴보며 지적한 대로 교양이나 문화라곤 없고, 공격적이고, 콧대 높고, 무자비하고, 편협하고, 곧잘 사소한 이익을 추구하는 유형이 되었다.

이 정치 천재, '철과 피'의 사도使徒가 1866년에서 1871년 사이에 그동안 거의 천 년이나 분열되어 있던 독일에 변화를 가져와서 무력으로 더욱 큰 프로이센, 또는 프로이센 독일이라 부를 만한 국가로 바꿔놓았다. 오늘날 우리가 아는 독일, 근 한 세기 동안 유럽과 세계의 문제아였던 이 나라는 비스마르크의 독특한 창안물이다. 재능 있고 활기찬 국민을 가진 이 나라에서는 먼저 이 비범한 인물이, 뒤이어 카이저 빌헬름 2세와 마침내 히틀러가 군인 계층과 여러 이상한 지식인들의 도움을 받아 권력과 지배에 대한 욕망, 고삐 풀린 군국주의에 대한 열정, 민주주의와 개인의 자유에 대한 경멸, 권위와 권위주의에 대한 갈망을 사회에 주입하는 데 성공했다. 이런 욕구에 사로잡힌 독일은 아주 높은 위치까지 올랐다가 추락했다가 다시 오르던 도중 결국 1945년 봄에 히틀러의 최후와 함께 파멸한 듯하다─이에 관해 단정적으로 말하기에는 시기상조일 것이다.

1862년, 비스마르크는 프로이센 총리로 취임하면서 이렇게 선언했다.

"오늘날의 중대한 문제들은 결의나 다수결로 해결되는 것이 아니라—1848년과 1849년의 실책은 거기에 있었다—피와 철에 의해 해결될 것이다." 바로 이 방식으로 비스마르크는 중대한 문제들을 해결해나갔다—다만 이 방식에 지극히 기만적인 외교적 수완을 곧잘 가미했다는 점은 꼭 지적해야겠다. 비스마르크의 목표는 자유주의를 파괴하고, 보수주의—즉 융커, 육군, 국왕—의 힘을 강화하고, 프로이센을 오스트리아에 대해서는 물론이고 독일의 영방들 사이에서, 그리고 가능하다면 전유럽에서 지배적인 세력으로 키우는 것이었다. 프로이센 의회에서 그는 의원들에게 "독일은 프로이센의 자유주의가 아닌 무력에 기대를 걸고 있습니다"라고 말했다.

비스마르크는 우선 프로이센 육군을 육성했다. 그리고 의회가 추가 예산안에 대한 표결을 거부하자 독단으로 예산을 증액하고 결국 의회를 해산했다. 육군을 증강한 다음에는 전쟁을 세 차례 연달아 벌였다. 1864년에 덴마크와 싸운 첫 번째 전쟁으로 독일은 슐레스비히, 홀슈타인 공작령을 차지했다. 1866년에 오스트리아와 겨룬 두 번째 전쟁은 폭넓은 결과를 가져왔다. 이를 계기로 수백 년간 독일 영방들 중 우두머리였던 오스트리아가 마침내 독일의 통일문제에서 배제되었다. 오스트리아는 당시 비스마르크가 추진하던 북독일연방에 가입하는 것이 허용되지 않았다.

"1866년, 독일은 소멸했다"라고 독일의 걸출한 정치학자 빌헬름 뢰프케Wilhelm Röpke는 말했다. 프로이센은 자국을 상대로 싸웠던 마인 강 이북의 독일 영방들 중 작센을 제외한 나머지 전부를 완전히 병합했다. 여기에는 하노버, 헤센, 나사우, 프랑크푸르트, 엘베 공작령들〔홀슈타인, 슐레스비히, 작센-라우엔부르크〕이 포함되었다. 마인 강 이북의 다른 영방들도 모두 강압에 못 이겨 북독일연방에 가맹했다. 이제 라인 강부터 쾨니히스베르크까지 세력을 넓힌 프로이센은 마인 강 이북을 완전히 지배하기에 이르렀고, 5년 후 나폴레옹 3세의 프랑스를 격파하여 제법 큰 바이에른 왕국을 비롯한 남독일 영방들까지 프로이센 독일 편으로 끌어들였다.[23]

비스마르크의 으뜸가는 업적인 제2제국 창건은 1871년 1월 18일 베르사유 궁의 거울의 방에서 프로이센 왕 빌헬름 1세를 독일 황제로 선포함으로써 이루어졌다. 그에 앞서 독일은 프로이센 군대에 의해 통일되었다. 이제 독일은 유럽 대륙의 최강국이 되었고, 거기에 필적하는 나라는 영국뿐이었다.

그러나 제2제국에는 치명적인 결함이 있었다. 하인리히 폰 트라이치케Heinrich von Treitschke의 말대로 독일 제국은 사실상 프로이센을 확장한 것에 지나지 않았다. "프로이센이 최대의 요소이다. … 제국의 의지는 프로이센 국가의 의지일 수밖에 없다"라고 그는 강조했다. 이 말은 진실이었으며, 이로 인해 독일인은 장차 파국을 맞을 터였다. 결국 1871년부터 1933년까지, 실은 히틀러가 몰락한 1945년까지 독일 역사의 행로는, 중간의 바이마르 공화국 시기를 제외하면, 직선으로 나아가는 완전히 논리적인 과정이었다.

남성 보통선거에 의해 의원들이 선출되는 제국의회를 창설함으로써 민주적인 외양을 꾸미긴 했지만, 사실 독일 제국은 황제이기도 한 프로이센 국왕이 통치하는 군국주의적 전제국가였다. 제국의회는 권한이 거의 없었거니와, 국민의 대표들이 울분을 토하거나 자신들이 대변하는 계급을 위해 보잘것없는 이익을 좇아 흥정하는 토론 모임에 지나지 않았다. 권한—신성한 권리—은 군주에게 있었다. 1910년까지도 빌헬름 2세는 왕권이야말로 "신의 은총에 의해서만 인정되는 것이지 의회나, 민중의 집회와 결정에 의해 인정되는 것이 아니다. … 짐은 스스로를 신의 도구로 여긴다"라고 선언하고 "나는 나의 길을 간다"라고 덧붙였다.

빌헬름 2세는 의회의 방해를 받지 않았다. 그가 임명한 총리는 그에 대해서만 책임을 지지, 의회에 대해서는 책임을 지지 않았다. 의회는 총리를 끌어내릴 수도 없었고, 붙들어둘 수도 없었다. 그것은 군주의 대권이었다. 이런 이유로 서방의 다른 나라들과 달리 독일에서는 민주주의, 국민주권, 의회의 우위 같은 관념이 결코 뿌리내리지 못했다. 심지어 20세기에 들어선 후에도 그러했다. 물론 사회민주당이 비스마르크와 빌헬름 2세에 의한 탄압을 견뎌내고 1912년에는 제국의회에서 단연 최대 정당이 되긴 했다. 그들은 의회민주주의의 확립을 소리 높여 요구했다. 하지만 효과가 없었다. 그리고 사회민주당은 최대 정당이긴 했으나 여전히 소수파였다. 비록 뒤늦게 시작했지만 어안이 벙벙할 정도로 진전되는 산업혁명 덕에 중간계급은 번영을 누렸고, 비스마르크가 추진하는 무력과 전쟁 위주 정책의 성공에 감탄을 금치 못했다. 그들은 물질적 이득을 얻기 위해 일말의 정치적 자유에 대한 기대를 포기해버렸다.* 그들은 호

---

* 어느 의미에서 독일의 노동계급도 비슷한 거래를 했다. 사회주의와 싸우기 위해 비스마르크는 1883년부터 1889년까지 다른 어떤 나라보다도 높은 수준의 사회보장 프로그램을 추진했다. 여기에는 노령, 질병, 사고, 노동 불능에 대비한 노동자 강제보험이 포함되었으며, 프로그램 운영은 국가가 했지만 그 재원은 고용인과 피고용인이 부담했다. 이 프로그램이 사회민주당이나 노동조합의 성장을 막았다고 말할 수는 없지만, 점차 정치적 자유보다 사회보장을 중시하는 풍조를 낳아 아무리 보수적일지라도 국가를 시혜자 겸 보호자로 여기도록 유도함으로써 노동계급에 심대한 영향을 끼친 것은 사실이다. 뒤에 가서 언급하겠지만 히틀러는 이런 풍조를 최대한 활용했다. 다른 많은 사안처럼 이 사안에서도 히틀러는 비스마르크로부터 많은 것을 배웠다. "나는 비스마르크의 사회주의적 입법의 의도와 투쟁, 성공을 연구했다"라고 《나의 투쟁》에서 말한다.

엔촐레른 가의 전제정을 받아들였다. 융커 관료제에 기꺼이 굴복하고 프로이센 군국주의를 열렬히 환영했다. 독일의 국운은 흥기했으며, 그들 중간계급―실은 거의 모든 국민―은 국운을 높게 유지하기 위해 지배층이 요구하는 일을 열심히 수행했다.

따지고 보면 오스트리아 사람 히틀러도 그런 독일 중간계급의 일원이었다. 히틀러에게 비스마르크의 제2제국은 여러 실책이나 "끔찍한 부패세력"으로 얼룩져 있었음에 불구하고 독일인이 마침내 자력으로 이루어낸 찬란한 산물이었다.

독일은 다른 어떤 나라에 비해서도 순전히 힘의 정책을 토대로 떠오른 제국의 경이로운 실례가 아니던가? 제국의 생식세포인 프로이센은 재정 운용이나 상거래가 아니라 찬란히 빛나는 영웅주의를 통해 생겨났으며, 제국 자체는 적극적인 정치 지도와 죽음을 무릅쓰는 용맹한 군인들에 대한 영광스러운 포상으로서 주어진 것에 지나지 않았다. …

[제2]제국의 건국 자체가 민족 전체를 추동하는 사건의 마법에 의해 금빛으로 반짝이는 것처럼 보였다. 일련의 비할 바 없는 승리를 거둔 뒤, 대대손손을 위한 제국이 탄생했다―불멸의 영웅주의에 대한 포상이었다. … 의회 파벌들의 협잡에 기대지 않은 이 제국은 그 건국 방식에서도 다른 국가들보다 단연 고귀했다. 의회에서 지껄이는 말싸움 소리가 아니라 파리를 포위한 전선에서 대지를 울리는 포성을 들으며 엄숙하게 건국되었기 때문이다. 그것은 독일인, 즉 군주와 인민이 장차 제국을 구성하고 그 제위를 다시 한 번 상징적인 정점으로까지 밀어올리리라 결의했음을 선언하는 우리 의지의 천명이었다. … 비스마르크식 국가를 창건한 주역은 탈영병이나 병역기피자가 아니라 전선의 연대들이었다.

이 독특한 탄생 경위와 포화의 세례 자체가 가장 오랜 국가들만이 드물게 뽐낼 수 있는 역사적 영광의 광휘를 뿜으며 제국을 에워쌌다.

그리고 뒤이어 어떤 약진이 시작되었던가!

국외에서의 자유를 바탕으로 국내에 일용할 양식을 공급했다. 독일 민족은 수가 늘어나고 세속적 재화를 풍요롭게 누리게 되었다. 국가의 명예, 아울러 전 국민의 명예는 과거 독일연방과의 차이를 가장 뚜렷하게 보여줄 수 있는 군대에 의해 보호되고 방어되었다.[24]

이상이 히틀러가 회복하겠다고 다짐한 그런 독일이었다. 《나의 투쟁》에서 히틀러는 자신이 생각하는 독일의 몰락 이유들에 관해 아주 길게 논한다. 유대인과 마르크스주의자에 대한 관용, 중간계급의 우매한 물질주의와 이기심, 호엔촐레른 황실 주변에서 "굽실거리고 아부하는 족속"의 극악한 영향, 잉글랜드 대신 쇠락한 합스부르크 왕가 및 믿지 못할 이탈리아와 손잡은 "독일의 파멸적인 동맹 정책", 그리고 "사회" 정책과 인종 정책의 근본적 부재 등이 그런 이유였다. 그는 이런 실책들을 국가사회주의를 통해 바로잡겠다고 약속했다.

### 제3제국의 지적 뿌리

―――

그런데 히틀러는 역사 말고 어디에서 이런 이념을 얻었을까? 독일 안팎의 히틀러 반대자들이 몹시 바빠서, 또는 몹시 어리석어서 너무 늦게 알아채긴 했지만, 어쨌든 히틀러는 수많은 독일인과 마찬가지로 19세기에 독일 사상가들이 쏟아낸 무책임하고 과대망상적인 이념들의 기묘한 혼합물에 마음을 빼앗겼다. 히틀러는 대체로 알프레트 로젠베르크처럼 머릿속이 뒤죽박죽인 사이비 철학자를 통해, 또는 주정뱅이 시인 친구 디트리히 에카르트를 통해 한 다리 건너서 여러 이념을 접하고는 마치 갓 개종한 사람처럼 한껏 열광하며 받아들였다. 그리고 설상 가상으로 언젠가 기회가 생기면 그런 이념을 실행에 옮기겠다고 굳게 다짐했다.

앞에서 히틀러의 정신 속에서 소용돌이친 그런 이념이 무엇인지 살펴보았다. 전쟁과 정복, 권위주의 국가의 절대권력에 대한 찬미, 아리아인 즉 독일인이 지배인종이라는 맹신, 유대인과 슬라브인에 대한 증오, 민주주의와 인도주의에 대한 경멸 등이 히틀러의 이념을 이루고 있었다. 하나같이 독창적인 것이 아니었다—다만 이념을 현실에 적용하는 그의 방법은 훗날 독창적인 것으로 드러났다. 그 이념은 히틀러 이전 한 세기 동안 독일의 정신을 사로잡고 그리하여 훗날 독일인뿐 아니라 인류의 상당수를 파멸로 몰아넣은, 박식하되 균형을 잃은 온갖 특이한 철학자들, 역사가들, 교사들로부터 생겨난 것이었다.

물론 독일인 중에는 서양 최고의 지성과 정신을 지닌 사람들—라이프니츠, 칸트, 헤르더, 훔볼트, 레싱, 괴테, 실러, 바흐, 베토벤—이 있었으며, 그들은 서양 문명에 비길 데 없는 기여를 했다. 그러나 프로이센 독일이 흥기한 19세기에 우세를 보이며 비스마르크부터 히틀러의 시대까지 이어진 독일 문화는 처음에는 피히테와 헤겔에, 그 후로는 트라이치케, 니체, 리하르트 바그너, 그리고 별로 뛰어나지 않은 일군의 인물들—특이하게도 그중 몇몇은 기이한 프랑스인과 괴상한 영국인이었다—에게 주로 의존했다. 그들은 서양 문화와의 정신적 단절을 이루어내는 데 성공했으며, 그 단절의 틈은 오늘날까지도 메워지지 않고 있다.

1807년에 프로이센이 예나에서 나폴레옹에게 치욕적인 패배를 당한 이후, 요한 고틀리프 피히테Johann Gottlieb Fichte는 철학 교수로 재직하는 베를린 대학의 강단에서 그 유명한 "독일 국민에게 고함"이라는 강의를 시작했다(베를린 대학은 나중인 1810년에 설립되었으므로 이는 저자의 오류로 보인다. 피히테는 베를린의 학술원에서 강의했다. 다만 피히테가 훗날 베를린 대학의 교수를 지낸 것은 사실이다). 분열되고 좌절한 국민을 고무하고 결집한 이 강의의 메아리는 제3제국 시절까지도 울려 퍼졌다. 피히테의 가르침은 낙담한 독일 국민을 취하게 하는 포도주였다. 피히테가 보기에 라틴인, 특히 프랑스인, 그리고 유대인은 타락한 인종이었다. 독일인만이 재생의 가능성을 품고 있었다. 독일어는 가장 순수하고 독창적인 언어였다. 독일인의 치하에서 역사상 새로운 시대가 꽃을 피울 터였다. 그 시대는 조화로운 우주의 질서를 반영할 터였다. '사적인' 성격의 어떠한 도덕적 제약에도 구애받지 않는 소수의 엘리트층이 그 시대를 이끌어갈 터였다. 앞에서 언급했듯이 이런 이념 중 일부를 히틀러는 《나의 투쟁》에 집어넣었다.

1814년에 피히테가 죽고 1818년에 게오르크 빌헬름 프리드리히 헤겔Georg Wilhelm Friedrich Hegel이 베를린 대학 철학 교수로 취임했다. 이 예민하고 통찰력 있는 정신의 소유자는 변증법으로 마르크스와 레닌에게 영감을 줌으로써 공산주의 창시에 일조했고, 인간의 삶에서 국가를 가장 중시하고 미화함으로써 비스마르크의 제2제국과 히틀러의 제3제국이 등장할 길을 닦았다. 헤겔에게는 국가야말로 모든 것, 또는 거의 모든 것이었다. 다른 무엇보다도 국가는 가장 높은 수준에서 "세계정신"을 현시한다. 국가는 "도덕적 우주"다. 국가는 "그 자체로 인식하고 사유하는 … 윤리적 이념 … 윤리적 정신의 현실태"다. 국가는 "개인에 대해 최고의 권리를 가지며 개인의 최고의 의무는 국가의 일원이 되는 것이니 … 세계정신의 권리는 모든 특권보다 상위에 있기 때문이다."

그렇다면 이 지상에서 개인의 행복은 무엇이란 말인가? 이에 대해 헤겔은 "세계사는 행복의 제국이 아니다. 행복한 시대들은 역사의 빈 페이지인데, 분쟁 없는 합의의 시대이기 때문이다"라고 답한다. 전쟁은 위대한 정화장치다. 헤겔이 보기에 전쟁은 "세찬 바람이 바다가 오랫동안 잔잔해서 더러워지는 것을 막아주듯이, 오랜 평화로 인해 타락한 민족들의 윤리적 건강"에 도움이 된다.

어떠한 전통적 도덕관과 윤리관도 지고한 국가 또는 국가를 이끄는 "영웅들"을 방해해서는 안 된다. "세계사는 더 높은 견지를 점한다. … 부적절한 도덕적 주장으로 세계사적 행위와 그 성취를 저지해서는 안 된다. 사적인 덕목—정숙, 겸손, 박애, 인내—을 장황하게 열거하면서 세계사적 행위에 반대해서는 안 된다. … 그토록 막강한 형식[국가]은 수많은 무고한 꽃들을 짓밟기 마련이다. 길을 막는 수많은 대상을 산산이 조각내기 마련이다."

헤겔은 독일 국민이 천부적 재능을 회복할 때 독일이 그런 국가가 될 것이라고 예견한다. 드디어 "독일의 시대"가 올 것이고 세계를 되살리는 일이 독일의 사명이 될 것이라고 예언한다. 헤겔의 글을 읽으면 마르크스와 마찬가지로 히틀러가 비록 한 다리 건너서일지라도 헤겔로부터 얼마나 많은 영감을 얻었는지 알 수 있다. 다른 무엇보다 헤겔은 '영웅' 이론, 즉 신비한 섭리에 의해 "세계정신의 의지"를 실현할 운명을 타고난 위대한 대행자들에 관한 이론을 통해, 이 장의 끝에서 살펴볼 것처럼, 히틀러에게 강렬한 사명감을 불어넣은 것으로 보인다.

하인리히 폰 트라이치케는 헤겔보다 나중에 베를린 대학 교수로 취임했다. 1874년부터 1896년에 죽을 때까지 트라이치케는 이 대학의 역사학 교수를 지내며 인기를 얻었는데, 그의 강의를 들은 다수의 열광적인 청중 중에는 학생들뿐 아니라 참모본부의 장교들과 융커 관료제의 관리들도 있었다. 19세기의 마지막 25년간 트라이치케는 독일 사상계에 막대한 영향을 끼쳤고, 빌헬름 2세의 시대를 지나 히틀러의 시대까지도 영향을 주었다. 그는 작센 출신이었음에도 저명한 프로이센주의자가 되었고, 프로이센 주민보다 더 프로이센 사람 같았다. 헤겔과 마찬가지로 트라이치케는 국가를 찬미하고 가장 중시하면서도 헤겔보다 더 야만적인 시각을 지녔다. 그에게 인민, 즉 신민은 민족 내 노예에 지나지 않았다. "너희들이 복종하는 한, 무엇을 생각하는지는 중요치 않다"라고 그는 잘라 말했다.

그리고 트라이치케는 헤겔에게서 더 나아가 인간의 최고의 표현은 전쟁이라고 선언했다. "군사적 영광은 모든 정치적 덕목의 기반이다. 독일의 영광이라는 값진 보물 중에서도 프로이센의 군사적 영광은 우리의 시인, 사상가의 걸작만큼이나 귀중한 보석이다." 또한 "무턱대고 평화에 동조하는 행태는 … 우리 시대의 사상과 도덕의 수치가 되었다"라고 말했다.

전쟁은 실제적 필요일 뿐 아니라 이론적 필요이고, 논리의 필연이기도 하다. 국가 개념은 전쟁 개념을 함축하는데, 국가의 진수는 힘이기 때문이다. … 이 세상에서 전쟁을 일소해야 한다는 것은 어리석을 뿐 아니라 매우 부도덕한 소망이다. 전쟁을 일소한다면 인간 영혼 본연의 숭고한 힘들이 대부분 위축될 것이다. … 영원한 평화라는 실현 불가능한 소망에 집착하는 사람들은 그 교만한 고립 상태에서 결국 돌이킬 수 없이 쇠약해진다.

니체는 괴테와 마찬가지로 독일 국민을 높게 평가하지 않았다.* 또한 다른 면에서도 이 과대망상적 천재가 쏟아낸 말은 19세기 독일의 쇼비니즘적 사상가들의 말과 달랐다. 실제로 니체는 피히테나 헤겔을 포함해 대다수의 독일 철학자들을 "무의식적인 사기꾼들"로 여겼다. 니체는 "고故 칸트의 타르튀프 같은 위선"을 조롱했다. 《이 사람을 보라》에서는 독일인이 "자신들이 얼마나 비열한지 도통 모른다"라고 썼고, "독일인은 자신들이 침투하는 곳이면 어디든 문화를 망쳐놓는다"라고 결론지었다. 니체는 세계에 만연한 "노예의 도덕"에는 유대인만큼이나 기독교도에게 책임이 있다고 생각했다. 그는 결코 반유대주의자가 아니었다. 니체는 때때로 프로이센의 미래를 우려했고, 말년에 정신 이상으로 마음을 닫기 전에는 유럽연합이나 세계정부를 구상하기까지 했다.

그러나 나는 제3제국에서 생활했던 사람이라면 누구나 니체의 영향에 감명받지 않을 수 없었다고 생각한다. 조지 산타야나George Santayana의 말대로 니체의 저작은 "쾌활한 바보짓"과 "유치한 신성모독"으로 가득할지도 모른다. 그럼에도 나치의 삼류 문필가들은 지칠 줄 모르고 니체를 극찬했다. 히틀러는 바이마르에 있는 니체 박물관을 자주 방문하고 이 위대한 인물의 흉상을 황홀하게 응시하는 포즈의 사진을 찍음으로써 이 철학자에 대한 공경심을 널리 알렸다.

이렇게 니체를 나치 세계관의 창시자 중 한 명으로 여긴 데에는 어느 정도 근거가 있었다. 이 철학자는 가장 효과적인 아포리즘으로 민주주

---

* 괴테는 언젠가 이렇게 말했다. "나는 독일 국민이 개개인으로 보면 아주 존중할 만하지만 전체로서 보면 아주 형편없다는 생각에 씁쓸해지곤 합니다. 독일 국민을 다른 국민들과 비교할 때면 비통함이 느껴지기 때문에 그것을 극복하기 위해 나는 가능한 모든 방법을 시도하게 됩니다." (Auswahl Biedermann, *Goethes Gespräche*, 1813년 12월 13일에 H. Luden과 나눈 대화. Wilhelm Röpke, *The Solution of the German Problem*, p. 131에서 인용)

와 의회를 맹비난하고, 힘에의 의지를 설파하고, 전쟁을 칭송하고, 지배 인종과 초인의 도래를 선언하지 않았던가? 사실 나치는 생각할 수 있는 거의 모든 주제와 관련해 니체를 자랑스럽게 인용할 수 있었고 또 실제로 인용했다. 기독교에 관해서라면 "엄청난 저주, 극악하고 가장 내밀한 도착倒錯 … 나는 기독교를 인류의 영원한 오점이라 부른다. … 이런 기독교는 사회주의자들의 전형적인 가르침에 지나지 않는다"라는 니체의 말이 있었다. 또 국가와 권력, 정글 같은 인간세계에 관해서라면 "사회는 덕성을 힘과 권력, 질서를 위한 수단 이외의 다른 것으로 여긴 적이 결코 없다. 국가는 조직된 비도덕성 … 전쟁을 벌이려는 의지, 정복하고 복수하려는 의지다. … 사회는 그 자체를 위해서는 존재할 자격이 없고 선택받은 인종이 더 높은 의무를 향해 올라갈 수 있도록 해주는 토대와 발판으로서만 존재할 자격이 있다. … 살아갈 권리, 일할 권리, 행복해질 권리 따위는 없다. 이런 의미에서 인간은 가장 하찮은 벌레와 조금도 다르지 않다"라는 말도 있었다.* 그리고 니체는 초인을 육식동물, "약탈과 승리를 갈구하며 배회하는 화려한 금발의 야수"라고 찬양했다.

그렇다면 전쟁에 관해서는? 이와 관련해 니체는 19세기 독일의 대다수 사상가들과 견해를 같이했다. 구약성서의 고함치는 듯한 문체로 쓴 《차라투스트라는 이렇게 말했다》에서 니체는 이렇게 외친다. "너희는 평

---

\* 여성을 사귄 적 없는 니체는 여성을 명백히 열등한 지위에 두었으며, 나치 역시 여성이 머물 곳은 부엌이며 여성의 경우 인생에서의 주된 역할은 독일의 전사가 될 아이를 낳는 것이라고 천명했다. 니체는 이런 생각을 자신의 방식으로 표현했다. "남자는 전쟁에 대비해 훈련해야 하고 여자는 전사 출산에 대비해 훈련해야 한다. 나머지는 모두 바보짓이다." 더 나아가 《차라투스트라는 이렇게 말했다》에서는 "그대 여자에게 가는가? 채찍을 잊지 마라!" 하고 소리쳤다. 이 말에 버트런드 러셀 (Bertrand Russell)은 이렇게 비꼬았다. "여자 열 명 중 아홉은 니체에게서 채찍을 빼앗았을 것이고, 니체는 이를 알았던 까닭에 여자들에게 가까이 가지 않았다."

화를 새로운 전쟁의 수단으로서 사랑하고 긴 평화보다 짧은 평화를 사랑하여라. 내가 너희에게 권하노니 노동하지 말고 싸워라. 내가 너희에게 권하노니 평화를 구하지 말고 승리하여라. … 너희는 훌륭한 동기가 전쟁마저 신성하게 한다고 말하느냐? 내가 너희에게 말하노니 모든 동기를 신성하게 하는 것은 훌륭한 전쟁이니라. 자애보다 전쟁과 용기가 위대한 일을 더 많이 했으니라."

마지막으로 니체는 세계를 통치할 엘리트층이 출현하고 그들 중에서 초인이 나올 것이라고 예언했다.《힘에의 의지》에서 니체는 이렇게 소리친다. "대담한 지배인종은 스스로를 단련한다. … 그 목적은 남달리 강한 사람, 최고의 지성과 의지를 타고난 사람을 위해 가치를 다른 기준으로 평가할 준비를 하는 데 있다. 이 사람과 그 주위의 엘리트층은 '지구의 주인들'이 될 것이다."

독일에서 가장 독창적인 정신의 소유자 중 한 명이 내지른 이런 호통은 히틀러의 어지러운 뇌리에서 공명을 일으킨 것이 틀림없다. 어쨌든 히틀러는 니체의 호통을 내면에 새겼다—사상뿐 아니라 기이한 과장 습벽까지, 심지어 그 표현법까지 말이다. '지구의 주인들'은《나의 투쟁》에서 자주 볼 수 있는 표현이다. 결국 히틀러가 스스로를 니체의 예언에 등장하는 초인으로 여겼다는 것은 의심할 나위가 없다.


"누구든 국가사회주의 독일을 이해하려면 바그너를 알아야 한다"라고 히틀러는 종종 말했다. 이 발언은 위대한 작곡가를 부분적으로 오해한 데서 비롯되었을 것이다. 리하르트 바그너는 비록 히틀러와 마찬가지로 유대인이 돈으로 세계를 지배하고자 기를 쓴다고 확신하여 유대인에게 광적인 증오심을 품긴 했지만, 그리고 의회나 민주주의, 부르주아지의 물질주의와 범속함을 경멸하긴 했지만, 한편으로 독일인이 그 "특별한 재능"을 통해서 "세계의 통치자가 아니라 세계를 고귀하게 만드는 사람들"이 되기를 열렬히 소망했기 때문이다.

그렇지만 히틀러와 나치당이 어느 정도 정당하게 자기네 것으로 받아들인 것은 바그너의 정치적 저술이 아니라 그의 탁월한 악극들, 즉 영웅 전설, 격돌하는 이교의 신과 영웅, 악마와 용, 피의 복수, 원시 부족의 규범, 숙명 의식, 사랑과 생명의 광채, 죽음의 고결함 등으로 고대 독일의 세계를 너무도 생생하게 되살려 근대 독일의 신화에 영감을 불어넣고 독일다운 세계관을 전해준 작품들이었다.

히틀러는 이른 나이 때부터 바그너를 숭배했고, 심지어 삶의 끝자락에 러시아 전선 사령부의 축축하고 음침한 벙커 안에서 자신의 세계와 꿈이 갈라지고 무너지려는 상황에도 지난날 위대한 바그너의 음악을 들었던 모든 순간을 즐거이 회상하면서 그것이 자신에게 어떤 의미였는지, 그리고 바이로이트 축제에서, 또 바그너의 저택 반프리트하우스를 몇 번이고 찾아가면서 어떤 영감을 얻었는지에 관해 이야기하곤 했다. 당시 반프리트하우스에는 위대한 작곡가의 아들 지크프리트 바그너Siegfried Wagner와 그의 잉글랜드 태생 아내 위니프리드Winifred가 여전히 기거하고 있었고, 히틀러는 한동안 이 부부와 존경하는 친구 사이로 지냈다.

"바그너의 작품들이 내게 얼마나 큰 기쁨을 주었던지!" 히틀러는 러시아에서 독일군이 처음으로 참패한 직후인 1942년 1월 24일에서 25일에 걸친 밤에, 동프로이센 라스텐부르크에 있는 볼프스샨체Wolfsschanze('늑대굴'이라는 뜻으로 2차대전 동부전선의 총통 본부)의 깊숙한 지하 벙커에서 힘러를 비롯한 장군들과 당 동지들을 상대로 이야기하던 중 이렇게 탄복했다. 벙커 밖에서는 히틀러가 가장 싫어하고 두려워했으며 당시 독일군이 처음으로 맛본 군사적 좌절과도 무관치 않은 눈과 혹한이 맹위를 떨치고 있었다. 하지만 적어도 이날 밤 따뜻한 벙커 안에서 히틀러의 생각은 자기 생애에 큰 영감을 안겨준 몇몇 순간들로 향했다. "반프리트에 처음 들어갔을 때의 느낌이 기억나는군. 감동했다는 말로는 부족해! 최악의 순간에도 그들은 나를 지탱해주었지. 지크프리트 바그너 씨까지도. 나와 그들은 서로를 세례명으로 불렀다네. 나는 그들 모두를 사랑했고, 반프리트도 사랑했어. … 바이로이트 축제가 진행되는 열흘간은 내 삶에서 그야말로 축복 받은 나날이었지. 그리고 언젠가 그 순례를 다시 할 수 있으리라 생각하면 얼마나 기뻤던지! … 바이로이트 축제가 끝나고 이튿날이면 … 큰 슬픔에 잠기곤 했네. 꼭 크리스마스 트리에서 장식을 떼어낼 때처럼 말이야."[25]

그 겨울밤에 히틀러는 대화를 독점하면서 〈트리스탄과 이졸데〉를 "바그너의 걸작"으로 거듭 꼽았지만, 독일, 특히 제3제국에서 원시적인 게르만 신화들의 원천이 된 것은 바그너가 위대한 독일 서사시 〈니벨룽의 노래〉에서 영감을 받아 완성하기까지 근 25년을 들인 4부작 악극 〈니벨룽의 반지〉였다. 한 민족의 신화는 대개 민족의 정신과 문화의 가장 숭고하고 진실한 표현인데, 이는 다른 어느 나라보다도 독일에 해당되는 말이다. 프리드리히 셸링Friedrich Schelling은 "한 민족은 그 신화와 함께 탄생한다. … 집단의 철학을 의미하는 민족적 사유의 통일성은 신화로 나타난다. 그러므로 신화에는 민족의 운명이 담겨 있다"라고 말하기까지 했다. 그리고 당대의 시인으로 〈니벨룽의 노래〉의 근대 버전을 쓴 막스 멜Max Mell은 "인문주의가 우리 문화에 아주 깊숙이 이식하려 했던 그리스의 신들은 오늘날 거의 남아 있지 않다. … 그러나 지크프리트와 크림힐트는 언제나 민족의 영혼 안에 자리하고 있었다!"라고 힘주어 말했다.

지크프리트와 크림힐트, 브륀힐트와 하겐은 근대의 많은 독일인들이 자신과 동일시한 고대의 남녀 영웅이다〔모두 〈니벨룽의 노래〉의 주요 등장인물이다〕. 이 영웅들, 이 야만적인 이교도 니벨룽족의 세계, 즉 비이성적이고 영웅적이고 신비적인 세계, 배반이 횡행하고 폭력이 난무하고 유혈이 낭자한 세계, 결국 보탄이 온갖 우여곡절 끝에 발할라에 불을 지르는 신들의 황혼에 이르러 스스로 의도한 소멸의 잔치와 함께 불타 사라지는 세계는 언제나 독일 정신을 매료시켰고 독일 영혼의 간절한 열망을 얼마간 채워주었다. 이 영웅들, 이 원시적이고 악마적인 세계는 멜의 말마따나 독일 "민족의 영혼 안에" 늘 있었다. 그 독일 영혼 안에서는 문명의 정신과 니벨룽족의 정신 사이의 투쟁을 느낄 수 있었으며, 나의 이 책이 다루는 시대에는 후자의 정신이 우세를 점한 것으로 보였다. 히틀러가 1945년에 보탄을 모방해 독일이 자신과 함께 불길에 휩싸여 쓰러지도록 독일의 파괴를 의도했던 것은 전혀 놀랄 일이 아니다.

경이로운 천재이자 믿기 어려우리만치 위대한 예술가인 바그너는 여기에 기술한 것보다 훨씬 많은 것들을 표현했다. 〈니벨룽의 반지〉 4부작에서 갈등은 대개 황금에 대한 탐욕이라는 주제를 중심으로 전개되는데, 이 탐욕을 바그너는 "근대 자본주의의 비극"과 동일시했고, 과거로부터 전해진 오랜 덕목들을 말살하는 원인이라며 공포감 어린 눈길로 바라보았다. 작품 속의 그 모든 이교도 영웅들에도 불구하고 바그너는 니체처럼 기독교에 완전히 절망하진 않았다. 그리고 죄를 짓고 서로 싸우는 인류에게 커다란 연민을 느꼈다. 그럼에도 나치즘을 이해하려면 먼저 바그너를 알아야 한다는 히틀러의 말이 전적으로 틀린 것은 아니었다.

바그너는 먼저 쇼펜하우어를, 이어서 니체를 알았고 이들로부터 영향을 받았다. 다만 니체와는 언쟁을 벌였는데, 니체가 바그너의 작품들, 특히 〈파르지팔〉이 기독교적 체념을 너무 강하게 보여준다고 생각했기 때문이다. 길고도 파란만장했던 생애에서 바그너는 다른 두 인물과도 조우했다. 한 명은 프랑스인, 다른 한 명은 영국인이었다. 이 둘은 바그너에게 상당히 깊은 인상을 주기도 했지만, 이 책에서는 어쨌든 이 작곡가에게 감명을 주었다는 점보다는 독일의 정신을 제3제국이 출현하는 데 유리하도록 돌려놓는 데 일조했다는 점에서 중요하다.

그 두 인물은 바로 프랑스인 외교관이자 문인인 조제프 아르튀르 드 고비노Joseph Arthur de Gobineau 백작, 그리고 역사상 가장 이상한 영국인 가운데 한 명인 휴스턴 스튜어트 체임벌린Houston Stewart Chamberlain 이다.

미리 말해두건대 둘 모두 사기꾼은 아니었다. 둘 다 대단한 학식과 깊은 교양, 풍부한 여행 경험을 가지고 있었다. 그러나 둘 다 독일인 빼고는 다른 어떤 국민도, 심지어 같은 나라 사람들도 진지하게 여기지 않았을 정도로 미심쩍은 인종 이론을 지어냈다. 나치에게 이들의 의심스러운 이론은 복음이 되었다. 내가 히틀러의 추종자 중 한 명 이상으로부터 들은 대로 체임벌린이 제3제국의 정신적 창건자였다는 말은 과장이 아닐 것이다. 독일인을 지배인종으로, 미래의 희망으로 보게 된 이 특이한 영국인은 리하르트 바그너를 숭배했고 바그너의 딸들 중 한 명과 결혼하기까지 했다. 체임벌린은 먼저 빌헬름 2세를, 그리고 마침내 히틀러를 추앙했으며, 두 사람의 멘토였다. 광적인 인생의 말년에, 그러니까 히틀러가 권력을 잡기 한참 전에, 또는 권력을 잡을 전망이 전혀 없던 때에 체임벌린은 이 오스트리아인 상병을 가리켜 독일인을 광야 밖으로 인도하기 위해 신이 보낸 사도라고 말했다. 히틀러는 지극히 당연하게도 체임벌린을 예언자로 여겼으며, 실제로 체임벌린은 훗날 예언자로 판명이 났다.

두 사람의 가르침 중에서 무엇이 독일인에게 인종과 독일의 운명이라는 문제에 대한 광기 어린 생각을 불어넣었을까?

고비노의 주요 저작은 1853년부터 1855년까지 파리에서 4권으로 출간된 《인종 불평등론Essai sur l'inégalité des races humaines》이다. 퍽 아이러니하게도 이 프랑스 귀족은 근위대의 장교로 복무한 뒤 《아메리카의 민주주의》라는 저서로 유명한 알렉시 드 토크빌Alexis de Tocqueville이 1849년에 잠시 외무장관을 지낼 때 그 보좌관으로 공직생활을 시작했다. 그런 다음 고비노는 하노버와 프랑크푸르트에 외교관으로 부임했으며, 드 토크빌과의 만남보다는 독일인과의 만남에서 인종 불평등론을 도출했다—다만 어느 정도는 자신의 귀족 혈통의 우월성을 입증하기 위해 책을 쓴 것이라고 털어놓은 적이 있다.

하노버 왕에게 헌정한 저서에서 말했듯이, 고비노에게 역사와 문명을 설명하는 관건은 인종이었다. "인종 문제는 역사의 다른 모든 문제를 좌우한다. … 인종들의 불평등은 여러 국민들의 운명의 전개 양상 전체를 충분히 설명한다." 주요한 인종은 백인종, 황인종, 흑인종 셋이며 그중 백인종이 우월하다. "역사는 모든 문명이 백인종에서 유래하고 어떠한 문명도 백인종과의 협력 없이는 존재할 수 없다는 것을 보여준다"라고 고비노는 주장했다. 백인종의 보배는 아리아인, "이 걸출한 인간 가문, 백인종 중 가장 고귀한 사람들"인데, 고비노는 아리아인의 기원을 찾아 중앙아시아까지 거슬러 올라갔다. 그리고 유감스럽게도 현대의 아리아인은 오늘날 남부유럽에서 볼 수 있듯이 열등한 인종들과의 혼합으로 병들고 있다고 말했다. 그렇지만 대략 센 강과 스위스 동부를 잇는 선 위쪽의 북서유럽에는 비록 순결함과 거리가 멀긴 하지만 여전히 우월한 인종이 살고 있다고 보았다. 여기에는 프랑스인 일부, 잉글랜드인과 아일랜드인 전부, 저지대 국가들과 라인 지방과 하노버의 주민들, 그리고 스칸디나비아인이 포함되었다. 고비노는 독일인 대다수, 즉 자신이 그은 선의 동쪽과 남동쪽에 거주하는 독일 사람들을 배제했던 것으로 보인다. 이는 나치가 고비노의 가르침을 받아들이면서 용케 둘러댄 사실이다.

그렇지만 고비노가 생각하기에 독일인, 또는 적어도 서부 독일인은 아마도 아리아인을 통틀어 최고였을 것이며, 이 발견은 나치가 둘러댄 것이 **아니었다.** 고비노는 독일인이 가는 곳마다 개량이 이루어졌다고 보았고, 심지어 로마제국에서도 그랬다고 보았다. 로마인을 정복하고 그들의 제국을 해체한 이른바 야만적인 게르만 부족들은 문명에 뚜렷한 기여를 했는데, 4세기 무렵의 로마인은 퇴화한 잡종보다 별반 나을 것이 없었던 반면에 독일인은 비교적 순수한 아리아인이었기 때문이다. "아리아계 독일인은 강력한 생물이다. … 그러므로 그들이 생각하고 말하고 행하는 모든 것은 매우 중요하다"라고 고비노는 단언했다.

고비노의 이념은 독일에서 빠르게 받아들여졌다. 고비노가 말년인 1876년에 만난(1882년에 죽었다) 바그너는 고비노의 이념을 열렬히 지지했으며, 곧 독일 전역에서 고비노 협회가 생겨났다.*

---

* 프랑스 본국에서는 생겨나지 않았다.

## H. S. 체임벌린의 이상한 생애와 저술

독일 내 고비노 협회의 열성 회원 중에는 휴스턴 스튜어트 체임벌린이 있었다. 체임벌린의 생애와 저술은 제3제국의 흥망에 얽힌 역사의 거침없는 행로에서 가장 흥미진진한 아이러니 중 하나다.

잉글랜드 해군 제독의 아들이요, 영국 원수 네빌 보울스 체임벌린Neville Bowles Chamberlain 경과 두 영국 장군의 조카요, 결국 리하르트 바그너의 사위가 된 이 영국인은 1855년에 포츠머스에서 태어났다. 영국 육군이나 해군에 복무할 예정이었으나 몸이 허약해 도저히 군인이 될 수 없었고, 프랑스와 제네바에서 교육을 받으면서 프랑스어를 제1언어로 익혔다. 체임벌린은 15세에서 19세 사이에 독일인 두 사람을 운명적으로 만난 뒤 불가항력으로 독일에 이끌렸고, 결국 독일의 시민이자 가장 주목받는 사상가 중 한 명이 되었다. 다수의 저작을 모두 독일어로 썼으며, 그중 몇 종은 빌헬름 2세와 아돌프 히틀러를 비롯해 수많은 독일인을 거의 현혹시켰다.

1870년, 15세의 체임벌린은 비범한 가정교사 오토 쿤체Otto Kuntze에게 맡겨졌는데, 프로이센인 중의 프로이센인인 쿤체는 4년간 체임벌린의 예민한 정신과 민감한 영혼에 호전적이고 정복하려 드는 프로이센의 영광과 베토벤이나 괴테, 실러, 바그너 같은 예술가나 시인의 영광—두 영광이 대비된다는 점에는 개의치 않았던 듯하다—을 각인시켰다. 19세에 체임벌린은 열 살 연상인 프로이센인으로 자신처럼 신경이 과민한 아나 호르스트Anna Horst와 열렬한 사랑을 나누었다. 1882년, 27세 때는 지난 3년간 철학, 박물학, 물리학, 화학, 의학 공부에 몰두해 지냈던 제네바를 떠나 바이로이트로 여행을 갔다. 그곳에서 체임벌린은 바그너 부부를 만났는데, 본인 말마따나 바그너는 그의 인생의 태양이 되었고, 이 작곡가의 아내 코지마Cosima는 그가 나머지 생애 전부를 열렬히 노예처럼 바칠 대상이 되었다. 1885년, 체임벌린은 아내 아나 호르스트와 함께 드레스덴으로 이주해 4년간 살면서 생각과 언어에서 독일인이 되었고, 1889년 빈으로 이주해 10년간 지냈으며, 마지막으로 1909년에 바이로이트로 가서 1927년 임종 때까지 살았다. 1905년에는 한때 우상시했던 프로이센인 아내와 이혼했는데, 당시 그녀는 60세였고 정신적으로나 육체적으로나 체임벌린보다도 상태가 나빴다(결별이 너무 고통스러워 체임벌린은 미칠 지경이었다고 한다). 그리고 3년 후 에바 바그너Eva Wagner와 결혼하고는 자신이 추앙하는 의지력 강한 장모 코지마의 곁에서 지내기 위해 반프리트 근처에 정착했다.

지나치게 세심하고 예민하여 자주 신경쇠약에 걸린 체임벌린은 본인 말대로라면 끊임없이 새로운 연구 영역을 찾고 비상한 글을 쓰도록 몰아가는 악마들을 수시로 보았다고 한다. 환영이 잇따라 나타나 생물학, 식물학, 미술, 음악, 철학, 전기, 역사 등으로 연구 분야를 계속 바꾸도록 다그쳤다고 한다. 한번은, 1896년의 일이었는데, 이탈리아에서 기차를 타고 돌아오는 길에 악마의 존재감이 너무 커서 가르도네 역에서 내린 뒤 여드레 동안 호텔 방에 틀어박힌 채 전부터 구상하던 음악 작업을 일부 포기하고 장차 저술 전부를 지배하게 될 주제의 싹을 얻을 때까지 생물학 논제에 관해 열병에 걸린 듯이 썼다. 바로 인종과 역사라는 주제였다.

어떤 결점이 있었든 간에 체임벌린의 정신은 문학, 음악, 생물학, 식물학, 종교, 역사, 정치 같은 분야를 두루 섭렵했다. 장 레알Jean Réal이 지적했듯이,[26] 체임벌린이 발표한 모든 저술에는 발상의 깊은 통일성과 뚜렷한 일관성이 있었다. 악마들에게 들볶인다고 느꼈던 체임벌린은 저작들—바그너, 괴테, 칸트, 기독교, 인종에 관한—을 지독한 열병, 진정한 무아지경, 스스로 유도한 도취에 사로잡힌 상태에서 썼고, 그런 까닭에 자서전 《삶의 길Lebenswege》에서 말했듯이 자신의 구상을 넘어선 그 저작들을 본인의 작업 결과물로 인식하지 못하곤 했다. 그 후 체임벌린보다 균형 잡힌 두뇌를 지닌 학자들이 그의 인종 이론을 무너뜨렸으며, 독일 정신을 연구하는 에드몽 베르메이Edmond Vermeil 같은 프랑스 학자는 체임벌린의 사상이 본질적으로 "조잡하다"고 보았다. 그러나 히틀러의 전기를 썼고 히틀러의 인종 교의의 영향을 개탄했던 반나치 독일인 콘라트 하이덴에게 체임벌린은 "독일 정신의 역사에서 가장 놀라운 재능 중 하나이자 지식과 심오한 이념의 보고"였다.

독일 정신에 가장 깊은 영향을 끼친 체임벌린의 저작, 빌헬름 2세를 황홀경에 빠뜨리고 나치를 인종적 탈선으로 이끈 책은 《19세기의 토대Die Grundlagen des neunzehnten Jahrhunderts》였다. 약 1200쪽 분량의 이 책을 체임벌린은 다시금 '악마들' 중 하나에 사로잡힌 채 1897년 4월 1일부터 1898년 10월 31일까지 19개월 동안 빈에서 써서 1899년에 출간했다.

체임벌린은 자신이 존경한 고비노와 마찬가지로 인종을 역사의 관건, 문명의 기반으로 여겼다. 19세기 당대의 세계를 설명하려면 먼저 고대로부터 어떤 유산을 물려받았는지 고찰해야 했다. 체임벌린은 그리스의 철학과 예술, 로마의 법, 그리스도의 인성, 이 세 가지를 꼽았다. 유산 수령자도 세 부류, 즉 "순수한 두 인종"인 유대인과 독일인, 그리고 지중해 연안의 혼혈 라틴인—"민족들의 혼돈"이라고 체임벌린은 불렀다—을 꼽았다. 이 가운데 독일인만이 찬란한 유산을 물려받을 자격이 있었다.

독일인이 뒤늦게 13세기에 이르러서야 역사에 등장한 것은 사실이었다. 그러나 그전에도 독일인은 로마제국을 파괴하며 자신들의 가치를 입증한 바 있었다. "튜턴족 야만인이 이른바 '중세의 밤'을 불러왔다는 것은 사실이 아니다. 오히려 이 밤은 죽어가는 로마제국이 조장한 인류의 인종 없는 혼돈 상태가 지적·도덕적으로 파산한 이후에 찾아왔다. 튜턴족이 없었다면 세계에 영원한 밤이 내려앉았을 것이다." 이 책을 쓴 무렵에 체임벌린은 튜턴족을 세계의 유일한 희망으로 보고 있었다.

체임벌린은 '튜턴족'을 가장 중요한 요소로 여기면서도 여기에 켈트인과 슬라브인을 포함시켰다. 그렇지만 튜턴족에 대한 그의 정의는 아주 모호해서, 언젠가 "튜턴족처럼 행동하는 사람은 그의 인종적 기원이 어떠하든 튜턴족이다"라고 단언하기도 했다. 아마도 이때 체임벌린은 자신의 혈통이 독일계가 아니라는 것을 염두에 두었을 것이다. 체임벌린에 따르면 튜턴족이 어느 인종이건 간에 그들은 "우리 문화의 영혼이다. 오늘날 살아 있는 힘으로서 각 민족의 중요성은 인구 중에서 차지하는 진정한 튜턴족 혈통의 비율에 달려 있다. … 참된 역사는 튜턴족이 그 당당한 손으로 고대의 유산을 움켜쥐는 순간에 시작된다".

그렇다면 유대인에 관해서는 어떤가? 《19세기의 토대》에서 가장 긴장은 유대인을 다룬다. 앞에서 언급했듯이 체임벌린은 유대인과 튜턴족만이 서양에 남은 순수한 인종이라고 주장했다. 그리고 이 장에서 "어리석고 역겨운 반유대주의"를 비난한다. 유대인은 튜턴족에 비해 "열등한" 것이 아니라 그저 "다를" 뿐이라고 말한다. 유대인에게는 그들 나름의 위엄이 있으며, 그들은 인종의 순수성을 지키는 것이 인간의 "신성한 의무"임을 자각하고 있다는 것이다. 그럼에도 체임벌린은 유대인을 분석하면서 자신이 비난했던 다른 이들의 아주 모호한 반유대주의로 빠져들고, 결국에는 히틀러 시대에 율리우스 슈트라이허의 주간지《슈튀르머》에서 유대인을 외설적으로 희화화하는 쪽으로 빠져들었다. 실제로 나치 반유대주의의 '철학적' 기반 가운데 상당 부분은 이 장에서 유래했다.

체임벌린의 견해가 터무니없다는 것은 금세 알 수 있다. 그는 그리스도의 인성을 가리켜 고대가 근대 문명에 물려준 세 가지 위대한 유산 중 하나라고 단언했다. 그런 다음 예수가 유대인이 아니었음을 '입증'하려 했다. 체임벌린에게는 예수가 갈릴리 태생이라는 것, 아람어 후두음을 제대로 발음하지 못했다는 것이 예수가 "높은 비율로 비유대인 혈통"임을 드러내는 "명확한 증거"였다. 이어서 그는 전형적으로 단정을 짓는다. "누구든 예수가 유대인이었다고 주장하는 사람은 어리석거나 거짓말을 하는 것이다. … 예수는 유대인이 아니었다."

그렇다면 예수는 무슨 인종이었는가? 체임벌린은 아마도 아리아인이 었을 것이라고 답한다! 혈통상 순전한 아리아인은 아니었을지 몰라도 유대교의 "물질주의 및 추상적인 형식주의"와 현저히 대비되는 예수의 도덕적·종교적 가르침을 고려할 때 아리아인이 틀림없다는 것이다. 그러므로 그리스도가 "생명력으로 넘쳐나는 젊은 인도유럽어족 민족들의 신", 무엇보다 튜턴족의 신이 된 것은 (적어도 체임벌린에게는) 자연스러운 일이었는데, "다른 어떤 민족도 튜턴족만큼 이 신성한 목소리를 들을 준비가 되어 있지 않았기" 때문이다.

이어서 체임벌린은 셈족 또는 사막의 베두인족이 "유대인의 코"를 가진 단두短頭 히타이트족과 피를 섞고 결국 아리아인인 암몬족과 피를 섞은 시절부터 유대계 인종의 역사를 상세히 서술하려 한다. 그런데 유감스럽게도 "타락한" 히브리 혈통을 실제로 개량하기에는 아리아인—암몬족은 키가 크고 금발에 풍채가 당당했다고 체임벌린은 말한다―과 피를 섞은 시점이 너무 늦었다. 거기서부터 이 영국인은 유대계 인종의 순수성에 관한 자신의 이론을 송두리째 뒤집어, 유대인이 "부정적인" 인종, "사생아"가 되었으므로 아리아인이 이스라엘을 "인정하지 않는" 것은 정당하다고 주장한다. 또한 유대인에게 "후광 또는 거짓 영광"을 주었다는 이유로 그는 아리아인을 책망한다. 그런 다음 유대인에게는 "통탄스럽게도 참된 종교가 결여되어 있다"라고 말한다.

끝으로 체임벌린은 구원의 길이 튜턴족과 그들의 문화에 있고, 튜턴족 중에서도 독일인이 그리스인과 인도아리아인으로부터 최고의 자질을 물려받았기에 가장 뛰어난 선천적 재능을 지녔다고 보았다. 따라서 독일인에게는 세계의 지배자가 될 권리가 있다. "오늘날 신은 독일인만을 키우고 있다." 다른 대목에서 체임벌린은 이렇게 썼다. "이것은 오랫동안 나의 영혼을 채운 지식이며 분명한 진실이다."

독일에서 출간된 《19세기의 토대》는 상당한 센세이션을 불러일으키며 이 이상한 영국인에게 돌연 명성을 안겨주었다. 이 책은 대체로 문장이 유려하고 문체가 뛰어나긴 해도 쉬운 읽을거리는 아니었다. 하지만 독일 상류층은 금세 푹 빠져들었는데, 자신들이 믿고자 하던 바로 그것을 이 책에서 발견했던 것으로 보인다. 이 책은 10년 사이에 제8판까지 나오며 6만 부가 팔렸고, 1914년 1차대전이 발발한 무렵까지 10만 부가 팔렸다. 그리고 나치 시대에 다시 인기를 얻어 내 기억으로 1938년에는 제24판 광고가 나왔고 이때까지 판매량이 25만 부 이상이었다.

《19세기의 토대》를 초기에 가장 열광하며 읽은 독자들 중에 카이저 빌헬름 2세가 있었다. 카이저는 체임벌린을 포츠담 궁에 초대했으며, 두 사람은 첫 만남부터 우정을 쌓고 1927년에 저자가 사망할 때까지 이어 갔다. 첫 만남 이후로는 편지를 많이 주고받았다. 체임벌린이 황제에게 보낸 43통의 편지(빌헬름은 답신으로 23통을 보냈다) 중 일부는 이 통치자가 허풍 떠는 연설이나 성명에 몇 차례 인용했던 장황한 에세이였다. "신께 서 그대의 책을 독일 국민에게, 그대를 친히 내게 보내주셨소." 카이저는 초기 편지들 중 하나에 이렇게 썼다. 카이저에게 보낸 편지들에 보이는 체임벌린의 알랑거리는 표현과 과장된 아부는 구역질이 날 정도다. "폐 하와 폐하의 신민들은 성스러운 신전에서 탄생했습니다"라고 쓰는가 하 면, 자신의 서재에 빌헬름의 초상화와 레오나르도 다 빈치의 그리스도 초상화를 서로 마주보게 걸어두고는, 저술하는 동안 구세주의 얼굴과 주 권자의 얼굴 사이를 자주 오간다고 알리기도 했다.

체임벌린은 굽실거리면서도 이 고집 세고 화려한 군주에게 끊임없이 조언을 했다. 1908년에는 빌헬름에 대한 대중의 반감이 극에 달해 제국 의회에서 외교 사안에 대한 카이저의 백해무익한 개입을 검열하기에 이 르렀다. 그러나 체임벌린은 카이저에게 여론은 바보들과 배신자들이 만 드는 것이니 개의치 마시라고 조언했고, 이에 빌헬름은 우리 두 사람이 단합하자고 답신했다—"그대는 펜을 휘두르시오. 나는 혀와 날이 넓은 검을 휘두르겠소."

그리고 이 영국인은 카이저에게 언제나 독일의 사명과 운명을 상기 시켰다. 1차대전이 발발한 후에는 이렇게 썼다. "독일은 권력을 획득하 고 나면—그것을 확신하고 기대하는 중입니다만—천재의 과학적인 정 책을 즉각 실행에 옮겨야 합니다. 아우구스투스는 세계를 체계적으로 바꿔놓으려 했으며, 독일도 똑같이 해야 합니다. … 독일은 공격용 무 기와 방어용 무기를 갖추고 있고, 군대만큼 단호하고도 나무랄 데 없이 조직되어 있으며, 예술과 과학, 기술, 산업, 통상, 금융 등 모든 분야에서 뛰어납니다. 간단히 말해 저마다 자기 위치에서 신성한 대의를 위해 최선을 다하고 있는 독일의 모든 사람은 세계의 교사요 조타수요 선구자입니다―따라서 독일은 … 내적 우수성으로 세계를 정복할 것입니다."

제2의 조국(1차대전 중반인 1916년에 귀화해 독일 시민이 되었다)을 위해 이런 영예로운 사명을 설파한 공로로 체임벌린은 카이저로부터 철십자 훈장을 받았다.

그러나 이 영국인의 영향력이 최대로 커진 때는 그가 사망하고 6년이 지나 자신이 예견했던 제3제국이 출현한 뒤부터였다. 나치는 체임벌린의 인종 이론, 독일인과 독일의 운명에 대한 열렬한 생각을 받아들이며 그를 자기네 예언자 중 한 명으로 칭송했다. 히틀러 치하에서는 그를 국가사회주의 독일의 "정신적 창건자"로 극찬하는 책과 팸플릿, 기사가 쏟아져 나왔다. 히틀러의 멘토 중 한 명인 로젠베르크는 이 영국인 철학자에 대한 자신의 열광적인 기분을 총통에게 자주 전해주려 했다. 히틀러는 빈을 떠나기 전에 체임벌린의 저술을 처음 접했을 공산이 큰데, 그 무렵에 히틀러가 게걸스럽게 읽어댔던 문헌을 생산한 범독일주의 단체들이나 반유대주의 단체들 사이에서 체임벌린의 저술이 제법 인기를 끌었기 때문이다. 또 전쟁 중에 체임벌린의 쇼비니즘적인 기고문도 몇 편 읽었을 것이다. 《나의 투쟁》에서 히틀러는 체임벌린의 견해가 제2제국 시기에 더 주목받지 못했다며 유감을 표한다.

체임벌린은 독일에서 히틀러의 빛나는 미래―그리고 독일 국민이 히틀러를 따를 경우 얻게 될 새로운 기회―를 맨 먼저 내다본 지식인 중

한 명이었다. 체임벌린은 1923년에 바이로이트에서 히틀러를 만났으며, 당시 병들고 반신불수인 데다 독일의 패전과 호엔촐레른 제국의 몰락ㅡ 모든 희망과 예언의 좌절!ㅡ으로 환멸에 빠져 있었음에도 이 연설에 능한 오스트리아인 청년에게 곧바로 매료되었다. 이튿날 체임벌린은 히틀러에게 편지를 썼다. "당신은 대업을 수행해야 합니다. … 고백하건대 희망을 많이 접기는 했지만, 독일주의에 대한 나의 신념은 한순간도 흔들린 적이 없습니다. 당신은 단숨에 내 영혼의 상태를 바꿔놓았습니다. 독일이 가장 절박한 시기에 당신이라는 인간을 낳았다는 사실이 독일의 생명력을 입증합니다. 당신이 발산하는 영향력도 마찬가지입니다. 이 두 가지ㅡ개성과 영향력ㅡ는 한 묶음이기 때문입니다. … 당신께 신의 가호가 있기를!"

이 무렵 아돌프 히틀러는 찰리 채플린 콧수염, 사나운 태도, 과격하고 별난 극단주의 탓에 대다수 독일인에게 여전히 광대 취급을 받고 있었다. 추종자도 별로 없었다. 그러나 최면을 거는 듯한 그런 개성의 매력은 노령의 병든 철학자에게 마법처럼 작용하여 일찍이 그가 합류하고 고양하기로 선택한 민족에 대한 신념을 되살렸다. 체임벌린은 출범한 지 얼마 안 된 나치당의 일원이 되어 건강이 허락하는 한 당의 보잘것없는 간행물을 위해 글을 쓰기 시작했다. 1924년에 발표한 어느 기고문에서 체임벌린은 당시 수감 중이던 히틀러를 신에게서 독일 민족을 이끌 운명을 부여받은 지도자로 찬양했다. 운명은 한때 빌헬름 2세에게 손짓을 했으나 그는 실패했다. 이제 아돌프 히틀러 차례다. 이 비범한 영국인이 70세 생일을 맞은 1925년 9월 9일, 나치당 기관지 《민족의 파수꾼》은 그에게 5단짜리 찬사로 축하를 건네고 《19세기의 토대》를 "나치 운동의 복음서"로 치켜세웠다. 16개월 후인 1927년 1월 9일, 체임벌린은 자신이 평생토록 설파하고 예언해온 모든 것이 장차 독일의 새로운 메시아의 신성한 인도 아래 실현되리라는 커다란 희망을 품은 채 무덤으로 들어갔다.

독일 땅으로 돌아갈 수 없었던 빌헬름 2세를 대리하여 참석한 대공을 제외하면, 히틀러는 체임벌린의 장례식에 참석한 유일한 공인이었다. 이 영국인의 죽음을 알리는 《민족의 파수꾼》은 독일 민족이 "우리 시대에 아직까지 십분 활용되지 못한 무기들의 위대한 제작자 중 한 명"을 잃었다고 보도했다. 나치당이 가장 쇠락했던 1927년의 을씨년스러운 1월, 죽음을 앞둔 반신불수의 노인도, 히틀러 본인조차도, 아니 독일 내의 다른 어떤 사람도 귀화한 영국인이 제작해놓은 무기들이 얼마나 빨리, 정말 얼마나 빨리 십분 활용될지, 그리고 얼마나 끔찍한 결과를 가져올지 내다보지 못했다.[27]


그렇지만 아돌프 히틀러는 이 시기에, 심지어 그전에도 자신에게 주어진 개인적 사명에 대한 불가사의한 감각을 지니고 있었다. 히틀러는 《나의 투쟁》에서 이렇게 썼다. "수백만 명 가운데 … **한** 사람이 앞으로 나서야 한다. 그는 필연의 힘으로 광범한 대중의 흔들리는 관념세계로부터 화강암처럼 확고한 원칙들을 세우고, 밀려오는 자유 사상세계의 물결 속에서 신념과 의지의 굳건한 통일을 보여주는 구릿빛 절벽이 솟아날 때까지 오로지 그 원칙들의 정당성을 입증하기 위해 투쟁할 것이다. [강조는 히틀러]"[28]

히틀러는 이미 스스로를 그 **한** 사람으로 여긴다는 것을 독자에게 의심의 여지 없이 드러낸다. 《나의 투쟁》에는 섭리에 의해 선택되어 위대한 민족을 이끄는 천재의 역할에 관한 소론이 드문드문 섞여 있다. 그 천재는 처음에는 사람들에게 이해받지 못하고 자신의 가치를 인정받지 못하더라도 온갖 곤경을 겪으며 위대한 민족을 더욱 위대한 민족으로 인도한다. 독자는 여기서 히틀러가 자기 자신과 자신의 현재 상황에 관해 이야기하고 있다는 것을 안다. 그 천재는 자신의 확신에 비하면 아직 세상으로부터 인정받지 못하고 있지만, 천재들의 운명은 처음에는 늘 그렇기 마련이다. "천재를 무대로 불러내려면 거의 언제나 모종의 자극이 필요하다"라고 히틀러는 말한다. "그러고 나면 세상 사람들은 겉보기에는 자신들과 똑같은 인간이 별안간 아주 다른 존재가 되는 것에 저항하며 믿지 않으려 든다. 이는 걸출한 인간이라면 누구나 되풀이해 겪는 과정이다. … 천재성의 불꽃은 진정으로 창조적인 인간의 두뇌 안에 탄생 순간부터 존재한다. 진정한 천재성은 언제나 타고나는 것일 뿐 결코 함양되는 것이 아니며, 배워서 얻는 것은 더더욱 아니다."[29]

특히 역사를 만든 위대한 인물들은 실천적인 정치인과 사유하는 사상가의 혼합체라고 히틀러는 생각했다. "인류 역사에서는 오랜 간격을 두고 간혹 정치인과 이론가가 융합되는 일이 있다. 그런 융합이 깊게 이루어질수록 정치인의 활동에 대한 장애물이 더 많아진다. 그는 더 이상 가장 선량한 가게 주인이라도 이해할 만한 필요성을 위해 활동하는 것이 아니라 극소수 사람만이 이해하는 목표를 위해 활동한다. 그러므로 그의 생애는 사랑과 증오 사이에서 괴로워진다. 그를 이해하지 못하는 당대인들의 항의는 후세의 승인—그는 이것을 위해서도 활동하는 것이지만—과 충돌한다. 미래를 위한 한 인간의 활동이 위대하면 위대할수록 당대인들이 그의 활동을 이해할 가능성은 낮아지고 그의 싸움은 더 힘겨워지기 때문이다."[30]

이 대목은 1924년에, 당시 희가극과 같은 폭동에 실패하여 신뢰를 잃고 감옥에 갇혀 있던 이 남자가 장차 무엇을 하려는지 이해하는 사람이 거의 없던 때에 쓰였다. 그러나 히틀러는 스스로를 전혀 의심하지 않았다. 히틀러가 실제로 헤겔을 읽었는지에 대해서는 논란이 분분한데, 그의 글이나 연설 내용으로 헤아려보건대 초기의 멘토인 로젠베르크, 에카르트, 헤스와의 토론을 통해서나마 이 철학자의 사상을 어느 정도 알았던 것은 분명하다. 헤겔이 베를린 대학에서 행한 유명한 강의는 이런저런 방식으로 히틀러의 관심을 끌었다. 니체의 수많은 금언에 관해서도 마찬가지였다. 헤겔이 '영웅' 이론을 개진하여 독일 정신에 크게 호소했음은 앞에서 간략하게 살펴본 대로다. 베를린 대학의 어느 강의에서 헤겔은 "세계정신의 의지"를 "세계사적 개인들"이 어떻게 수행하는지 논했다.

그들이 영웅이라 불릴 만한 것은, 기존 질서의 승인을 받은 차분하고 통상적인 사태의 추이가 아니라 숨겨진 원천으로부터, 껍질에 부딪치듯이 외부의 세계에 부딪쳐 그것을 산산이 조각내는, 여전히 표면 아래 감추어져 있는 내부의 정신으로부터 자신들의 목표와 소명을 이끌어냈기 때문이다. 알렉산드로스, 카이사르, 나폴레옹이 그런 개인들이었다. 그들은 실천적이고 정치적인 인간들이었다. 그러나 동시에 시대의 요청―무르익어 발전할 때가 된 것―에 대한 통찰력을 지닌 사유하는 인간들이었다. 이것이 바로 그들의 시대, 그들의 세계의 진실이었다. … 그들의 과제는 새로 싹튼 이 원리를, 즉 진보의 과정에서 그들의 세계가 필연적으로 나아갈 다음 단계를 알아내는 것, 그리고 이것을 자신의 목표로 삼고 거기에 모든 정력을 쏟는 것이었다. 그러므로 세계사적 개인들―시대를 대표하는 영웅들―은 앞날을 내다보는 눈을 지닌 인간들로 인정받아야 한다. **그들의 행위, 그들의 말은**

당대 최선의 것이다.[31]

이 글과 앞에서 인용한 《나의 투쟁》의 구절이 비슷하다는 데 주목하라. 정치인과 사상가의 융합, 이것이 영웅을 낳고 '세계사적 인물'을 낳고 알렉산드로스, 카이사르, 나폴레옹과 같은 인간을 낳는다. 당시 자기 내부에서 그런 융합이 이루어졌다고 믿기에 이른 히틀러는 그렇다면 자신도 이런 세계사적 영웅들과 나란히 서는 것을 열망해도 되지 않을까 생각했다.

히틀러의 발언에는 최고지도자는 범인凡人의 선악을 초월한다는 논지가 깔려 있다. 헤겔도 니체도 같은 생각이었다. 앞에서 "사적인 덕목"과 "부적절한 도덕적 주장"으로 위대한 통치자의 행보를 방해해서는 안 되고, 설령 영웅들이 운명을 완수하는 과정에서 수많은 무고한 꽃을 짓밟거나 "산산이 조각"내더라도 역겨워해서는 안 된다는 헤겔의 주장을 살펴보았다. 니체는 괴상한 과장법으로 훨씬 더 멀리까지 나아간다.

강자들, 지배하는 자들은 맹수의 순수한 양심을 회복한다. 즐거움으로 가득한 괴물인 그들은 끔찍한 살인, 방화, 강간, 고문을 저지른 뒤에도 학생이 짓궂은 장난을 하고서 느끼는 것과 똑같은 즐거움을 가슴에, 똑같은 만족감을 영혼에 담은 채 돌아올 수 있다. … 한 사람이 명령할 수 있을 때, 타고난 '지배자'일 때, 행동과 몸짓이 사나울 때, 그에게 협약이 뭐가 중요하겠는가? … 도덕성을 올바르게 판단하려면 동물학에서 빌려온 두 가지 개념으로 바꿔놓고 생각해야 한다. 바로 야수 **길들이기**와 특정 종의 **개량하기**다.[32]

이런 가르침, 니체가 극한까지 밀어붙이고 그보다 못한 일군의 독일인들이 갈채를 보낸 가르침은 히틀러의 마음에 강하게 호소했던 것으로 보인다. 그것은 사명을 지닌 천재는 법 위에 있고 '부르주아'의 도덕 따위에 묶이지 않는다는 가르침이었다. 이런 이유로 마침내 행동할 때가 왔을 때 히틀러는 가장 무자비하고 냉혹한 행위, 즉 개인의 자유의 억압, 잔혹한 노역 실시, 강제수용소이 악행, 동지들에 대한 1934년 6월의 숙청, 전쟁포로 살해와 유대인 집단학살 등에 대해서도 자신을 정당화할 수 있었다.

1924년 크리스마스를 닷새 앞두고 란츠베르크 감옥에서 나왔을 때, 히틀러는 다른 사람이었다면 십중팔구 공적 생활을 그만둘 법한 처지임을 알았다. 나치당과 그 기관지는 금지되었다. 나치당의 이전 지도부는 서로 반목하며 이탈하고 있었다. 히틀러 자신도 공개 연설을 금지당했다. 설상가상으로 고국 오스트리아로 추방당할 수도 있었다. 바이에른 주 경찰이 내무부에 제출한 보고서에서 그것을 강력히 진언했던 것이다. 다수의 옛 동지들마저도 히틀러가 끝장났고, 바이마르 공화국이 빈발하는 내분으로 비틀거리는 듯했던 기간에 잠시 악명을 떨친 수많은 지방 정치인들과 마찬가지로 이제 망각의 저편으로 사라질 것이라고 보았다.*

그러나 공화국은 폭풍을 견뎌내고 번영하기 시작했다. 히틀러가 옥중

---

* 한참 후인 1929년에 다버넌(D'Abernon) 자작 일기의 편집자 M. A. 제로스월(Gerothwohl) 교수는 맥주홀 폭동에 관한 자작의 서술에 각주를 달아 히틀러가 석방되었다고 언급하고는 이렇게 덧붙였다. "그는 결국 6개월 후에 석방되어 나머지 형기 동안 근신하라는 명령을 받았으며, 그 후 망각의 저편으로 사라질 운명이었다." 다버넌 경은 1920년부터 1926년까지 베를린 주재 영국 대사로 근무하면서 바이마르 공화국을 강화하기 위해 뛰어난 수완을 발휘했다.

에 있는 동안 얄마르 호레이스 그릴리 샤흐트Hjalmar Horace Greeley Schacht
라는 금융의 마법사가 통화 안정을 위해 등용되어 임무를 성공시켰다.
파멸적인 인플레이션은 끝났다. 배상금 부담도 도스 안Dawes Plan에 의
해 경감되었다. 미국에서 자본이 흘러들기 시작했다. 경제는 빠르게 회
복되고 있었다. 슈트레제만은 연합국과의 화해 정책에 성공하고 있었다.
프랑스인은 루르 지역에서 물러가고 있었다. 유럽 전반의 분쟁을 해결
하고 독일을 국제연맹에 가입시키기 위한 준비 작업으로 집단안보 협정
(로카르노 조약)이 논의되고 있었다. 패전 이후 긴장과 혼란, 침체의 6년
을 보낸 끝에 독일 국민은 비로소 정상적인 생활을 하게 되었다. 히틀러
가 란츠베르크 감옥에서 석방되기 2주 전에 사회민주당―히틀러에 따
르면 '11월의 범죄자들'―은 공화국 옹호를 호소한 총선에서 득표수를
30퍼센트 끌어올렸다(거의 800만 표를 받았다). 1924년, 북부의 인종주의
단체들과 손잡고 국가사회주의독일자유운동이라는 이름으로 12월 총선
을 치른 나치당은 그해 5월에 거둔 근 200만 표의 성적에서 급락하여 채
100만 표도 얻지 못했다. 나치즘은 죽어가는 대의처럼 보였다. 국가의
불운을 먹고 무럭무럭 자라난 나치즘은 마침내 국가의 앞날이 돌연 밝아
지자 빠르게 시들어갔다. 대다수 독일인들과 외국인 관찰자들의 눈에는
그렇게 비쳤다.

  그러나 아돌프 히틀러는 그렇게 생각하지 않았다. 그는 좀체 낙담하
지 않았다. 그리고 어떻게 기다려야 하는지 알고 있었다. 예전의 생활로
돌아가 1925년 겨울 동안에 뮌헨의 티어슈슈트라세 41번지에 자리한 작
은 아파트 꼭대기 층의 방 두 칸짜리 거처에서, 그 후 여름이 오자 베르
히테스가덴 위쪽 오버잘츠베르크의 여러 숙소를 전전하면서 작금의 불
운이나 쇠락을 곱씹을 때에도 그의 결의는 더욱 강해지기만 했다. 형무

소 안에서 그는 자신의 과거, 자신의 승리나 실책뿐 아니라 독일 민족의 파란만장한 과거, **민족**의 승리와 실책까지 두루 되짚어보는 시간을 가졌다. 이제 승리도 실책도 더 또렷하게 보였다. 그리고 그의 내면에서 모든 의심을 날려버리는 불타는 사명감—그 자신과 독일을 위한 사명감—이 새로이 용솟음쳤다.

이렇게 고양된 정신으로 봇물 터지듯 말을 쏟아내《나의 투쟁》제1권에 실릴 구술을 끝마치고 곧이어 제2권을 구술하기 시작했다. 전능한 신이 이 격변하는 세상에서 히틀러에게 맡긴 청사진과 이 청사진을 떠받치는 철학—세계관—이 누구나 숙고해볼 수 있는 글로 인쇄되었다. 그 철학은 아무리 정신 나간 것처럼 보였을지라도, 앞에서 언급했듯이, 독일인의 삶에 깊게 뿌리박고 있었다. 히틀러의 청사진은 20세기를 사는 대부분의 사람들에게, 심지어 독일 내에서조차 터무니없어 보였을 것이다. 그러나 그 청사진에도 모종의 논리가 들어 있었다. 또한 그것은 하나의 비전을 제시했다. 비록 당대에는 소수만이 알아챘지만, 그것은 독일의 역사에 연속성에 부여했다. 그것은 독일의 영광스러운 운명으로 나아가는 길을 가리켰다.

제2부

# 승리와 공고화

# 제5장

# 권력에 이르는 길

1925~1931

1925년부터 1929년 대공황이 찾아올 때까지 아돌프 히틀러와 나치 운동은 별다른 결실이 없었다. 하지만 히틀러는 어지간히 인내하면서 결코 희망이나 자신감을 잃지 않았다. 자주 히스테리를 부리는 다혈질 성격에도 불구하고 참을성 있게 기다렸고, 이 무렵 독일에 감도는 물질적 번영의 분위기와 안도감이 자신의 목적에 유리하지 않다는 것을 날카롭게 인식했다.

히틀러는 호시절이 지속되지 않으리라 확신했다. 독일에 관한 한 호시절은 자국의 힘이 아니라 다른 나라들—무엇보다 금고의 불어난 자금을 쏟아부어 독일의 번영을 가능케 하고 또 지탱하고 있던 미국—에 달려 있다고 보았다. 1924년부터 1930년까지 독일의 차용금은 무려 70억 달러에 달했으며, 이 액수의 대부분은 독일인들이 종국에 상환할 수 있을지 여부를 염두에 두지 않은 미국 투자자들에게서 나왔다. 독일인들은 상환 가능성에 대해 더더욱 생각하지 않았다.

바이마르 공화국은 배상금을 지불하고 당시 세계의 모범이었던 폭넓은 사회복지사업을 확대하기 위해 돈을 빌렸다. 독일의 각 주, 시, 군은 꼭 필요한 개선을 위해서만이 아니라 비행장, 극장, 스포츠 경기장, 화려한 수영장을 짓기 위해서도 돈을 빌렸다. 인플레이션 기간에 채무를 모두 청산한 산업계는 수십 억 달러를 빌려 생산 공정을 개편하고 합리화했다. 산업계의 생산량이 1923년에는 1913년의 55퍼센트 수준까지 떨어졌지만, 1927년에는 122퍼센트 수준까지 회복했다. 1928년에는 전후 처음으로 실업자 수가 100만 명 아래로 65만 명까지 내려갔다. 그해에 소매업 매출은 1925년보다 20퍼센트 증가했으며, 이듬해 실질임금은 4년 전보다 10퍼센트 높았다. 중간계급 하층, 즉 히틀러가 대중의 지지를 얻기 위해 자기편으로 끌어들여야 했던 수백 만에 달하는 상점주들과 박봉의 봉급생활자들은 전반적인 번영의 몫을 나눠가졌다.

나는 이 무렵부터 독일을 알아가기 시작했다. 당시 나는 파리에 상주했고 이따금 런던에 들렀다. 캘빈 쿨리지Calvin Coolidge(1923~1929년 재임한 미국의 제30대 대통령) 시대의 믿기 힘든 우쭐함과 공허함에서 벗어나 한숨 돌리던 젊은 미국인에게 두 수도는 매력적이긴 했으나 베를린이나 뮌헨에 비하면 조금 빛이 바랬다. 독일에서는 굉장한 발효가 일어나고 있었다. 내가 접해본 다른 어떤 삶보다도 독일에서의 삶이 더 자유롭고 더 현대적이고 더 흥미진진해 보였다. 예술이나 지적 생활이 이토록 활기차 보이는 곳도 없었다. 문학이나 회화나 건축에는, 음악이나 연극에는 여러 새로운 흐름과 뛰어난 인재들이 눈에 띄었다. 그리고 어디서나 젊음이 두드러졌다. 나는 노천카페, 호화로운 바, 여름 캠프에서, 라인란트의 증기선이나 담배 연기 자욱한 예술가의 작업실에서 청년들과 어울려 밤새도록 인생에 대해 끊임없이 이야기했다. 건강하고 낙천적이며 햇빛을 숭배하는 그들은 마음껏 자유를 만끽하며 살아가려는 열의로 가득했다. 지난날의 억압적인 프로이센 정신은 사망하여 땅에 묻힌 것처럼 느껴졌다. 내가 만난 독일인들—정치인, 작가, 편집자, 예술가, 대학교수, 학생, 사업가, 노동운동 지도자—은 저마다 민주적이고 자유주의적이고 심지어 평화주의적인 사람이라는 인상을 풍겼다.

대개 맥주홀 폭동라고 알려진 사건과 관련해 웃음거리로 삼을 때를 빼면, 히틀러나 나치당을 입에 올리는 사람은 거의 없었다. 1928년 5월 20일 선거에서 나치당은 총 3100만 표 중 겨우 81만 표, 제국의회 총 491석 중 고작 12석을 얻는 데 그쳤다. 보수적인 민족주의 진영도 지지를 크게 잃어 1924년의 600만 표에서 400만 표로, 제국의회 103석에서 73석으로 줄어들었다. 그에 반해 사회민주당은 이전보다 125만 표 증가한 총 900만 표 이상을 얻고 제국의회에서 153석을 확보해 독일에서 단연 최대 정당이 되었다. 전쟁이 끝나고 10년 만에 바이마르 공화국은 마침내 자리를 잡은 듯 보였다.

1928년에 국가사회주의당의 당원은 10만 8000명이었다. 적긴 했지만 서서히 늘어나고 있었다. 1924년 말, 출옥한 지 2주 만에 히틀러는 바이에른 주 총리이자 가톨릭 계열의 바이에른인민당 당수인 하인리히 헬트Heinrich Held 박사를 서둘러 만났다. 근신하겠다고 약속하자(히틀러는 아직 가석방 중이었다) 헬트는 나치당과 그 기관지에 대한 금지 처분을 풀어주었다. 헬트는 바이에른 법무장관 귀르트너에게 "야수를 제압했으니 쇠사슬을 조금 풀어주어도 괜찮겠지요" 하고 말했다. 바이에른 총리는 이런 치명적인 판단 착오를 가장 먼저 범한 독일 정치인들 중 한 명이었다. 그러나 결코 마지막 정치인은 아니었다.

《민족의 파수꾼》은 1925년 2월 26일, 히틀러가 쓴 "새로운 시작"이라는 제목의 긴 사설과 함께 복간되었다. 이튿날 히틀러는 뷔르거브로이켈러에서 열린 부활한 나치당의 첫 대중집회에 연사로 나섰다. 1년 반 전인 1923년 11월 9일 오전에 충직한 추종자들과 함께 결국 불운하게 끝난 행진을 개시한 이래로 처음이었다. 당시의 주요 수하들은 이제 대부분 얼굴을 보이지 않았다. 에카르트와 쇼이프너-리히터는 죽고 없었고, 괴링은 망명 중이었다. 루덴도르프와 룀은 히틀러와 갈라섰다. 로젠베르크는 슈트라이허, 에서와 반목한 뒤 골이 나서 거리를 두고 있었다. 히틀러가 철창신세를 지고 나치당이 금지된 기간에 루덴도르프와 함께 국가사회주의독일자유운동을 이끌었던 그레고어 슈트라서Gregor Strasser도 마찬가지였다. 히틀러가 전직 자물쇠 수리공으로 나치당 창립자인 안톤 드렉슬러에게 이번 집회에서 사회를 맡아달라고 부탁하자 그는 저리 꺼지라고 대꾸했다. 그럼에도 약 4000명의 군중이 다시 한 번 히틀러의 연설을 듣고자 맥주홀에 모였고, 히틀러는 그들을 실망시키지 않았다. 히틀러의 웅변은 변함없이 감동적이었다. 2시간에 걸친 열변이 끝나자 군중은 장내가 떠나갈 듯 환호했다. 이탈자가 많고 전망이 어두움에도 불구하고 히틀러는 여전히 당의 독재적 지도자를 자임한다는 점을 분명히 했다. "이 운동을 저 혼자서 이끌고 있고, 제가 직접 책임을 지는 한 어느 누구도 제게 조건을 달 수 없습니다"라고 단언한 뒤 "이 운동에서 무슨 일이 일어나든, 모든 책임을 제가 다 지겠습니다"라고 덧붙였다.

히틀러는 장차 추구하려는 두 가지 목표를 머리에 새기고서 집회에 나섰다. 하나는 모든 권력을 자기 손에 쥐는 것이었다. 다른 하나는 나치당을 오직 합법적인 방법을 통해서만 권력을 추구하는 정치 조직으로 재건하는 것이었다. 히틀러는 아직 옥중에 있을 때부터 심복 중 한 명인 쿠르트 뤼데케Kurt Lüdecke에게 이 새로운 전술을 다음과 같이 설명했다. "앞으로 활동을 재개한다면 새로운 정책을 추구할 필요가 있네. 무장 쿠데타로 권력을 획득하려 애쓰지 말고 썩 내키지는 않더라도 가톨릭이나 마르크스주의의 대표들에 맞서 제국의회에 들어가야 해. 설령 그들을 투표로 이기는 길이 총격으로 이기는 길보다 더 오래 걸릴지라도, 적어도 그 결과는 바로 그들의 헌법에 의해 보장될 거야. 적법한 과정은 하나같이 더디지. … 조만간 우리는 과반수를 얻을 테고, 그러고 나면 독일을 얻을 걸세."[1] 란츠베르크에서 출옥하기 무섭게 히틀러는 바이에른 총리에게 나치당은 앞으로 헌법의 테두리 안에서 활동할 것이라고 확약했다.

그러나 2월 27일, 뷔르거브로이켈러에 다시 나타난 히틀러는 그만 자제하지 못하고 군중의 열의에 휩쓸리고 말았다. 그는 국가에 대한 협박의 말을 좀체 서슴지 않았다. 마르크스주의자와 유대인뿐 아니라 공화정 체제도 "적"으로 규정했다. 그리고 연설을 끝맺으면서 "우리의 이 투쟁이 가닿을 결말은 두 가지 뿐입니다. 적들이 우리의 주검을 넘어가든가 우리가 그들의 주검을 넘어가든가 둘 중 하나입니다!" 하고 소리쳤다.

투옥 이후 공개석상에 처음으로 모습을 드러낸 이 "야수"는 전혀 "제압"된 것처럼 보이지 않았다. 근신하겠다고 약속했음에도 또다시 국가를 폭력으로 위협했다. 바이에른 주정부는 즉각 히틀러의 공개 연설을 다시 금지했다―이 금지조치는 이후 2년간 유지되었다. 다른 주들도 그런 조치를 취했다. 이것은 그때까지 웅변으로 살아온 사람에게 큰 타격이었다. 입이 봉해진 히틀러는 패배한 히틀러, 수갑을 찬 채 링에 오른 권투선수만큼이나 무력한 존재였다. 대다수 사람들은 그렇게 생각했다.

그러나 이번에도 그들은 틀렸다. 그들은 히틀러가 청중을 휘어잡는 연설가일 뿐 아니라 뛰어난 조직가이기도 하다는 사실을 잊었다. 공개 연설을 금지당해 솟구치는 분노를 애써 억누르면서 히틀러는 국가사회주의독일노동자당을 재건하고 일찍이 독일에서는 볼 수 없었던 조직으로 만드는 일에 미친 듯이 매달렸다. 나치당을 군대처럼, 국가 안의 국가처럼 만들 작정이었다. 첫 작업은 당비를 낼 당원을 모으는 것이었다. 1925년 말에 당원 수는 겨우 2만 7000명이었다. 이 수는 더디게나마 해마다 증가했다. 1926년에 4만 9000명, 27년에 7만 2000명, 28년에 10만 8000명, 29년에 17만 8000명이었다.

더 중요한 일은 독일 정부의 조직, 나아가 독일 사회의 조직에 상응하는 정교한 당 조직을 갖추는 것이었다. 나치당은 독일 전역을 대체로 제국의회의 34개 선거구에 대응하는 대관구Gau로 나누었으며, 각 대관구는 히틀러가 임명하는 대관구장Gauleiter이 통괄했다. 또한 오스트리아, 단치히, 자르, 체코슬로바키아의 주데텐란트에 7개 대관구가 있었다. 각 대관구는 여러 관구Kreis로 나뉘었으며, 각 관구는 관구장Kreisleiter이 통괄했다. 그다음으로 나치당의 가장 작은 단위는 지역지부Ortsgruppe였으며, 도시부는 다시 세포Zelle들로, 세포는 다시 블록Block들로 나뉘었다.

나치당의 정치 조직은 두 집단으로 나뉘었다. 하나는 P.O. I 집단으로서 정부를 공격하고 약화하는 것이 목적이었고, 또 하나는 P.O. II 집단으로서 국가 안의 국가를 세우는 것이 목적이었다. 이런 이유로 둘째 집단에는 농업, 법무, 국가경제, 내무, 노동 부문이 있었고, 미래를 대비해 인종, 문화, 공업기술 부문도 두었다. 첫째 집단에는 외무, 노동조합, 언론기관 부문이 있었다. 선전국은 별도의 정교한 기구였다.

나치당원 중에는 무뢰한들, 길거리나 맥주홀의 싸움꾼들도 있었는데, 그중 일부가 여성과 어린이의 입당에 반대했음에도 히틀러는 곧 여성과 어린이를 위한 별도조직을 꾸리기도 했다. 히틀러청소년단Hitlerjugend은 15세에서 18세 사이 청소년을 받아들였고, 내부에 문화, 학교, 언론, 선전, 호신술 부문 등을 두었다. 10세에서 15세 사이 청소년은 독일소년단Deutsches Jungvolk에 등록시켰다. 소녀 조직으로는 독일소녀동맹Bund Deutscher Mädel이, 여성 조직으로는 국가사회주의여성동맹NS-Frauenschaft 이 있었다. 학생, 교사, 공무원, 의사, 변호사, 법률가 조직이 각각 따로 있었고, 지식인과 예술가를 끌어들이기 위한 나치 문화동맹Kulturbund도 있었다.

돌격대는 상당한 곤경을 겪은 후 수만 명 규모의 부장집단으로 재편 되어 나치당 집회를 호위하고, 다른 단체의 집회를 방해하고, 히틀러에 게 대항하는 자들을 위협하는 역할을 했다. 돌격대 수뇌부 일부는 히틀 러가 집권할 경우 정규군을 돌격대로 대체할 수 있기를 바랐다. 이를 준 비하기 위해 프란츠 리터 폰 에프 장군 휘하에 국방정책국Wehrpolitisches Amt이라는 특별 부서를 설치했다. 국방정책국의 5개 부는 대내외 방위 정책, 방위 병력, 민간 방위 전력 등의 문제를 다루었다. 그러나 갈색셔 츠 차림의 돌격대는 결코 잡다한 싸움꾼 무리 이상이 되지 못했다. 돌격 대 수뇌부 다수는 그 수장인 룀을 비롯해 동성애자들로 알려져 있었다. 뮌헨 돌격대를 이끈 에드문트 하이네스Edmund Heines 중위는 동성애자일 뿐 아니라 살인 전과자이기도 했다. 룀과 하이네스 등 이들 수십 명은 통 념에 어긋나는 성적 성향과 특이한 질투심에 사로잡힌 남자들만이 저지 를 수 있는 싸움과 반목을 일삼았다.

더 믿을 만한 무리를 곁에 두기 위해 히틀러는 친위대Schutzstaffel, SS를 창설해 대원들에게 이탈리아 파시스트 당원이 입는 것과 비슷한 검정 제 복을 입히고 자기 개인에 대한 특별한 충성 맹세를 시켰다. 처음에 친위 대는 총통의 경호대에 지나지 않았다. 친위대의 초대 지도자는 베르히 톨트Berchtold라는 신문기자였다. 이 사람은 경찰관이나 군인과 대결하는 것보다《민족의 파수꾼》의 비교적 조용한 편집실을 좋아했던 탓에, 평판이 고약한 전직 경찰 끄나풀인 에어하르트 하이덴Erhard Heiden이라는 자로 교체되었다. 히틀러는 1929년에야 비로소 자신이 찾고 있던 친위대의 이상적인 지도자를 발견했다. 뮌헨 근교 발트트루더링 마을의 양계업자로, 성품이 온화해 사람들이 소도시 교사로 오해하곤 했던(나도 처음 만났을 때 그렇게 오해했다) 하인리히 힘러라는 남자였다. 힘러가 친위대를 넘겨받았을 때에는 대원이 200여 명이었다. 힘러가 그 소임을 마쳤을 무렵 친위대는 독일 전역에서 위세를 떨쳤고 그 이름은 점령하의 유럽에서 공포를 불러일으켰다.

피라미드처럼 복잡한 나치당 조직의 꼭대기에는 '당과 돌격대 총통 겸 국가사회주의독일노동협회 의장'이라는 거창한 직함을 가진 아돌프 히틀러가 있었다. 그 직속으로 있는 제국지도부Reichsleitung는 당 간부들과 '재무국장', '사무국장' 같은 유능한 임원들로 구성되었다. 공화국 말기에 뮌헨에 있는 나치당 중앙 본부로 마치 궁전 같은 브라운하우스Braunes Haus를 방문한 나는 이곳이야말로 국가 내 국가의 청사라는 인상을 받았다. 그것은 의심할 나위 없이 히틀러가 풍기고 싶어한 인상이었는데, 무엇보다 자신이 전복하려는 실제의 독일 국가에 대한 국내외의 신뢰를 떨어뜨리는 데 도움이 되었기 때문이다.

그런데 히틀러는 단지 인상을 주는 것보다 더 중요한 일을 하느라 여념이 없었다. 집권한 지 3년 후, 1936년 11월 9일 맥주홀 폭동 기념일을 맞아 뷔르거브로이켈러에 모인 '역전의 용사들'을 향해 연설하면서 지난 날 나치당을 그야말로 모두를 아우르는 막강한 조직으로 키워내면서 염두에 두었던 목표 중 하나를 설명했다. 폭동 이후 당 개혁을 서두르던 시절을 회상하며 그는 이렇게 말했다. "우리는 낡은 국가를 전복하는 것만으로는 충분하지 않고 새로운 국가를 미리 건설하여 실제로 곧장 가동할 수 있도록 준비해두어야 한다고 생각했습니다. … 1933년에는 폭력 행위로 국가를 전복하는 것이 더 이상 문제가 안 되었습니다. 그사이에 새로운 국가를 건설해둔 터였고, 남은 일이라곤 낡은 국가의 마지막 잔재를 파괴하는 것뿐이었습니다. 그리고 그 일에는 몇 시간밖에 걸리지 않았습니다."[2]

조직이라는 것은 아무리 능률적이고 효율적이라 해도 실수를 저지르는 사람들로 구성되기 마련이다. 히틀러는 장차 독일의 운명을 떠맡기 위해 당을 추스르던 이 무렵에 간부들이 자기네끼리 끊임없이 다툴 뿐아니라 자신에게도 대드는 탓에 갖가지 곤경을 겪었다. 타고나기를 도무지 관용이라곤 없는 히틀러였지만, 이상하게도 인간으로서의 한 가지 조건—타인의 도덕성—에 관해서는 관용을 보였다. 독일 내 다른 정당들에 비해 나치당은 뒤가 구린 인물들을 단연 많이 끌어들였다. 앞에서 언급했듯이 온갖 뚜쟁이, 살인자, 동성애자, 알코올 중독자, 갈취범 등이 마치 천성에 맞는 안식처인 양 나치당으로 떼를 지어 몰려들었다. 히틀러는 자신에게 유용하겠다 싶으면 그런 자들이라도 개의치 않았다. 출옥하고 보니 그런 자들이 서로 으르렁대고 있었을 뿐 아니라, 로젠베르크나 루덴도르프 같은 한층 고지식하고 점잖은 지도부 측에서 범죄자들, 특히 성도착자들을 운동에서 내쫓으라고 요구해왔다. 이 요구를 히틀러는 노골적으로 거부했다. 1925년 2월 26일자 《민족의 파수꾼》 사설 "새 출발"에서 그는 이렇게 썼다. "나는 당장 동원할 수 있는 인재를 향상시키려 시도하거나 심지어 하나로 뭉치려고 시도하는 것은 정치지도자의 일이 아니라고 생각한다."

그렇지만 1926년 들어 나치 간부들이 걸핏하면 서로 고소, 맞고소를 하기에 이르자 히틀러는 당내 법정을 설치해 분쟁을 해결하고 당내의 치부가 밖으로 드러나는 것을 막고자 했다. 이 법정은 조사중재위원회Untersuchung und Schlichtungs-Ausschuss의 약어인 USCHLA라고 불렸다. 초대 위원장인 전직 장군 하이네만Heinemann은 이 법정의 목표를 온전히 간파하지 못했는데, 그 목표란 저속한 범죄의 피의자에게 판결을 내리는 것이 아니라 그런 범죄를 유야무야 처리하여 당의 규율이나 당수의 권위를 해치지 못하도록 막는 것이었다. 그래서 이 장군은 더 분별력 있는 퇴역장교 발터 부흐Walter Buch 소령으로 대체되었다. 부흐에게는 조수 두 명이 붙었는데, 한 명은 전직 도축업자로 히틀러의 경호원을 지낸 울리히 그라프였고, 다른 한 명은 젊은 나치 변호사 한스 프랑크Hans Frank였다. 후자에 관해서는 뒤에 가서 다시 언급하겠지만, 독일 점령하의 폴란드 총독으로서 실행한 잔혹한 처분 때문에 결국 뉘른베르크에서 교수형으로 죗값을 치렀다. 이 세 사람의 뛰어난 재판 삼두정치는 총통을 십분 만족시켰다. 당의 어떤 간부가 극악한 범죄로 고발당할 처지가 되었다. 그럴 때 부흐의 답변은 한결같이 "거참, 그래서 뭐?"였다. 그가 알고자 했던 것은 단지 그 범죄가 당의 규율을 해치는지, 총통의 심기를 건드리는지 여부였다.

이 당내 법정은 비록 수많은 분쟁에서 효과를 발휘하긴 했지만, 서로 숨통을 끊으려 드는 야심찬 나치 송사리 떼를 제압하기에는 역부족이었다. 히틀러는 나치당의 화목한 겉모습을 유지하기 위해서뿐 아니라 자신의 숨통을 지키기 위해서도 자주 직접 개입할 수밖에 없었다.

히틀러가 란츠베르크 감옥에 갇혀 있는 동안, 그레고어 슈트라서라는 청년이 나치 운동 내에서 갑자기 두각을 나타냈다. 직업이 약제사에 바이에른 태생인 슈트라서는 히틀러보다 세 살 아래였다. 히틀러와 마찬가지로 철십자 1급 훈장 수훈자였고, 전시에 사병에서 중위까지 진급했다. 1920년에 입당했고 곧 니더바이에른의 지구당을 맡게 되었다. 몸집이 크고 다부지며 쾌활하고 기운이 넘치는 슈트라서는 히틀러와 달리 선천적인 웅변 재능보다는 개성에 힘입어 유력한 대중 연설가로 떠올랐다. 더욱이 그는 타고난 조직가이기도 했다. 기질이나 정신 면에서 독립심이 강한 슈트라서는 히틀러에게 머리를 조아리지도 않았고, 나치 운동의 절대적 독재자를 자임하는 이 오스트리아인의 주장을 진지하게 받아들이지도 않았다. 슈트라서의 이런 태도는 국가사회주의의 '사회주의'에 대한 그의 진실된 열정과 더불어 길게 보면 치명적인 약점으로 드러날 터였다.

복역 중인 히틀러의 반대를 무릅쓰고 슈트라서는 루덴도르프, 로젠베르크와 함께 1924년 봄의 주 선거와 전국 선거를 치르기 위해 나치의 원민중적 운동을 조직했다. 이 연합은 바이에른 주에서 제2당이 될 만큼 득표했고, 앞에서 언급했듯이 전국에서 국가사회주의독일자유운동이라는 이름으로 200만 표와 제국의회 32석을 얻었다. 그중 한 석은 슈트라서의 몫이었다. 히틀러는 이 청년의 활동을 안 좋게, 성공은 더더욱 안 좋게 보았다. 슈트라서도 히틀러를 주인으로 받아들일 마음이 없었고, 1925년 2월 27일 뮌헨에서 나치당의 새 출발을 알린 대규모 집회에도 일부러 불참했다.

히틀러는 나치 운동이 진정한 전국적 운동이 되려면 북부의 프로이센에서, 무엇보다 적의 아성인 베를린에서 발판을 마련해야 한다는 것을 깨달았다. 1924년 선거 때 슈트라서는 북부에서 운동을 벌이면서 알브레히트 폰 그레페Albrecht von Gräfe와 에른스트 추 레벤틀로브Ernst zu Reventlow 백작이 이끄는 현지의 초민족주의 단체들과 동맹을 맺은 바 있었다. 그래서 그는 나치 간부들 중 유일하게 북부에도 개인적 인맥과 어느 정도의 추종 세력을 두고 있었다. 2월 27일 뮌헨 집회가 끝나고 2주 후에 히틀러는 개인적인 반감을 억누르고 슈트라서에게 사람을 보내 동료들 곁으로 돌아오도록 권하며 북부에서 나치당을 조직해줄 것을 제안했다. 슈트라서는 수락했다. 질투심 많고 오만한 지도자의 눈길을 피할 수 있는 곳에서 자신의 재능을 발휘할 기회였기 때문이다.

그레고어 슈트라서는 베를린에서 몇 개월 만에 주간지 《베를리너 아르바이터차이퉁Berliner Arbeiterzeitung》을 창간해 동생 오토 슈트라서Otto Strasser에게 편집을 맡겼고, 당의 방침을 임원들에게 알리는 격주간 소식지 《국가사회주의 서한N. S. Briefe》도 창간했다. 그러면서 정치 조직의 토대를 프로이센, 작센, 하노버, 나아가 공업지대 라인란트로 넓혀나갔다. 실로 정력적인 슈트라서는 북부 전역을 돌아다니며 집회에서 연설하고, 지구당 지도자를 임명하고, 당 기구를 설립했다. 그는 제국의회 의원인 덕에 히틀러에게는 없는 두 가지 직접적인 이점을 가지고 있었다. 하나는 철도 무임승차권이 있어서 본인이나 당으로서도 여비를 아낄 수 있었다는 점이고, 다른 하나는 의원 면책특권을 십분 활용할 수 있었다는 점이다. 어떤 당국도 그의 공개 연설을 막을 수 없었고, 어떤 법정도 그가 누군가를 또는 무언가를 비방하더라도 재판에 회부할 수 없었다. 하이덴이 비꼬듯 썼듯이 "자유로운 여행과 자유로운 비방—슈트라서는 총통보다 훨씬 유리한 위치에 있었다".

그레고어 슈트라서는 자신의 비서 겸 《국가사회주의 서한》의 편집인으로 파울 요제프 괴벨스라는 28세의 라인란트 출신 사내를 채용했다.

## 파울 요제프 괴벨스의 등장

___

가무잡잡하고, 왜소하고, 한쪽 다리가 불구이고, 두뇌 회전이 빠르고, 복잡하고 신경질적인 성격의 이 남자는 나치 운동을 생판 모르지 않았다. 일찍이 1922년에 뮌헨에서 히틀러의 연설을 처음 듣고서 마음을 돌려 나치당원이 되었다. 그러나 나치 운동 측이 괴벨스를 주목하게 된 것은 3년 후 그레고어 슈트라서가 이 청년의 연설을 듣고서 이 정도의 인재라면 쓸모가 있겠다고 판단하면서부터였다. 28세의 괴벨스는 이미 열정적인 웅변가, 광적인 민족주의자였고, 슈트라서가 알아본 대로 신랄한 문장가였으며, 나치 간부들 중에서는 드물게 대학 교육을 제대로 받은 자였다. 때마침 하인리히 힘러가 양계 일에 시간을 더 쏟고자 슈트라서의 비서직을 막 그만둔 참이었다. 슈트라서는 괴벨스를 비서로 임명했다. 이 선택은 훗날 치명적인 결과를 가져왔다.

파울 요제프 괴벨스는 1897년 10월 29일 라인란트 주의 직물업 중심지 라이트Rheydt에서 태어났다. 인구 약 3만의 이곳에서 아버지 프리츠 괴벨스Fritz Goebelles는 현지 직물공장의 현장 감독이었고, 어머니 마리아 카타리나 오덴하우젠Maria Katharina Odenhausen은 대장장이의 딸이었다. 양친 모두 독실한 가톨릭 신자였다.

요제프 괴벨스는 주로 가톨릭 관련 기관들에서 교육을 받았다. 우선 가톨릭 교구 부속 초등학교를 다닌 뒤 라이트에 있는 김나지움에 입학했다. 그리고 가톨릭 알베르투스 마그누스 협회의 장학금 덕에 대학에 진학할 수 있었는데, 실은 8개의 대학에서 배웠다. 1921년, 24세에 하이델베르크 대학에서 박사학위를 받기 전에 본, 프라이부르크, 뷔르츠부르크, 쾰른, 프랑크푸르트, 뮌헨, 그리고 베를린 대학에서 수학했다. 이 빛나는 기관들—독일 고등교육의 꽃이다—에서 괴벨스는 철학, 역사, 문학, 예술 연구에 집중하는 한편 라틴어, 그리스어 공부도 계속해나갔다.

괴벨스는 작가가 될 생각이었다. 박사학위를 받은 해에 자전적 소설 《미하엘》을 썼지만 당시 어떤 출판사도 받아주지 않았고, 뒤이은 2년간 두 편의 희곡, 즉 《방랑자》(예수 그리스도에 관한 작품)와 《외로운 손님》을 운문으로 완성했지만 어떤 연출자도 무대에 올리려 하지 않았다.* 언론계에서도 별반 행운이 따르지 않았다. 유력한 자유주의 일간지 《베를리너 타게블라트Berliner Tageblatt》는 괴벨스가 투고한 글 수십 편과 기자직 지원서에 퇴짜를 놓았다.

사생활 역시 초년에는 좌절의 연속이었다. 불구자여서 전시에 군인으로 복무할 수 없었고, 그래서 적어도 초기에는 같은 세대 젊은 남성들 사이에서 대단한 영광으로 여겨질 뿐 아니라 나치당 간부의 필수조건으로 여겨지기도 했던 군대 경험을 박탈당했다. 통념과 달리 괴벨스는 태어날 때부터 내반족內反足이었던 것은 아니다. 일곱 살 때 골수염을 앓았다. 왼쪽 허벅지 수술을 받았지만 제대로 안 되어 왼다리가 오른다리보다 짧아지고 조금 굽게 되었다. 그래서 눈에 띄게 절뚝거리는 장애를 안고 살아야 했는데, 이 장애는 평생토록 그의 화를 돋우었고 초년에 그를 비통에 빠뜨린 원인 중 하나였다. 대학 시절과 한동안 루르 지역에서 프랑스에 대항하는 선동가로 활동한 시기에 괴벨스는 악을 쓰듯이 상이군인 행세를 했다.

연애 면에서도 운이 없기는 마찬가지였다. 그럼에도 괴벨스는 늘 자신

---

* 《미하엘》은 결국 1929년, 괴벨스가 나치 간부로서 전국에 알려진 후에 출간되었다. 《방랑자》는 괴벨스가 선전장관이 되고 독일 연극계의 우두머리가 된 후에 상연되었다. 상연 기간은 짧았다.

의 바람기, 훗날 권세를 누리는 동안 악명을 떨친 바람기를 엄청난 무기인 양 착각하며 살았다. 슈트라서에게 발탁되어 나치 정치판에 갓 선을 보인 1925~26년, 그러니까 28~29세 무렵 괴벨스의 일기*는 연인들—여러 명을 동시에 사귀었다—에 대한 상념으로 가득하다. 예컨대 이런 식이었다.

1925년 8월 14일. 알마가 바트하르츠부르크에서 엽서를 보내왔다. 그날 밤이후 첫 신호다. 이 짓궂고 요염한 알마!

스위스에 있는 엘제로부터 첫 편지를 받았다. 귀여운 엘제만이 이렇게 쓸 수 있겠지. … 곧 라인 강으로 가서 나 홀로 일주일을 보낼 거다. 그곳으로 엘제가 올 거고. … 벌써부터 얼마나 행복한지!

8월 15일. 요 며칠 안케 생각이 머리에서 떠나질 않는다. … 그녀와 얼마나 멋진 여행을 했던지. 이 굉장한 계집애와!

엘제를 갈망하고 있다. 언제 다시 품에 안을 수 있을까?

귀여운 엘제, 언제 다시 볼 수 있을까?

알마, 귀여운 페더급이여!

안케, 절대 잊지 못해!

8월 27일. 라인 강에서 사흘…. 엘제로부터는 한 마디도 없다. … 내게 화가 난 걸까? 얼마나 애타게 그리워하는데! 지난 성신강림절에 그녀와 함께 지낸 방에 묵고 있다. 그때의 생각! 그때의 느낌! 왜 오지 않는 걸까?

---

* 전후 연합국 정보기관이 발견한 이 일기는 괴벨스의 젊은 시절 삶을 보여주는 정보로 가득하다.

9월 3일. 엘제가 여기 있다! 화요일에 스위스에서 돌아왔다. 토실토실하고, 풍만하고, 건강하고, 명랑하고, 햇볕에 살짝 그을린 채로. 그녀는 무척 행복해하고 기운이 넘친다. 내게 친절하고 큰 기쁨을 준다.

10월 14일. 왜 안케는 나를 떠나야 했을까? … 고작 이런 생각이나 하고 있어서는 안 된다.

12월 21일. 나와 그 여자들은 저주에 걸려 있다. 나를 사랑하는 이들에게 화가 미칠진저!

12월 29일. 간밤에 헤스와 함께 크레펠트에 갔다. 크리스마스 기념. 프랑켄에서 온 유쾌하고 아름다운 소녀. 내 타입이다. 폭풍우를 뚫고 그녀와 함께 귀가했다. 또 만나!
엘제가 도착했다.

1926년 2월 6일. 달콤한 여성이 그립다! 오, 고문 같은 고통이여!

괴벨스는 '안케'—프라이부르크 대학에서 2학기에 만난 첫사랑 안케 헬호른Anke Helhorn—를 결코 잊지 못했다. 괴벨스의 일기는 그녀의 아름답고 짙은 금발에 대한 극찬과 그녀가 떠났을 때의 환멸감으로 가득하다. 훗날 선전장관이 되었을 때 괴벨스는 친구들에게 그녀가 떠난 이유를 특유의 허영과 냉소를 섞어 털어놓았다. "그녀가 나를 버린 이유는 다른 돈 많은 남자가 그녀를 만찬과 쇼에 데려갈 수 있었기 때문이야. 얼마나 어리석은지! … 지금쯤 선전장관의 아내일 수도 있었는데! 얼마나 후회하고 있을까!" 안케는 다른 남자와 결혼했다가 이혼한 뒤 베를린으로 이주했고, 이곳에서 괴벨스가 잡지사 일자리를 구해주었다.[3]

슈트라서의 급진주의, 국가사회주의의 '사회주의'에 대한 그의 신념에 청년 괴벨스는 끌렸다. 둘 다 프롤레타리아트를 기반으로 당을 조직하려 했다. 이 무렵 괴벨스의 일기는 공산주의에 동조하는 표현으로 가득하다. 1925년 10월 23일에는 이렇게 썼다. "자본주의 치하에서 노예 상태를 견디느니 볼셰비즘 치하에서 삶을 끝내는 편이 더 나을 것이다." 1926년 1월 31일에는 스스로에게 이렇게 말했다. "우리[나치당]와 공산당이 서로 머리를 후려치는 것은 생각만으로도 끔찍한 일이다. … 어디에서 공산당 지도부와 이따금 만날 수 있을까?" 바로 이 무렵에 괴벨스는 공산당 지도자에게 나치즘과 공산주의가 실은 동일한 것이라고 장담하는 공개서한을 보내기도 했다. "그대와 내가 서로 싸우고 있지만, 우리는 사실 적이 아닙니다"라고 괴벨스는 단언했다.

아돌프 히틀러는 이를 어처구니없는 이단적 주장으로 여겼고, 북부에서 슈트라서 형제와 괴벨스가 활기차고 급진적인 프롤레타리아 계파를 성공적으로 조직하고 있는 상황을 갈수록 불쾌한 눈으로 지켜보았다. 가만히 내버려두었다가는 이들이 당을 장악하고 히틀러가 맹렬히 반대하는 목표를 추진할 수도 있었다. 그리하여 불가피한 대결이 1925년 가을과 1926년 2월에 벌어졌다.

그것은 당시 독일에서 꽤 격한 감정을 불러일으킨 쟁점을 둘러싸고 그레고어 슈트라서와 괴벨스가 부추긴 대결이었다. 그 쟁점이란 폐위된 왕후王侯 가문들의 막대한 토지와 재산을 공화국이 몰수해 국유화하자는 사회민주당과 공산당의 제안이었다. 이 문제는 바이마르 헌법에 의거해 국민투표로 결판날 터였다. 슈트라서와 괴벨스는 나치당도 이 논쟁에 뛰어늘어 귀족의 재산을 몰수하는 캠페인을 지지하자고 제안했다.

히틀러는 격분했다. 이들 과거의 통치계층 중 몇 사람이 나치당에 기부금을 낸 적이 있었다. 더욱이 다수의 대기업 총수들이 새로 태어난 히틀러의 운동에 경제적으로 관심을 보이기 시작하던 참이었다. 바로 공산당, 사회민주당, 노동조합을 상대로 보란듯이 싸울 것을 히틀러 측이 약속하기 때문이었다. 슈트라서와 괴벨스가 자기네 계획을 무사히 실행할 경우 히틀러의 수입원은 당장에 말라버릴 터였다.

그런데 총통이 행동에 나서기 전에 슈트라서가 1925년 11월 22일 하노버에서 북부 지구당 위원장들의 회의를 소집했다. 회의의 목적은 나치당 북부 분파로 하여금 재산 몰수 캠페인에 나서도록 추동하는 한편, 새로운 경제 프로그램을 개시하여 지난 1920년에 채택된 '반동적'인 25개조 당 강령을 폐기하는 데 있었다. 슈트라서와 괴벨스 일파는 대기업과 대토지를 국유화하고 제국의회를 파시스트 노선의 조합위원회로 대체하기를 원했다. 히틀러는 이 회의에 참석하지 않았지만 충직한 고트프리트 페더를 보내 자신을 대리하고 반란자들을 진압하도록 했다. 괴벨스는 페더의 퇴장을 요구하며 "우리는 앞잡이 따위 원하지 않습니다" 하고 소리쳤다. 훗날 제3제국에서 이름을 날릴 몇몇 위원장들—베른하르트 루스트Bernhard Rust, 에리히 코흐Erich Koch, 한스 케를Hans Kerrl, 로베르트 라이Robert Ley—이 참석했지만, 그중에서 히틀러를 지지한 사람은 쾰른 지구당 위원장으로 알코올에 중독된 화학자 라이뿐이었다. 라이 박사와 페더가 이 회의는 규칙 위반이며 최고지도자 히틀러를 빼고는 아무것도 할 수 없다고 주장하자 괴벨스는 (동석했던 오토 슈트라서에 따르면) "프티부르주아 아돌프 히틀러를 나치당에서 제명할 것을 요구합니다!"라고 외쳤다.

젊은 독설가 괴벨스는 3년 전 히틀러의 매력에 처음 사로잡힌 이래 장족의 발전을 해온 터였다—적어도 그레고어 슈트라서에게는 분명히 그렇게 보였을 것이다.

"그 순간 나는 다시 태어났다!" 괴벨스는 1922년 6월 뮌헨의 크로네 서커스장에서 히틀러의 연설을 처음 들었을 때의 인상을 기록하며 이렇게 탄복했다. "그제야 나는 어떤 길을 가야 할지 알았다. … 그것은 명령이었다!" 뮌헨 폭동 가담자들이 재판을 받는 법정에서는 히틀러의 행동에 더욱 열광했다. 판결이 내려진 뒤 괴벨스는 총통에게 편지를 썼다.

경탄하며 지켜보는 우리 눈앞에 당신은 빛나는 샛별처럼 나타났고, 우리의 마음을 정화하는 기적을 행했으며, 이 의심과 절망의 세계에서 우리에게 신념을 주었습니다. 대중 위에 우뚝 선 당신은 미래에 대한 신념과 확신으로 충만했고, 새로운 제국을 믿는 모든 이들에 대한 한없는 사랑으로 대중을 해방하려는 의지로 넘쳐났습니다. 탐욕으로 일그러진 얼굴들, 의회에서 참견하기 좋아하는 그저 그런 얼굴들에서 가면을 벗겨내는 한 남자를 우리는 처음으로 눈을 반짝이며 바라보았습니다. …

뮌헨의 법정에서 당신은 우리 앞에서 위대한 총통이 되었습니다. 당신이 한 말은 비스마르크 이래 독일에서 나온 가장 위대한 말이었습니다. 당신은 자신의 고통 이상을 표현했습니다. … 혼란스러운 갈망 속에서 인재와 과제를 찾고 있는 한 세대 모두의 요구를 당신은 지적했습니다. 당신이 한 말은 신 없이 허물어지는 세계의 절망에서 생겨난 새로운 정치적 신념에 대한 교리문답입니다. … 우리는 당신께 감사드립니다. 언젠가 독일은 당신께 감사드릴 것입니다. …

그러나 그로부터 1년 반이 지난 지금, 괴벨스의 우상은 추락해 있었다. 당에서 쫓아내야 할 '프티부르주아'가 되어 있었다. 라이와 페더 둘만 반대하는 가운데 하노버 회의 참석자들은 슈트라서의 새로운 당 강령을 채택했고, 마르크스주의자들과 힘을 합쳐 옛 왕후들의 재산을 몰수하기 위한 국민투표 캠페인을 벌이자는 결정을 승인했다.

히틀러는 때를 기다리다가 1926년 2월 14일 반격에 나섰다. 그는 약삭빠르게도 북부 지도자들이 직장을 벗어나기 어려운 평일을 택해 독일 남부 밤베르크에서 회의를 소집했다. 실제로 그레고어 슈트라서와 괴벨스만이 참석할 수 있었다. 두 사람은 히틀러가 손수 고른 남부 지도자들에게 수적으로 압도당했다. 그리고 총통의 고집에 밀려 부득불 항복하고 자신들의 강령을 포기할 수밖에 없었다. 하이덴과 올덴처럼 나치즘을 연구하는 독일인 역사가들과 이들의 견해를 따르는 비독일인 저술가들은 밤베르크 회의에서 괴벨스가 슈트라서를 공공연히 저버리고 히틀러 쪽으로 돌아섰다고 서술해왔다. 그러나 하이덴과 올덴이 책을 쓴 이후 발견된 괴벨스의 일기는 그가 슈트라서를 그렇게 느닷없이 배신했던 것은 아님을 알려준다. 그 일기는 괴벨스가 비록 슈트라서와 함께 히틀러에게 굴복하긴 했지만 총통이 완전히 틀렸다고 생각했다는 것, 그리고 적어도 당분간은 총통의 편으로 넘어갈 의향이 없었다는 것을 보여준다. 밤베르크 회의 후 2월 15일에 괴벨스는 일기에 이렇게 털어놓았다.

히틀러가 두 시간 동안 떠들었다. 누군가에게 두들겨 맞은 기분이다. 이 히틀러라는 인간은 도대체 어떤 부류일까? 반동분자일까? 극도로 서투르고 불안정하다. 러시아 문제에 대해서는 전적으로 틀렸다. 이탈리아와 잉글랜드가 본래 우리의 동맹이라니! 끔찍하다! … 우리가 러시아를 절멸시켜야 한

다니! … 귀족의 사유재산 문제는 건드리지도 말아야 한다. 끔찍하다! … 한 마디도 못하겠다. 머리를 얻어맞은 기분이다. …

확실히 내 생애에서 극도로 실망한 사건 중 하나다. 더 이상 히틀러를 온전히 신뢰하지 않는다. 끔찍한 일이다. 나를 떠받치던 버팀목을 빼앗겼다.

자신이 어느 쪽에 충성하는지 보여주기 위해 괴벨스는 역까지 슈트라서와 동행하며 그를 위로하려 했다. 한 주쯤 후인 2월 23일에 괴벨스는 이렇게 썼다. "슈트라서와 장시간 상의. 결론: 뮌헨 군중에게 피로스의 승리[손실이 워낙 커서 패배나 다름없는 승리]를 내주는 것을 꺼려서는 안 된다. 우리는 사회주의를 위한 우리의 싸움을 다시 시작해야 한다."

그러나 히틀러는 이렇듯 거침없는 라인란트 출신 청년을 슈트라서보다 높게 평가하고 있었다. 3월 29일, 괴벨스는 이렇게 적었다. "오늘 아침 히틀러에게서 편지가 왔다. 나더러 4월 8일 뮌헨에서 연설을 하란다." 4월 7일, 뮌헨에 도착했다. "히틀러의 차가 대기하고 있었다. 대접이 극진하다! 나는 역사적인 뷔르거브로이에서 연설할 것이다." 이튿날 괴벨스는 최고지도자가 올랐던 그 연단에서 연설을 했다. 그리고 이날의 일을 4월 8일 일기에 낱낱이 기록했다.

히틀러가 전화했다. … 밤베르크 회의에도 불구하고 친절을 베풀어 우리 일행을 부끄럽게 만든다. … 2시 정각에 차에 올라 뷔르거브로이로 갔다. 히틀러는 벌써 와 있었다. 심장이 너무 두근거려 꼭 터질 것만 같았다. 안으로 들어섰다. 떠들썩한 환영…. 그러고는 두 시간 반 동안 연설했다. … 사람들이 포효하고 소리쳤다. 마지막에 히틀러가 나를 껴안았다. 행복했다. … 히틀러는 언제나 내 편이다.

며칠 뒤 괴벨스는 완전히 항복했다. "4월 13일. 히틀러가 세 시간 동안 연설했다. 굉장하다. 히틀러의 연설을 듣다 보면 듣는 사람 스스로가 자신의 생각을 의심하게 된다. 이탈리아와 잉글랜드는 우리의 동맹이다. 러시아는 우리를 집어삼키려 한다. … 그를 사랑한다. … 그는 모든 것을 철저히 생각한다. 그의 이상은 적정한 집단주의와 개인주의다. 토지는 모든 국민의 것이다. 생산은 창조적이고 개인주의적이어야 한다. 트러스트, 운수 등은 국유화할 것이다. … 이제 그에게 안도한다. … 나는 이 위대한 인물, 정치 천재에게 경의를 표한다."

4월 17일 뮌헨을 떠날 때 괴벨스는 히틀러의 사람이었고, 마지막 숨을 거둘 때까지 줄곧 가장 충직한 추종자로 남았다. 4월 20일, 괴벨스는 총통에게 생일 축하 편지를 보냈다. "친애하고 존경하는 아돌프 히틀러에게! 당신에게 너무도 많은 것을 배웠습니다. … 당신 덕에 마침내 빛을 보게 되었습니다. …" 그리고 그날 밤 일기에 이렇게 썼다. "그는 37세다. 아돌프 히틀러여, 당신은 위대하고도 단순하기에 당신을 사랑합니다. 이 두 가지는 천재의 특성이다."

괴벨스는 그해 여름의 대부분을 히틀러와 함께 베르히테스가덴에서 보냈다. 그의 일기는 지도자에 대한 더 지극한 찬사로 채워졌다. 8월에 괴벨스는 《민족의 파수꾼》에 기고한 글을 통해 슈트라서와 공개적으로 갈라섰다.

이제야 당신들의 본모습이 보인다. 말을 들어보면 혁명가이지만 행동을 보면 그렇지 않다[슈트라서 형제와 그 추종자들을 가리키는 표현이었다]. … 이상에 대해 그렇게 자주 떠들지 말고, 당신들 스스로가 그런 이상의 발명자요 보호자라고 생각하여 웃음거리가 되지 마라. … 우리는 총통 뒤에 굳건히 서서 고행을 하고 있는 것이 아니다. 우리는 … 게르만 봉건 영주 앞에 꼿꼿이 섰던 고대의 북방인들처럼 인간적이고 온전한 긍지를 지닌 채 … 그에게 경의를 표한다. 우리는 그가 우리 누구보다도 위대하고 당신들이나 나보다도 위대하다고 느낀다. 그는 신선하고 창조적인 열정으로 역사를 만드는 신의 뜻의 도구다.

1926년 10월 하순, 히틀러는 괴벨스를 베를린 대관구장에 임명했다. 그러면서 베를린에서 싸움질을 하며 당의 성장을 방해해온 갈색셔츠 무뢰배를 숙청하고 국가사회주의를 위해 독일 수도를 정복하라고 지시했다. 당시 베를린은 '적색'이었다. 유권자의 과반이 사회민주당원과 공산당원이었다. 불굴의 괴벨스, 막 29세가 되었고 불과 1년이 조금 넘는 기간에 무명인에서 나치당 지도부의 일원으로 급부상한 이 남자는 화려하고도 퇴폐적인 이 대도시에서 주어진 임무를 완수하기 위해 나섰다.

### 아돌프 히틀러의 막간 휴식과 로맨스

아돌프 히틀러가 정치적 부진에 빠졌던 수년간은, 훗날 스스로 말했듯이, 사생활 면에서는 최상의 시절이었다. 1927년까지 공개 연설을 금지당한 처지였던 히틀러는 바이에른 알프스 산맥에 자리한 장터 마을 베르히테스가덴의 오버잘츠베르크에서 대부분의 시간을 보내면서 《나의 투쟁》을 마무리하고 나치당과 자신의 미래를 구상하는 데 열중했다. 그곳은 휴식과 기분 전환을 위한 피난처였다.

2차대전 중에 히틀러는 전선의 본부에서 오랜 당 동지들, 충직한 여성 비서들과 함께 느긋한 시간을 보내며 추억에 잠기곤 했는데, 그럴 때 히틀러의 독백에서는 그가 평생에 한 번 자기 집으로 소유했던 이 산장이 자신에게 어떤 의미였는지에 대한 향수 어린 이야기가 자주 등장했다. 이번에도 그런 자리였는데, 1942년 1월 16일에서 17일로 넘어가는 밤에 히틀러는 "그래" 하며 말을 이었다. "오버잘츠베르크와 나 사이에는 수많은 연결고리가 있네. 너무나 많은 것들이 그곳에서 생겨났지. … 그곳에서 생애 최고의 시간을 보냈어. … 나의 큰 계획들은 모두 그곳에서 싹트고 여물었네. 한가로운 시절이었고, 매력적인 친구들은 또 얼마나 많았던지!"

출옥하고 나서 처음 3년 동안 히틀러는 오버잘츠베르크의 여러 숙소를 전전했다—방금 말한 1942년의 겨울밤에도 그 숙소들에 대해 한 시간 동안 떠들었다. 그중에는 마지막으로 근 2년간이나 묵으면서 《나의 투쟁》의 구술을 마치기도 했던 도이체하우스라는 호텔도 있었다. 히틀러는 이런 말도 했다. 자신과 동지들은 "언제나 예쁜 여자들이 있는 드라이메데를하우스를 즐겨 찾았다. 그곳은 내게 큰 기쁨이었다. 특히 그들 중 한 명은 정말 미인이었다".

앞에서 말한 그 밤에 러시아 전선 사령부 벙커에서 히틀러는 즐거운 베르히테스가덴 시절에 마음에 걸렸던 두 가지 일을 들려주었다.

이 시기에 [오버잘츠베르크에서] 알고 지내던 여자들이 많았네. 몇 명은 나를 좋아하게 되었지. 그런데 왜 결혼하지 않았냐고? 여차하면 아내를 남겨두고 떠나란 말인가? 그때는 조금만 경솔하게 처신해도 다시 6년간 수감될 위험이 있었어. 그래서 결혼은 꿈도 꿀 수 없었지. 그들이 기회를 주었는데도 단념할 수밖에 없었다네.[4]

히틀러가 1920년대 중반에 다시 수감되거나 외국으로 추방될지도 모른다고 우려한 데에는 그럴 만한 근거가 있었다. 그는 아직 가석방 중이었다. 공개 연설 금지처분을 대놓고 어겼다면 바이에른 주정부가 십중팔구 다시 수감하거나 고국 오스트리아로 추방했을 것이다. 그가 오버잘츠베르크를 쉼터로 택한 이유 중 하나는 오스트리아 국경에서 가까워 유사시 그 선을 슬쩍 넘어가 독일 경찰의 체포를 피할 수 있다는 데 있었다. 하지만 자의든 타의든 오스트리아로 돌아갔다면 그의 미래는 닫히고 말았을 것이다. 추방 위험을 줄이기 위해 히틀러는 1925년 4월 7일, 오스트리아 국적을 공식적으로 포기했다―오스트리아 정부는 즉각 처리했다. 하지만 이로 인해 국적 없는staatenlos 사람이 되었다. 오스트리아 국적을 포기했지만 독일 국민이 되지는 못한 것이다. 이는 독일 내 정치인에게 상당히 불리한 조건이었다. 무엇보다 피선거권이 없었다. 그는 전시에 제정 독일의 군대에 복무했으므로 자신에게 응당 주어져야 하는 국적을 공화국 정부에 구걸하지 않겠다고 천명했다. 그러나 1920년대 후반 내내 바이에른 정부를 통해 독일 국민으로 인정받으려고 은밀히 시도했다. 이 노력은 실패했다.

여성관계와 결혼에 대해 말하자면, 히틀러가 1924년의 그 밤에 했던 발언에도 일면의 진실이 담겨 있었다. 통념과 달리 그는 여성과의 교제, 특히 아름다운 여성과의 교제를 좋아했다. 전시에 최고사령부에서 잡담할 때면 이 화제를 꺼내고 또 꺼냈다. "이 세상에는 얼마나 사랑스러운 여자들이 있는지!" 하고 그 밤에 동지들에게 말하고는 "젊은 시절 빈에서 사랑스러운 여자들을 많이 알고 지냈어!" 하고 자랑했다. 하이덴은 청년 히틀러가 연모한 여성 몇 명에 대해 말한다. 예니 하우크Jenny Haug는 히틀러 운전사의 여동생으로 1923년에 그의 애인으로 통했고, 키가 크고 우아했던 에르나 한프슈텡글Erna Hanfstaengl은 푸치의 누나였으며, 위니프리드 바그너는 리하르트 바그너의 며느리였다. 하지만 지금까지 알려지기로 아돌프 히틀러가 평생에 단 한 번 깊은 애정관계를 맺었던 상대는 그의 조카딸이었다.

1928년 여름, 히틀러는 오버잘츠베르크에 있는 별장 바헨펠르크를 어느 함부르크 기업가의 부인으로부터 월세 100마르크(25달러)에 빌렸다. 그러고는 빈에 사는 과부 이복누나 앙겔라 라우발을 이곳으로 불러와서 자신의 것이라 할 수 있는 첫 집*을 맡아달라고 부탁했다. 라우발 부인은 두 딸 겔리와 프리들Friedl을 데려왔다. 스무 살인 겔리는 남성을 끌어당기는 매력적인 금발과 예쁘장한 얼굴, 상냥한 목소리를 지닌 명랑한 성격의 여성이었다.[5]

히틀러는 곧 겔리와 사랑에 빠졌다. 집회나 회의, 긴 산책로가 있는 산기슭, 뮌헨의 카페나 극장 등 어디를 가든 겔리를 대동했다. 1929년에는 뮌헨에서 고급스럽기로 손꼽히는 거리인 프린츠레겐텐슈트라세에 있는 방 아홉 개짜리 호화로운 아파트를 임대하고서 방 하나를 겔리에게 주기도 했다. 당수와 그의 아름다운 금발 조카딸에 관한 소문이 뮌헨과 남부 독일의 나치당원들 사이에서 퍼져나간 것은 불가피한 일이었다. 더 고지식한─또는 샘이 난─간부들 중 일부는 히틀러가 젊은 애인을 자랑하듯 내보이는 행태를 그만두거나 그녀와 결혼해야 한다고 에둘러 말하기도 했다. 히틀러는 그런 이야기에 격노했고, 급기야 이 문제로 옥신각신하다가 뷔르템베르크 대관구장을 해임했다.

---

* 히틀러는 얼마 후에 이 집을 샀고, 총리가 된 뒤에는 호화롭게 개조하고 이름도 바헨펠트하우스에서 베르크호프(Berghof)로 바꾸었다.

히틀러는 조카딸과 결혼할 생각이었던 것 같다. 당시 히틀러와 가까 웠던 초창기 당 동지들은 훗날 나에게 두 사람의 결혼은 당연한 일로 보 였다고 털어놓았다. 히틀러가 그녀를 깊이 사랑한다는 것을 그들은 조금 도 의심하지 않았다. 겔리의 감정이 어떠했는지는 추측에 맡길 문제다. 그녀가 당시 유명해지고 있던 남자의 관심을 한몸에 받고 우쭐해했다는 것, 실은 그 관심을 즐기고 있었던 것은 분명하다. 그녀가 외삼촌의 사랑 에 화답했는지는 알려져 있지 않다. 아마도 아니었을 것이고, 종국에는 확실히 아니었다. 원인과 성격을 명확히 알 수 없는 깊은 균열이 두 사람 사이에서 점점 커졌다. 온갖 추측이 난무했으나 증거는 거의 없었다. 둘 다 서로를 질투했던 것으로 보인다. 겔리는 히틀러가 다른 여자들—특 히 위니프리드 바그너—에게 관심을 보여서 화가 났다. 히틀러는 겔리 가 자신의 경호원이었던 전과자 에밀 마우리체와 몰래 바람을 피웠다고 의심했다. 겔리는 외삼촌이 자신에게 폭군처럼 구는 것도 싫었다. 히틀 러는 겔리가 자기 말고 다른 남자와 같이 있는 꼴을 보지 못했다. 더욱이 겔리가 성악 레슨을 계속 받으려고 빈으로 가는 것을 금지해, 오페라 무 대에서 활동하려던 그녀의 포부를 찍어 눌렀다. 그녀가 자신의 전유물이 기를 원했던 것이다.

겔리가 연인의 마조히즘적 성향에 질색했고, 이 정계 폭군이 자신이 사랑하는 여인의 노예가 되기를 갈망했음—성과학자들에 따르면 히틀 러 같은 남자들에게 드물지 않은 욕구였다—을 암시하는 불분명한 단서 들도 있다. 하이덴은 히틀러가 이와 관련해 조카딸에게 자신의 가장 내 밀한 감정을 털어놓은 1929년의 어느 편지에 대해 말한다. 그 편지는 집 주인 아들의 손에 들어가는 바람에 결국 한 사람 넘게 목숨을 잃는 비극 으로 이어졌다.[6]

외삼촌과 조카딸의 사랑에 그림자를 드리운 원인이 무엇이었든 간에, 두 사람의 다툼은 더욱 격렬해져 1931년 여름 겔리가 빈으로 돌아가 성악 공부를 다시 시작하겠다고 선언하기에 이르렀다. 히틀러는 못 가게 막았다. 1931년 9월 17일, 히틀러가 함부르크로 가려고 뮌헨의 아파트를 떠날 즈음 이웃들이 목격한 두 사람에 얽힌 광경이 있다. 외삼촌이 차에 오를 때 겔리가 창가에서 "그래서 빈에 보내주지 않겠다는 거예요?"라고 소리치자 히틀러가 "그래!"라고 대꾸했다고 한다.

이튿날 아침, 겔리가 자기 방에서 총에 맞아 숨진 채로 발견되었다. 주 검사는 철저히 조사한 뒤 자살로 단정했다. 검시관은 총알이 왼쪽 어깨 아래 흉부를 지나 심장을 관통했다고 보고했다. 스스로 발사했다는 점에는 의문의 여지가 없어 보였다.

하지만 그 후로 수년간 뮌헨에서는 겔리 라우발이 살해당했다―발끈한 히틀러에 의해, 당의 난처해진 상황을 타개하려는 힘러에 의해―는 흉흉한 소문이 돌았다. 하지만 그런 소문을 뒷받침하는 믿을 만한 증거는 전혀 나오지 않았다.

히틀러는 슬픔에 몸을 가누지 못했다. 훗날 그레고어 슈트라서는 당시 히틀러가 자살하지 못하도록 이틀간 낮이고 밤이고 그의 곁을 지켜야 했다고 말했다. 빈에서 겔리의 장례식이 치러지고 일주일 후, 히틀러는 오스트리아 정부로부터 특별 허가를 받아 빈으로 가서 저녁 한때를 무덤 앞에서 울며 보냈다. 그리고 몇 달간 슬픔에 잠겨 지냈다.

겔리가 죽고 3주일 후 히틀러는 힌덴부르크 대통령과 처음으로 회견했다. 독일의 총리직을 걸고 처음으로 큰 도박에 나선 자리였다. 이 중차대한 기회에 히틀러는 좀체 집중하지 못했는데―몇몇 친구의 말마따나 대화하면서 능력을 십분 발휘하지 못하는 듯 보였고, 결국 회견이 나치

지도자에게 불리하게 돌아갔다—그를 아는 사람들은 사랑하는 조카딸을 잃은 충격 때문이라고 생각했다.

나는 히틀러가 이 개인적 충격 때문에 육식을 끊기로, 금욕하기로 결심했다고 생각한다. 적어도 심복 몇 명은 그렇게 생각했던 듯하다. 그 후로 히틀러는 늘 그들에게 이제껏 자신이 사랑한 여성은 겔리 라우발뿐이라고 난언했고, 언제나 가장 깊이 경애하는 마음으로, 때로는 눈물까지 글썽이며 그녀에 대해 말했다. 집사들은 오버잘츠베르크 별장의 그녀 방은, 심지어 히틀러의 총리 시절에 개축되고 확장된 뒤에도 그녀가 머물던 그대로 보존되었다고 전한다. 그 별장의 히틀러 방에는, 그리고 베를린의 총리 관저에는 언제나 겔리의 초상화*가 걸려 있었고, 해마다 그녀의 생일과 기일이면 초상화 주위에 꽃이 놓였다.

줄곧 누구도 사랑할 수 없을 것처럼 보였던 잔인하고 냉소적인 히틀러가 젊은 겔리 라우발에게 쏟은 열정은 그의 이상한 생애에서 두드러지는 수수께끼 중 하나다. 무릇 모든 수수께끼가 그렇듯이 이 수수께끼도 합리적으로 설명할 수 없다. 그저 이야기할 수 있을 뿐이다. 그 후로 거의 확실하게 아돌프 히틀러는 14년 뒤 스스로 목숨을 끊기 전날까지 결혼을 진지하게 생각해본 적이 없다.

히틀러가 조카딸에게 보낸 낯 뜨거운 편지를 집주인의 아들에게서 되찾아온 사람은 《나의 투쟁》 출간 전에 나치 지도자를 도와 원고를 손질했던 가톨릭 히에로니무스회 수도자이자 반유대주의 저널리스트 베른하르트 슈템플레 신부였다. 하이덴에 따르면 편지 회수에 들어간 돈은 나

---

* 겔리 사후에 히틀러가 제일 좋아한 화가 아돌프 치글러(Adolf Ziegler)가 그렸다.

치당 회계담당자 프란츠 크사버 슈바르츠Franz Xaver Schwarz에게서 나왔다. 슈템플레 신부는 겔리 라우발을 향한 히틀러의 사랑의 비밀에 관해 얼마간 알았던 소수 중 한 명이었던 것이다. 이 신부는 당시 사건에 대해 아는 바를 자기 혼자만 간직할 수 없었던 모양이다. 훗날 《나의 투쟁》의 저자가 독일의 독재자가 되어 옛 친구들 몇 명에게 원한을 갚을 날이 왔을 때, 슈템플레 신부는 지난날 입방정을 떨었던 대가를 목숨으로 치러야 했다.

오버잘츠베르크에서는 별장을, 뮌헨에서는 호화로운 아파트를 구하고 2만 마르크(5000달러)를 들인 멋진 자동차에 운전사를 붙여 여기저기 타고 다니며 안락하게 보낸 이 시절에 히틀러의 수입원이 무엇이었는지는 확실하게 밝혀지지 않았다. 하지만 이 문제에 관해서는 전후에 발견된 그의 소득세 관련 서류철이 약간의 실마리를 제공한다.[7] 총리가 되어 스스로 과세 면제를 선언하기 전까지 히틀러는 세무 당국과 끊임없이 마찰을 빚은 탓에, 뮌헨 세무서에는 1925년부터 1933년에 걸친 상당량의 서류가 남게 되었다.

뮌헨 세무서는 1925년 5월 1일, 히틀러에게 1924년과 1925년 제1사분기의 소득신고서를 제출하지 않았다고 통지했다. 히틀러는 "1924년 [수감 기간]에도, 1925년 제1사분기에도 수입이 없었습니다. 생활비는 은행 대출로 마련했습니다"라고 답변했다. 그러면 5000달러짜리 자동차는 뭐냐고 징세관이 쏘아붙이자 그것도 은행 대출로 마련했다고 답변했다. 히틀러는 모든 신고서의 직업란에 꼬박꼬박 '작가'라고 기입함으로써 수입의 상당 부분이 비과세 항목이라고 해명하려 했다—그는 분명 어느 나라에서나 통용되는 작가들의 관행을 알고 있었던 것이다.

1925년 제3사분기 소득신고서를 보면, 총수입 1만 1231RM(라이히스마르크Reichsmark), 공제 가능한 비용 6540RM, 대출 이자 지불금 2245RM, 남은 과세 소득 총액이 2446RM였다(라이히스마르크란 독일에서 1924년부터 1948년 6월 10일까지 사용된 통화를 가리킨다).

석 장에 걸쳐 타이핑한 해명서에서 히틀러는 고액의 비용이 대부분 정치 활동에 지출된 것처럼 보일지라도 그런 활동을 통해 정치 저술가로서 필요한 자료를 구할 수 있고 또 책 판매량도 늘릴 수 있다는 식으로 자신을 변호했다.

정치 활동을 하지 않는다면 제 이름이 알려지지 않을 것이고, 정치 관련 저술에 필요한 자료도 구할 수 없을 것입니다. … 따라서 정치 저술가인 저의 경우에 정치 활동의 비용, 즉 저술뿐 아니라 재정적 성공을 위해서도 꼭 필요한 이 비용은 과세 대상이 아닐 것입니다. …

이 기간에 저 개인을 위해 지출한 금액이 저의 저작 수입 중 극히 일부라는 것을 세무서에서는 확인할 수 있을 것입니다. **제 것이라고 말할 수 있는 재산이나 고정자산을 저는 어디에도 가지고 있지 않습니다.** 술과 담배는 입에도 대지 않고, 식사도 대부분 수수한 식당에서 합니다. 최소한의 아파트 임차료를 제외하면, 정치 저술가의 비용으로 돌릴 수 없는 지출은 하지 않고 있습니다. … **자동차는 저를 위한 것이긴 하지만 목적을 위한 수단입니다. 자동차가 있어야만 하루 일과를 제대로 진행할 수 있습니다.** [강조는 히틀러][8]

세무서에서는 히틀러의 경우 공제액을 절반만 인정했으며, 히틀러가 재심을 청구하자 재심위원회는 처음의 과세액을 그대로 지지했다. 그 후로 세무 당국은 히틀러의 공제액을 절반만 인정했다. 히틀러는 항의하면서도 납부했다.

나치 지도자가 신고서에 기입한 총수입은 《나의 투쟁》의 인세와 꽤 정확히 일치한다. 인세는 1925년 1만 9843RM, 26년 1만 5903RM, 27년 1만 1494RM, 28년 1만 1818RM, 29년 1만 5448RM였다. 출판사의 간행물은 세무서의 조사 대상이 되기 때문에 히틀러로서는 인세 수입을 실제보다 적게 신고할 만한 뾰족한 수가 없었다. 그렇다면 다른 수입원들은 어땠을까? 절대 신고하지 않았다. 이 무렵 히틀러는 자금난에 시달리는 나치 기관지에 자주 기고하면서 고액의 원고료를 요구해서 받았다고 한다. 그래서 당내에는 히틀러의 원고료가 비싸다고 투덜대는 이들이 많았다. 이런 수입은 소득신고서에서 찾아볼 수 없다. 1920년대가 저물어갈 무렵, 히틀러가 마르크스주의자와 노동조합에 반대한다는 점에 이끌린 바이에른이나 라인란트의 몇몇 대기업 총수들로부터 나치당으로 돈이 흘러들기 시작했다. 독일 철강업 트러스트인 연합철강Vereinigte Stahlwerke의 프리츠 티센Fritz Thyssen, 루르 지역의 석탄 왕 에밀 키르도르프Emil Kirdorf가 상당한 액수를 기부했다. 그런 돈은 대개 히틀러에게 직접 건네졌다. 그중 얼마를 히틀러가 사적으로 챙겼는지는 결코 밝혀지지 않을 것이다. 그러나 총리가 되기 전 수년간의 생활수준은 후원자들로부터 받은 돈 전부를 당의 자금으로 넘기지 않았다는 것을 시사한다.

분명 1925년부터 1928년까지 히틀러는 소득세를 납부하기 어렵다고 불평했다. 으레 체납하고 납부 연기를 신청했다. 1926년 9월에는 뮌헨 세무서에 서신으로 이렇게 말했다. "지금 저는 세금을 납부할 형편이 못 됩니다. 생활비를 마련하기 위해 대출을 받아야 했습니다." 이 시기에 대해 훗날 그는 "수년간 나는 티롤산産 사과로 연명하다시피 했다. 우리가 얼마나 절약할 수밖에 없었는지 믿기 어려울 정도다. 당을 위해 한 푼이라도 아꼈다"라고 주장했다. 1925년에서 1928년 사이에 그는 징세관에게 빚의 수렁으로 점점 깊이 빠져들고 있다고 주장했다. 1926년에는 1만 5903RM의 수입, 3만 1209RM의 지출을 신고하고 부족분을 "은행 대출"로 메웠다고 말했다.

그 후 1929년 수입이 1925년보다 현저히 적다는 그의 강변에도 불구하고 신고서에서는 대출금 이자 지불 및 상환 항목이 마치 기적처럼 사라졌다—그리고 다시는 나타나지 않았다. 이 서술의 근거가 된 연구에서 오론 J. 헤일Oron J. Hale 교수는 "재정적 기적이 일어나 히틀러는 채무를 청산했다"라고 말했다.[9]

공정을 기해서 언급해야겠지만, 히틀러는 돈에 별로 개의치 않았던 것으로 보인다—적어도 편안하게 생활할 수 있을 만큼의 돈이 있고 임금이나 봉급을 받기 위해 고생스럽게 일할 필요가 없는 한에서는 그랬다. 어쨌든 1930년에 인세 수입이 별안간 전년도의 세 배인 1만 2000달러로 늘어나고 대기업으로부터 돈이 쏟아져 들어오기 시작한 덕에 히틀러 개인은, 그 전에는 어땠는지 몰라도, 돈 걱정에서 영원히 벗어났다. 이제 격렬한 에너지와 모든 재능을 자신의 운명을 완수하는 과제에 쏟아부을 수 있었다. 마침내 권력을 잡고 위대한 민족의 독재자가 되기 위해 질주할 때가 온 것이다.

## 대공황이라는 기회

1929년 말부터 들불처럼 전 세계로 번진 대공황은 아돌프 히틀러에게 기회를 제공했고, 그는 그 기회를 최대한 활용했다. 대부분의 위대한 혁명가들처럼 히틀러도 난세에만, 그러니까 대중이 처음에는 일자리를 잃고 굶주리고 자포자기했다가 나중에는 전쟁에 중독되는 어지러운 시절에만 성공을 구가할 수 있었다. 그럼에도 한 가지 점에서 히틀러는 기존의 혁명가들 중에서도 독특했다. 그는 정치권력을 손에 넣은 **후에** 혁명을 일으킬 작정이었다. 국가를 장악하기 위한 혁명은 벌이지 않을 생각이었다. 이 목표는 유권자들의 위임이나 국가 통치자들의 동의를 얻는 방법으로, 요컨대 합법적인 방법으로 달성할 계획이었다. 히틀러가 표를 얻기 위해 해야 하는 일이라곤 1930년대부터 독일 국민을 다시금 절망에 빠뜨린 시대를 활용하는 것뿐이었고, 집권층의 지지를 얻기 위해 해야 하는 일이라곤 자신만이 재앙과도 같은 곤경에 처한 독일을 구할 수 있음을 그들에게 납득시키는 것뿐이었다. 1930년에서 1933년에 걸친 격동기에 기민하고 대담한 나치 지도자는 한 쌍을 이루는 이 두 가지 목표를 달성하기 위해 또 다시 정력을 쏟기 시작했다. 돌이켜 생각하면 사태의 추이 자체가, 또 자신들이 통치하는 민주공화국을 충직하게 지키겠다는 맹세에 얽매인 소수의 나약함과 혼란상이 마치 히틀러의 계략이었던 것처럼 보인다. 그러나 1930년 초에는 결코 이런 결과를 예견할 수 없었다.

1929년 10월 3일, 구스타프 슈트레제만이 죽었다. 패전한 독일을 외무장관으로서 6년 사이에 다시 대국의 대열에 올려놓고 국민들에게 정치적·경제적 안정을 가져다주기 위해 부단히 힘쓰다가 기력을 다했다. 그 성과는 엄청났다. 슈트레제만은 독일을 국제연맹에 가입시켰고, 도스안과 영 안Young Plan을 협상으로 절충하여 전쟁 배상금을 독일이 지불할 수 있는 수준으로 낮추었으며, 1925년에는 로카르노 조약의 기안자 중 한 명으로 활약해 전쟁으로 지치고 갈등에 시달리던 서유럽 사람들에게 한 세대 만에 처음으로 평온을 가져다주었다.

슈트레제만이 죽은 지 3주 후인 10월 24일, 월스트리트 주식시장이 폭락했다. 그 영향은 곧 독일에서도 감지되었다ー재앙으로 다가왔다. 전후 독일 번영의 주춧돌은 외국에서, 주로 미국에서 들여온 차관과 세계 무역이었다. 새로운 차관의 유입이 끊기고 기존 차관의 지급 기일이 다가오자 독일의 재무 구조는 중압을 견뎌내지 못했다. 전반적인 불경기로 세계 무역이 활기를 잃자 독일은 꼭 필요한 원료와 식량의 수입 대금을 치를 수 있을 만큼의 수출이 불가능해졌다. 수출길이 막히자 산업계에서도 공장을 계속 가동하지 못해 1929년에서 1932년에 걸쳐 생산량이 거의 절반으로 줄었다. 수백만 명이 일자리를 잃었다. 수천 개의 중소기업이 도산했다. 1931년 5월에 오스트리아 최대 은행 크레디탄슈탈트Creditanstalt가 파산한 데 이어 7월 13일에는 독일 주요 은행인 다름슈테터 운트 나치오날방크Darmstädter und Nationalbank가 파산하자 베를린 정부는 일시적으로 모든 은행을 폐쇄할 수밖에 없었다. 미국의 허버트 후버 대통령이 독일의 배상금을 포함해 모든 전채戰債의 지불을 유예하는 이른바 모라토리엄 계획을 세워 7월 6일 시행했음에도 당시의 흐름을 막을 수 없었다. 서방의 지도자들이 이해하지 못했고 인력으로 어찌할 수 없다고 느낀 힘들에 의해 서구 세계 전체가 타격을 받았다. 그토록 풍요롭던 시절에 어떻게 그토록 극심한 빈곤과 고통이 갑자기 들이닥쳤던 것일까?

히틀러는 이런 파국을 예언했지만 그 원인을 이해하지 못한 점에서 여느 정치인과 다를 바 없었다. 아마도 그는 대다수 정치인들보다 이해 수준이 낮았을 텐데, 무엇보다 경제학에 무지했을 뿐 아니라 관심도 없었기 때문이다. 그러나 대공황이 제공한 갑작스러운 기회에는 무관심하지도 무지하지도 않았다. 독일 국민의 궁핍에, 채 10년도 지나지 않은 사이에 마르크화의 가치 폭락이라는 끔찍한 경험의 상처가 아직 남아 있는 그들의 삶에 히틀러는 연민을 느끼지 않았다. 오히려 공장이 잠잠하고, 공식 실업자 수가 600만을 넘고, 전국 모든 도시에서 식량을 배급받으려는 행렬이 몇 블록씩 이어진 그 암담한 시절에 그는 나치 기관지에 다음과 같이 쓸 수 있었다. "내 인생에서 요즘처럼 의욕이 생기고 내심 만족스러운 때는 일찍이 없었다. 힘겨운 현실 덕에 수백만의 독일인이 우리 민족을 속이는 마르크스주의자들의 유례없는 협잡과 거짓말, 배신에 눈을 떴기 때문이다."[10] 그에게 독일 동포의 고통은 굳이 시간을 들여 공감할 무언가가 아니라, 즉각적이고 냉혹하게 자신의 야망을 위한 정치적 지지로 바꾸어야 할 무언가였다. 1930년 늦여름, 그는 이 과제에 착수했다.

헤르만 뮐러Hermann Müller는 독일 사회민주당의 마지막 총리이자 바이마르 공화국을 지지한 민주 정당들의 연정에 기반을 둔 마지막 정부의 수반으로, 실업보험 기금을 둘러싸고 빚어진 이 정당들 사이의 분쟁 탓에 1930년 3월 사임했다. 후임 총리는 가톨릭 중앙당의 원내대표 하인리히 브뤼닝Heinrich Brüning이었는데, 전시에 기관총중대의 대위로서 철십자 훈장을 받은 바 있었고, 제국의회에서 냉철하고 보수적인 견해로 군대, 특히 당시만 해도 독일 대중에게 별반 알려지지 않았던 쿠르트 폰 슐라이허라는 장군의 호의적인 관심을 끌었다. 자부심 강하고 유능하고 야심찬 '내근 장교'로서 이미 군부 내에서 재능 있고 파렴치한 음모가로 여겨지던 슐라이허는 힌덴부르크 대통령에게 브뤼닝을 천거했다. 신임 총리는 설령 완전히 자각하고 있지는 못했을지라도 육군 측의 총리 후보자였다. 훌륭한 인격자로서 사심이 없고 겸손하고 정직하고 헌신적이고 다소 근엄한 브뤼닝은 독일에서 안정적인 의회제 정부를 되살리고 날로 심해지는 불황과 정치적 혼돈으로부터 국가를 구해내려 했다. 이처럼 선의와 민주적 정신을 가진 애국자는 비극적이게도 목표를 위해 노력하는 가운데 자기도 모르게 독일 민주주의의 무덤을 팠고, 그리하여 의도치 않게 아돌프 히틀러가 대두할 길을 닦고 말았다.

브뤼닝은 자신의 재정 계획에 들어 있는 특정한 조치들을 승인하도록 제국의회 의원 다수를 설득하지 못했다. 그러자 브뤼닝은 힌덴부르크에게 헌법 제48조를 발동하여 비상대권에 의거한 대통령령으로 자신의 재정 법안을 승인해달라고 요청했다. 이에 대응해 의회는 대통령령의 철회를 의결했다. 의회제 정부는 경제 위기로 강력한 정부가 반드시 필요한 순간에 와해되고 있었다. 이런 교착 상태를 타개하고자 브뤼닝은 1930년 7월 대통령에게 제국의회 해산을 요청했다. 선거일은 9월 14일로 정해졌다. 브뤼닝이 무슨 근거로 이 선거에서 의석의 과반을 무난히 차지할 것으로 전망했는지는 끝내 풀리지 않은 의문이다. 그러나 히틀러는 예상보다 일찍 기회가 왔음을 알아챘다.

가난에 쪼들리는 국민은 참담한 곤경에서 벗어날 길을 찾고 있었다. 실업자 수백만 명은 일자리를 원했다. 가게 주인들은 지원을 청했다. 지난번 선거 이래 유권자로 새로 진입한 무려 400만 명의 청년들은 적어도 생계를 꾸겨갈 만한 미래의 전망을 원했다. 불만을 품은 비참한 처지의 수백만 명 모두에게 히틀러는 동분서주하는 선거운동을 통해 일말의 희망을 걸 수 있는 공약을 제시했다. 독일을 다시 강국으로 만들고, 전쟁 배상금 지불을 거부하고, 베르사유 조약을 파기하고, 부패를 척결하고, 부호들(특히 유대인)을 굴복시키고, 모든 국민에게 일자리와 빵을 주겠다고 했다. 구제뿐 아니라 새로운 신념과 새로운 신까지 찾고 있던 가망 없고 굶주린 사람들에게 히틀러의 호소는 효과가 없지 않았다.

큰 기대를 걸었음에도 1930년 9월 14일 밤에 나온 당일의 선거 결과에 히틀러는 퍽 놀랐다. 2년 전, 나치당은 81만 표를 얻어 제국의회 의원 12명을 당선시킨 바 있었다. 이번에는 나치당의 득표수가 네 배로 늘어 50석을 확보할 수 있으리라 기대했다. 그런데 이날 나치당은 640만 9600표를 얻어 107석을 차지함으로써 기존의 가장 약소한 아홉 번째 정당에서 단숨에 제2당으로 약진했다.

나치당과 상극인 공산당도 1928년의 326만 5000표에서 증가한 459만 2000표를 얻어 의석을 54석에서 77석으로 늘렸다. 새 유권자들이 400만 명이나 되었음에도 온건한 중간계급 정당들은 가톨릭 중앙당을 제외하고 100만 표 넘게 잃었고, 사회민주당 역시 같은 성적표를 받았다. 우익 정당인 알프레트 후겐베르크Alfred Hugenberg의 독일국가인민당의 득표수는 400만에서 200만으로 떨어졌다. 나치당이 다른 중간계급 정당들로부터 지지자 수백만 명을 빼앗아온 것이 분명했다. 브뤼닝으로서는—또는 다른 누구라도—향후 제국의회에서 안정적인 과반을 차지하기가 더욱 곤란해지리라는 것도 분명했다. 그런 과반 의석 없이 공화국이 어떻게 존속할 수 있을까?

1930년 선거 직후부터 이 물음은 독일을 떠받치는 두 기둥 측에서 더욱 주목하는 문제가 되었다. 두 기둥이란 군대, 그리고 대기업 및 금융계로 이루어진 재계로, 양측의 지도부는 바이마르 공화국을 독일 역사에서 잠깐 스쳐지나가는 불운한 한때로밖에 보지 않았다. 성공적인 선거 결과에 달아오른 히틀러는 이제 이 양대 세력을 설득하는 쪽으로 관심을 돌렸다. 앞에서 언급했듯이 히틀러는 오래전 빈에서 카를 뤼거 시장으로부터 "강력한 기성 제도권"을 자기편으로 끌어들이는 중요한 전술을 배운 바 있었다.

그 1년 전인 1929년 3월 15일, 히틀러는 뮌헨에서 연설하면서 국가사회주의에 대한 적의와 공화국에 대한 지지를 재고해달라고 군대에 호소했다.

미래는 파괴의 정당들이 아니라 국민의 힘을 내부에 간직하는 정당들, 언젠가 군대를 도와 국민의 이익을 지키기 위해 군대와 손잡을 준비가 되어 있고 또 그러기를 원하는 정당들에 있습니다. 이에 반해 우리 군대의 장교들 중에는 사회민주당과 얼마나 멀리까지 동행할 수 있는지 따위로 아직도 고민하는 부류가 있습니다. 그런데 친애하는 장교 여러분, 여러분은 정말로 군대의 존립 기반을 모조리 해체하겠다고 천명하는 이데올로기와 무언가를 공유할 수 있다고 믿고 계십니까?

이 연설은 장교들의 지지를 바라는 교묘한 호소였다. 대부분의 장교들은, 히틀러가 백 번쯤 되풀이해 말했듯이, 지금 자신들이 지지하는 공화국이 지난 1차대전 시기에 군대의 등을 찔렀을 뿐 아니라 군부 자체와 군부가 상징하는 모든 것에 애정이 없다고 믿고 있었기 때문이다. 그런 다음 히틀러는 자신이 언젠가 할 일을 예언처럼 말하면서 만약 마르크스주의 세력이 나치 세력에 승리할 경우 장교들에게 무슨 일이 생길지를 경고했다.

[그럴 경우] 여러분은 독일군 위에 '독일군의 종말'이라고 쓰게 될 것입니다.

그때는, 여러분, 여러분은 틀림없이 정치에 관여하게 될 것입니다. … 그런 다음 여러분은 그 정권과 정치위원의 교수형 집행인이 될 것이고, 여러분이 행동하지 않으면 여러분의 아내와 자녀가 잠긴 문 안에 갇힐 것입니다. 그래도 행동하지 않으면 여러분은 내쫓기고 아마도 벽을 등지고 서게 될 것입니다. …[11]

이 연설을 들은 사람은 비교적 적었지만, 군인 사회에 퍼뜨리기 위해 《민족의 파수꾼》은 군대 특별판을 내고 연설문을 전문 그대로 싣는 한편, 그 무렵 나치당이 발행하기 시작한 군사 전문 월간지 《도이체 베르가이스트Deutsche Wehrgeist》(독일 국방정신)도 해당 연설을 길게 논평했다.

1927년에 군은 10만 국가방위군에서 나치당원을 모집하는 것을 금지하고, 병기고와 보급창에서 민간인 나치당원을 고용하는 것까지 막았다. 그러나 1930년대 초에는 나치의 선전이 군대 내에, 특히 젊은 장교들 사이에 침투하고 있다는 것이 분명해졌는데, 그들 다수는 히틀러의 광적인 민족주의뿐 아니라 그가 제시한 군대의 전망에도, 즉 군대가 과거의 영광과 규모를 회복하여 지금처럼 약소한 병력 수준에서는 주어지지 않는 진급 기회가 생길 것이라는 전망에도 이끌렸다.

나치의 군대 침투가 심각해지자 당시 국방장관 그뢰너 장군은 1930년 1월 22일 명령을 하달할 수밖에 없었다. 7년 전 맥주홀 폭동 전야에 젝트 장군이 육군에 하달한 경고를 상기시키는 명령이었다. 그뢰너 장군은 나치당이 권력을 탐한다고 단언했다. "그렇기 때문에 그들은 국가방위군에 구애하는 것이다. 자기네 당의 정치적 목적에 써먹기 위해 그들은 국가사회주의당만이 진정으로 민족 권력을 대변한다면서 우리를 현혹하려 든다." 그러면서 병사들에게 정치에 휘둘리지 말고 정당 간의 싸움과 거리를 둔 채 "국가에 봉사"할 것을 요청했다.

그 직후 국가방위군의 젊은 장교 몇 명이 정치와 거리를 두기는커녕 적어도 나치 정치에 관여했다는 사실이 드러나 독일에서 소동을, 장교단 최상층에서 불화를, 그리고 나치 진영에서 기쁨을 불러일으켰다. 1930년 봄, 울름 수비대 소속인 세 명의 젊은 중위 루딘Ludin, 셰링거Sheringer, 벤트Wendt가 군대 내에서 나치의 신조를 퍼뜨리고, 나치가 무장봉기할 경우 반란군을 향해 발포하지 말도록 동료 장교들을 설득하려 했다는 혐의로 체포되었다. 후자의 혐의는 반역죄에 해당했지만, 군대 내에 반역죄 혐의자가 존재한다는 사실이 공론화되는 것을 꺼린 그뢰너 장군은 그들을 단순한 군율 위반 혐의로 군사법원에 회부해 사건을 유야무야 덮으려 했다. 그러자 셰링거 중위가 격정적 토로의 글을 《민족의 파수꾼》에 은밀히 기고함으로써 이 계획을 저지했다. 1930년 9월 선거에서 나치당이 성공을 거두고 일주일 후, 세 중위는 반역죄 혐의로 라이프치히 대법원에 소환되었다. 그들을 옹호하는 이들 중에는 나치의 두 신진 변호사 한스 프랑크와 카를 자크Carl Sack 박사가 있었다.*

그러나 재판에서 각광을 받은 사람은 두 변호사도 세 피고도 아닌 아돌프 히틀러였다. 히틀러는 프랑크의 요청을 받아 증인으로서 출석했다. 이는 위험을 무릅쓴 계산된 행동이었다. 군대 내에서 친나치 정서가 커지고 있음을 입증한 셈인 세 중위와의 관계를 부인하는 것은 히틀러에게 체면을 구기는 행동이었을 것이다. 난처한 점은 군대를 전복하려는 나치의 시도가 드러난 것이었다. 그리고 나치당이 정부를 무력으로 전복하고

---

* 둘 다 교수대에서 생애를 마쳤는데, 자크는 1944년 7월 20일의 반히틀러 음모에 가담했다는 이유로, 프랑크는 폴란드에서 히틀러를 대신하는 총독이었다는 이유로 처형되었다.

자 호시탐탐 기회를 엿보는 혁명적 조직이라는 혐의로 기소되었다는 점도 히틀러의 당시 전술에 도움이 되지 않았다. 이 혐의를 부인하기 위해 히틀러는 프랑크와 함께 피고 측을 위해 증언할 계획을 짰다. 그런데 사실 총통은 훨씬 더 중요한 목적을 염두에 두고 있었다. 무엇보다 얼마 전 선거에서 놀라운 대중적 승리를 거둔 운동의 지도자로서 군대와 특히 주요 장교들에게 나치 중위들의 사건이 암시하는 것처럼 국가사회주의가 국가방위군에 위협이 되기는커녕 실은 군대의 구원이자 독일의 구원임을 납득시키는 것이었다.

증인석을 전국적 토론장으로 삼은 히틀러는 자신의 변론 재능과 정치적 전략의 섬세한 감각을 십분 활용했다. 히틀러의 능수능란한 기만적 행태를 알아차린 사람은 독일에, 심지어 장군들 사이에도 거의 없었던 것으로 보인다. 히틀러는 재판부(그리고 군 장교들) 앞에서 돌격대도 나치당도 군을 적으로 삼을 생각은 없다고 차분하게 확언했다. "저의 견해는 줄곧 군을 대체하려는 어떠한 시도든 미친 짓이라는 것이었습니다. 우리들 중 어느 누구도 군을 대체하는 데에는 전혀 관심이 없습니다. … 우리가 권력을 잡는다면 지금 있는 국가방위군으로부터 독일 국민의 위대한 군대가 탄생할 것입니다."

그리고 히틀러는 재판부(그리고 장군들)를 향해 나치당은 합법적인 방법으로만 권력을 잡으려 하고, 세 명의 청년 장교가 만약 무장봉기를 기대했다면 잘못 생각한 것이라고 되풀이해 말했다.

우리 운동은 무력을 필요로 하지 않습니다. 독일 민족이 우리의 이념을 알게 되는 때가 올 것입니다. 그때가 되면 3500만 독일인이 저를 지지할 것입니다. … 우리는 헌법상의 권리를 갖게 될 때, 우리 스스로 옳다고 생각하는 방식으로 국가를 형성할 것입니다.

재판장: 그 또한 합법적인 방법으로?

히틀러: 그렇습니다.

그러나 히틀러는 주로 군대와 국내의 다른 보수 세력을 향해 발언하고 있긴 했지만, 당원들의 혁명적 열의도 고려해야 했다. 세 명의 피고를 실망시킨 것처럼 그들을 실망시킬 수는 없었다. 이런 이유로 재판장이 실패로 끝난 1923년의 폭동 한 달 전에 히틀러가 했던 "머리통들이 모래밭에서 굴러다닐 것이다"라는 발언을 거론했을 때, 그는 기회가 왔다며 달려들었다. 나치 지도자는 그 발언을 이번에는 취소했을까?

[히틀러가 답변함] 여러분께 장담하건대 국가사회주의 운동이 이 투쟁에서 승리하는 날, 국가사회주의 법원도 승리할 것입니다. 그때가 오면 1918년 11월의 혁명에 복수할 것이고 머리통들이 굴러다닐 것입니다![12]

권력을 잡고 나면 무엇을 할지에 대해서 히틀러가 경고하지 않았다고는 아무도 말할 수 없다. 그런데 당시 법정의 방청인들은 히틀러의 태도를 환영했던 것으로 보인다. 이런 협박을 듣고도 우렁찬 갈채를 길게 보냈기 때문이다. 그리고 재판장이 이 소동에 화를 내긴 했지만, 그도 검사도 히틀러의 발언 내용에 이의를 제기하지 않았다. 이 발언은 독일 국내외의 많은 신문들에 선정적인 머리기사로 실렸다. 이 발언에 흥분한 나머지 해당 사건은 관심에서 멀어졌다. 국가사회주의 최고지도자 본인에게 자신들의 열의를 부정당한 청년 장교 세 명은 반역을 모의한 죄로 유죄판결을 받고 요새 감금 18개월이라는 가벼운 형을 선고받았다―공화제 독일에서 반역죄에 대한 중형은 공화국을 지지한 사람들의 몫이었다.*

1930년 9월은 독일 국민을 제3제국으로 거침없이 이끌어간 도정에서 하나의 분기점이 되었다. 나치당이 총선에서 놀라운 성공을 거두자 수백만 명의 보통사람뿐 아니라 재계와 군대의 여러 지도자까지도 어쩌면 이것이 시대의 조류일지 모른다고 생각하게 되었다. 그들은 나치당의 선동과 저속함을 좋아하지 않았을 테지만, 공화국의 첫 10년간 너무나 억제되어온 독일의 오랜 애국심과 민족주의 감정을 나치당이 되살리고 있다는 것은 사실이었다. 나치당은 독일 국민을 공산주의, 사회주의, 노동조합주의, 그리고 쓸데없는 민주주의로부터 빼내겠다고 약속했다. 무엇보다 독일 전역을 불타오르게 했다. 대성공이었다.

이런 성공과 라이프치히 재판에서 히틀러가 군에 공약한 내용 때문에 장군 몇 명은 국가사회주의야말로 국민을 통합하고, 옛 독일을 복원하고, 군을 다시금 위대한 대군으로 만들고, 치욕스러운 베르사유 조약의 속박으로부터 독일을 해방시키는 데 필요한 것일지도 모른다고 생각하기 시작했다. 줄기차게 "국가사회주의 혁명"을 들먹이는데 그게 무슨 뜻이냐고 묻는 대법원 재판장에게 히틀러가 다음과 같이 대꾸한 것도 그들의 마음에 들었다.

"그 의미는 오로지 오늘날 노예화된 독일 민족을 구하는 데 있습니다.

---

* 셰링거 중위는 히틀러가 배신했다고 생각해 격분한 나머지 옥중에서 나치당을 비난하며 광적인 공산주의자가 되었다. 1934년 6월 30일 숙청의 날에 (히틀러에게 등을 돌린 다수의 사람들과 마찬가지로) 셰링거도 제거 대상이었지만 어찌어찌 모면하고 목숨을 건져 히틀러의 종말을 지켜보았다. 루딘 중위는 열광적인 나치로 남았고, 1932년에 제국의회 의원으로 선출되었다. 또한 돌격대와 친위대의 고급장교가 되었고, 괴뢰국가 슬로바키아에 독일 대사로 부임했다가 체코 해방 때 체포되어 체코슬로바키아 당국에 의해 처형되었다.

독일은 강화조약들 때문에 손발이 묶여 있습니다. … 국가사회주의자들은 그 조약들을 법으로 여기지 않고 독일에 억지로 강제된 무언가로 여깁니다. 우리는 아무 죄도 없는 미래 세대가 그 조약들을 짊어져야 한다는 것을 인정하지 않습니다. 힘닿는 데까지 모든 방법을 동원해 거기에 저항한다면, 우리는 혁명의 길을 걸어가는 우리 자신을 목격할 것입니다."

이는 장교단의 견해이기도 했다. 장교단 수뇌부 중 일부는 국방장관 그뢰너 장군을 세 중위가 대법원에서 재판받도록 방치했다는 이유로 맹렬히 비판했다. 전후 독일 육군의 천재로, 게르하르트 폰 샤른호르스트Gerhard von Scharnhorst와 아우구스트 폰 그나이제나우August von Gneisenau의 후계자로 두루 인정받은 한스 폰 젝트 장군은 그뢰너에게 세 중위의 재판이 장교단의 단결 정신을 해쳤다고 불평했다. 얼마 후 육군 참모총장이 된 다음 (뒤에 가서 다루게 될) 더욱 중요한 인물이 되지만 1930년에는 세 중위가 소속된 울름 제5포병연대 지휘관이었던 루트비히 베크Ludwig Beck 대령은 이들이 체포되자 상관들에게 거세게 항의했을 뿐 아니라 라이프치히 재판에서 이들을 옹호하는 증언까지 했다.

재판 말미에 히틀러의 변론을 들은 장군들은 이제까지 군에 대한 위협으로 여겨온 운동에 한결 호의를 품게 되었다. 2차대전 시기 독일 국방군 최고사령부 작전참모장 알프레트 요들 장군은 뉘른베르크 군사재판에서 나치 지도자가 1930년 라이프치히에서 했던 발언이 장교단에게 어떤 의미를 지녔는지에 대해 말했다. 요들에 따르면 그때까지 고급장교들은 히틀러가 군을 해치려 한다고 생각했으나 이 발언 이후로 안심하게 되었다. 젝트 장군은 1930년에 제국의회 의원으로 선출된 뒤 한동안 히틀러와 공공연히 손을 잡았고, 1932년 대통령 선거 때는 여동생에게

(자신의 옛 상관인 힌덴부르크 말고) 히틀러에게 투표하라고 강권하기도 했다.

독일군 장교들의 정치적 맹목성, 결국 그들에게 치명타가 될 맹목성이 이때부터 자라나고 드러나기 시작했던 것이다.

장성들 못지않게 정치적 역량이 부족했던 산업계 및 재계의 거물들은 히틀러에게 거액을 쥐여주면 그 은혜에 감복할 것이고, 권력을 잡고 나면 자신들의 분부대로 움직일 것이라고 착각했다. 1920년대만 해도 히틀러를 오스트리아인 벼락출세자 정도로 치부했던 대다수 재계 지도자들은 1930년 9월 선거에서 나치당이 선풍을 일으킨 뒤부터 그가 독일을 장악하는 것도 무리가 아니라고 생각하기 시작했다.

발터 풍크Walther Funk는 뉘른베르크 재판에서 지난 1931년 무렵 "산업계의 친구들과 나는 나치당이 그리 멀지 않은 미래에 권력을 잡을 것이라고 확신했습니다"라고 증언했다.

기름기가 좌르르 흐르고 눈매가 간사해 보이고 배가 불룩 나오고 키가 작아서 대면할 때마다 내게 개구리를 떠올리게 했던 이 남자는 1930년 여름 독일의 으뜸가는 경제신문 《베를리너 뵈르젠 차이퉁Berliner Börsen-Zeitung》의 편집인이라는 수입 좋은 직업을 그만두고 나치당에 가입해 이 당과 재계의 여러 중요한 지도자들을 연결하는 중개자가 되었다. 풍크는 뉘른베르크 재판에서 당시 산업계의 친구 몇 명, 특히 라인란트 광산업계의 거물들이 자신에게 "사기업의 노선을 취하도록 나치당을 설득하기 위해" 나치 운동에 가담할 것을 권고했다고 말했다.

당시 나치당 지도부는 경제 정책에 관해 완전히 모순되고 혼란스러운 견해들을 가지고 있었습니다. 저는 민간 주도, 사업가의 자립, 자유기업의 창조력 등을 당의 기본적인 경제 정책으로 삼아야 한다는 것을 총통과 당에 직접 납득시켜 저의 임무를 완수하려 했습니다. 총통은 저와, 그리고 제가 소개한 산업계 지도자들과 대화하는 중에 자신이 국가 주도의 경제와 이른바 '계획경제'의 적이라는 점과 생산성을 극대화하기 위해서는 자유기업과 자유경쟁이 반드시 필요하다고 생각한다는 점을 누누이 강조했습니다.[13]

미래의 제국은행 총재 겸 경제장관 풍크에 따르면, 당시 독일에서 부호들을 물색하기 시작한 히틀러는 얼추 그들이 듣고 싶어하는 말을 하고 있었다. 나치당은 선거운동, 더욱 강화된 선전 비용, 유급 사무직원 수백 명의 급여, 1930년 말에 10만 명을 상회한—국가방위군보다도 많은 병력—돌격대와 친위대라는 준군사조직 유지 등을 위해 거액의 자금이 필요했다. 사업가들과 은행가들이 나치당의 유일한 자금원은 아니었지만—당비, 자산, 모금, 당의 신문이나 책자나 정기간행물 판매 등을 통해 상당한 금액을 마련했다—가장 큰 자금원이긴 했다. 그리고 그들의 돈이 나치당으로 흘러들수록 그들이 그동안 지지해온 다른 보수 정당들로 향할 돈은 줄어들었다.

먼저 당에서, 나중에 제국에서 히틀러의 언론을 총괄한 오토 디트리히Otto Dietrich는 "1931년 여름, 총통은 영향력 있는 산업계 거물들과 친분을 쌓는 일에 체계적으로 집중하기로 갑자기 결정했다"라고 말한다.[14]

그 거물들은 누구였을까?

그들의 정체는 비밀이어서 히틀러 주변의 핵심층을 제외하고는 아무도 알지 못했다. 나치당은 양다리를 걸쳐야 했다. 한편으로는 슈트라서, 괴벨스, 그리고 괴짜 페더가 국가사회주의자들은 진정한 '사회주의자'로서 금전 귀족에 대항하는 입장이라고 대중을 현혹해야 했고, 다른 한

편으로는 자금 여력이 충분한 사람들을 구슬려 당 운영에 필요한 돈을 얻어내야 했다. 1931년 후반기 내내 히틀러는 "전국을 종횡으로 누비면서 [재계의] 유력 인사들과 비밀리에 회동했다"라고 디트리히는 말한다. 몇 차례의 회동은 "호젓한 숲속 빈터에서" 열어야 했을 정도로 극비였다. "비밀을 엄수해야 했다. 언론에 빌미를 주지 말아야 했다. 결과는 성공적이었다."

이런 이유로 나치당의 정치는 우스꽝스러울 정도로 갈지자 행보를 보였다. 1930년 가을에는 슈트라서, 페더, 프리크가 나치당을 대표해 모든 이자율의 상한을 4퍼센트로 제한하고, "은행과 주식시장 거물들"뿐 아니라 모든 "동부 유대인들"의 지분을 보상 없이 몰수하고, 대형 은행들을 국유화하자는 취지의 법안을 제국의회에 제출한 바 있었다. 히틀러는 경악했다. 그것은 볼셰비즘일 뿐 아니라 당의 재정적 자살 행위였다. 히틀러는 당에 법안 철회를 단호하게 지시했다. 그러자 공산당에서 글자 하나까지 똑같은 법안을 다시 제출했다. 히틀러는 반대표를 던지라고 당에 지시했다.

전후에 뉘른베르크 감옥에서 풍크를 심문한 기록을 보면 히틀러가 공을 들인 "영향력 있는 산업계 거물들" 중 적어도 일부의 정체를 알 수 있다. 에밀 키르도르프는 노조를 증오하고 서부 독일의 광산업계에서 조성한 이른바 '루르 기금'이라는 정치 비자금을 관리한 석탄 왕인데, 1929년 나치당 전당대회에서 히틀러에게 매료되었다. 철강업 트러스트의 수장 프리츠 티센은 훗날 자신의 어리석은 짓을 후회하며 《나는 히틀러에게 돈을 줬다》라는 책을 쓴 인물로, 키르도르프보다도 먼저 나치당에 기부했다. 1923년 뮌헨에서 나치 지도자를 만난 티센은 히틀러의 달변에 넋을 잃고 당장 루덴도르프를 통해 당시 무명이던 나치당에 처음부터 10만

금마르크(2만 5000달러)를 건넸다. 티센에 이어 역시 연합철강의 유력자였던 알베르트 푀글러Albert Vögler도 기부자로 나섰다. 실제로 석탄업계와 철강업계는 1930년에서 1933년 사이에 히틀러가 마지막 장애물을 넘어 집권할 수 있도록 도와준 주요 자금원이었다.

이 밖에 풍크는 히틀러가 결국 성공할 경우 찬밥신세가 되기를 원하지 않았던 다른 산업계나 기업의 중역들도 열거했다. 그 명단은 길기는 해도 완전하다고는 말할 수 없는데, 뉘른베르크 재판에 끌려왔을 무렵 풍크의 기억력이 형편없었기 때문이다. 그 명단에는 거대 화학공업 카르텔 I. G. 파르벤의 이사인 게오르크 폰 슈니츨러Georg von Schnitzler, 칼륨 제조사(풍크는 이 업계가 "총통에 대해 긍정적인 태도"를 보였다고 말한다)의 아우구스트 로스테르크August Rosterg와 아우구스트 딘August Diehn, 함부르크-아메리카 기선의 빌헬름 쿠노Wilhelm Cuno, 중부 독일의 갈탄산업, 콘티Conti 고무 그룹, 쾰른의 유력 사업가 오토 볼프Otto Wolf, 히틀러를 권좌로 밀어올리기 위한 마지막 공작에서 중추적 역할을 하게 될 쾰른의 은행가 쿠르트 폰 슈뢰더Kurt von Schröder 남작, 도이치 은행Deutsche Bank, 코메르츠 운트 프리파트 은행Commerz und Privat Bank, 드레스덴 은행Dresdener Bank, 독일신용협회Deutsche Kredit Gesellschaft, 그리고 독일 최대의 보험사 알리안츠Allianz 등이 포함되었다.

히틀러의 경제보좌관들 중 한 명인 빌헬름 케플러Wilhelm Keppler는 남부 독일의 여러 기업가를 끌어들였거니와, 친위대 대장 힘러를 전폭 지원하는 기업가 모임인 경제우호회Freundeskreis der Wirtschaft를 결성하기도 했다. 이 모임은 훗날 SS제국지도자우호회Freundeskreis Reichsführer-SS로 알려졌으며('SS제국지도자'는 힘러의 직함이었다), 이 특이한 폭력배 힘러가 아리아인의 기원에 관한 '연구'를 지속할 수 있도록 수백만 마르크를 조달했다. 정계에 발을 들인 초창기부터 히틀러는 뮌헨의 부유한 출판업자 후고 브루크만Hugo Bruckman과 피아노 제조업자 카를 베히슈타인Carl Bechstein의 재정적—그리고 사회적—도움을 받았다. 또 두 사람의 아내들도 나치의 떠오르는 젊은 지도자를 감동적일 만큼 다정하게 대해주었다. 히틀러가 재계의 여러 인사나 군 지도자들을 처음으로 만난 곳은 베를린에 있는 베히슈타인의 저택이었으며, 그를 총리로 이끈 몇 차례 결정적인 비밀회의가 열린 곳도 바로 이 저택이었다.

1930년 선거에서 나치당이 약진한 후 독일의 모든 기업가가 히틀러 편에 붙으려 했던 것은 아니다. 풍크는 지멘스Simens나 AEG 같은 거대 전자회사가 히틀러와 거리를 두었고 군수품 제조의 선두기업 크루프 폰 볼렌 운트 할바흐Krupp von Bohlen und Halbach 사도 마찬가지였다고 말한다. 프리츠 티센은 크루프 사가 히틀러의 "맹렬한 반대자"였으며 힌덴부르크가 히틀러를 총리로 임명하기 전날까지도 이 전임 원수에게 그런 어리석은 짓을 하지 말라고 절박하게 경고했다고 단언한다. 그렇지만 크루프 사는 곧 태세를 바꾸었고, 티센이 유감을 담아 말한 대로 금세 "열혈 나치"가 되었다.[15]

이렇게 보면 집권을 앞두고 막판에 질주하던 무렵, 히틀러가 독일 재계의 꽤 많은 이들로부터 상당한 재정적 지원을 받았다는 것은 분명하다. 1933년 1월까지 3년간 은행가들과 기업가들이 나치당에 실제로 얼마나 기부했는지는 끝내 확인되지 않았다. 풍크는 아마도 "200만 마르크"는 넘지 않았을 것이라고 말한다. 티센은 연간 200만 마르크로 추정하고, 자기만 해도 100만 마르크를 기부했다고 말한다. 그러나 이 무렵 나치당이 마음대로 사용할 수 있었던 거액을 근거로 판단하건대, 비록 괴벨스는 결코 충분하지 않다고 불평을 늘어놓긴 했지만, 재계의 총 기부액은 이런 추정치보다 몇 배나 더 많았던 것이 확실하다. 재계에서 정치적으로 미숙한 사람들이 내어준 이 돈이 결국 어떻게 쓰였는지는 뒤에 가서 언급하겠다. 그들 중 당시 나치당에 가장 열광한—또한 나중에 가장 쓰라리게 환멸을 느낀—샤흐트 박사는 1930년 영 안案에 반대해 제국은행 총재직에서 사임했고, 그해에 괴링을, 이듬해에 히틀러를 만나 그다음 2년 동안 자신의 모든 능력을 바쳐, 총리직이라는 대망의 목표를 눈앞에 둔 히틀러를 금융계 및 산업계 친구들에게 더욱 가까이 데려갔다. 제3제국의 도래와 초기의 성공에 이루 헤아릴 수 없을 만큼 책임이 있는 이 경제의 귀재는 1932년 히틀러에게 이런 편지를 썼다. "현재의 추이로 보건대 귀하께서 총리에 취임하리라는 것을 저는 믿어 의심치 않습니다. … 귀하의 운동에는 너무도 선명한 진실과 필연성이 내포되어 있으므로 승리가 언제까지고 귀하를 피해다닐 수는 없을 것입니다. … 가까운 미래에 저의 활동으로 제가 어떻게 되든, 설령 언젠가 귀하께서 요새에 수감된 저를 보게 될지라도, 제가 귀하의 충직한 지지자라는 것은 언제든 믿으셔도 됩니다." 이 글이 담긴 샤흐트의 편지 두 통 중 하나는 "힘차게 '하일'을 외치며"라는 말로 끝을 맺는다.[16]

히틀러가 전혀 비밀에 부치지 않은 나치 운동의 "너무도 선명한 진실" 하나는, 당이 독일을 장악하는 날이면 샤흐트 박사와 그의 재계 친구들을 포함해 독일 내 모든 개인의 자유를 박탈하리라는 것이었다. 히틀러 치하에서 다시 제국은행 총재가 된 다정한 샤흐트와 그의 산업계 및 금융계 동료들이 이 점을 깨닫기까지는 꽤 시간이 걸렸다. 그리고 나치 독일의 역사는 모든 역사와 마찬가지로 지독한 아이러니로 가득했기에, 샤흐트 박사는 그리 오래지 않아 히틀러가 총리가 된다는 것뿐 아니라 자신이 수감된 모습으로 총통을 만나게 된다는 것까지 미리 내다본 뛰어난 예언자로 판명되었다. 다만 갇힌 곳은 요새가 아니라 더 나쁜 강제수용소였다. 더욱이 히틀러의 "충직한 지지자"가 아니라―이 점에서는 예언이 틀렸다―맹렬한 반대자로 돌아서 있었다.

1931년 초, 당내에서 히틀러는 주변에 광적이고 무자비한 작은 무리를 두고 있었다. 그들은 히틀러가 권력을 향해 질주하도록 도왔고, 한 명을 제외하면 제3제국 내내 히틀러가 권력을 유지할 수 있도록 곁에서 도울 터였다. 다만 히틀러와 가장 가까웠고 아마도 무리에서 가장 유능하고 잔인했을 법한 남자는 나치 정부의 둘째 해가 채 지나기도 전에 목숨을 잃을 터였다. 이 무렵 히틀러 추종자들 중에는 출중한 다섯이 있었다. 그레고어 슈트라서, 룀, 괴링, 괴벨스, 프리크였다.

괴링은 제국의회에서 우익 정당들이 공산당의 협조를 받아 정치범 대사면을 단행한 이후인 1927년 말에 독일로 돌아왔다. 1923년 폭동 이래 대체로 스웨덴에서 망명생활을 한 괴링은 롱브로Långbro 정신병원에서 마약 중독을 치료했고, 몸이 괜찮아지자 스웨덴의 어느 항공기 제조사에 근무하며 생계를 꾸렸다. 늠름하고 잘생긴 세계대전의 명조종사는 비록 살이 찌긴 했지만 정력이나 삶에 대한 열정은 예전과 다를 바 없었다. 괴링은 베를린 바디셰슈트라세에 있는 작지만 호화로운 독신남 아파트에 정착했고(그가 지극히 사랑한 간질환자 아내는 폐결핵에 걸려 병약한 채로 스웨덴에 남아 있었다), 항공기 제조사들과 독일 항공사 루트프한자의 고문으로서 생활비를 버는 한편 사교계의 인맥을 만들어나갔다. 그 인맥은 이탈리아 국왕의 딸 마팔다 공주와 결혼한 헤센의 전 황태자 필리프 공에서 프리츠 티센을 비롯한 재계 거물들에 더해 군의 쟁쟁한 장교들에 이르기까지 상당히 넓었다.

이 인맥은 히틀러에게는 없지만 꼭 필요한 것이었으며, 괴링은 곧 나치 지도자에게 자기 친구들을 소개하는 한편 일부 갈색셔츠 불한당들이 내뿜는 악취를 상류사회에서 중화하는 일에도 적극 뛰어들었다. 1928년에 히틀러는 괴링을 제국의회에서 당을 대표하는 의원 12명 중 한 명으로 지명했으며, 1932년에 나치당이 제국의회의 최대 정당으로 올라섰을 때 괴링은 국회의장에 취임했다. 이 제국의회 의장의 공관에서 나치당을 최종적 승리로 이끈 수많은 회의가 열리고 음모가 꾸며졌으며, 또 그곳에서 (조금 미리 말하자면) 히틀러가 총리 취임 후 권력을 유지하는 데 도움이 된 계획, 즉 의사당에 불을 지르는 계획이 모의되었다.

에른스트 룀은 1925년에 히틀러와 절연하고 오래지 않아 남미로 떠나 볼리비아 육군에 중령으로 입대했다. 1930년 말, 히틀러는 룀에게 귀국하여 통제 불능인 돌격대를 다시 지휘해달라고 호소했다. 돌격대원들, 심지어 그 지휘부까지도 폭력을 통한 나치 혁명이 임박했다고 믿는 듯 보였으며, 점점 더 빈번하게 거리로 나가서 정적들을 괴롭히는가 하면 살해까지 했다. 전국 선거든 지자체 선거든 간에 선거를 치를 때면 어김없이 길거리에서 야만적인 전투가 벌어졌다.

여기서 이런 충돌 중 하나에 잠시 주목할 필요가 있는데, 그 전투에서 국가사회주의의 가장 유명한 순교자가 나왔기 때문이다. 베를린 지역 돌격대 지휘부의 일원인 호르스트 베셀Horst Wessel은 개신교 목사의 아들로, 가족과 학업을 저버리고 전직 매춘부와 함께 빈민가에서 살면서 나치즘을 위한 싸움에 반생을 바치고 있었다. 많은 반나치 활동가들은 이 청년이 줄곧 뚜쟁이질로 생계를 꾸렸다고 보았지만, 이 비난은 과장일지도 모른다. 그렇지만 그가 뚜쟁이질을 하거나 매춘부와 어울려 지낸 것은 분명하다. 1930년 2월에 공산당원 몇 명에게 살해당한 베셀은 만약 스스로 작사하고 작곡한 노래 하나를 남기지 않았다면 양측의 시가전에서 희생된 다른 수백 명과 마찬가지로 잊히고 말았을 것이다. 이 〈호르스트 베셀의 노래〉는 곧 나치당의 공식 당가가 되었고 훗날 〈독일, 만물 위에 있는 독일〉에 이어 제3제국의 두 번째 공식 국가가 되었다. 호스르트 베셀 개인은 괴벨스 박사의 능숙한 선전 덕에 운동의 위대한 전설적 영웅이 되어 대의를 위해 목숨을 바친 순수한 이상주의자로 칭송받았다.

룀이 돌격대를 장악했을 당시 그레고어 슈트라서는 의심할 여지 없이 나치당의 2인자였다. 강력한 연설가요 탁월한 조직가인 슈트라서는 당의 가장 중요한 기구인 조직국의 수장으로서, 자신의 감독을 받는 지방과 지구 지도자들 사이에서 엄청난 영향력을 행사했다. 싹싹한 바이에른 사람의 성격을 타고난 슈트라서는 당에서 히틀러 다음으로 인기 있는 지도자였고, 총통과 달리 대다수 정적들로부터 신뢰를 받고 심지어 호감까지 샀다. 그 무렵 당 안팎에는 감정 기복이 심하고 종잡을 수 없는 오스트리아인 지도자를 슈트라서가 능히 대신할 수 있다고 생각하는 이들이 수두룩했다. 특히 국가방위군 내부와 대통령궁에서 이런 견해가 우세했다.

그레고어 슈트라서의 동생 오토 슈트라서는 중도에 낙오했다. 불행히도 오토는 국가사회주의독일노동자당이라는 공식 당명에서 '사회주의' 뿐 아니라 '노동자'라는 단어까지 진지하게 받아들였다. 그리하여 사회주의 노동조합들의 몇몇 파업을 지지했고, 나치당이 산업 국유화에 대한 지지를 표명해야 한다고 요구했다. 당연히 히틀러는 이 주장을 이단으로 간주하고 오토가 "민주주의와 자유주의"라는 중대한 죄를 저질렀다고 비난했다. 1930년 5월 21일과 22일, 총통은 반기를 든 이 부하와 담판을 짓는 자리에서 완전한 복종을 요구했다. 이에 거부한 오토는 당에서 쫓겨났다. 오토는 진정으로 전국적인 '사회주의' 운동, 즉 흑색전선Schwarze Front으로만 알려진 혁명적 국가사회주의투쟁동맹Kampfgemeinschaft Revolutionärer Nationalsozialisten을 결성하려 했지만, 9월 선거에서 히틀러로부터 이렇다 할 만한 수의 나치 표를 빼앗는 데 철저히 실패하고 말았다.

히틀러의 측근 5인방 중 네 번째인 괴벨스는 1926년에 그레고어 슈트라서와 사이가 틀어진 뒤로 줄곧 그의 적이자 경쟁자였다. 그로부터 2년 후, 괴벨스는 슈트라서가 조직국장으로 승진했을 때 그의 선전국장 자리를 넘겨받았다. 괴벨스는 여전히 베를린 대관구장으로 있었고, 이곳에서 당을 재조직한 공적뿐 아니라 선전 재능으로도 총통에게 깊은 인상을 주었다. 괴벨스의 유창하지만 신랄한 언변과 기민한 두뇌는 히틀러의 다른 수석 부관들로부터 환심을 사지 못했다. 그들은 괴벨스를 불신했다. 그러나 나치 지도자는 주요 간부들 간의 불화를 흡족하게 바라보았는데, 그렇게 서로 반목해야 자신의 지도력에 맞서 함께 음모를 꾸미지 못할 터였기 때문이다. 히틀러는 슈트라서를 전적으로 신뢰하지 않으면서도 괴벨스의 충성에는 완전한 믿음을 가졌다. 더욱이 이 작은 절름발이 광신자는 히틀러에게 유용한 발상을 끊임없이 낳았다. 걸핏하면 소란을 일으키는 저널리스트—마음껏 지껄이기 위해 베를린에서 자신의 신문《안그리프Der Angriff》(공격)를 내고 있었다—이자 민중을 선동하는 연설가로서 괴벨스는 당에 매우 귀중한 인재였다.

5인방 중 마지막인 빌헬름 프리크는 이들 중 유일하게 특색이 없는 사람, 전형적인 독일 공무원 유형이었다. 1923년 이전에 뮌헨의 젊은 경찰관이었던 프리크는 경찰 본부에서 히틀러의 첩자로 활동했으며, 총통은 언제나 프리크에게 고마움을 느꼈다. 프리크는 생색이 나지 않는 일도 자주 떠맡았다. 히틀러의 부추김을 받아 나치당원 중 처음으로 튀링겐에서 지방 장관에 취임했고, 훗날 제국의회에서 나치당의 대표가 되었다. 프리크는 개처럼 충성스러웠고, 일을 효율적으로 처리했으며, 겉보기에 내성적인 성격과 정중한 태도 덕에 공화국 정부의 동요하는 관료들과 접촉하는 데 유용했다.

1930년대 초에 당에서 그다지 눈에 띄지 않았던 사람들 중 일부는 이후 제3제국에서 악명을 떨치고 무서운 개인적 권력을 얻었다. 코안경을 쓴 양계업자 하인리히 힘러는 온화하고 평범한 교사로 착각하기 십상이었지만—뮌헨 공과대학에서 농경학 학위를 받았다—실은 히틀러의 근위단인 검은셔츠의 친위대를 서서히 키워가고 있었다. 하지만 돌격대와 친위대 양편의 사령관인 룀의 그림자 아래에서 활동한 터라 고향 바이에른 바깥에서는, 심지어 당내에서조차 별로 알려지지 않았다. 또 본직이 화학자요 상습적 술꾼인 쾰른 대관구장 로베르트 라이 박사, 총명한 청년 변호사요 당의 법률 부문 책임자인 한스 프랑크가 있었다. 1895년에 아르헨티나에서 태어난 발터 다레Walther Darré는 유능한 농학자로서 헤스를 통해 국가사회주의로 전향했고, 저서 《북방 인종의 생명의 원천으로서의 농민Das Bauerntum als Lebensquell der nordischen Rasse》으로 히틀러의 눈에 들어 당의 농업 부문 수장에 임명되었다. 개인적 야심이 없고 히틀러에게 개처럼 충성한 루돌프 헤스는 총통의 개인비서라는 직책만 맡았다. 두 번째 개인비서는 마르틴 보어만이라는 자로, 당의 어두운 구석에 숨어서 음모 꾸미기를 좋아하고 한번은 정치적 살인을 공모해 1년간 징역을 살기도 한 두더지 같은 인간이었다. 제국청소년지도자Reichsjugendführer 발두어 폰 시라흐Baldur von Schirach는 낭만적인 청년이자 정력적인 조직가로, 어머니는 미국인이었고 증조부는 미국 남북전쟁의 불런Bull Run 전투에서 한쪽 다리를 잃은 북군 장교였다. 시라흐는 뉘른베르크에서 미국인 교도관들에게 자신은 17세에 헨리 포드의 책《영원한 유대인Eternal Jew》을 읽고서 반유대주의자가 되었다고 말하기도 했다.

또 발트 출신의 답답하고 우둔한 가짜 철학자 알프레트 로젠베르크가 있었다. 앞에서 언급했듯이 히틀러의 초기 멘토 중 한 명인 로젠베르크는 1923년 쿠데타 이래 내용과 문체 모두 산만하기 그지없는 일련의 책과 팸플릿을 쏟아냈다. 그 정점은 700쪽에 달하는《20세기의 신화Der Mythus des 20. Jahrhunderts》였는데, 북방 인종의 우월성에 관한 설익은 설들을 뒤섞어 엮고는 나치당원들 사이에서 박식의 산물로 속여 팔아먹은 허무맹랑한 책이었다—히틀러는 이 책을 읽으려 애썼으나 성공하지 못했다고 종종 농담조로 말했으며, 작가를 자처한 시라흐는 언젠가 로젠베르크를 가리켜 "아무도 읽지 않은 책을 다른 어떤 저자보다도 많이 판매한 사람"이라고 말했는데, 1930년에 출간된 이래 초반 10년간 50만 부도 넘게 팔렸기 때문이다. 히틀러는 이 따분하고 멍청하고 어설픈 남자에게 시종일관 온정을 품은 채《민족의 파수꾼》을 비롯한 나치 간행물들의 편집인 같은 당내 일자리들을 보상으로 주었는가 하면 1930년에는 제국의회 외무위원회에서 자기 당을 대표하도록 지명하기도 했다.

이런 인물 군상이 국가사회주의당의 지도자를 둘러싸고 있었다. 정상적인 사회였다면 그들은 분명 괴상한 부적격자 무리로 비쳤을 것이다. 그러나 혼탁한 공화국 말기에 그들은 정신없는 독일인 수백만 명에게 구원자로 보이기 시작했다. 그리고 그들은 적들보다 두 가지 점에서 유리했다. 첫째로 그들은 자신이 무엇을 원하는지를 정확히 아는 남자를 지도자로 두었고, 둘째로 그가 원하는 것을 얻도록 돕기 위해 무슨 일이든 서슴지 않을 만큼 무자비하고 기회주의적이었다.

뒤숭숭한 1931년에 임금노동자 500만 명이 실직하고, 중간계급이 파산에 직면하고, 농민들이 담보대출금을 갚지 못하고, 의회가 마비되고, 정부가 허둥대고, 84세의 대통령이 노쇠해 혼미한 상태로 빠르게 가라앉는 동안, 나치 수뇌부의 가슴속에서는 오래 기다리지 않아도 될 것이라는 확신이 차올랐다. 그레고어 슈트라서가 거리낌없이 큰소리친 대로 "파국을 촉발하는 데 이바지하는 모든 일은 … 우리와 우리의 독일 혁명에 좋은 것, 아주 좋은 것"이었다.

# 제6장

# 바이마르 공화국의 마지막 나날

### 1931~1933

어지럽고 혼탁한 독일에서 특이하고 간사한 한 인물이 두각을 나타냈다. 다른 어떤 개인보다도 공화국의 무덤을 미리 파놓을 운명이었던 그는 공화국의 마지막 총리로 짧게 재임했고, 자신의 놀라운 경력을 막판에 비틀어 아이러니하게도 공화국을 필사적으로 구하려 했다. 그러나 때는 이미 늦었다. 그의 이름은 쿠르트 폰 슐라이허로, 독일어로 '음모가' 또는 '살살이'라는 뜻이다.

　1931년, 슐라이허는 육군 중장이었다.[*] 1882년에 태어나 18세에 힌덴부르크의 옛 연대인 제3근위보병연대에서 소위로 군생활을 시작했고, 이곳에서 원수이자 대통령의 아들인 오스카어 폰 힌덴부르크와 막역한 친구 사이가 되었다. 뒤이어 친분을 쌓은 사람도 오스카어 못지않게 귀인이었다. 바로 그뢰너 장군으로, 사관학교 생도 시절의 슐라이허의 총명함을 눈여겨봤다가 1918년 최고사령부에 루덴도르프의 후임으로 부임할 때 이 청년 장교를 자신의 부관으로 데려갔다. 본래 '내근 장교'였

---

[*]　미 육군 소장에 상응하는 계급.

던 슐라이허는—아주 짧은 기간 러시아 전선에서 복무했다—이후 육군과 바이마르 공화국의 권력 핵심부 가까이에 머물면서 기민한 두뇌와 싹싹한 태도, 예리한 육감으로 장군들과 정치인들 모두에게 깊은 인상을 주었다. 또 젝트 장군 휘하에서 불법인 자유군단이나 역시 불법이고 매우 비밀스러운 '흑색 국가방위군'의 편성을 도우면서 갈수록 중요한 역할을 맡았고, 소비에트 러시아에서는 독일군 전차장교와 비행장교를 소련군으로 위장시켜 훈련하는 한편 독일이 운영하는 군수 공장을 설립하기 위해 모스크바 측과 진행한 비밀 교섭에서 중추적 역할을 맡았다. 교묘히 조작하는 재능을 타고난 데다 음모에 열정을 보인 슐라이허는 막후의 은밀한 활동에서 최고의 능력을 발휘했다. 1930년대 초까지는 그의 이름이 일반 대중에게 알려지지 않았지만, 전쟁부가 자리한 벤틀러슈트라세나 정부 부처들이 자리한 빌헬름슈트라세에서는 그전부터 한동안 주목을 받아왔다.

1928년 1월, 슐라이허는 오스카어와의 친교를 통해 가까워진 힌덴부르크 대통령에게 영향력을 행사하여 자신의 옛 상관인 그뢰너 장군을 국방장관에 임명하도록 했다. 바이마르 공화국에서 군인이 국방장관에 취임한 첫 사례였다. 그뢰너는 국방부에서 슐라이허를 오른팔로 삼고, 신설된 사무국Ministeramt을 맡겨서 육해군의 정무와 공보 사무를 처리하게 했다. 그뢰너는 슐라이허를 "나의 정치 추기경"이라고 부르며 육군과 여타 부처들 및 정계 지도자들 사이의 연결이나 관계 설정도 맡겼다. 이 지위에서 슐라이허는 장교단 내에서뿐 아니라 정계에서도 권력자가 되기 시작했다. 육군에서 그는 고급장교를 갈아치울 수 있었고 실제로 그렇게 하기 시작했다. 1930년에는 병무국장 블롬베르크 장군을 한 번의 술책으로 몰아내고 제3근위보병연대 시절부터의 오랜 친구 하머슈타인 장군을 대신 앉혔다. 같은 해 봄에는 앞에서 언급했듯이 직접 총리를 선택하기 위해 처음으로 힘을 썼고, 육군의 지지 속에 힌덴부르크를 설득하여 하인리히 브뤼닝을 임명하도록 했다.

이렇게 정치적 승리를 거두는 동안 슐라이허는 공화국을 뜯어고치기 위한 자신의 거창한 계획도 실행에 옮기기 시작했다. 기민한 두뇌로 전부터 구상해온 계획이었다. 그의 눈에는 바이마르 체제를 약화시키는 원인들이 명확하게 보였다—누군들 몰랐겠는가? 우선 정당들이 너무 많은 데다(1930년에는 그중 10개 정당이 각각 100만 표 이상을 얻었다) 각 당의 목적이 너무 엇갈리고 저마다 자기 당이 대변하는 특정한 사회경제적 이해관계를 돌보는 데 너무 몰두하고 있었다. 그 때문에 제국의회에서 각각의 차이를 메우고 지속적인 다수파를 형성하여 1930년대 초에 독일이 직면한 중대 위기에 대처할 만한 안정적 정부를 뒷받침할 수가 없었다. 의회제 정부는 독일인들이 소[牛] 매매Kuhhandel라고 부르는 문제, 즉 각 정당이 자신들을 뽑아준 집단의 특정한 이익을 위해 흥정을 일삼을 뿐 국익은 나 몰라라 하는 문제에 봉착해 있었다. 1930년 3월 28일에 총리직을 맡은 브뤼닝이 어떠한 정책을 내놓든—좌파의 정책이든 중도파의 정책이든 우파의 정책이든—제국의회에서 과반 지지를 얻을 수 없고, 그저 정부의 소관 업무를 수행하는 데 그쳤으며, 경제가 마비된 상황에서 무엇이라도 하려면 헌법 제48조에 기댈 수밖에 없었던 것은 놀랄 일이 아니다. 그 조항에 따르면 비상사태에서는 총리가 대통령의 승인만 받으면 긴급명령에 의해 통치할 수 있었다.

슐라이허는 총리가 바로 이 방법으로 통치하기를 원했다. 그것은 대통령이 확실하게 장악하는 강력한 정부에 이바지하는 방법이었는데, (슐라이허의 주장에 따르면) 대통령은 어쨌거나 보통선거를 통해 민의를 대변하고 육군의 지지를 받는 존재였다. 민주적으로 선출된 제국의회가 안정적인 통치를 제공할 수 없다면, 민주적으로 선출된 대통령이 그 역할을 해야 했다. 독일인 과반이 원하는 것은 강경한 자세로 그들을 절망적인 곤경으로부터 벗어나게 해줄 정부라고 슐라이허는 확신했다. 그러나 브뤼닝이 9월에 실시한 선거에서 드러났듯이, 그것은 실제로 독일인 과반이 원하는 것은 아니었다. 적어도 그들이 자신들을 황야 밖으로 인도해주기를 원했던 정부는 슐라이허와 육군 및 대통령궁에 있는 그의 친구들이 선택한 종류의 정부가 아니었다.

사실 슐라이허는 두 가지 치명적인 실수를 저지른 터였다. 먼저 브뤼닝을 총리로 천거하고 그에게 대통령령에 의해 통치할 것을 권유함으로써 국가 안에서 육군이 갖는 힘의 기반을 훼손하고 말았다. 그 기반이란 정치를 **넘어서는** 육군의 위치인데, 이 위치를 포기할 경우 육군 자체와 독일 모두의 파멸로 이어질 것이었다. 다음으로 유권자의 의향을 형편없이 오판했다. 2년 전에 81만 표를 얻었던 나치당이 1930년 9월 14일에는 무려 650만 표를 얻게 되자 이 '정치적인 장군'은 지금까지와는 다른 방침을 취해야 한다는 것을 깨달았다. 1930년 말에 슐라이허는 볼리비아에서 막 돌아온 룀, 그리고 그레고어 슈트라서와 접촉했다. 이는 공화국에서 정치권력을 가진 세력과 나치당 사이에 처음으로 이루어진 진지한 접촉이었다. 불과 2년 만에 급성장한 나치당은 장차 아돌프 히틀러의 목표를 달성하는 한편 슐라이허 장군을 몰락시키고 결국 살해할 것이었다.

1931년 10월 10일, 조카딸이자 연인 겔리 라우발이 자살하고 3주 후, 히틀러는 처음으로 힌덴부르크 대통령을 찾아갔다. 음모의 그물을 새로 짜느라 분주한 슐라이허가 두 사람의 만남을 주선했다. 그해 초가을, 슐라이허는 히틀러와 상의해서 총리와 대통령을 각각 만날 수 있도록 손을 썼다. 슐라이허뿐 아니라 브뤼닝까지 속으로는 1932년 봄으로 힌덴부르크의 7년 임기가 끝나면 그다음은 어떻게 해야 할지 생각이 많던 시기였다. 85세가 될 힌덴부르크의 판단력도 점차 흐려질 터였다. 더욱이 모두가 알아챈 것처럼 힌덴부르크가 재선에 입후보하지 않는다면, 비록 법적으로 독일 국민이 아니긴 해도 히틀러가 어떻게든 국적을 취득해 선거에 입후보해서 급기야 대통령이 될지도 모를 일이었다.

1931년 여름 동안, 학구적인 브뤼닝 총리는 독일이 처한 곤경에 관해 숙고했다. 브뤼닝은 자신의 정부가 공화국에서 역대 가장 인기 없는 정부라는 것을 잘 알고 있었다. 불황을 극복하기 위해 그는 가격 인하뿐 아니라 임금과 봉급 삭감까지 명령하고 상거래나 금융, 사회복지에 엄격한 제한을 두었다. 나치당과 공산당 모두 그를 '기아 총리'라고 불렀다. 그럼에도 그 자신은 안정되고 자유롭고 풍요로운 독일을 재건할 수 있는 마지막 길을 찾았다고 생각했다. 브뤼닝은 연합국과 협상하여 후버 미국 대통령의 지불유예 조치 덕에 잠시 지불이 동결된 배상금의 탕감을 도출해볼 생각이었다. 이듬해에 열릴 예정인 군축회의에서는 연합국으로 하여금 독일 수준으로 군비를 축소하겠다던 베르사유 조약의 약정을 지키도록 하거나, 아니면 독일이 적당한 재무장 계획에 공개적으로 착수하는 방안—실은 이미 브뤼닝의 묵인 아래 비밀리에 재무장을 시작한 터였다—을 인정받기 위해 힘써볼 요량이었다. 그리하여 베르사유 조약의 마지막 족쇄를 벗어던지고 독일을 다른 열강과 동등한 위치로 다시 끌어올릴 작정이었다. 그렇게 되면 바이마르 공화국에 큰 경사일 뿐 아니라 독일 국민을 극심한 궁핍에 빠뜨린 경제 불황도 끝나면서 서구에 새로운 신뢰의 시대가 열릴 것이라고 브뤼닝은 생각했다. 또한 나치당의 돛을 밀어줄 바람을 빼앗을 수도 있을 것이었다.

브뤼닝은 국내 전선에서도 대담하게 움직여 공산당을 제외한 주요 정당과의 합의를 통해 독일 헌법을 근본적으로 개정할 계획을 세웠다. 그는 호엔촐레른 군주정을 복원할 속셈이었다. 대통령 선거에 다시 출마하도록 힌덴부르크를 설득할 수 있을지라도, 그의 고령을 감안하면 다음번 7년 임기를 생전에 다 채우지 못할 것으로 예상되었다. 힌덴부르크가 1년이나 2년 후에 사망할 경우, 히틀러가 대통령으로 선출될 길이 여전히 열려 있을 것이었다. 그런 일을 미연에 막고 국가원수의 영속성과 안정성을 확고히 다지기 위해 브뤼닝은 다음과 같은 방안을 세웠다. 1932년 대통령 선거를 취소하고 양원인 제국의회와 제국참의원에서 각각 3분의 2의 찬성을 얻어 힌덴부르크의 임기를 연장한다. 그렇게 하자마자 대통령을 섭정으로 하는 군주정을 선포하도록 의회에 제안한다. 힌덴부르크가 사망하면 황태자의 아들 중 한 명을 호엔촐레른 왕위에 앉힌다. 이 조치 또한 나치당의 바람을 빼앗게 될 것이다. 실제로 브뤼닝은 이러한 조치가 정치 세력으로서의 나치당의 종말을 의미할 것이라고 확신했다.

그러나 고령의 대통령은 브뤼닝의 계획에 관심이 없었다. 1918년 11월의 암담한 가을날에 스파에서 옛 제국군 참모총장으로서 카이저에게 이제 떠나셔야 하고 군주정은 끝났다고 알릴 의무를 졌던 힌덴부르크는, 네덜란드 도른에서 여전히 망명생활 중인 카이저 빌헬름 2세 말고 다른 누군가가 호엔촐레른 왕위를 다시 이어가는 방안을 고려할 의향이 없었다. 오로지 히틀러를 저지할 마지막 기회가 될지 모른다는 이유로 정말 마지못해 자신의 계획에 일말의 격려를 보낸 사회민주당과 노동조합 측이 빌헬름 2세나 그의 맏아들의 복귀를 반길 리 없거니와 설령 군주정이 복원된다 해도 영국 모델과 비슷한 민주적인 입헌군주정이어야 한다고 브뤼닝이 설명하자, 이 백발의 원수는 격노한 나머지 그만 총리를 면전에서 쫓아버렸다. 일주일 후 힌덴부르크는 브뤼닝을 불러 자신은 재임을 위한 출마는 하지 않을 것이라고 통고했다.

그사이에 먼저 브뤼닝이, 뒤이어 힌덴부르크가 아돌프 히틀러와 첫 회동을 가졌다. 두 차례 회동에서 나치 지도자는 서투르게 대처했다. 겔리 라우발의 자살 충격에서 아직 회복하지 못한 터라 여러모로 심란하고 스스로에 대한 확신이 없었다. 브뤼닝이 힌덴부르크 연임 안을 놓고 나치당 측에 지지를 요청하자 히틀러는 공화국을 장황하게 비판함으로써 총리의 계획에 동조할 의향이 없음을 분명히 했다. 힌덴부르크와의 회동에서는 불편해하는 모습을 보였다. 히틀러는 열변을 토하며 노신사에게 깊은 인상을 주고자 했지만 전혀 효과가 없었다. 대통령 측도 첫 대면에서 이 "보헤미안 상병"에게 별다른 감명을 받지 못했고, 그런 자는 체신장관은 될 수 있을지언정 총리에는 어림도 없다고 슐라이허에게 말했다— 나중에는 이 발언을 철회해야 했다.

히틀러는 골이 난 채로 서둘러 바트하르츠부르크로 가서 이튿날인 10월 11일 중앙정부와 프로이센 정부에 맞선 '거국 저항'의 대규모 시위에 참가했다. '거국 저항'은 국가사회주의당을 중심으로 하는 극우파의 집회라기보다는 더 오랜 보수반동 세력의 집회였는데, 여기에는 후겐베르크의 독일국가인민당, 우익 퇴역군인들의 준군사조직인 철모단 Stahlhelm, 이른바 비스마르크청년단Bismarckjugend, 융커들의 농업인동맹Bund der Landwirte, 그 밖에 나이 많은 장군들의 기묘한 모임이 동참하고 있었다. 나치 지도자는 정작 이 집회에는 흥미가 없었다. 프록코트 차림에 모자를 쓰고 훈장을 단 이 구체제의 유물들을 경멸했고, 나치 운동과 같은 '혁명적' 운동이 이들과 너무 가까워지면 위험에 처할지도 모른다고 보았다. 히틀러는 연설을 하는 둥 마는 둥 해치우고서 짜증스럽게도 돌격대보다 더 많은 인원으로 나타난 철모단의 행진이 시작되기 전에 자리를 떴다. 그리하여 이날 결성된 하르츠부르크 전선Harzburger Front, 즉 공화국에 대한 최후의 공격을 시작하기 위해 나치당을 연합 전선으로 끌어들이려는 기존 보수파의 몸부림이기도 했던 이 전선은 채 빛을 보기도 전에 무산되고 말았다. 히틀러는 이제 돌아갈 수 없는 과거에 골몰하는 이 신사들 밑에서 조연을 맡을 생각이 추호도 없었다. 그들이 바이마르 체제를 허무는 데 도움이 되고 새로운 자금원을 활용할 수 있게 해준다면(실제로 그렇게 해주었다) 당분간은 그들을 써먹을 수야 있겠지만, 역으로 그들에게 써먹힐 마음은 없었다. 며칠 만에 하르츠부르크 전선은 와해 위기에 몰렸으며, 전선의 다양한 파벌들은 또다시 서로 으르렁거렸다.

그러나 한 가지 쟁점만은 예외였다. 후겐베르크와 히틀러 둘 다 힌덴부르크의 임기 연장을 노리는 브뤼닝의 제안에 동의하지 않았다. 1932년 초에 총리는 두 사람의 마음을 바꿔보려고 다시금 시도했다. 브뤼닝은 가까스로 힌덴부르크를 설득해 의회에서 그의 임기 연장에 찬성하고 그리하여 힘겨운 선거운동의 부담을 덜어준다면 한 번 더 대통령으로 재임하겠다는 동의를 얻어냈다. 그러고는 새로 상의하자며 히틀러를 베를린으로 초대했다. 브뤼닝의 전보는 총통이 뮌헨의 《민족의 파수꾼》편집실에서 헤스, 로젠베르크와 회의를 하던 중에 도착했다. 두 사람의 얼굴에 전보를 들이밀며 히틀러는 이렇게 소리쳤다. "이제야 저들이 내 손아귀에 들어왔군! 나를 협상 파트너로 인정한 거야."[1]

1월 7일, 히틀러는 브뤼닝, 슐라이허와 회동했고 1월 10일에 다시 만났다. 브뤼닝은 나치당이 힌덴부르크의 임기 연장에 동의해줄 것을 거듭 제안했다. 그렇게 해준다면 배상 철회와 군비 평등 문제를 해결하는 즉시 자신은 사퇴하겠다고 했다. 몇몇 자료에 따르면—논의가 분분하지만—브뤼닝은 또다른 미끼도 던졌다. 힌덴부르크에게 후임 총리로 히틀러를 천거하겠다고 귀띔한 것이다.[2]

히틀러는 즉답을 피했다. 일단 카이저호프 호텔로 돌아와 조언자들과 상의했다. 그레고어 슈트라서는 선거를 실시하도록 나치당이 밀어붙이면 결국에는 힌덴부르크가 이길 것이라고 주장하며 브뤼닝의 제안을 받아들이자고 했다. 괴벨스와 룀은 단호히 거절하자고 했다. 1월 7일 일기에 괴벨스는 이렇게 적었다. "대통령직이 문제가 아니다. 브뤼닝은 그저 자신의 지위를 무한정 강화하고 싶을 뿐이다. … 권력을 차지하기 위한 체스게임이 시작되었다. … 중요한 것은 우리가 단호한 자세를 유지하며 타협하지 않는 것이다." 그 전날 밤에는 이렇게 썼다. "조직 안에 그 누구에게도 신뢰받지 못하는 사내가 한 명 있다. … 그레고어 슈트라서다."[3]

히틀러로서는 브뤼닝의 계획을 거들어 공화국의 수명을 늘려줄 이유가 없었다. 그러나 1월 12일에 브뤼닝의 계획을 단칼에 뿌리친 우둔한 힌덴부르크와 달리 히틀러는 한결 교활했다. 히틀러는 총리를 건너뛰어 대통령에게 직접 답변하면서 나는 브뤼닝의 제안이 위헌적이라고 생각하지만 당신이 브뤼닝의 제안을 거절한다면 당신의 재선을 지지하겠다고 분명하게 말했다. 대통령 관저의 영리한 비서실장 오토 폰 마이스너는 처음에는 사회민주당의 에베르트를, 뒤이어 보수파의 힌덴부르크를 열심히 모셨고 이제 누가 차기 대통령이 되든 간에—어쩌면 히틀러가?—자신의 세 번째 임기를 염두에 두기 시작했는데, 그런 마이스너에게 나치 지도자는 카이저호프에서의 비밀 회담에서 힌덴부르크가 먼저 브뤼닝을 해임하고, '거국' 정부를 구성하고, 제국의회와 프로이센 의회의 선거를 새로 실시하기로 결정한다면 다음 대통령 선거에서 힌덴부르크를 지지하겠다고 제안했다.

이 제안에 힌덴부르크가 동의할 리 없었다. 자신의 선거전의 부담을 덜어주는 방안을 나치당뿐 아니라 자신의 친구들이나 지지 세력으로 보이는 독일국가인민당까지 거부했다는 사실에 신경질이 난 힌덴부르크는 결국 재출마에 동의했다. 그런데 민족주의적인 정당들에 대한 힌덴부르크의 분노에는 브뤼닝에 대한 묘한 울분이 더해졌는데, 브뤼닝이 매사를 서투르게 처리하는 바람에 지난 1925년 선거에서 자유주의-마르크스주의 후보들에 맞서 자신을 대통령으로 밀어준 민족주의 세력과 격렬하게 충돌해야 하는 입장이 되었다고 생각했기 때문이다. 이제 선거에서 이기려면 늘 숨김없이 경멸해온 사회민주당과 노동조합의 지지를 얻어야만 했다. 얼마 전까지만 해도 "비스마르크 이래 최고"라고 평했던 그 총리를 대하는 힌덴부르크의 태도가 돌연 눈에 띄게 냉랭해졌다.

브뤼닝을 총리로 밀어주었던 슐라이허 장군도 냉랭한 태도를 보이기 시작했다. 슐라이허에게 이 근엄한 가톨릭교도는 어쨌거나 실망스러운 총리였다. 브뤼닝은 공화국 역사상 가장 인기 없는 총리가 되어 있었다. 국내에서 과반의 지지를 얻지 못했고, 나치당을 제지하지도 나치당에 승리하지도 못했으며, 힌덴부르크를 연임시키는 문제도 망쳐놓았다. 그러므로 브뤼닝은 물러나야 했다. 슐라이허 자신이 염두에 둔 미래 구상을 제대로 이해하지 못하는 듯한 존경하는 상관 그뢰너 장군도 가능하다면 함께 몰아내야 했다. 교활한 슐라이허 장군은 결코 서두르지 않았다. 브뤼닝과 그뢰너, 정부의 이 두 실력자는 힌덴부르크의 재선이 확실해질 때까지 현직에 머물러 있어야 했다. 두 사람의 지지가 없으면 연로한 원수가 재선되지 못할 수도 있었다. 다만 선거가 끝나면 쓸모없어질 터였다.

## 히틀러 대 힌덴부르크

———

아돌프 히틀러는 정치인으로서 어려운 결정에 직면했을 때 선뜻 마음을 정하지 못하는 것처럼 보인 경우가 많았다. 이번에도 그랬다. 1932년 1월의 문제는 대통령 선거에 출마하느냐 여부였다. 힌덴부르크를 이길 수는 없어 보였다. 이 선설적인 영웅은 우파의 여러 파벌로부터 지지를 받을 뿐 아니라, 1925년 선거에서는 반대표를 던졌던 민주적 정당들로부터도 이제는 공화국의 구원자로 여겨지며 지지를 받을 터였다. 패할 게 뻔한 상황에서 이 원수에게 대항한다는 것은 나치당이 1930년 총선에서 극적인 승리를 거둔 이래 지방 선거에서 잇따라 쌓아온 불패신화에 금이 가게 하는 일이 아닐까? 그렇다 해도 출마하지 않는다면 권력의 문턱에 있는 국가사회주의의 약세를 인정하고 자신감 부족을 고백하는 꼴이 되지 않을까? 여기에 고려해야 할 문제가 하나 더 있었다. 당시 히틀러는 출마할 자격조차 없었다. 독일 국민이 아니었기 때문이다.

요제프 괴벨스는 히틀러에게 출마 발표를 진언했다. 1월 19일, 두 사람은 함께 뮌헨으로 갔으며, 그날 밤 일기에 괴벨스는 이렇게 적었다. "총통과 대통령 선거 출마 문제를 상의했다. 아직 어떤 결정도 내리지 못했다. 나는 총통의 출마를 강력히 권고했다." 그다음 한 달 동안 괴벨스의 일기는 히틀러의 심정 기복을 반영한다. 1월 31일에는 "총통의 결정이 수요일에 내려질 것이다. 더는 주저할 수 없다"라고 했고, 2월 2일에는 결정을 내린 듯 "총통이 입후보하기로 결정했다"라고 했다. 그렇지만 사회민주당의 행방이 알려지기 전까지는 이 결정을 공표하지 않을 것이라고 덧붙였다. 이튿날 나치당 수뇌부가 히틀러의 결정을 듣기 위해 뮌헨에 모였다. 괴벨스가 투덜거렸듯이 그들은 "기다렸으나 헛수고였다.

모두가 불안해하며 긴장하고 있었다". 그날 밤 이 왜소한 선전국장은 한숨 돌리려고 그레타 가르보Greta Garbo가 나오는 영화를 보러 몰래 빠져나갔다. 영화관에서 이 "현존하는 가장 위대한 여배우"에게 "감동을 받고 흔들렸다". 그날 밤 늦게 "오랜 동지들 여럿이 나를 찾아왔다. 그들은 결정 내용을 듣지 못해 풀이 죽어 있었다. 총통이 너무 오래 기다린다고 걱정했다".

너무 오래 기다렸을지 모르지만, 최후의 승리에 대한 히틀러의 확신은 흔들리지 않았다. 어느 날 밤 뮌헨에서 괴벨스는 제3제국이 실현되면 자신이 맡을 직책에 관해 총통과 길게 논의했다. 괴벨스의 일기에 따르면 히틀러는 괴벨스의 몫으로 "영화, 라디오, 예술, 문화, 선전을 담당할 인민교육부"를 염두에 두었다. 또다른 밤에 히틀러는 자신의 건축가 파울 트로스트Paul Troost 교수와 "국가 수도의 원대한 개조"에 관해 장시간 논의했다. 괴벨스는 이렇게 덧붙였다. "총통은 모든 계획을 끝마쳤다. 그는 우리가 이미 집권한 것처럼 말하고 행동하고 느낀다."

그러나 히틀러는 아직도 힌덴부르크에 맞서 출마하고 싶어 안달하는 사람처럼 말하지는 않고 있었다. 2월 9일, 괴벨스는 "총통이 베를린으로 돌아왔다. 카이저호프 호텔에서 대통령 선거에 관해 더 논의했다. 모든 것이 미정이다"라고 적었다. 사흘 뒤 괴벨스는 총통과 표 계산을 했다. "위험하지만 무릅써야 한다"는 것이 괴벨스의 생각이었다. 히틀러는 생각을 더 굴려보려고 뮌헨으로 갔다.

결국 히틀러의 마음은 힌덴부르크가 대신 정해주었다. 2월 15일, 연로한 대통령은 출마를 공식 발표했다. 괴벨스는 다행으로 여겼다. "이제 우리는 자유롭게 행동할 수 있다. 더는 결정을 숨길 필요가 없다." 하지만 히틀러는 2월 22일까지 결정을 숨겼다. 그날 카이저호프 회의에서 괴벨스는 환호했다. "총통이 내게 오늘 밤 스포츠궁에서 출마를 발표해도 좋다고 허락했다."

선거전은 격렬하고 혼란스러웠다. 괴벨스는 회의장에서 힌덴부르크를 "탈영병 정당의 후보"로 낙인찍었다가 대통령을 모욕했다는 이유로 제국의회에서 제명되었다. 1925년 선거에서 힌덴부르크를 지지했던 베를린의 민족주의 신문 《노이제 자이퉁Deutsche Zeitung》이 이번에는 반대 입장에 서서 맹공격에 나섰다. "지금의 문제는 국제주의 반역자들과 평화주의 돼지들이 힌덴부르크의 승인 아래 독일의 최종적 파멸을 불러올 것인지 여부다"라고 이 신문은 지적했다.

모든 계급과 정당의 종래의 충성심은 선거전의 혼란과 열기 속에서 뒤집어졌다. 개신교도이자 프로이센인, 보수주의자, 군주제 지지자인 힌덴부르크에게 사회민주당, 노동조합, 브뤼닝이 속한 중앙당의 가톨릭교도, 나머지 자유주의적이고 민주적인 중간계급 정당들이 지지를 보냈다. 가톨릭교도이자 오스트리아인, 한때의 부랑자, '국가사회주의자', 중간계급 하층 대중의 지도자인 히틀러를 지지한 세력들에는 그의 추종자들 외에 북부의 중간계급 상층의 개신교도, 보수파 융커 농업인, 다수의 군주제 지지자까지 포함되었으며, 막판에 전 황태자까지 가담했다. 선거전의 혼란상은 다른 두 후보자가 추가되면서 더욱 심해졌는데, 둘 다 이길 가망은 없었지만 선두권의 힌덴부르크와 히틀러가 당선에 필요한 과반수를 얻지 못하도록 방해할 정도의 득표를 할 가능성은 있었다. 국가인민당이 내세운 후보는 철모단의 부단장(힌덴부르크가 명예단장이었다)이자 아무 특색 없는 전직 중령 테오도어 뒤스터베르크Theodor Duesterberg였는데, 머지않아 유대인의 증손자라는 것이 밝혀져 나치당을 신나게 해줄 터였다. 공산당은 사회민주당이 힌덴부르크를 지지함으로써 "노동자들을 배신"했다고 외치면서 당수 에른스트 텔만Ernst Thälmann을 독자 후보로 내세웠다. 독일 공산당이 모스크바의 명령에 따라 나치당의 장단에 놀아날 위험을 무릅쓴 것은 이번이 처음도 아니고 마지막도 아니었다.

선거운동이 거의 진행되지 않은 때에 히틀러는 시민권 문제를 해결했다. 2월 25일, 브라운슈바이크 주의 내무장관(나치 당원)이 베를린 주재 브라운슈바이크 공사관원으로 히틀러 씨를 임명했다는 발표가 있었다. 이 희가극 같은 술책을 통해 나치 지도자는 자동적으로 브라운슈바이크 주의 주민이 되고, 따라서 독일 국적을 취득하여, 독일국 대통령 선거에 입후보할 자격을 갖추게 되었다. 이 작은 장애물을 쉽게 뛰어넘은 히틀러는 맹렬한 에너지로 선거전에 돌입하여 전국을 종횡으로 누비면서 수십 차례의 대중집회에서 연설을 하여 수많은 군중을 광란 상태로 몰아넣었다. 나치당의 다른 두 웅변가 괴벨스와 슈트라서 역시 빡빡한 일정으로 움직였다. 그렇지만 이게 전부가 아니었다. 그들은 독일에서 일찍이 보지 못한 선전전을 펼쳤다. 100만 장에 달하는 형형색색의 포스터로 크고 작은 도시의 벽을 도배했고, 팸플릿 800만 장과 당 기관지 호외 1200만 장을 뿌렸으며, 하루에 집회를 3000번씩이나 열었다. 독일 선거사상 처음으로 영화와 축음기를 활용했으며, 트럭에 실은 확성기에서 축음기 소리가 요란하게 울려 퍼졌다.

브뤼닝 역시 연로한 대통령의 당선을 위해 부단히 애썼다. 이 공정한 인물이 한번은 정부가 관리하는 라디오 방송의 방송시간 전체를 자신의 몫으로 예약하는 무리수를 두기도 했다—이 전술에 히틀러는 격분했다. 힌덴부르크는 선거 전날 밤에 딱 한 번 녹음 방송을 통해 연설을 했다. 그것은 선거전에서 드물었던 위엄 있는 연설로서 효과가 있었다.

한쪽으로 치우진 극단적인 견해를 대변하고 그리하여 국민의 과반을 적으로 돌리는 정당인이 당선된다면, 조국이 그 결과를 가늠할 수 없는 심각한 혼란에 빠질 것입니다. 책무는 제게 그런 혼란을 막으라고 명합니다. … 설령 제가 패하더라도, 적어도 위기의 시간에 자진해서 임무를 내팽개쳤다는 비난을 듣지는 않을 것입니다. … 저에게 투표하고 싶지 않은 사람들에게 표를 구하지는 않겠습니다.

힌덴부르크에게 투표한 유권자는 당선에 필요한 과반에서 0.4퍼센트 부족했다. 1932년 3월 13일의 투표 결과는 다음과 같았다.

| | | |
|---|---|---|
| 힌덴부르크 | 1865만 1497 | 49.6% |
| 히틀러 | 1133만 9446 | 30.1% |
| 텔만 | 498만 3341 | 13.2% |
| 뒤스터베르크 | 255만 7729 | 6.8% |

이 결과에 양측 모두 실망했다. 고령의 대통령은 나치당의 민중 선동가를 700만 표 넘게 앞섰지만 당선에 필요한 과반 득표에는 조금 못 미쳤다. 그래서 최다 득표자가 승리하는 결선투표를 다시 치러야 했다. 히틀러는 1930년 총선과 비교해 나치당의 득표수를 500만 표―약 86퍼센트―가까이나 늘렸지만 힌덴부르크에게 한참 뒤졌다. 선거 당일 밤 라디오로 선거 결과를 듣기 위해 당 수뇌부 대부분이 모인 베를린의 괴벨스 자택에는 깊은 절망감이 감돌았다. "우리는 졌다. 앞날이 끔찍하다"라고 괴벨스는 그날 밤 일기에 썼다. "당내는 몹시 낙담하고 침통한 분위기다. … 기지를 발휘해야만 우리 자신을 구할 수 있다."

그러나 이튿날 아침, 히틀러는 《민족의 파수꾼》을 통해 "1차 선거운동이 끝났다. 오늘 2차 선거운동을 시작한다. 내가 선두에 설 것이다"라고 알렸다. 실제로 히틀러는 종전처럼 활기차게 선거운동을 벌였다. 융커스 사의 여객기 한 대를 전세 내 독일의 끝에서 끝까지 날아다니며—당시 선거운동으로서는 새로운 기법이었다—하루에 서너 차례, 되도록 많은 도시의 대규모 집회에서 연설을 했다. 기민하게도 히틀러는 더 많은 표를 모으기 위해 전술을 바꾸었다. 1차 선거운동 때는 줄곧 국민의 고통이나 공화국의 무능을 지적했다면, 이번에는 자신이 당선될 경우 모든 독일인이 누릴 행복한 미래를 강조했다. 모든 노동자에게 일자리를, 농민에게는 농산물 가격 인상을, 사업가에게는 더 많은 사업을, 군국주의자에게는 큰 군대를 약속했다. 한번은 베를린 루스트가르텐에서 연설하면서 "제3제국의 모든 독일인 여성은 남편을 구할 것입니다!"라고 약속했다.

국가인민당은 뒤스터베르크를 후보에서 사퇴시키는 한편, 이번에는 히틀러에게 투표하도록 호소했다. 방탕한 전 황태자 프리드리히 빌헬름Friedrich Wilhelm까지 동조하고 나서면서 "나는 히틀러에게 투표할 것이다"라고 공언했다.

1932년 4월 10일 결선투표일은 흐리고 비가 내려 투표자가 100만 명이나 줄었다. 그날 밤 늦게 결과가 발표되었다.

| | | |
|---|---|---|
| 힌덴부르크 | 1935만 9983 | 53% |
| 히틀러 | 1341만 8547 | 36.8% |
| 텔만 | 370만 6759 | 10.2% |

히틀러는 총 득표수를 200만 표 늘린 반면 힌덴부르크는 100만 표 늘린 데 그치긴 했지만, 현 대통령이 과반수의 지지를 받은 것은 분명했다. 요컨대 독일 국민의 절반 이상이 민주공화국에 대한 신뢰를 표명하고 우파와 좌파 양편의 극단주의자를 단호히 배격한 것이다. 혹은 그렇게 여겨졌다.

히틀러 본인은 고민할 서리가 넓었다. 인상적인 성적을 올리긴 했다. 2년 만에 나치당의 득표수를 갑절로 늘리긴 했다. 그러나 과반수는 여전히 그에게, 아울러 그가 추구하는 정치권력에 등을 돌렸다. 이 특별한 길이 막다른 골목에 이른 것일까? 4월 10일 투표 이후 열린 당내 회의에서 슈트라서는 이것이 히틀러가 지닌 현재의 힘이라고 솔직하게 주장했다. 슈트라서는 권력을 쥔 자들, 즉 대통령, 브뤼닝과 그뢰너 장군의 정부, 육군과 거래할 것을 촉구했다. 히틀러는 이 수석 부관을 신뢰하지 않으면서도 이런 의견을 묵살하지 않았다. 히틀러는 권력을 차지하려면 기존의 "강력한 제도권" 중 일부의 지지를 얻어야만 한다는 빈 시절의 교훈을 잊지 않고 있었다.

히틀러가 다음에 무엇을 할지 마음을 정하기 전에 이 "강력한 제도권" 중 하나인 공화국 정부가 그에게 일격을 가했다.

1년, 아니 그전부터 중앙정부와 여러 주정부는 나치당, 특히 돌격대의 상당수 간부들이 독일을 무력으로 제압하고 공포정치를 펼칠 작정임을 보여주는 문서들을 입수해오고 있었다. 대통령 선거 1차 투표일 전야에 이제는 40만에 달하는 돌격대가 총동원되어 베를린을 에워싸는 경계선을 쳤다. 돌격대장 룀 대위는 슐라이허 장군에게 이 조치는 그저 "예방책"일 뿐이라고 말했지만, 프로이센 경찰은 만약 히틀러가 대통령에 당선될 경우 이튿날 저녁에 돌격대가 쿠데타를 감행할 의도가 있었음을—룀이 이를 부추겼다—분명하게 드러내는 문서들을 베를린의 나치 본부에서 압수한 터였다. 괴벨스의 3월 11일 밤의 일기는 무언가가 모의되고 있었음을 확인해준다. "돌격대 및 친위대의 사령관들과 지시사항에 대해 이야기했다. 어디에나 깊은 불안감이 퍼져 있다. 폭동이라는 단어가 허공을 맴돌고 있다."

중앙정부와 주정부들 모두 경각심을 높였다. 4월 5일, 가장 큰 두 주인 프로이센과 바이에른을 비롯한 몇몇 주의 대표들이 중앙정부에 돌격대를 제압하도록 요구했다. 중앙정부에서 하지 않으면 자신들이 각각의 영역에서 직접 나설 작정이었다. 브뤼닝 총리는 선거운동 때문에 베를린에 없었지만, 그뢰너가 내무장관 겸 국방장관 자격으로 대표들을 맞이해 브뤼닝이 돌아오는 즉시 조치를 취하겠다고 약속했다. 약속한 날짜는 4월 10일 2차 투표일이었다. 브뤼닝과 그뢰너는 돌격대를 제압할 그럴듯한 구실이 생겼다고 생각했다. 내전의 위험을 없앨 수 있고 어쩌면 히틀러를 독일 정계의 판도에서 밀어내는 서막이 될 수도 있었기 때문이다. 힌덴부르크가 과반수 득표로 재선되리라 확신한 두 사람은 공화국을 무력으로 전복하려는 나치당의 위협에 맞서 그것을 지킬 권한을 유권자들로부터 받고 있다고 생각했다. 힘에는 힘으로 맞설 때가 온 것이다. 아울러 자신들이 적극적으로 나서지 않으면 힌덴부르크의 지지표 대부분을 제공할 뿐 아니라 브뤼닝 정부의 존속에 가장 크게 기여하는 사회민주당과 노동조합의 지지를 잃을 것이라고 보았다.

4월 10일 투표가 한창일 때 열린 내각 회의에서는 히틀러의 준군사조직을 즉시 해산시키기로 결정했다. 힌덴부르크에게 대통령령의 서명을 받아내는 데 꽤 어려움을 겪긴 했지만—처음에는 찬성했던 슐라이허가 대통령에게 반대 의견을 귀띔했다—결국 4월 13일에 서명을 받고 4월 14일에 공포했다.

이는 나치당에 불의의 일격이 되었다. 당내에서 룀과 몇몇 성급한 사내들은 이 명령에 저항하자고 강력히 주장했다. 그러나 부하들보다 영민한 히틀러는 명령에 따르기로 결정했다. 당장은 무장 반란을 꾀할 때가 아니었다. 게다가 슐라이허에 관한 흥미로운 소식이 들려왔다. 괴벨스는 그 4월 14일 일기에 이렇게 적었다. "슐라이허가 그뢰너의 조치에 찬성하지 않는다는 정보가 들어왔다." 그리고 같은 날 일기는 더 이어진다. "… 슐라이허 장군의 가까운 친구인 유명한 부인에게서 전화가 왔다. 부인 말로는 장군이 사임하고자 한다는 것이다."[4]

괴벨스는 이 정보에 흥미를 느꼈지만 회의적이었다. "아마도 술책에 지나지 않을 것이다." 책략을 일삼는 이 정치적인 장군의 무한한 배반 능력을 괴벨스도 히틀러도 다른 누구도 아직은 짐작하지 못하고 있었다. 브뤼닝은 확실히 몰랐고, 슐라이허가 육군과 정부의 위원회들에서 급부상하도록 도와준 은인 그뢰너도 단연코 몰랐다. 그러나 조만간 알게 될 터였다.

국가방위군의 유약한 총사령관 하머슈타인 장군을 자기편에 두고 있던 슐라이허는 돌격대의 활동 금지령이 공포되기도 전에 7개 군관구 사령관들에게 군은 이 금지 조치에 반대한다고 은밀히 알렸다. 다음으로 힌덴부르크를 설득해 4월 16일, 돌격대는 해산시키면서 왜 사회민주당의 준군사조직인 국기단國旗團은 그냥 두느냐고 따지는 심술궂은 편지를 그뢰너에게 써보내도록 했다. 더욱이 슐라이허는 그뢰너의 입지를 흔들기까지 했다. 다시 말해 그뢰너 장군이 병환으로 현직을 유지할 수 없고 마르크스주의, 심지어 평화주의로 전향했다는 소문을 퍼뜨리고, 근래에 결혼했는데 불과 다섯 달 만에 자식을 얻어—그 아기에게 올림픽으로 유명해진 핀란드 육상선수의 이름을 따 '누르미'라는 별명을 붙였다고 군인 사회에서 돌던 이야기까지 힌덴부르크에게 전했다—군의 명예를 더럽혔다고 떠벌리는 등 상관에 대한 악의적 인신공격을 조장했다.

그러는 동안 슐라이허는 돌격대와 다시 접촉했다. 슐라이허는 돌격 대장 룀, 베를린 돌격대 지도자 헬도르프Helldorf 백작과 각각 회동했다. 4월 26일에 괴벨스가 기록한 바에 따르면 슐라이허는 헬도르프에게 "방 침을 바꾸고 싶다"고 알려왔다. 이틀 뒤 슐라이허는 히틀러와 만났고, 괴 벨스는 "이야기가 잘 풀렸다"라고 적었다.

이미 이 단계에서 룀과 슐라이허가 한 가지 문제와 관련해 히틀러 모 르게 음모를 꾸미고 있었던 것은 분명하다. 두 사람 모두 돌격대가 민병 대로서 육군에 통합되기를 바랐지만 총통은 그것에 시종일관 반대하고 있었다. 이 문제로 총통과 돌격대 참모장이 자주 다투었는데, 룀은 돌격 대를 국가를 강화할 잠재적 군사력으로 여긴 반면에 히틀러는 순전히 **정 치적**인 세력으로, 길거리에서 정적에게 테러를 가하고 나치당 내부의 정 치적 열정을 유지하기 위한 무리로 여겼다. 그런데 슐라이허는 나치 수 뇌부와 대화하면서 또다른 목표를 염두에 두었다. 그는 돌격대를 자신이 통제할 수 있는 육군에 배속시키는 것뿐 아니라, 대중의 추종을 받는 유 일한 보수적 민족주의자인 히틀러를 정부에 들여앉히는 것까지 추구했 다—그렇게만 하면 **히틀러**를 통제할 수 있으리라 생각했다. 돌격대 금 지령은 이 두 가지 목표를 모두 가로막고 있었다.

1932년 5월의 첫째 주가 끝나갈 무렵 슐라이허의 음모는 첫 번째 절 정에 이르렀다. 괴벨스는 5월 4일 일기에 "히틀러의 지뢰가 터지기 직전 이다. 먼저 그뢰너를, 뒤이어 브뤼닝을 쫓아내야 한다"라고 썼다. 5월 8

일에는 히틀러가 "슐라이허 장군, 대통령 측근의 몇몇 신사와 결정적인 회담을 가졌다. 모든 것이 순조롭다. 브뤼닝은 며칠 안에 몰락할 것이다. 대통령이 그에 대한 신임을 거둘 것이다"라고 썼다. 이어서 슐라이허와 대통령 자문단이 히틀러와 함께 꾸민 계획의 개요를 적었다. 제국의회를 해산하고 대통령 주도의 내각을 수립해 돌격대 및 나치당에 대한 모든 금지령을 해제한다. 무슨 꿍꿍이인지 브뤼닝이 의심하지 못하도록 히틀러는 베를린에서 멀리 떨어져 지낸다. 그날 밤 괴벨스는 히틀러를 메클렌부르크로 떠나보내 사실상 은신시켰다.

이튿날 괴벨스가 적은 대로 나치당에 대통령 주도의 내각은 그저 "중간" 단계에 불과했다. 그렇게 "특색 없는" 과도기 정부는 "우리에게 길을 열어줄 것이다. 약하면 약할수록 우리로서는 쉽게 물리칠 수 있다". 물론 이렇게 생각하지 않은 슐라이허는 벌써 헌법을 개정할 때까지 의회를 배제할 수 있고 또 자신이 지배할 수 있는 새로운 정부를 꿈꾸고 있었다. 분명 슐라이허와 히틀러는 벌써 서로를 이길 수 있다고 믿고 있었다. 하지만 당분간 유리한 패를 쥔 쪽은 전자였다. 슐라이허는 지친 노대통령에게 브뤼닝으로서는 제공할 수 없는 것, 즉 히틀러의 지지를 받으면서도 이 광적인 선동가를 내부에 들여앉히지 않아도 되는 정부를 자신이 제공하겠다고 장담할 수 있었다.

이렇게 모든 준비를 마친 다음 히틀러와 힌덴부르크 측근들을 만나고 이틀 후인 5월 10일, 슐라이허는 공격에 나섰다. 공격은 제국의회에서 시작되었다. 그뢰너 장군이 돌격대 금지령에 찬성하는 발언을 하자 괴링이 맹렬히 반격했다. 당뇨병을 앓는 데다 슐라이허의 배반으로 상심해 있던 국방장관은 최대한 방어하려 했지만 나치당 의원들이 마구 퍼붓는 독설에 압도되고 말았다. 모욕을 당한 채 진이 다 빠진 그뢰너는 의사당을 빠져나가 슐라이허 장군을 찾아갔지만, 슐라이허는 매몰차게 "더 이상 군의 신임을 받지 못하니 사임하셔야 합니다"라고 말했다. 그뢰너는 다시 힌덴부르크에게 호소했다. 지난날 결정적인 순간에, 그러니까 먼저 1918년 카이저에게 퇴위를 진언한 순간과 1919년 공화국 정부 측에 베르사유 조약의 조인을 권고한 순간에 힌덴부르크를 대신해 충성스럽게 앞에 나섰던—그리하여 비난을 받았던—그였다. 그러나 후배 장교에게 신세졌던 기억이 늘 꺼림칙했던 노원수는 "유감이지만" 그 문제에서 자신이 할 수 있는 일이 없다고 대꾸했다. 5월 13일, 그뢰너는 비통하고 환멸을 느끼는 심정으로 사임했다.* 그날 밤, 괴벨스는 일기에 "슐라이허 장군에게서 전갈이 왔다. 모든 것이 계획대로 착착 진행되고 있다"라고 기록했다.

계획의 다음 목표는 브뤼닝의 머리였으며, 공모자 장군이 그 머리를 단두대에 올려놓기까지는 그리 오랜 시간이 걸리지 않았다. 그뢰너의 몰락은 비틀거리는 공화국에 심대한 타격이 되었다. 군부 인사들 중에서 대체로 그뢰너 혼자만 공화국을 위해 유능하고도 헌신적으로 봉직했으며, 군대 내에는 그의 위상과 충성심을 대신할 만한 인물이 달리 없었다. 그러나 완고하고 근면한 브뤼닝에게는 아직 힘이 남아 있었다. 힌덴부르크의 재선에 대한, 그리고 스스로 생각하기에 공화국의 존속에 대한 지지를 독일인 과반으로부터 얻어낸 주역이었다. 브뤼닝은 독일의 전쟁 배상금 취소 및 군비 평등과 관련한 외교 정책에서 곧 큰 성공을 거둘 것

---

* 몇 달 뒤(11월 29일), 그뢰너는 슐라이허에게 편지를 썼다. "내 마음이 경멸과 분노로 들끓고 있네. 나의 오랜 친구요 제자요 양자인 자네에게 배반당했기 때문이지." (Gordon A. Craig, "Reichswehr and National Socialism: The Policy of Wilhelm Groener", *Political Science Quarterly*, June 1948 참조)

처럼 보였다.

하지만 앞에서 언급했듯이 연로한 대통령은 자신의 재선을 도우려는 총리의 초인적 노력에 아주 냉랭한 반응을 보인 바 있었다. 브뤼닝이 동프로이센에서 파산한 많은 융커들의 대농장을 국가가 넉넉한 보상금을 주고 매입해서 토지 없는 농민들에게 나누어주자고 제안했을 때, 대통령의 태도는 더욱 냉랭해졌다. 5월 중순 부활절 휴일에 힌덴부르크가 지난날 융커들이 산업가들의 금전적 지원을 받아 그의 80세 생일 선물로 준 동프로이센의 사유지 노이데크를 방문했을 때, 현지 귀족들은 "농업 볼셰비키" 총리를 당장 해임하라고 아우성쳤다.

나치당은 의심할 나위 없이 슐라이허를 통해 총리가 곧 퇴진할 것임을 브뤼닝 본인보다도 먼저 알았다. 5월 18일, 뮌헨에서 베를린으로 돌아온 괴벨스는 일기에 "부활절 기운"이 아직 남아 있다고 썼다. "브뤼닝에게만 겨울이 온 듯하다. 우습게도 본인이 그걸 모른다. 그는 내각을 채울 사람들을 찾을 수 없다. 쥐들이 가라앉는 배에서 내리고 있다." 더 정확하게 말하자면, 우두머리 쥐는 국가라는 가라앉고 있는 배를 버리기는커녕 그저 새로운 선장에 응모할 준비만 하고 있었다. 이튿날, 괴벨스는 "슐라이허 장군이 국방장관직 인수를 거부했다"라고 적었다. 그것은 사실이었지만 정확하지는 않았다. 브뤼닝은 그뢰너의 평판을 해쳤다는 이유로 슐라이허를 질책한 뒤 실제로 그에게 국방장관 자리를 들이밀었다. 슐라이허는 "그렇게 할 테지만 당신 정부에서는 안 하겠습니다"라고 대꾸했다.[5]

5월 19일, 괴벨스의 일기는 다음과 같다. "슐라이허로부터 전갈. 각료 명단이 준비되었다. 과도기이므로 그 명단은 별반 중요하지 않다." 요컨대 나치당은 브뤼닝보다 적어도 일주일 먼저 그의 구상이 틀어진 사실을 알고 있었다. 5월 29일 일요일, 힌덴부르크는 브뤼닝을 불러서 다짜고짜 사임하라고 요구했고, 이튿날 사임서를 받았다.

슐라이허는 승리를 거두었다. 그러나 브뤼닝만 넘어진 게 아니었다. 브뤼닝과 함께 민주공화국도 쓰러졌다. 다만 죽음을 앞둔 공화국의 고통 은 8개월 뒤 최후의 일격을 당할 때까지 이어질 터였다. 공화국의 종말 에 대한 브뤼닝의 책임은 가볍지 않았다. 진심으로 민주정을 옹호하긴 했지만, 임기의 대부분 동안 교묘한 책략대로 움직이며 의회의 동의 없 이 부득이 대통령령으로 통치해야 하는 입장을 자초했다. 그런 조치를 취하게 만든 압력이 크기는 했다. 눈먼 정치인들이 그런 행보를 거의 불 가피하게 만들었다. 그렇지만 5월 12일까지도 브뤼닝은 제국의회에서 자신의 경제 법안에 대한 신임투표를 가결시킬 수 있었다. 그러나 의회 의 동의를 얻지 못할 때면 대통령의 권한에 의지해 통치했다. 이제는 그 권한도 철회되었다. 1932년 6월부터 1933년 1월까지는 그 권한이 정작 브뤼닝만 못한 두 사람에게 주어질 것이었다. 그들은 나치당원이 아니면 서도 적어도 지금과 같은 민주공화국을 옹호하고픈 열의는 갖고 있지 않 았다.

공화국이 탄생한 이래 독일의 정치권력은 국민에게, 그리고 국민의 의사를 대변하는 기구인 제국의회에 있었지만, 더 이상은 아니었다. 이 제 정치권력은 노쇠한 85세의 대통령과 그 주위에서 힌덴부르크의 지치 고 오락가락하는 정신을 조종하는 소수의 천박한 야심가들의 수중에 있 었다. 히틀러는 자신의 목표 달성에 유리한 이 사태를 명확히 꿰뚫어보 고 있었다. 자신이 의회에서 과반수를 차지할 가망은 거의 없어 보였다. 힌덴부르크의 새로운 방침은 히틀러 자신이 권력을 잡을 수 있는 유일한 기회를 제공하는 것이었다. 당장은 아니지만 머지않아 그 기회가 온다고 확신했다.

히틀러는 나치당이 지방 의회에서 과반을 확보한 5월 29일에 올덴부르크에서 베를린으로 서둘러 돌아왔다. 이튿날 히틀러를 접견한 힌덴부르크는 지난 5월 8일 나치 지도자와 슐라이허가 은밀히 모의한 거래의 내용을 확인해주었다. 돌격대 금지령을 해제하고, 힌덴부르크 자신의 인선에 의한 대통령 주도의 내각을 구성하고, 제국의회를 해산한다는 것이었다. 히틀러에게 새 정부를 지지하겠냐고 힌덴부르크가 물었다. 히틀러는 그러겠다고 답했다. 그날 5월 30일의 괴벨스 일기는 그 내막을 알려준다. "히틀러와 대통령의 회담은 순조로웠다. … V. 파펜이 총리 후보로 거론된다. 하지만 우리는 별 관심이 없다. 제국의회가 해산된다는 것이 중요하다. 선거다! 선거다! 국민들에게 직접 호소한다! 우리 모두는 무척 행복하다."[6]

### 프란츠 폰 파펜의 낭패

그런데 당시 뜻밖의 터무니없는 인물이 무대 중앙에 잠시 얼쩡거렸다. 슐라이허 장군이 80대의 연로한 대통령에게 강권하여 1932년 6월 1일 독일 총리에 앉힌 53세의 프란츠 폰 파펜이라는 자였다. 파펜은 베스트팔렌의 영락한 귀족 가문 출신으로 전 참모본부 장교이자 뛰어난 기수騎手였는데, 가톨릭 중앙당 정치인으로서는 여러모로 어설퍼서 두각을 나타내지 못했다. 처가 덕에 부유한 사업가가 되었고 1차대전 중 미국이 아직 중립을 유지하던 무렵에 워싱턴 주재 대사관 무관으로서 교량이나 철도 폭파 등의 파괴 공작 혐의로 추방된 것 말고는 별로 알려진 게 없는 인물이었다.

"대통령의 선택은 불신에 부딪혔다"라고 베를린 주재 프랑스 대사는 썼다. "모두가 소리 죽여 웃거나 킥킥대거나 껄껄댈 뿐이었다. 파펜 스스로가 자신을 친구들도 적들도 진지하게 상대해주지 않는다는 것을 즐기는 듯한 희한한 구석이 있었기 때문이다. … 파펜은 얄팍하고 어설프고 불성실하고 야심차고 허영심 강하고 교활한 음모가로 알려져 있었다."[7] 슐라이허의 부추김에 넘어갔다고는 해도, 그런 사내에게—프랑수아-퐁세 대사의 표현은 과장이 아니었다—힌덴부르크는 허둥대는 공화국의 운명을 맡겼던 것이다.

파펜에게는 이렇다 할 정치적 뒷배가 전혀 없었다. 심지어 제국의회 의원도 아니었다. 정계에서 경험한 최고의 지위가 프로이센 주의회 의원이었다. 파펜이 총리에 임명되자 소속 정당인 중앙당은 그가 당수 브뤼닝을 배신했다는 데 분개하여 만장일치로 당에서 제명했다. 그러나 대통령은 파펜에게 초당파 내각을 구성하라고 지시했으며, 파펜은 슐라이허가 이미 각료 명단을 준비해둔 덕에 즉시 정부를 꾸릴 수 있었다. 그 면면을 보면 '남작 내각'이라고 불릴 만했다. 각료들 중 다섯은 귀족이었고, 둘은 기업 중역이었으며, 법무장관에 임명된 프란츠 귀르트너는 맥주홀 폭동 무렵의 어수선한 시절에 바이에른 주정부에 재직하며 히틀러를 비호하던 인물이었다. 슐라이허 장군은 자신이 좋아하는 위치인 무대 뒤에서 힌덴부르크에게 불려나와 국방장관이 되었다. '남작 내각'은 국민 대다수의 웃음거리가 되었다. 다만 각료들 중에서 콘스탄틴 폰 노이라트Konstantin von Neurath 남작, 파울 폰 엘츠-뤼베나흐Paul von Eltz-Rübenach 남작, 슈베린 폰 크로지크Schwerin von Krosigk 백작, 귀르트너 박사는 끈기가 강해 제3제국이 들어서고도 한참 동안이나 물러나지 않고 자리를 지켰다.

파펜의 첫 직무는 슐라이허와 히틀러 사이에 맺어진 협정을 이행하는 것이었다. 6월 4일, 파펜은 제국의회를 해산하고 선거를 7월 31일에 새로 치르기로 했으며, 의심 많은 나치 인사들로부터 어지간히 재촉을 받고는 6월 15일에 돌격대 금지령을 해제했다. 그러자 독일 역사에서 일찍이 본 적 없는 정치적 폭력과 살인이 잇따랐다. 싸움과 피를 찾는 돌격대원들이 거리를 대거 몰려다녔으며, 특히 공산당원들과 자주 충돌했다. 6월 1일부터 20일까지 프로이센에서만 461건의 격렬한 싸움이 거리에서 벌어져 82명이 목숨을 잃고 400명이 중상을 입었다. 7월에는 폭동 중에 86명이 피살되었는데, 나치당원 38명과 공산당원 30명도 포함되었다. 7월 10일 일요일에는 18명이 거리에서 죽었고, 그다음 일요일에는 나치당원들이 경찰의 호위를 받으며 함부르크 교외 노동계급 지구인 알토나를 행진하다가 19명이 총에 맞아 죽고 285명이 다쳤다. 이 내전을 멈추기 위해 '남작 내각'이 소집되었지만 사태는 점점 악화되었다. 나치당과 공산당을 제외한 모든 정당은 정부에 질서 회복을 위한 조치를 취하도록 요구했다.

파펜은 두 가지 대응 조치를 취했다. 우선 선거가 치러질 7월 31일 이전 2주 동안 모든 정치적 행진을 금지했다. 다음으로 나치당을 달래는 한편 민주공화국의 몇 안 남은 기둥 중 하나를 파괴하려고 했다. 7월 20일, 파펜은 프로이센 정부를 해산하고 스스로 프로이센 제국판무관에 취임했다. 이는 독일 전역에 가둥을 일종의 권위주의 정부를 세우려는 대담한 행보였다. 파펜이 내세운 구실은 알토나 폭동이야말로 프로이센 정부가 법과 질서를 유지할 수 없음을 드러냈다는 것이었다. 파펜은 또 슐라이허가 급조한 '증거'를 들이밀며 프로이센 당국이 공산당과 한통속이었다고 비난했다. 프로이센의 사회민주당 측 각료들이 완력에 밀려 쫓겨나지 않는 한 스스로 물러나지는 않겠다고 하자 파펜은 기꺼이 완력을 행사했다.

베를린에서는 계엄령이 선포되었으며, 이 지역 국가방위군 사령관 게르트 폰 룬트슈테트Gerd von Rundstedt 장군은 중위 한 명과 병사 십여 명을 보내 필요한 체포 조치를 취했다. 연방권력을 쥔 우익 인사들은 이러한 사태 전개에서 눈을 떼지 않았으며, 히틀러 역시 마찬가지였다. 좌파 세력이나 민주적인 중도 세력이 민주정 전복 시도에 진지하게 저항할지 모른다고 걱정할 필요는 더 이상 없었다. 지난 1920년에는 민주정 전복 시도에 맞서 총파업으로 민주정을 구한 바 있었다. 이번에도 노동조합과 사회민주당의 지도자들이 그런 대응을 검토했으나 너무 위험하다는 이유로 성사되지 않았다. 요컨대 파펜은 합법적인 프로이센 정부를 해산함으로써 바이마르 공화국의 관에 또 하나의 못을 박은 셈이었다. 그가 큰소리친 대로 그 일에 필요했던 것은 병력 1개 분대뿐이었다.

한편, 히틀러와 그 부하들은 공화국뿐 아니라 파펜과 귀족 각료들까지 쓰러뜨릴 작정이었다. 괴벨스는 6월 5일 일기에서 관련 목표를 표명했다. "우리는 가능한 한 일찍 이 과도적 부르주아 내각과의 관계를 끊어야 한다." 6월 9일에 파펜이 히틀러를 처음 만났을 때도 나치 지도자는 "귀하의 내각을 한시적인 것으로 여기고 나의 당을 전국에서 가장 강한 당으로 만들기 위해 계속 노력할 것입니다. 그때가 되면 총리직은 내게 넘어올 것입니다"라고 말했다.[8]

7월 31일의 제국의회 선거는 독일에서 다섯 달 사이에 세 번째로 치르는 총선이었지만, 나치당은 너무 잦은 유세에 지치기는커녕 그 어느 때보다도 열광적이고 강한 기운으로 선거운동을 펼쳤다. 히틀러가 힌덴부르크에게 나치당은 파펜 정부를 지지할 것이라고 약속했음에도 불구하고 괴벨스는 내무장관을 신랄하게 공격하기 시작했고, 7월 9일에는 히틀러 스스로 슐라이허를 찾아가 정부의 시책을 매섭게 비판했다. 히틀러를 보려고 모여드는 군중의 규모를 감안하면 나치당이 세를 불리고 있는 것은 분명했다. 7월 27일 하루에 히틀러는 브란덴부르크에서 6만 명, 포츠남에서도 비슷한 규모의 군중 앞에서 연설한 뒤 저녁에는 베를린의 거대한 그루네발트 경기장에 운집한 12만 명 앞에서 연설했는데, 경기장에 들어가지 못한 10만 명은 밖에서 확성기로 그의 연설을 들었다.

7월 31일 선거에서 국가사회주의당은 압승을 거두었다. 1374만 5000표를 얻은 나치당은 230석을 차지해 제국의회에서 단연 최대 정당이 되었다. 다만 총 608석 중 과반을 차지하기에는 아직 한참 모자랐다. 사회민주당은 프로이센에서 지도부가 드러낸 소심함 탓인지 10석을 잃어 133석이 되었다. 사회민주당에서 돌아선 노동계급의 지지를 받은 공산당은 12석을 더한 89석을 차지해 제국의회의 제3당이 되었다. 가톨릭 중앙당은 68석에서 73석으로 당세를 조금 키웠지만, 다른 중간계급 정당들, 특히 선거에서 파펜을 지지했던 유일한 정당인 후겐베르크의 독일국가인민당은 추락하고 말았다. 중앙당을 제외하면, 중간계급과 상층계급의 표가 나치당으로 넘어간 것이 확실했다.

8월 2일, 히틀러는 뮌헨 인근 테게른제에서 당 지도부와 함께 선거전 승리에 관해 의견을 나누었다. 2년 전 제국의회 선거 이래로 국가사회주의당은 700만 표 넘게 늘려 의석을 107석에서 230석으로 늘렸다. 1928년 선거부터 헤아리면 4년 만에 무려 1300만 표를 새로 얻은 셈이었다. 그럼에도 당이 단번에 집권하는 데 필요한 과반 득표는 여전히 히틀러의 손 밖에 있었다. 그는 총 득표수의 37퍼센트를 얻는 데 그쳤다. 독일 국민 과반은 아직도 그에게 등을 돌리고 있었다.

그날 밤이 깊도록 히틀러는 부하들과 진지하게 토론했다. 괴벨스는 그 결과를 8월 2일 일기에 기록했다. "총통은 어려운 결정에 직면해 있다. 합법적으로? 중앙당과 함께?" 중앙당과 손잡는다면 나치당은 제국의회에서 과반수를 확보할 수 있었다. 그러나 괴벨스가 보기에 그것은 "생각할 수 없는" 방안이었다. 아직 "총통은 최종 결정을 내리지 않았다. 상황이 무르익기까지 시간이 좀 더 걸릴 것이다".

하지만 오래 기다릴 수는 없었다. 결정적 승리에는 못 미쳤지만 이번 승리에 들뜬 히틀러는 조바심을 냈다. 8월 4일, 히틀러는 파펜 총리가 아닌 슐라이허 장군을 만나 "요구사항을 제시하기 위해" 급히 베를린으로 향했다. "그리 적당한 요구사항은 아닐 것이다"라고 괴벨스는 덧붙였다. 8월 5일, 베를린 근교의 퓌르슈텐베르크 병영에서 히틀러는 슐라이허 장군에게 요구조건의 개요를 말했다. 총리직은 자신이 차지하고, 나치당에는 프로이센 주 총리, 연방 및 프로이센 내무장관, 연방 법무장관, 경제장관, 항공장관을 할당하고, 괴벨스의 몫으로 국민계몽선전부를 신설한다는 조건이었다. 슐라이허를 달래기 위한 선물로는 국방장관직을 약속했다. 더 나아가 히틀러는 특정 기간에 대통령령에 의해 통치할 전권위임 관련 법안의 통과를 제국의회에 요구할 것이라고 말했다. 만약 거부한다면 제국의회 의원들을 모두 "집으로 돌려보낼" 작정이라고도 말했다.

자기 계획을 슐라이허에게 납득시켰다고 확신한 채 회담을 마친 히틀러는 기분 좋은 상태로 부랴부랴 남쪽의 오버잘츠베르크 산장으로 향했다. 하지만 반대파에게 언제나 냉소적인 데다 유달리 정치적인 슐라이허 장군을 신뢰하지 않던 괴벨스는 별로 확신이 들지 않았다. 슐라이허와의 회담에 대한 낙관적인 보고를 들은 괴벨스는 8월 6일 일기에 "향후 추이에 관해서는 의심하는 편이 좋겠다"라고 솔직하게 털어놓았다. 다만 한 가지는 확신하고 있었다. "정권을 잡고 나면 우리는 결코 내놓지 않을 것이다. [어떻게 해서든 몰아내려 한다면] 각 부처에서 우리의 시신을 밖으로 반출해야 할 것이다."

히틀러의 생각처럼 만사가 잘 풀리시는 않았다. 괴벨스는 8월 8일 일기에 이렇게 썼다. "베를린으로부터 전화. 소문이 무성하다. 당 전체는 권력을 넘겨받을 준비가 되어 있다. 돌격대원들은 사태에 대비하기 위해 직장을 떠나고 있다. 당 지도부는 위대한 순간을 위해 준비하고 있다. 모든 일이 잘 풀리면 좋겠다. 상황이 나쁘게 흘러가면 끔찍한 차질이 생길 것이다." 이튿날 슈트라서, 프리크, 풍크가 오버잘츠베르크에 도착해 꼭 고무적이지만은 않은 소식을 전했다. 슐라이허가 벌레처럼 마음을 바꿔 먹고 있다고 했다. 히틀러가 총리직에 오르더라도 제국의회의 동의를 받아 통치해야 한다고 역설하고 있다고 했다. 풍크는 슐라이허의 재계 친구들이 나치 정부의 장래를 우려하고 있다고 보고했다. 이를 뒷받침하는 샤흐트의 전언도 있었다. 마지막에 이 세 사람은 빌헬름슈트라세 쪽에서 나치당의 폭동을 우려하고 있다고 히틀러에게 알렸다.

이 우려에는 근거가 없지 않았다. 다음날인 8월 10일, 괴벨스가 들은 대로 베를린에서는 돌격대가 "무장 대기 상태"에 있었다. "돌격대는 베를린 주변 포위망을 갈수록 강화하고 있다. 이에 빌헬름슈트라세는 신경을 곤두세우고 있다. 그러나 바로 그것이 이번 동원의 요점이다." 이튿날 총통은 더 이상 기다릴 수가 없었다. 자동차를 타고 베를린으로 향했다. 괴벨스의 말대로 히틀러는 베를린에서 "틀어박혀" 지내면서도 언제든 호출에 응할 준비는 하고 있었다. 호출이 없자 히틀러는 직접 대통령에게 면담을 요청했다. 그러나 먼저 슐라이허와 파펜을 만나야 했다.

회담은 8월 13일 정오에 이루어졌다. 험악한 자리였다. 일주일 전의 입장에서 슬그머니 돌아선 슐라이허는 히틀러가 바랄 수 있는 최대치는 부총리직이라고 파펜과 한목소리로 말했다. 히틀러는 격분했다. 총리가 되든지 아무것도 안 되든지 둘 중 하나였다. 파펜은 "최종 결정"을 힌덴부르크에게 맡기겠다고 말하며 회담을 끝냈다.*

히틀러는 씩씩거리면서 가까운 카이저호프 호텔로 물러났다. 그곳으로 오후 3시에 대통령 집무실에서 전화가 걸려왔다. 누군가—일기로 미루어 보건대 괴벨스였을 것이다—가 "벌써 결정을 내렸습니까? 그렇다면 히틀러가 찾아갈 필요는 없겠습니다"라고 말했다. 그러자 상대는 대통령이 "먼저 히틀러와 이야기하고 싶다 하십니다"라고 말했다.

연로한 원수는 서재에서 지팡이를 짚고 일어선 채로 나치 지도자를 맞이했다. 회담은 얼음장처럼 차가운 분위기 속에 시작되었다. 불과 열달 전에 정신질환으로 일주일 넘게 앓았던 힌덴부르크는 85세의 노인치고는 두뇌가 놀라우리만치 명석했다. 히틀러가 총리직과 전권을 거듭 요구하며 발언을 이어가는 동안 힌덴부르크는 진득하게 듣고 있었다. 대통령 비서실장 오토 폰 마이스너와 히틀러를 수행한 괴링만이 이 대화의 증인이었다. 비록 마이스너를 온전히 신뢰할 만한 증인이라 할 수는 없더라도, 그의 뉘른베르크 재판 선서진술서는 그 대화에 대한 현존하는 유일한 1차 자료이다. 마이스너의 증언은 진실처럼 들린다.

---

* 파펜의 회고록에는 이 회담에 슐라이허가 동석했다는 언급이 없지만, 다른 자료들을 보면 동석했던 것이 분명하다. 이후의 사태를 고려하면 이는 중요한 논점이다.

힌덴부르크는 이런 긴박한 상황에서는 국가사회주의당 같은 새로운 정당에 정부의 권한을 넘겨주는 위험을 양심상 감수할 수 없고, 국가사회주의당은 다수를 점하지 못했거니와 관용이 없고 소란스럽고 규율이 잡혀 있지 않다고 말했습니다.

이 대목에서 힌덴부르크는 확실히 흥분한 기색으로 최근의 몇몇 사건을 거론했습니다. 나치당과 경찰의 충돌, 히틀러 추종자들이 의견을 달리하는 사람들에게 가한 폭력, 유대인에 대한 지나친 행위, 그 밖의 불법 행위 등이었습니다. 이 모든 사건으로 인해 나치당 내에 통제가 안 되는 난폭한 분자들이 수두룩하다는 힌덴부르크의 확신은 더욱 굳어진 상태였습니다. … 이런저런 문제를 폭넓게 논의한 끝에 힌덴부르크는 히틀러에게 몇 가지 제안을 했습니다. 다른 정당들, 특히 우파 및 중도파 정당들과 협력할 용의가 있음을 스스로 선언하고, 자신이 전권을 가져야 한다는 일방적인 생각을 버리라고 말입니다. 그리고 다른 정당들과 협력하면서 히틀러 스스로 무엇을 성취하고 개선할 것인지 보여줄 수 있을 것이라고 단언했습니다. 긍정적인 결과를 보이면, 연립정부 안에서도 영향력을 키우고 더 나아가 압도적인 영향력을 얻게 될 것이라고 했습니다. 힌덴부르크는 이것이 국가사회주의 정부가 권한을 악용하거나 자신들과는 다른 견해를 억압하고 점차 배제할 것이라는 널리 퍼진 우려를 불식시키기에 가장 좋은 방법이라고도 말했습니다. 힌덴부르크는 히틀러와 그의 운동의 대표들을 연립정부에 받아들일 용의가 있고, 연립정부를 구체적으로 어떻게 구성할지는 협상의 문제이지만 히틀러 한 사람에게 전권을 주는 것에는 책임을 질 수 없다고 말했습니다. … 그렇지만 히틀러는 다른 정당들의 지도부와 흥정을 하거나 그런 식으로 연립정부를 조직하는 입장에 서기를 단호히 거부했습니다.[9]

이런 이유로 회담은 아무런 합의도 이루지 못하고 끝났지만, 그에 앞서 노령의 대통령은 여전히 선 채로 나치 지도자에게 엄한 훈계를 했다. 회담 직후 발표된 공식 성명문에 따르면 힌덴부르크는 "히틀러 씨가 제국의회 선거 전에 동의했던 대로 독일국 대통령이 확신을 가지고 임명한 중앙정부를 지지하는 입장에 서지 않은 것을 유감스럽게 생각했다". 덕망 높은 대통령은 히틀러가 약속을 어겼다고 보면서도 앞으로 조심하라고 주의를 주었다. 이어지는 성명문은 다음과 같았다. "대통령은 히틀러 씨에게 국가사회주의당이 모종의 반대 활동을 하려거든 정중한 방식으로 하고 조국과 독일 국민에 대한 책임을 잊지 말라고 엄중히 권고했다."

회담에 대한 힌덴부르크의 견해를 전하고 히틀러가 "국가에 대한 완전한 통제권"을 요구했음을 강조하는 이 성명문이 부리나케 발표되어 괴벨스의 선전기관이 허를 찔렸는가 하면 히틀러의 대의명분도 일반 대중뿐 아니라 나치당원 사이에서도 큰 타격을 입었다. 히틀러는 자신이 "완전한 권한"을 요구한 것이 아니라 총리직과 몇몇 장관 자리만 요구했을 뿐이라고 해명했지만 소용이 없었다. 대개는 힌덴부르크의 발언을 믿었다.

그러는 사이에 한쪽에서는 동원된 돌격대원들이 안달을 하고 있었다. 그날 밤, 히틀러는 돌격대 지도부를 불러 이야기를 했다. "그건 어려운 일이다"라고 괴벨스는 적었다. "과연 그들의 대오를 유지할 수 있을지 어느 누가 알겠는가? 승리에 들뜬 대원들에게 그 승리를 손아귀에서 빼앗겼다고 말하는 것만큼 어려운 일도 없다." 그날 밤 늦게 이 작은 체구의 박사는 프리드리히 대왕의 서간집을 읽으며 위안을 구했다. 이튿날에는 발트 해변으로 휴가를 떠났다. "당내 동지들 사이에 극심한 무력감이 퍼져 있다." 방에서 나와 그들과 이야기하는 것마저 거절했다. "적어도 일주일 동안은 정치 얘기를 듣고 싶지 않다. 태양과 빛, 공기, 평온만을 원한다."

히틀러도 오버잘츠베르크로 물러나 자연에 파묻힌 채 가까운 미래에 관해 숙고했다. 괴벨스의 말마따나 "처음 맞은 절호의 기회를 놓쳤다". 당시 단치히의 나치당 지도자 헤르만 라우슈닝Hermann Rauschning은 총통이 산꼭대기에서 시무룩하게 생각에 잠겨 있는 모습을 보았다. 히틀러는 라우슈닝에게 "우리는 무자비하게 굴어야 해"라고 말하고는 파펜을 신랄하게 비난하기 시작했다. 그러나 희망을 잃지는 않았다. 때로는 벌써 총리나 된 것처럼 말했다. "내 과제는 비스마르크의 과제보다 어렵네. 우리 앞에 놓인 막중한 과제와 씨름하기 전에 먼저 국가를 수립해야만 해." 그런데 파펜과 슐라이허 치하의 군사독재정이 나치당을 탄압한다면? 히틀러는 느닷없이 라우슈닝에게 단치히—당시 국제연맹의 보호를 받는 독립 도시국가였다—가 독일과 범죄인 인도 협정을 맺었느냐고 물어보았다. 라우슈닝은 선뜻 질문의 의미를 이해하지 못했지만, 나중에 생각하니 히틀러가 도피처로 삼을 만한 장소를 찾고 있었던 것이 분명했다.[10] 괴벨스는 그의 말대로 "총통이 체포될 거라는 소문"에 주목했다. 그런데도 당시 히틀러는, 대통령에게 퇴짜 맞고 파펜과 슐라이허의 정부에 거절당한 뒤 자신의 당이 불법화될까 우려하면서도 '합법성' 노선을 고수하기로 결심했다. 돌격대에서 나오는 폭동 운운도 모조리 일축해버렸다. 간혹 기분이 가라앉을 때도 있었지만 끝내 목표를 달성할 것이라는 신념에는 변함이 없었다—무력을 쓰거나 거의 가망 없는 과반 의석 확보라는 방법이 아니라 슐라이허와 파펜을 정상까지 데려다준 방법으로, 즉 은밀한 음모라는 적들의 수법을 그들에게 그대로 돌려주는 방법으로 달성할 것이었다.

오래지 않아 히틀러는 어떻게 갚아줄지 그 실례를 보여주었다. 8월 25일, 괴벨스는 베르히테스가덴에서 히틀러와 상의한 뒤 "우리는 적들에게 압력을 가할 수 있을까 해서 중앙당과 접촉했다"라고 기록했다. 이튿날 베를린으로 돌아온 괴벨스는 "우리가 중앙당의 의사를 타진했음"을 슐라이허가 이미 파악했다는 사실을 알게 되었다. 다음날 괴벨스는 그저 확인만 해보려고 슐라이허를 찾아갔다. 괴벨스는 슐라이허가 히틀러와 중앙당이 손을 잡는 것을 우려하는 듯하다고 생각했는데, 양측이 힘을 합칠 경우 제국의회에서 과반을 점할 수 있었기 때문이다. 슐라이허에 관해 괴벨스는 "그에 관해서라면 무엇이 진실이고 거짓인지 모르겠다"라고 썼다.

중앙당과의 접촉은 괴벨스의 말대로 파펜 정부를 압박하는 방편 그 이상을 의도한 것이 결코 아니었음에도, 제국의회에서 광대극 같은 사건이 일어나 기수 출신 총리가 실각하는 단초가 되었다. 8월 30일에 제국의회가 소집되자 중앙당은 나치당에 동조하여 괴링을 의장으로 선출했다. 그리하여 9월 12일에 제국의회가 실질 심의에 들어갔을 때 나치당 의원이 처음으로 의장석에 앉았다. 괴링은 이 기회를 최대한 활용했다. 그에 앞서 파펜 총리는 힌덴부르크로부터 의회 해산을 명하는 대통령령을 미리 받아둔 터였다─현안 처리를 위한 제국의회가 소집되기도 전에 의회의 사형 집행 영장에 서명이 이루어진 것은 이번이 처음이었다. 그러나 이 회의 첫날에 파펜은 부주의하게도 대통령령 문서를 지참하지 않았다. 그 대신 정부 시정방침을 설명하는 연설 원고를 가져갔다. 예상대로 공산당이 정부 불신임안을 발의하더라도 다른 대다수 정당들과 뜻을 같이하는 국가인민당 의원들 중 적어도 한 명은 불신임안에 반대할 것으로 확신했기 때문이다. 600여 명의 의원들 중 단 한 명이라도 반대하면 표결을 연기할 수 있었다.

그렇지만 공산당 의원 에른스트 토르글러Ernst Torgler가 당일의 의사 진행 변경안을 냈을 때, 국가인민당 의원도 다른 어떤 의원도 기립으로 반대하지 않았다. 결국 프리크가 나치당을 대표해 30분간 정회를 요청했다.

파펜은 회고록에서 "그때는 상황이 심각했으며, 나는 허를 찔린 셈이었다"라고 말한다. 파펜은 황급히 사람을 보내 총리 관저에서 의회 해산 영장을 가져오도록 했다.

한편 히틀러는 길 건너편 제국의회 의장 공관에 당 의원들을 모아놓고 상의했다. 나치당은 딜레마에 빠져 당황하고 있었다. 나치당이 보기에 표결을 연기하는 쪽으로 움직이지 않은 국가인민당은 배신을 한 격이었다. 이제 히틀러의 당은 파펜 정부를 쓰러뜨리려면 공산당이 낸 불신임안에 그들과 함께 찬성표를 던져야 했다. 이 불쾌하기 그지없는 제휴를 히틀러는 감내하기로 결정했다. 그는 당 의원들에게 공산당의 변경안에 찬성하라고 지시했다. 파펜이 제국의회를 해산하기 전에 그를 끌어내리는 것이다. 물론 이 목표를 달성하려면 의장 괴링이 재간을 부려 의사 진행을 신속하고도 교묘하게 마무리해야 했다. 지난날 공군 격추왕이자 대담하고 다재다능했던 괴링은, 훗날 더 큰 무대에서 그런 면모를 입증하게 되지만, 이번 일에도 적임자였다.

회의가 속개되자 파펜이 의원들에게 익숙한 빨간색의 공문서 송달함을 들고 나타났다. 예로부터 해산 영장을 수발하는 데 쓰이던 그 송달함을 부리나케 가져온 터였다. 그러나 파펜이 해산 영장을 낭독하려고 발언권을 신청했을 때 제국의회 의장은 그를 못 본 척했다. 그러자 얼굴이 붉게 달아오른 파펜이 일어서서 회의장 내 모든 사람이 볼 수 있도록 영장을 흔들었음에도 괴링은 계속 시치미를 뗐다. 괴링만 제외하고 모두가 그 문서를 보았다. 괴링은 미소 띤 얼굴을 반대쪽으로 돌렸다. 그리고 즉시 표결할 것을 요구했다. 목격자들의 증언에 따르면 그 순간 파펜의 안색은 분노로 창백해져 있었다. 파펜은 의장석까지 성큼성큼 걸어가 해산 영장을 책상에 쾅 하고 내려놓았다. 괴링은 눈길조차 주지 않은 채 표결 진행을 지시했다. 파펜은 각료들—그중 아무도 의원 신분이 아니었다—을 이끌고 회의장을 뚜벅뚜벅 걸어나갔다. 정부 불신임안은 513 대 32로 가결되었다. 그제서야 괴링은 파펜이 노기등등하게 책상에 내동댕이친 종잇장에 눈길을 주었다. 전원이 보는 앞에서 영장을 낭독한 괴링은 이미 의원 과반수의 찬성으로 해임된 총리가 부서副署한 것이므로 무효라고 결정했다.

이 광대극 같은 사건으로 독일의 어느 정파가 이득을 보거나 손해를 보았는지, 또 얼마만큼 보았는지를 당장 헤아릴 수는 없었다. 멋쟁이 파펜이 웃음거리가 되었다는 것만은 분명했다. 하지만 프랑수아-퐁세 대사가 말했듯이 파펜은 어차피 친구들에게조차 다소간 웃음거리가 되기 일쑤였다. 제국의회가 보여준 대로 힌데부르크가 엄선한 대통령 주도의 정부를 독일인 과반수가 지지하지 않는다는 것도 분명했다. 그러나 그 과정에서 제국의회는 의회제에 대한 국민의 신뢰를 더 떨어뜨리지 않았던가? 나치당에 대해 말하자면, 무책임할 뿐 아니라 목표 달성을 위해서라면 공산당과의 공조도 마다하지 않는 모습을 보여주지 않았던가? 더욱이 시민들이 선거라면 진절머리를 내는 마당에 나치당은 새로 치러야 할, 1년 안에 벌써 네 번째인 선거에서 표를 잃을 가능성이 있었다. 그레고어 슈트라서나 프리크마저도 그럴 가능성이 있다고 생각했고 득표 감소가 당에 치명타가 될지도 모른다고 보았다.

그렇지만 같은 날 저녁 괴벨스가 적었듯이 히틀러는 "기뻐서 어쩔 줄을 몰랐다. 또다시 총통은 명백하고 틀림없는 결정을 내렸다".

제국의회는 곧 해산을 인정했다. 이제 선거 날짜는 11월 6일로 잡혔다. 선거를 앞둔 나치당으로서는 몇 가지 어려움이 있었다. 먼저 괴벨스의 지직대로 국민들이 정치 연설과 선전에 넌더리를 냈다. 10월 15일 일기에서 괴벨스가 인정했듯이 당직자들마저 "이 영원히 계속되는 듯한 선거 탓에 몹시 신경질적으로 변했다. 그들은 과로에 시달린다". 더욱이 재정적인 문제도 있었다. 재계와 금융계의 거두들은 자기들에게 얼마간 양보한 파펜을 지지하는 쪽으로 기울고 있었다. 풍크가 경고했듯이 그들은 히틀러가 힌덴부르크와의 협력을 거부한다는 점, 자신들이 보기에 갈수록 과격해진다는 점, 그리고 제국의회에서의 에피소드를 통해 드러난 대로 공산당과도 공조하는 경향을 보인다는 점에서 총통에 대한 불신을 키워가고 있었다. 이를 알아차린 괴벨스는 10월 15일 일기에 이렇게 썼다. "돈 구하기가 유독 어렵다. '재산과 교양'을 가진 신사들 모두가 정부 편이다."

투표일을 며칠 앞두고 나치당은 공산당과 함께 베를린 운수노동자들의 파업을 조직했다. 다른 노동조합과 사회민주당에서는 거부한 파업이었다. 선거운동 막바지에 선풍을 불러일으키려면 더 많은 자금이 필요한 상황에서 이 일로 나치당의 재계 자금줄이 더욱 말라버렸다. 11월 1일, 괴벨스는 침울하게 썼다. "자금 부족이 우리의 만성질환이 되었다. 실제로 선거운동을 대규모로 펼칠 만한 자금이 없다. 부르주아 사회의 다수는 우리가 파업에 가담했다는 사실에 기겁했다. 다수의 당 동지들까지도 의문을 품기 시작했다." 선거 전날인 11월 5일에는 이렇게 썼다. "마지막 공격. 패배를 막기 위한 당의 절박한 돌진. 막판에 1만 마르크를 모으는 데 성공했다. 이 돈은 토요일 오후 선거운동에 투입할 것이다. 할 수 있는 일은 다 했다. 이제는 운명에 맡길 차례다."

11월 6일, 운명은, 그리고 독일 유권자들은 많은 것을 결정했다. 그러나 무너져가는 공화국의 미래에는 그 무엇도 결정적이지 않았다. 나치당은 200만 표와 34석을 잃어 196석으로 줄었다. 공산당은 75만 표를 더 얻었고 사회민주당은 75만 표를 잃었다. 그 결과 공산당은 89석에서 100석으로 늘었고 후자는 133석에서 121석으로 줄었다. 홀로 정부를 지지했던 독일국가인민당은 100만 표 가까이 늘려서—명백히 나치당에서 뺏어온 표였다—종전의 37석에서 이제 52석이 되었다. 국가사회주의당은 여전히 전국 최대 정당이긴 했지만 200만 표가 줄어든 것은 심각한 타격이었다. 아직 과반에 한참 못 미치는 수준에서 나치당의 성장세가 처음으로 꺾이고 있었다. 불패신화가 산산이 깨졌다. 히틀러는 지난 7월 시점에 비해 권력을 흥정하기에도 불리한 입장이었다.

이를 깨달은 파펜은 히틀러에 대한 "개인적 혐오감"을 억누른 채 11월 13일에 편지를 보내 "정세에 관해 논의"하자는 취지로 그를 초대했다. 그러나 히틀러가 답장에서 수많은 조건을 붙인 탓에 파펜은 그에게 양해를 구할 수 있으리라는 희망을 완전히 버렸다. 쾌활하고 무능한 총리는 나치 지도자의 비타협적인 태도에는 놀라지 않았지만, 자신의 친구이자 조언자인 슐라이허가 제시한 새로운 방침에는 놀라지 않을 수 없었다. 이 능청맞은 실력자는 전임자 브뤼닝과 마찬가지로 파펜 역시 더 이상 쓸모가 없다고 결론을 내린 터였다. 슐라이허의 기민한 두뇌에서 새로운 계획들이 움트고 있었다. 자신의 좋은 친구 파펜을 퇴진시켜야 했다. 대통령이 정당들, 특히 최대 정당과 교섭하는 경우에는 운신하기가 자유로 위야 했다. 슐라이허는 파펜의 사임을 종용했고, 11월 17일 파펜과 그의 내각이 사임했다. 힌덴부르크는 즉시 히틀러를 불렀다.

11월 19일의 회담은 지난 8월 13일 회담 때보다는 덜 냉랭했다. 이번에 대통령은 의자를 권하며 손님이 한 시간 넘게 머무를 수 있도록 했다. 힌덴부르크는 히틀러에게 두 개의 선택지를 제시했다. 하나는 제국의회에서 특정 정책을 내걸고 유효한 과반의 지지를 확보할 수 있다면 총리로 임명하겠다는 것이었고, 다른 하나는 긴급명령으로 통치할 또다른 대통령 주도의 내각에서 파펜 총리 아래 부총리를 맡으라는 것이었다. 히틀러는 21일에 다시 대통령을 만났고, 그사이 마이스너와 몇 차례 편지를 주고받기도 했다. 그러나 합의에 이르지 못했다. 히틀러는 의회에서 유효한 과반을 확보할 수가 없었다. 중앙당이 히틀러가 독재를 열망하지 않는다는 조건으로 그를 지지하는 데 동의하긴 했지만, 후겐베르크는 국가인민당의 협력을 보류했다. 이런 이유로 히틀러가 대통령 주도 정부의 총리직을 재차 요구했지만, 대통령은 총리직을 줄 마음이 없었다. 긴급명령으로 통치해야 하는 내각을 구성해야 한다면, 힌덴부르크로서는 자신의 친구 파펜에게 맡기는 편이 더 나았다. 마이스너가 대통령을 대신해서 보낸 편지에 따르면, 힌덴부르크는 "그런 내각은 일당 독재로 변해가기 마련이라서" 총리직을 줄 수 없다며 "나의 맹세와 양심을 걸고 그런 일에 책임을 질 수는 없소"라고 말했다.[11]

노원수의 이 발언에서는 앞의 말이 뒤의 말보다 예언에 더 가까웠다. 히틀러로서는 한 번 더 총리직의 문을 두드려 작은 틈새만큼이나마 열리는 것을 보긴 했지만, 결국 그 문이 면전에서 쾅 하고 닫히는 꼴을 지켜봐야 했다.

바로 이런 결과를 기대하던 파펜은 12월 1일 저녁 슐라이허와 함께 힌덴부르크를 만나러 갔을 때 자신이 총리에 재임명되리라 확신했다. 모략가 장군이 무슨 일을 꾸미리라고는 거의 의심하지 않았다. 이보다 앞서 슐라이허는 슈트라서와 접촉해 나치당이 파펜 정부에는 들어가지 않는다고 해도 자신이 총리를 맡는 정부에는 참여할 의향이 있는지 타진했다. 슐라이허 장군은 히틀러와 상의하기 위해 그에게 베를린으로 와달라고 했다. 그런데 독일 신문에 널리 보도되었고 나중에 대다수 역사가들이 받아들인 설에 따르면, 총통은 실제로 그날 뮌헨에서 야간열차를 타고 베를린으로 향했지만 한밤중에 예나에서 괴링에 의해 하차하게 되었고 다시 은밀히 바이마르로 이동해 나치 수뇌부 회의에 출석했다. 하지만 그 전말에 관한 한 뜻밖에도 나치 측의 설이 더 정확해 보인다. 괴벨스의 11월 30일 일기에서는 다음과 같이 이야기되고 있다. 히틀러는 급히 베를린으로 와달라는 전보를 받았지만, 총통은 슐라이허에게 기다리게 해놓고 그사이 튀링겐 선거를 위한 유세 일정을 잡아둔 바이마르에서 동지들과 상의할 생각이었다. 12월 1일, 나치당의 다섯 거두, 즉 괴링, 괴벨스, 슈트라서, 프리크, 그리고 히틀러가 참석한 이 회의에서는 의견 충돌이 상당했다. 프리크의 지지를 받은 슈트라서는 자기가 보기에 슐라이허 정부에 참여하는 편이 더 좋겠지만 참여하지 않겠다면 적어도 그 정부를 용인해야 한다고 주장했다. 괴링과 괴벨스는 그런 노선에 격렬히 반대했고, 히틀러도 이들의 편을 들었다. 이튿날 히틀러는 슐라이허가 보낸 오트Ott 중령이라는 자에게 장군이 총리직을 맡지 않도록 힘써보라고 조언했지만 이미 늦었다.

파펜은 슐라이허가 자기 등 뒤에서 음모를 꾸미고 있을 줄은 까맣게 몰랐다. 12월 1일 대통령과의 회담이 시작되자 파펜은 자신의 장래 계획을 자신만만하게 표명했다. 자신이 계속 총리를 맡아 긴급명령에 의해 통치하고 제국의회는 "헌법을 개정"할 수 있을 때까지 한동안 그대로 둔다는 계획이었다. 사실 파펜은 독일을 제정 시대로 되돌려 다시금 보수층의 통치를 확립할 수 있도록 하는 '개정'을 원했다. 뉘른베르크 재판 때의 증언이나 회고록에서 인정했고 또 실제로 힌덴부르크에게 말했듯이, 파펜은 "대통령에 의한 현행 헌법의 침해"가 포함된 제안을 하면서도 "헌법에 대한 맹세보다 민족의 안녕을 더 중시하는 것이 정당할지 모른다"라고 대통령을 설득하고 일찍이 비스마르크도 "나라를 위해" 그렇게 했다고 덧붙였다.[12]

그때 파펜으로서는 천만뜻밖에도 슐라이허가 끼어들며 반대 의견을 냈다. 슐라이허는 연로한 대통령이 헌법을 수호하겠다는 맹세를 스스로 어기는 선택지를 명백히 꺼리고 되도록 피하고 싶어한다는 점을 활용했다. 그리고 피할 수 있다고 생각했다. 자신이 총리가 된다면 제국의회에서 다수를 점하는 정부를 조직할 수 있다고 믿고 있었다. 또한 슈트라서와 적어도 60명의 나치당 의원을 히틀러에게서 떼어낼 수 있다고 확신했다. 이 나치 분파에 중간계급 정당들과 사회민주당까지 가세할 것이라고 보았다. 심지어 노동조합도 자신을 지지할 것이라고 내다봤다.

이런 발상에 충격을 받은 힌덴부르크는 파펜 쪽으로 몸을 돌려 곧장 새 정부 구성에 착수하라고 했다. "슐라이허는 말문이 막힌 듯했다"라고 파펜은 말한다. 두 사람은 대통령 곁에서 물러나 한참을 논쟁했지만 합의에 이르지 못했다. 헤어지면서 슐라이허는 일찍이 마르틴 루터가 운명적인 보름스 의회를 향해 길을 나설 때 들었다는 유명한 말을 파펜에게 했다. "어린 수도자여, 험난한 길을 택했구려."

다음날 오전 9시 정각, 자신이 소집한 내각 회의에서 파펜은 그 길이 얼마나 험난한지 깨달았다.

[파펜이 말함] 슐라이허는 자리에서 일어나 내[파펜]가 대통령의 지시 사항을 실행할 가능성이 없다고 단언했다. 그렇게 하려는 어떠한 시도든 나라를 혼란에 빠뜨릴 것이라고 했다. 경찰과 군대는 총파업이 일어날 경우 운수와 물자 보급을 보장할 수 없고, 내전이 일어날 경우 법과 질서를 보장할 수 없다고도 했다. 참모본부에서 이런 점을 검토했고, 슐라이허는 오트 중령[검토 담당자]에게 내각의 지시가 있으면 보고서를 제출하도록 준비해두었다고 했다.[13]

그런 다음 슐라이허는 중령을 불러들였다. 슐라이허의 발언이 파펜을 뒤흔들었다면, 오이겐 오트 중령(나중에 히틀러의 도쿄 주재 대사가 된다)이 때맞춰 가져온 보고서는 파펜을 쓰러뜨렸다. 오트의 보고 내용은 이러했다. "국경을 방어하고 나치당과 공산당 양당에 맞서 질서를 유지하는 데에는 연방정부와 주정부가 동원할 수 있는 병력의 힘을 넘어서는 일이다. 그러므로 중앙정부는 비상사태 선포를 자제해야 한다."[14]

파펜으로서는 고통스럽고도 놀라운 처사인데, 지난날 카이저를 쫓아냈고 근래에 슐라이허의 부추김을 받아 그뢰너 장군과 브뤼닝 총리를 실각시켰던 독일군이 이제 자신을 면직시키려 하고 있었다. 파펜은 즉시 힌덴부르크 쪽으로 찾아가 소식을 전하면서 대통령이 슐라이허를 국방장관직에서 파면하고 자신을 총리직에 계속 남겨두기를 바랐다―그리고 실제로 그렇게 제안했다.

"파펜 군" 하며 뚱뚱한 노대통령이 대답했다. "내가 마음을 바꾸더라도 너무 심각하게 생각하지 말게나. 나는 너무 늙었고 내전의 책임을 지기에는 너무 많은 일을 겪어왔네. 우리의 희망은 슐라이허가 그의 운을 시험해보게 하는 것뿐일세."

"두 줄기 굵은 눈물"이 힌덴부르크의 뺨을 타고 흘러내렸다고 파펜은 증언한다. 몇 시간 후, 실각한 총리가 책상을 정리하고 있을 때 "내게는 동지 한 명이 있었네!"라는 글귀가 적힌 대통령의 사진이 도착했다. 이튿날, 대통령은 파펜에게 보낸 자필 편지에서 그대를 해임해 "무거운 마음"이고 그대에 대한 나의 신뢰는 "흔들리지 않네"라고 거듭 말했다. 이 말은 진심이었고 머지않아 실증될 것이었다.

12월 2일, 쿠르트 폰 슐라이허는 총리가 되었다. 1890년에 비스마르크의 후임이 된 게오르크 레오 폰 카프리비 데 카프레라 데 몬테쿠콜리Georg Leo von Caprivi de Caprera de Montecuccoli 백작 장군 이래 처음으로 총리직을 차지한 장군이었다. 복잡다단한 음모를 통해 슐라이허는 마침내 가장 높은 자리에 올랐다. 하지만 그 무렵에는 그가 거의 이해하지 못하는 불황이 한창이었고, 그가 그토록 약화시키고자 했던 바이마르 공화국이 이미 허물어지고 있었으며, 더 이상 아무도, 심지어 그가 아주 오랫동안 조종해온 대통령조차 그를 신뢰하지 않고 있었다. 슐라이허가 총리로서 군림할 기간이 딱 정해져 있다는 것이 그를 제외한 거의 모두에게 명백해 보였다. 그 점을 나치당은 확신했다. 괴벨스는 12월 2일 일기에 "슐라이허가 총리로 임명되었다. 그리 오래가지 못할 것이다"라고 썼다.

파펜도 그렇게 생각했다. 허영심에 상처를 입어 괴로운 파펜은 "친구이자 후임"(회고록에서 슐라이허를 이렇게 칭했다)에게 복수할 기회를 엿보고 있었다. 슐라이허는 골칫덩이를 치워버리고자 파펜에게 파리 대사직을 제의했으나 거절당했다. 파펜의 말마따나 대통령은 그가 "손이 닿는" 베를린에 머무르기를 바랐다. 베를린이야말로 대大음모가에 맞서 파펜 자신의 음모의 거미줄을 짜기에 제일 어울리는 전략적 장소였다. 파펜은 바삐 움직이는 날렵한 거미처럼 작업에 매달렸다. 분쟁으로 점철된

1932년이 저물어갈 무렵, 베를린은 음모를 꾸미는 도당들로, 그리고 도당들 내부의 도당들로 가득했다. 파펜과 슐라이허의 도당 외에 힌덴부르크의 아들 오스카어와 비서실장 마이스너가 막후에서 권력을 휘두르는 대통령궁에도 도당이 하나 있었다. 히틀러와 그 주변 사내들이 권력을 얻기 위해서만이 아니라 서로에 대해서도 음모를 꾸미는 카이저호프 호텔에도 도당이 하나 있었다. 곧 음모의 거미줄들이 마구 뒤엉켜 1933년 새해가 밝을 무렵이면 어느 도당도 누가 누구를 배신하는지 분간하지 못할 지경이었다. 하지만 그 실상은 오래지 않아 드러날 터였다.

### 공화국의 마지막 총리, 슐라이허

———

슐라이허는 언젠가 경청하는 프랑스 대사에게 이렇게 말했다. "나는 권좌에 올라 있던 불과 57일 동안 하루에 한 번씩 57번 배신당했습니다. 내 앞에서 '독일인의 충성' 따위 이야기는 아예 꺼내지도 마십시오!"[15] 그간의 경력과 행위로 보건대 슐라이허는 분명 배신이라는 주제의 권위자였다.

총리직에 오른 슐라이허는 우선 그레고어 슈트라서에게 독일 부총리와 프로이센 총리를 맡아달고 제안했다. 히틀러를 정부에 끌어들이지 못한 슐라이허는 슈트라서에게 미끼를 던져 나치당을 분열시키려 했다. 슐라이허로서는 이 계획이 성공하리라 믿을 만한 이유가 있었다. 슈트라서는 나치당의 2인자였고, 국가사회주의를 진심으로 믿는 당내 좌익 분파에서 히틀러보다 인기가 더 좋았다. 당 조직국장으로서 슈트라서는 지방 및 지역 지도자들 모두와 직접 접촉했고, 그들의 충성심을 얻은 것처럼 보였다. 당시 슈트라서는 히틀러가 나치 운동을 막다른 골목으로 이끈다고 확신했다. 급진적인 추종자들이 갈수록 공산당으로 넘어가고 있었다. 당 자체도 재정 면에서 파산 상태였다. 11월에 프리츠 티센이 슈트라서에게 더는 운동에 기부할 수 없겠다고 예고한 바 있었다. 당직자 수천 명과 돌격대를 유지하려면 일주일에만 250만 마르크가 드는데, 그런 정도의 자금이 정말 없었다. 규모가 큰 나치 신문의 인쇄공들은 밀린 임금을 받지 못하면 인쇄기를 멈출 태세였다. 괴벨스는 11월 11일 일기에서 이런 상황을 언급했다. "베를린 조직의 재정 상태가 엉망이다. 부채와 채무밖에 없다." 더욱이 12월에는 당무 관련 급여를 삭감해야 한다며 개탄했다. 슐라이허가 슈트라서를 부른 12월 3일에 치러진 튀링겐 지방선거에서는 나치당의 득표수가 결국 40퍼센트나 감소했다. 적어도 슈트라서에게는 나치당이 투표를 통해 정권을 잡기란 도저히 불가능하다는 것이 명백해 보였다.

이런 이유로 슈트라서는 히틀러에게 '전부 아니면 전무'라는 식의 방침을 포기하고 슐라이허의 연립정부에 참여해 얻을 수 있는 권력만이라도 얻으라고 진언했다. 그렇게 하지 않으면 당이 조각날지 모른다고 우려했다. 슈트라서는 이런 진언을 몇 달 전부터 해왔는데, 한여름부터 12월에 걸친 괴벨스의 일기는 히틀러에 대한 슈트라서의 '불충'을 신랄하게 비난하는 말로 가득하다.

결전은 12월 5일 베를린 카이저호프에 당 간부들이 모인 자리에서 벌어졌다. 슈트라서는 나치당이 적어도 슐라이허 정부를 "용인"하도록 요구했고, 제국의회 내에서 나치당 의원단을 대표하는 프리크가 이런 의견을 지지했다. 나치당 의원 다수는 히틀러가 또 다시 선거를 강행할 경우 의석이 줄어들고 자신들의 세비도 놓치지 않을까 우려하고 있었다. 괴링과 괴벨스는 슈트라서의 주장에 완강히 반대하며 히틀러 편을 들었다. 히틀러는 슐라이허 정권을 "용인"할 마음은 없으면서도 종전과 달리 "협상"할 용의는 있었다. 히틀러는 이 과제를 괴링에게 맡겼다—그는 괴벨스에게 들어서 이미 슈트라서가 이틀 전에 총리와 밀담을 나눈 사실을 알고 있었다. 12월 7일, 히틀러와 슈트라서는 카이저호프에서 대화하다가 심한 말다툼을 벌이기에 이르렀다. 히틀러는 수석 부관이 자신을 등 뒤에서 찌르며 당 지도부에서 밀어내려 하거나 나치 운동을 분열시키려 한다고 힐난했다. 슈트라서는 이를 극구 부인하며 자신은 충성을 다하고 있다면서도 히틀러가 당을 파멸로 이끈다고 비난했다. 슈트라서는 1925년 이래 많은 것을 입 밖에 내지 않고 마음속에 차곡차곡 쌓아두었던 것으로 보인다. 엑셀시오르 호텔의 방으로 돌아온 슈트라서는 히틀러에게 보낸 편지에 그것들을 몽땅 쏟아낸 뒤 급기야 모든 당직에서 사퇴하겠다고 썼다.

12월 8일에 히틀러에게 전해진 그 편지는, 괴벨스가 일기에 썼듯이, "폭탄처럼" 느껴졌다. 카이저호프의 분위기는 꼭 묘지 같았다. "우리 모두 기가 꺾이고 맥이 빠졌다"라고 괴벨스는 적었다. 1925년에 당을 재건한 이래로 히틀러가 받은 최대의 타격이었다. 히틀러로서는 마침내 권력의 문 앞에 당도한 상황에서 가장 중요한 추종자가 등을 돌린 데다 최근 7년간 쌓아올린 모든 것을 박살낼 태세였다.

[괴벨스가 씀] 저녁에 총통이 우리집에 왔다. 활기가 없었다. 모두들 침울했는데, 무엇보다 당 전체가 결딴나고 그동안 해온 모든 일이 헛수고가 될 터였기 때문이다. … 라이 박사에게 전화가 왔다. 당내 상황이 시시각각 나빠졌다. 총통은 당장 카이저호프로 돌아가야 했다.

괴벨스는 새벽 2시에 호출을 받고 히틀러에게 갔다. 슈트라서의 입장이 실린 조간신문들이 거리에 막 배포되고 있었다. 히틀러의 반응을 괴벨스는 이렇게 묘사했다.

배신! 배신! 배신!
몇 시간 농안이나 총통은 호텔 방을 왔다갔다했다. 이 배신으로 총통은 분개하며 깊은 상처를 받았다. 드디어 걸음을 멈추고 말했다. 당이 산산조각난다면 나는 3분 안에 권총 한 발로 모든 것을 끝장낼 테다.

당은 쪼개지지 않았고, 히틀러는 자살하지 않았다. 슈트라서가 이 두 가지 목표를 달성했다면 역사의 흐름이 크게 바뀌었을지도 모르지만, 결정적인 순간에 스스로 단념해버렸다. 프리크는 히틀러의 허락을 받아 슈트라서를 찾으러 베를린을 온통 뒤지고 다녔다. 당을 파멸에서 구하기 위해 히틀러와 슈트라서의 다툼을 어떻게든 봉합해야 한다는 데 의견이 모였기 때문이다. 그러나 만사에 신물이 난 슈트라서는 기차를 타고 남쪽으로 떠나 화창한 이탈리아에서 휴가를 보내고 있었다. 적의 약점을 간파하는 데는 항상 최고의 능력을 발휘한 히틀러는 신속하고도 강렬하게 반격했다. 슈트라서가 건설한 조직국을 총통 자신이 넘겨받고 쾰른 대관구장 라이 박사를 조직국장에 앉혔다. 슈트라서의 공모자들은 숙청되었으며, 당의 모든 간부들은 베를린으로 소집되어 아돌프 히틀러에 대한 충성을 맹세하는 새로운 서약서에 서명할 것을 요구받고 실제로 서명했다.

교활한 오스트리아인은 자칫하면 파멸에 이를 뻔했던 궁지에서 다시 한 번 탈출했다. 수많은 사람들이 히틀러보다 위대하다고 여겼던 그레고어 슈트라서는 한순간에 몰락했다. 괴벨스는 12월 9일 일기에서 슈트라서를 "죽은 사람"이라고 일컬었다. 이 말은 채 2년도 지나기 전, 히틀러가 원한을 갚기로 결정했을 때 문자 그대로 사실이 되었다.

12월 10일, 슐라이허 장군의 거미줄에 걸린 지 일주일 후에 프란츠 폰 파펜은 직접 음모의 거미줄을 짜기 시작했다. 신사클럽Herrenklub이라는 회원제 사교클럽—단명한 내각의 귀족 및 부자 각료는 이들 중에서 모집되었다—에서 만찬 연설을 마친 뒤, 파펜은 국가사회주의당에 기부를 한 바 있었던 쾰른의 은행가 쿠르트 폰 슈뢰더 남작과 사담을 나누었다. 파펜은 슈뢰더에게 히틀러를 은밀히 만날 수 있도록 자리를 마련해달라고 부탁했다. 회고록에서 파펜은 그 이야기를 먼저 꺼낸 쪽은 슈뢰더였다고 주장하면서도 자신이 거기에 동의했음을 인정한다. 그런데 기묘한 우연의 일치로 히틀러의 경제 고문이자 재계와의 연락 창구인 빌헬름 케플러가 나치 지도자를 대신해 똑같은 제안을 했다.

불과 몇 주 전까지만 해도 서로 척을 졌던 두 사람은 1월 4일 오전 쾰른에 있는 슈뢰더의 사저에서 극비리에 만났다. 파펜은 한 사진사가 저택 입구에서 찰칵 하고 셔터를 눌러 놀라긴 했지만 다음날까지 별로 개의치 않았다. 히틀러는 동행한 헤스, 힘러, 케플러를 응접실에 그대로 둔 채 서재로 들어가 파펜, 집주인과 두 시간 동안 밀담을 나누었다. 파펜이 총리 재임 중 나치당을 대했던 방식에 대해 히틀러가 몹시 불평하는 바람에 처음에는 대화가 잘 풀리지 않았지만, 이내 양측이나 독일의 운명에 심대한 영향을 끼칠 논점에 이르렀다. 나치 우두머리에게는 결정적인 순간이었다. 슈트라서의 변절 이후 초인적인 노력으로 당을 온전히 지켜낸 터였다. 전국을 동분서주하면서 하루에 서너 번씩 집회에서 연설을 하고 자신을 중심으로 단결할 것을 당 지도부에 주문해온 터였다. 그러나 당원들의 사기는 여전히 낮았고, 당의 재정은 파산 상태였다. 괴벨스의 1932년 마지막 주 일기에는 당시의 분위기가 반영되어 있다. "1932년은 우리에게 불운 자체였다. … 과거는 힘겨웠고 미래는 암담하고 음울해 보인다. 모든 전망과 희망이 싹 사라졌다."

이런 이유로 히틀러는 권력을 놓고 협상을 하기에는 지난 여름에서 가을에 걸친 시기보다 유리한 입장이 아니었다. 그러나 직책이 없는 파펜도 사정은 마찬가지였다. 저마다의 역경 속에서 심적인 접점이 마련된 것이다.

두 사람이 어떤 조건으로 만났는지에 대해서는 논란의 여지가 있다. 뉘른베르크 재판 때의 증언이나 회고록에서 파펜은 자신이 줄곧 슐라이허에게 충성했고 히틀러에게는 장군의 정부에 참여할 것을 제안했을 뿐이라고 건조하게 주장했다. 그렇지만 파펜의 기만투성이 이력을 보더라도, 뉘른베르크 재판이나 회고록에서 자신을 최대한 호의적으로 보이려한 자연스러운 욕구가 있었으리라는 점에서도, 그리고 제안 이후의 사태를 감안하더라도, 슈뢰더가 뉘른베르크 재판에서 했던 전혀 다른 내용의 진술 쪽이 분명 더 진실에 가까워 보인다. 그때 파펜의 제안은, 슐라이허 정부를 히틀러-파펜 정부로 대체하고 두 사람이 동등한 역할을 맡는다는 것이었다고 이 은행가는 주장한다.

[그러나] 히틀러는 … 자신이 총리에 임명된다면 단독내각이 되어야 할 테지만, 많은 것을 바꾸려는 자신의 정책에 파펜의 추종자들이 동조한다면 그들도 각료로서 자기 정부에 들어올 수 있을 것이라고 말했습니다. 그런 변화에는 사회민주당, 공산당, 유대인을 독일 사회의 지도적 위치에서 축출

하고 공적 생활의 질서를 회복하는 조치도 포함되어 있었습니다. 폰 파펜과 히틀러는 원칙적 합의에 이르렀습니다. … 세부사항에 관해서는 베를린이나 그 밖의 적당한 장소에서 더 조율하자는 데 동의했습니다.[16]

물론 이런 합의는 극비리에 이루어졌다. 그러나 파펜과 히틀러에게는 당혹스럽게도, 1월 5일 아침 베를린의 신문들은 이 쾰른 회합 기사를 대서특필하고 슐라이허에 대한 파펜의 태도는 불충이라며 비난하는 사설까지 실었다. 교활한 슐라이허가 평소의 예리한 감각으로 정보원들을 배치했고, 파펜이 나중에 알았듯이, 그들 중 한 명이 슈뢰더의 사저로 들어가는 그를 찍은 사진사였던 것이다.

쾰른 회담에서 히틀러는 파펜과의 거래 외에 매우 가치 있는 두 가지를 더 얻었다. 첫째, 전직 총리로부터 힌덴부르크가 슐라이허에게 제국의회 해산의 권한을 주지 않았다는 사실을 들었다. 이는 나치당이 공산당의 도움을 받는다면 언제든 원하는 때에 슐라이허를 실각시킬 수 있다는 뜻이었다. 둘째, 이 회담에서 나치당의 부채를 서부 독일의 재계가 넘겨받는다는 양해를 얻어냈다. 쾰른 회담 이틀 뒤, 괴벨스는 "정국의 추이에 기분 좋은 진전"이 있다고 말하면서도 여전히 "나쁜 재정 상태"에 대해 불평했다. 하지만 열흘 뒤인 1월 16일에는 당 재정이 "하룻밤 사이에 근본적으로 개선되었다"라고 썼다.

그동안 슐라이허 총리는—근시안적이라고 말할 수밖에 없는 낙관론을 품고서—안정적인 정부를 수립하려고 계속 움직였다. 12월 15일 라디오 담화를 통해 국민들에게 자신이 장군이라는 것은 잊어달라고 호소하고, 자신은 "자본주의도 사회주의도" 지지하지 않고 "사유경제나 계획

경제 같은 개념들을 두려워하지 않는다"고 확언했다. 그리고 자신의 최우선 과제는 실직자에게 일자리를 제공하고 국가 경제를 다시 일으켜 세우는 것이라고 말했다. 세금 인상도, 임금 삭감도 없을 거라고 했다. 실제로 슐라이허는 파펜이 마지막으로 실행했던 임금 및 구제금 삭감 조치를 취소하고 있었다. 이에 더해 파펜이 대지주들을 위해 도입했던 농산물 수입 제한 같은 할당제를 폐지하고 대신에 동부에서 파산한 융커들의 토지 80만 에이커를 인수해 2만 5000여 농가에 배분할 계획을 세우고 있었다. 또한 석탄이나 육류 같은 주요 필수재를 엄격히 통제해 가격 인상을 억제하려 했다.

이렇듯 슐라이허는 자신이 줄곧 맞서거나 무시해온 일반 대중의 지지를 얻고자 노력했고, 뒤이어 노동조합과도 대화하면서 그 지도부 측에 노동계와 군대를 국가의 두 기둥으로 삼는 미래를 구상한다는 인상을 주었다. 그러나 노동계는 깊이 불신하는 이 남자에게 넘어가지 않고 협력을 거부했다.

한편, 주요 기업가들과 대지주들은 신임 총리의 계획에 분연히 반기를 들면서 그런 것은 볼셰비즘에 지나지 않는다고 아우성쳤다. 기업가들은 슐라이허가 갑자기 노조에 호의를 보이자 기겁했다. 대지주들은 슐라이허의 농업 보호 정책 축소에 노발대발했고 동부의 파산한 대농장들이 쪼개질 수도 있어서 얼굴이 흙빛이 되었다. 1월 12일, 대농장주들의 결사체인 제국지주동맹Reichs-Landbund은 정부를 맹공격했고, 나치당원 두 명을 포함한 그 지도부는 대통령을 방문해 항의했다. 그러자 본인 역시 융커 지주인 힌덴부르크는 총리를 불러 설명을 요구했다. 이에 맞서 슐라이허는 동부 구제Osthilfe 금융에 관한 제국의회의 비밀 보고서를 공표하겠다고 위협했다. 누구나 알고 있었듯이 이 스캔들에는 정부의 미상환 '공채'로 배를 불린 수백 개의 유서 깊은 융커 가문들이 연루되었다. 여기에는 대통령 본인도 간접적으로 연루되었는데, 선물로 받은 동프로이센 토지의 경우 상속세를 피하고자 아들에게 불법으로 양도했기 때문이다.

기업가들과 지주들이 난리를 치고 노동조합들이 냉랭하게 나오는데도 슐라이허는 무슨 이유에서인지 만사가 잘 풀릴 것으로 계속 자신했다. 1933년 새해 첫날, 슐라이허와 각료들이 노령의 대통령을 예방한 자리에서 힌덴부르크는 "험난한 곤경을 극복하여 이제 우리 앞에 상승일로가 펼쳐져 있습니다"라며 감사의 뜻을 표했다. 1월 4일 파펜과 히틀러가 쾰른에서 회담하던 날, 총리는 이탈리아 여행에서 돌아온 슈트라서가 힌덴부르크를 만날 수 있도록 주선했다. 얼마 전까지 나치당의 2인자였던 이 남자는 며칠 후 대통령을 만난 자리에서 슐라이허 내각에 참여할 의사가 있다고 말했다. 이런 행보는 당시 아주 작은 리페Lippe 주에 공을 들이던 나치 진영을 경악시켰는데, 히틀러와 그의 주요 보좌관들은 파펜과의 협상에서 우위를 점하기 위한 노력의 일환으로 이 지역에서 치열한 선거전을 펼치고 있었다. 괴벨스가 자세히 적었듯이, 1월 13일 자정에 괴링이 슈트라서에 관한 나쁜 소식을 가지고 도착하자 당 간부들은 밤을 꼴딱 새워 논의한 끝에 만약 슈트라서가 내각에 들어간다면 당에 심각한 타격이 될 것이라고 하나같이 전망했다.

슐라이허도 그렇게 생각했고, 1월 15일에 당시 오스트리아 법무장관 쿠르트 폰 슈슈니크Kurt von Schuschnigg가 방문해왔을 때 "히틀러 씨는 더이상 문제가 아니고, 그의 운동도 이제는 정치적 위협이 되지 못하니, 모든 문제가 해결되어 과거의 일이 되었습니다"라고 장담했다.[17]

그러나 슈트라서는 내각에 들어가지 않았고, 하루 전인 14일에 힌덴부르크에게 입각하겠다고 확약했던 국가인민당 당수 후겐베르크도 마찬가지였다. 두 사람 모두 곧장 히틀러 쪽으로 돌아섰는데, 슈트라서는 단칼에 거절당했고 후겐베르크는 푸대접을 받지는 않았다. 1월 15일, 슐라이허가 슈슈니크를 면전에 두고 히틀러는 이제 끝났다며 고소해하던 그 순간에, 나치당은 리페 주의 지방선거에서 승리를 거두었다. 그리 대단한 성과는 아니었다. 총 투표수가 9만에 불과했고, 그중 나치당은 3만 8000표를 얻어 이전 선거보다 약 17퍼센트 포인트 증가한 39퍼센트를 획득했다. 하지만 괴벨스를 위시한 나치당 지도부는 '승리'를 요란하게 선전했는데, 이상하게도 이 선전이 힌덴부르크 진영을 비롯한 다수의 보수파에게 먹혀든 것으로 보였다. 그들 중 우두머리 격은 비서실장 마이스너와 대통령의 아들 오스카어였다.

1월 22일 저녁, 대통령 관저를 몰래 빠져나온 이 두 신사는 마이스너의 증언대로 사람들의 눈을 피해 택시를 타고 교외의 한 주택으로 향했다. 파펜의 친구이자 당시까지 무명이었던 요아힘 폰 리벤트로프Joachim von Ribbentrop라는 나치 당원의 집이었는데, 이 남자는 전시에 터키 전선에서 파펜과 함께 복무한 바 있었다. 그 집에서 두 사람은 파펜, 히틀러, 괴링, 프리크를 만났다. 마이스너에 따르면 오스카어 폰 힌덴부르크는 이 운명적인 저녁까지만 해도 나치당과의 그 어떤 거래에도 반대하는 입장이었다. 그 점에 대해서는 히틀러도 알고 있었을지 모르지만, 어쨌든 히틀러는 오스카어와 '단 둘이' 이야기하겠다고 고집을 부렸다. 그런데 마이스너로서는 정말 놀랍게도 젊은 힌덴부르크가 쾌히 수락하면서 히틀러와 함께 다른 방으로 옮겨가 한 시간 동안 밀담을 나누었다. 머리가 그리 좋지도 않고 성격이 그리 강하지도 않은 대통령 아들에게 히틀러가 무슨 말을 했는지는 끝내 밝혀지지 않았다. 다만 나치당 내부에 알려지기로는 히틀러가 그에게 모종의 제안을 하거나 협박을 하기도 했는데, 그중 협박으로는 오스카어가 동부 구제 스캔들과 힌덴부르크의 토지 탈세에 연루된 사실을 일반 국민에게 폭로하겠다고 으름장을 놓았다는 것이다. 또 무슨 제안을 했는지는 몇 개월 후에 5000에이커의 비과세 토지가 노이데크의 힌덴부르크 가문 소유지에 추가되었고 1934년 8월에 오스카어가 육군 대령에서 소장으로 진급했다는 사실로 미루어 판단할 수 있을 뿐이다.

어쨌든 히틀러가 대통령의 아들에게 강한 인상을 주었던 것은 틀림없다. 훗날 마이스너는 뉘른베르크 재판의 선서진술서에 이렇게 적었다. "돌아오는 택시 안에서 오스카어 폰 힌덴부르크는 극도로 조용했고, 입밖에 꺼낸 말이라곤 어쩔 수 없다―나치당을 정부에 끌어들여야 한다는 것뿐이었습니다. 제가 받은 인상은 히틀러가 오스카어에게 주문을 거는 데 성공했다는 것이었습니다."

이제 히틀러가 주문을 걸어야 할 상대는 아버지 힌덴부르크뿐이었다. 틀림없이 이것은 더 어려운 일이었는데, 노원수의 두뇌에 어떤 결함이 있었든 간에, 고령이라고 해서 완고한 성격이 누그러진 것은 아니었기 때문이다. 하지만 더 어렵긴 해도 불가능한 일은 아니었다. 비버처럼 부지런히 움직이는 파펜이 이 노인에게 날마다 공을 들이고 있었다. 그리고 온갖 간계에도 불구하고 슐라이허가 급속히 몰락하고 있다는 것은 누구나 쉽게 알 수 있었다. 슐라이허는 나치당을 포섭하지도 분열시키지도 못했다. 또 국가인민당, 중앙당, 사회민주당으로부터 아무런 지지도 얻지 못했다.

이런 사정으로 1월 23일, 슐라이허는 힌덴부르크를 방문해 제국의회에서 과반 지지를 얻지 못했음을 자인하면서 의회 해산과 더불어 헌법

제48조에 의거해 대통령의 명령으로 통치하는 국가긴급권을 발동하도록 요구했다. 마이스너에 따르면 장군은 제국의회의 "한시적 배제"도 요구했고, 정부를 "군사독재정"으로 전환해야 할 것이라고 솔직하게 인정했다.[18] 온갖 간사한 음모를 꾸몄음에도 슐라이허는 지난 12월 초의 파펜과 같은 신세였다. 다만 이제 두 사람의 입장은 정반대였다. 지난번에는 파펜이 국가긴급권을 요구했지만 슐라이허가 이에 반대하면서 자신이 나치당의 지지를 받아 다수파 정부를 구성하겠다고 제안한 바 있었다. 그러던 것이 이제는 슐라이허가 독재를 고집하고 교활한 여우 파펜이 힌덴부르크에게 자신이 히틀러를 정부에 끌어들여 제국의회에서 다수파가 되겠다고 장담하고 있다. 사기꾼과 음모가는 이런 부침을 겪는 법이다!

힌덴부르크는 슐라이허가 지난 12월 2일에 파펜을 해임해야 한다며 제시했던 이유들을 거론하면서 그것들이 여전히 유효하다고 말했다. 그런 다음 슐라이허에게 제국의회에서 과반 지지를 얻는 과제에 다시 힘쓰라고 지시했다. 슐라이허는 이제 끝이었고, 그 스스로도 그렇게 생각했다. 내막을 아는 다른 사람들도 모두 같은 생각이었으며, 그런 소수 중 한 명인 괴벨스는 다음날 "그렇게나 많은 이들을 끌어내린 슐라이허는 조만간 실각할 것이다"라고 적었다.

슐라이허는 결국 1월 28일에 대통령을 방문해 사임서를 제출함으로써 공식적으로 최후를 맞았다. 힌덴부르크는 "이미 무덤에 한 발을 들여놓은 내가 훗날 천국에서 이 조치를 후회하지는 않을지 모르겠네"라고 환멸감에 젖은 장군에게 말했다. 슐라이허는 "이렇게 배신하고도 각하께서 천국에 가실지 저는 모르겠습니다"라고 대꾸한 뒤 독일 역사에서 금세 자취를 감추었다.[19]

같은 날 정오, 대통령은 파펜에게 "헌법 조문의 테두리 안에서" 히틀러를 수반으로 하는 정부를 구성할 수 있을지 알아보라고 했다. 이 교활하고 야심찬 남자는 결국 히틀러를 배신하고 자신이 후겐베르크의 지지를 얻어 다시 대통령 주도 내각의 총리에 오를 수 있는 방안을 일주일 동안 이모저모로 궁리했다. 1월 27일, 괴벨스는 "파펜이 총리에 복귀할 가능성이 아직 있다"라고 썼다. 그 전날 슐라이허는 육군 총사령관 하머슈타인 장군을 대통령에게 보내 파펜을 발탁하지 말라고 경고했다. 얽히고 설킨 음모들이 베를린을 가득 채운 가운데 슐라이허는 마지막 순간에 후임 총리로 히틀러를 지지하고 있었다. 힌덴부르크는 총사령관에게 "저 오스트리아인 상병"을 총리로 임명할 의향이 없다고 잘라 말했다.

이튿날인 1월 29일 일요일은 극히 중대한 하루가 되었다. 필사적인 음모가들이 마지막 술수를 부리면서 수도 베를린을 서로 모순되는 심란한 소문들로 채웠는데, 실제로 그 모두가 전혀 근거 없는 것만도 아니었다. 슐라이허는 충직한 하머슈타인을 다시금 보내 혼란한 판세를 더욱 어지럽혔다. 히틀러를 찾아낸 총사령관은 파펜이 그를 따돌릴지 모르니 나치당으로서는 전 총리 및 육군과 손을 잡는 편이 현명할 것이라고 다시 경고했다. 히틀러는 별 관심을 보이지 않고 카이저호프로 돌아가 측근들과 함께 케이크와 커피를 들었다. 그런데 그 자리에 괴링이 나타나 총통이 다음날 총리로 임명될 것이라는 소식을 전했다.

그날 밤 라이히스칸슬러플라츠에 있는 괴벨스의 집에서 나치 수뇌부가 그런 중대 소식을 축하하고 있을 때, 슐라이허가 보낸 또다른 특사가 충격적인 소식을 가지고 왔다. 베르너 폰 알펜슬레벤Werner von Alvensleben이라는 이 사내는 음모가 없을 때면 자신이 직접 짜낼 정도로 음모에 푹 빠진 사람이었다. 환희에 찬 나치당 측에 그는 슐라이허와 하머슈타인이 포츠담 수비대를 비상소집한 뒤 연로한 대통령을 노이데크로 쫓아내고 군사독재정을 수립할 준비를 하고 있다고 알렸다. 이는 터무니없는 과장이었다. 두 장군이 이런 방안을 궁리했을 수는 있지만 실제로 취한 조치는 확실히 전혀 없었다. 그렇지만 나치당은 이 경보를 듣고 히스테리 상태에 빠졌다. 괴링은 그 큰 덩치로 광장을 거침없이 가로질러 대통령과 파펜에게 위험을 알렸다. 히틀러가 어떻게 움직였는지에 관해서는 훗날 그 자신이 다음과 같이 기술했다.

이 [군부의] 폭동 계획에 맞선 나의 즉각적인 조치는 베를린 돌격대 사령관 헬도르프 백작을 불러와 그를 통해 돌격대 전체에 경보를 발령하는 것이었다. 동시에 나는 신뢰할 수 있다고 판단한 경찰의 베케 경정에게 경관 6개 대대로 빌헬름슈트라세를 불시에 장악할 준비를 하라고 지시했다. … 마지막으로 나는 (차기 국방장관으로 내정되어 있던) 블롬베르크 장군에게 1월 30일 오전 8시 베를린에 도착하는 즉시 노신사를 방문해 취임 선서를 한 다음, 국가방위군 총사령관으로서 모종의 쿠데타 기도가 있으면 즉각 진압할 수 있도록 대비하라고 지시했다.[20]

베르너 폰 블롬베르크 장군은 슐라이허와 육군 총사령관 모르게—이 광란의 시기에는 모든 일이 은밀하게 이루어졌다—호출되었다. 아직 권좌에 오르지 못한 히틀러가 아니라 힌덴부르크와 파펜이 호출했던 것인데, 독일을 대표해 제네바 군축회의에 참석하고 있던 그를 히틀러-파펜 내각의 국방장관에 앉히기 위해서였다. 나중에 히틀러가 말했듯이 블롬베르크는 동프로이센에서 자신의 참모장이자 노골적인 나치 동조자인 발터 폰 라이헤나우Walter von Reichenau 대령의 설득에 넘어가 이미 총통의 신임을 얻고 있었다. 1월 30일 아침 일찍 베를린역에 도착한 블롬베르크는 각각 상반되는 명령을 전하러 온 두 명의 장교를 만났다. 하머슈 타인의 부관 쿤첸Kuntzen 소령은 육군 총사령관에게 보고하라고 전했다. 힌덴부르크의 부관 오스카어 폰 힌덴부르크는 당혹해하는 블롬베르크의 면전에서 공화국 대통령에게 보고하라고 전했다. 블롬베르크는 대통령을 방문해 국방장관 취임 선서를 했고, 그리하여 군의 모든 쿠데타 기도를 진압할 권한뿐 아니라 몇 시간 후에 지명될 새 정부를 군부가 반드시 지지하도록 조치할 권한까지 부여받았다. 히틀러는 이 결정적인 순간에 육군이 자신을 받아준 사실에 늘 고마워했다. 오래지 않아 히틀러는 나치당 집회에서 "우리의 혁명기에 육군이 우리 편에 서지 않았다면 오늘 우리가 이곳에 서 있을 일도 없었을 것입니다"라고 말했다. 이 선택은 앞으로 장교단의 어깨를 무겁게 내리누를 것이었고, 결국 그들은 땅을 치고 후회할 터였다.

1933년 1월 30일의 쌀쌀한 아침, 독일 국민이 민주정을 운용하고자 어설프게 시도하다가 좌절을 거듭했던 혼란스러운 바이마르 공화국 14년이 막을 내렸다. 그런데 최후의 막이 내려지는 그 순간에 공화정을 매장하기 위해 한데 모인 가지각색의 음모가들 사이에서 촌극이 벌어졌다. 훗날 파펜은 그 소란을 이렇게 묘사했다.

10시 반쯤, 내정된 각료 후보들이 내 집에 모인 뒤 정원을 가로질러 대통령궁에 도착해 마이스너의 집무실에서 기다렸다. 히틀러는 즉각 자신이 프로이센 판무관직을 겸하지 않게 된 데 대해 불평하기 시작했다. 자신의 권한이 심각하게 제한된다고 생각했던 것이다. 나는 그에게 … 프로이센 관련 임명 건은 나중에 처리해도 된다고 말했다. 그러자 히틀러는 자신의 권한이 그토록 제한된다면 제국의회 선거를 다시 하는 수밖에 없다고 응수했다.

이 발언으로 상황이 돌변하면서 논쟁이 가열되었다. 특히 후겐베르크가 그런 생각에 반대했고, 히틀러는 그를 달래고자 선거 결과가 어떻게 나오든 각료들의 면면은 전혀 바꾸지 않겠다고 말했다. … 그러는 사이 대통령과 회담하기로 한 11시가 훌쩍 지났으며, 마이스너는 힌덴부르크가 더는 기다리지 않을 테니 논쟁을 끝내달라고 우리에게 요청했다.

이렇게 느닷없이 빚어진 의견 충돌 탓에 새로운 연립정부는 탄생하기도 전에 와해되는 것이 아닐까 걱정되기도 했다. … 마침내 우리는 대통령 집무실로 들어갔고, 나는 정해진 절차대로 각료들을 소개했다. 힌덴부르크는 국가를 위한 진정한 협력의 필요성을 언급하면서 짧은 연설을 마쳤고, 이어서 우리가 취임 선서를 했다. 히틀러 내각이 탄생한 것이다.[21]

이렇게 뒷문을 통해, 내심 혐오하는 보수적 반동주의자들과의 비루한 정치적 거래를 통해 지난날 빈의 부랑자이자 1차대전의 낙오자, 난폭한 혁명가가 대국의 총리가 되었다.

분명히 국가사회주의당은 정부에서 소수파였다. 내각의 열한 자리 중에서 세 자리밖에 차지하지 못했고, 총리직을 별도로 치면 그마저 핵심 직책이 아니었다. 프리크는 내무장관이 되었지만, 대다수 유럽 국가들의 내무장관과 달리 경찰에 대한 통괄 권한이 없었다—독일에서 경찰은 각 주정부의 수중에 있었다. 또 한 사람의 나치당 소속 각료는 괴링이었지만, 그에게 딱 맞는 직책을 찾을 수 없었다. 그래서 독일에 공군이 창설되면 항공장관에 지명하기로 하고 우선은 무임소장관에 취임했다. 괴링이 프로이센 경찰을 통괄하는 프로이센 내무장관직도 겸하게 되었다는 소식은 별반 주목을 끌지 못했다. 그 무렵 세간의 관심은 중앙정부에 쏠렸다. 많은 사람들이 뜻밖이라고 여긴 사실은 괴벨스의 이름이 각료 명단에 없다는 것이었다. 괴벨스는 한동안 푸대접을 받았다.

중요한 부처들은 보수파에게 돌아갔다. 그들은 나치당에 올가미를 걸었으니 이제 자기네 목적대로 부릴 수 있을 것이라고 확신했다. 외무장관은 계속 노이라트였고, 국방장관은 블롬베르크였다. 후겐베르크는 경제장관 겸 농업장관이었고, 철모단 지도자 프란츠 젤테Franz Seldte는 노동장관이 되었다. 나머지 부처들은 파펜이 8개월 전에 임명한 무당파 '전문가들'에게 맡겨졌다. 파펜 본인은 독일 부총리 겸 프로이센 총리가 되었고, 힌덴부르크로부터 부총리를 대동하지 않을 경우 총리를 접견하지 않겠다는 약속을 받아냈다. 이 독특한 직책에 힘입어 급진적인 나치 지도자에게 제동을 걸 수 있다고 파펜은 확신했다. 아니, 그 이상이었다. 이 정부는 자신이 구상하고 조직한 산물이라고 생각했고, 친구이자 흠모자이자 보호자인 완고한 노대통령의 도움을 받아, 그리고 제멋대로 구는 나치 각료들을 8 대 3으로 압도하는 보수파 동료들의 빈틈없는 지지를 받아 정부를 지배할 것이라고 자신했다.

그러나 이 경박하고 음험한 정치인은 히틀러라는 인물을 알지도 못했고—아무도 히틀러를 제대로 알지 못했다—그를 여기까지 밀어올린 세력의 힘을 이해하지도 못했다. 그리고 파펜도, 아니 히틀러를 제외한 다른 누구도 당시 거의 마비 상태에 이른 기존 제도—군대, 교회, 노동조합—에, 아울러 광범한 비非나치 중간계급과 고도로 조직화된 프롤레타리아트에 불가해한 약점이 있다는 것을 충분히 간파하지 못했다. 먼 훗날 파펜이 개탄한 대로, 기존 제도와 비나치 세력 모두 "싸워보지도 않고 포기할" 줄은 누구도 미처 몰랐던 것이다.

독일의 계급과 집단과 정당 가운데 어느 하나도 민주공화국의 폐기와 아돌프 히틀러의 대두에 대한 책임을 면할 수 없다. 나치즘을 겪었던 독일인들의 중대한 잘못은 서로 단결하지 못한 것이었다. 국가사회주의당은 대중의 지지를 가장 많이 받은 1932년 7월에도 총 투표수의 37퍼센트를 얻는 데 그쳤다. 그러나 히틀러에 반대 의사를 표명했던 독일인 63퍼센트는 설령 일시적으로라도 단결하여 나치즘을 근절하지 않으면 이 공통의 위험이 자신들을 압도하리라는 것을 뻔히 알면서도, 너무 분열되고 근시안적이어서 서로 힘을 합치지 못했다. 모스크바의 시령을 따르는 공산당은 마지막까지 어리석은 생각에 사로잡혀 있었다. 먼저 사회민주당, 사회민주당계 노조, 중간계급 민주 세력을 쓰러뜨리면 일시적으로는 나치 정권이 들어설 테지만 그것은 필연적으로 자본주의의 붕괴로 이어질 것이며, 그러면 공산당이 정권을 넘겨받아 프롤레타리아트 독재를 수립한다는 생각이었다. 파시즘은, 볼셰비키 마르크스주의 견해에 의하면, 죽어가는 자본주의의 최종 단계였다. 그러고 나면 공산주의 천하라는 것이다!

사회민주당은 14년 동안 공화국의 정치권력을 분점하고 연립정부를 유지하는 데 필요한 온갖 타협을 계속하다가 점차 힘과 열의를 잃어버렸고, 결국 흥정을 통해 자기네 주요 지지 기반인 노동조합의 이권을 따내려는 기회주의적 압력집단에 불과한 정당이 되었다. 사회민주당의 일각에서 말했듯이, 행운의 여신이 그들에게 미소 짓지 않은 것은 사실일 것이다. 비양심적이고 비민주적인 공산당이 노동계급을 갈라놓았는가 하면, 불황이 노동조합을 약화시키고 실업자 수백만 명—자포자기 상태에서 공산당이나 나치당으로 돌아섰다—의 지지를 앗아가는 등 사회민주당을 추가로 타격했다. 그러나 사회민주당의 비극을 불운만으로 다 설명할 수는 없다. 사회민주당은 1918년 11월에 독일을 장악하고 자신들이 설파해온 사회민주주의에 기반해 국가를 수립할 기회가 있었다. 하지만 그렇게 하려는 결단력이 없었다. 1930년대 초의 사회민주당은 사람이야 좋지만 대부분 평범한 노인들이 이끄는 지치고 패배주의적인 정당이었다. 마지막까지 공화국에 충성을 다하기는 했지만 너무 지리멸렬하고 소심했던 터라 공화국을 지켜낼 수 있는 큰 위험을 감수할 용기가 없었다. 일찍이 파펜이 군의 1개 분대를 보내 프로이센 입헌정부를 파괴했을 때 아무런 조치도 취하지 않았던 모습 그대로였다.

좌파와 우파 사이에서 정치적으로 강한 영향력을 발휘하는 중간계급, 다른 나라들—프랑스, 영국, 미국—에서 민주주의의 중추로 입증된 이 계급이 당시 독일에는 없었다. 바이마르 공화국 첫해에 중간계급 정당들, 즉 민주당, 인민당, 가톨릭 중앙당은 모두 합해 1200만 표를 얻었는데, 이는 두 사회민주당(사회민주당과 독립사회민주당) 표를 합한 것보다 불과 200만 표 적은 수였다. 그러나 그 후로 이들 정당은 히틀러나 국가인민당에 지지층을 빼앗기며 힘을 잃어갔다. 민주당은 1919년에 제국의회 의원 74명을 당선시켰지만 1932년에는 겨우 두 명뿐이었다. 인민당은 1920년 62석에서 1932년 11석으로 쪼그라들었다. 가톨릭 중앙당만이 마지막까지 득표력을 유지했다. 1919년 공화국의 첫 총선에서 제국의회 의원 71명을 당선시켰던 중앙당은 1932년에도 70명을 당선시켰다. 그러나 비스마르크 시대부터 사회민주당보다 더 기회주의적이었던 중앙당은 어떤 정부든 자신들에게 특수이익을 주기만 하면 지지했다. 또 중앙당이 공화국에 충성하고 그 민주정에 동의했던 것으로 보이긴 하지만, 앞에서 언급했듯이 중앙당 지도부는 히틀러에게 총리직을 주는 방안을 놓고 나치당과 협상을 벌였다. 결국 파펜과 국가인민당의 제안에 밀리긴 했지만 말이다.

독일 공화국에는 정치적 중도층뿐 아니라 다른 여러 나라에서 정국을 안정시킨 진정으로 보수적인 정당도 없었다. 독일국가인민당은 1924년에 600만 표, 103석이라는 최고 기록을 세워 제2당으로 올라섰다. 그러나 그 후로 정부에 참여해서든 야당으로서든 책임 있는 위치에 서기를 줄곧 거부했다. 1920년대에 두 차례의 단명한 내각에 참여한 것을 제외하면 바이마르 체제 거의 내내 이런 행태를 보였다. 대체로 국가인민당에 투표한 독일 우파의 희망사항은 공화국을 끝내고 제국주의 독일을 회복하여 자신들의 옛 특권을 모두 되찾는 것이었다. 실제로 공화국은 개인으로서나 계급으로서나 우파를 지극히 너그럽게 대했는데, 그들의 목표를 고려하면 매우 이례적인 관용이었다. 앞에서 언급했듯이 공화국은 군이 국가 내 국가를 유지하는 것, 기업가와 은행가가 큰 수익을 올리는 것, 융커가 비경제적인 사유지를 정부의 공채—끝내 상환되지 않았고 융커의 토지를 개량하는 데 거의 쓰이지 않았다—에 의지해 보유하는 것을 용인했다. 하지만 이렇게 너그럽게 대했음에도 공화국은 우파로부터 아무런 감사 표현도 충성도 받지 못했다. 지난날을 돌이켜보는 이 연대기 작가가 보기에도 우파는 도저히 이해할 수 없을 만큼 옹졸하고 편파적이고 맹목적인 태도로 공화국의 토대를 집요하게 공격했고, 마침내 히틀러와 동맹을 맺고 공화국을 무너뜨렸다.

보수층은 한때 부랑자였던 오스트리아인이 수중에 있는 한 자신들의 목표 달성에 도움이 될 것이라고 생각했다. 공화국 파괴는 첫 단계일 뿐이었다. 그들이 원한 다음 단계는 권위주의 국가, 즉 국내에서는 민주주의라는 '난센스'와 노동조합의 권력에 종지부를 찍는 한편 대외적으로는 1918년의 판결을 무효화하고, 베르사유 조약의 족쇄를 벗어던지고, 대군을 재건하여 그 군사력으로 독일을 다시 양지바른 곳으로 이끌 수 있는 국가였다. 이는 히틀러의 목표이기도 했다. 비록 히틀러가 보수파에게 없는 대규모 추종 세력을 거느리고는 있었지만, 우파는 그가 자기네 주머니 안에 머무를 것이라고 확신했다—중앙정부에서 8 대 3으로 압도 당하지 않았던가? 그렇게 우세한 지위 덕에 보수파는 순수한 나치즘의 야만성을 배제한 채 자신들의 목표를 달성할 수 있을 것이라고 생각했다. 보수파는 분명 주님을 경외하는 점잖은 부류였다.

호엔촐레른 제국은 프로이센의 군사적 승리에 의해, 독일 공화국은 1차대전에서 패한 뒤 연합국에 의해 건설되었다. 그러나 제3제국은 전쟁의 부침이나 외세의 영향에 빚진 것이 전혀 없었다. 제3제국은 평시에 독일인들 자신의 약점과 강점에 힘입어 평화롭게 출범했다. 독일 국민은 나치의 폭정을 그들 자신에게 강제했다. 1933년 1월 30일 정오에 힌덴부르크 대통령이 완벽하게 헌법이 정한 바에 따라 아돌프 히틀러에게 총리직을 맡겼을 때, 독일인 상당수, 아마도 과반수는 나치의 폭정을 자초한 줄은 미처 몰랐을 것이다.

그러나 곧 알게 될 터였다.

# 제7장

# 독일의 나치화

## 1933~1934

히틀러가 빈에서 부랑자로 지내던 시절에 차츰 개진하고 이후 결코 잊은 적 없는 이론—혁명 운동이 권력을 잡는 길은 국가의 강력한 제도권 중 일부와 손을 잡는 동맹을 맺는 데 있다는 이론—이 그가 계산했던 거의 그대로 현실화되고 있었다. 군과 보수파의 지지를 받는 대통령이 그를 총리로 임명한 상황이었다. 그렇지만 히틀러의 정치권력은 비록 막강하기는 해도 완전하지는 않았다. 히틀러는 자신을 총리직에 앉힌 이 권위의 세 원천〔대통령, 군, 보수파〕과 손잡고 정치권력을 공유해야 했는데, 그들은 국가사회주의 운동의 외부에 있으면서 이 운동을 어느 정도 불신하고 있었다.

그러므로 히틀러의 당면 과제는 그들을 조속히 운전석에서 몰아내고 나치당을 국가의 유일한 지배자로 세운 다음 권위주의 정부의 권력과 경찰력으로 나치 혁명을 완수하는 것이었다. 총리가 되고 채 24시간도 지나지 않아 히틀러는 첫 번째의 결정적인 조치를 취했다. 잘 속는 보수파 '포획자들'에게 덫을 놓고 그 스스로 유발하거나 통제하게 될 일련의 사건을 연달아 일으킨 것이다. 그로부터 6개월 뒤 독일은 완전히 나치화되었고, 히틀러는 독일 역사상 처음으로 통일되고 탈연방화된 국가의 독재자로 발돋움했다.

취임 선서를 하고 다섯 시간이 지난 1933년 1월 30일 오후 5시, 히틀러는 첫 내각 회의를 열었다. 압수된 수백 톤의 기밀문서 가운데 이 회의의 의사록이 뉘른베르크 재판에서 제출되었는데, 히틀러가 간교한 괴링의 도움을 받아 얼마나 신속하고 교묘하게 보수파 각료들을 속이기 시작했는지 알려준다.* 힌덴부르크는 히틀러를 대통령 주도 내각의 수반이 아니라 제국의회의 과반수를 기반으로 하는 내각의 총리로 임명한 것이었다. 그렇지만 정부에 참여한 두 당인 나치당과 국가인민당이 도합 247석밖에 안 되어서 의회 583석 중 과반에 미치지 못했다. 과반을 채우려면 70석을 가진 중앙당의 지지가 필요했다. 히틀러는 새 정부가 출범하자마자 괴링을 보내 중앙당 지도부와 교섭하도록 했으며, 대화를 마치고 온 괴링은 중앙당이 "일정한 양보"를 요구한다고 내각 회의에 보고했다. 이런 이유로 괴링은 제국의회를 해산하고 새로 선거를 실시하자고 제안했고, 이에 히틀러가 동의했다. 사업으로 성공했음에도 융통성이라곤 없었던 후겐베르크는 중앙당을 끌어들이는 데에도, 새로 선거를 치르는 데에도 반대했다. 국가의 모든 수단을 등에 업은 나치당이 선거에서 과반

---

* 이 내각 회의는 당연히 비공개로 이루어졌고, 제3제국 시기에 히틀러와 그의 정치 및 군사 보좌관들이 극비리에 열었던 다른 회의들과 마찬가지로 회의의 과정 및 결정 사항은 일반에 공개되지 않았다. 그 내용은 압수된 자료가 뉘른베르크 재판에서 다뤄지면서 처음으로 밝혀졌다.
이렇듯 방대한 극비 회의나 거기서 나온 결정들―모두 국가 기밀로 여겨졌다―에 관해서는 이번 장에서 시작해 맨 마지막 장까지 대체로 문서에 의거하여 연대순으로 서술할 것이다. 주 번호로 독자의 눈을 어지럽히는 위험을 무릅쓰고 그 전거를 밝힐 것이다. 나는 역사상 제3제국의 사례만큼 한 국가의 특정한 시대가 문서들로 뒷받침된 경우가 없다고 생각하며, 그 문서들의 출처를 밝히지 않는다면 이 책이 믿을 만한 역사 기록으로서 지닐 수 있는 가치가 크게 줄어들 것이라고 본다.[1]

득표를 달성하여 자신이나 보수파 친구들의 도움이 필요 없는 위치에 설 수도 있음을 그는 잘 알고 있었기 때문이다. 그는 공산당을 탄압하면 된다면서, 공산당의 100석을 없애면 나치당과 국가인민당으로 과반수를 차지할 수 있다고 제안했다. 하지만 당시 히틀러는 그렇게까지 할 마음이 없었다. 결국 이튿날 오전에 총리가 직접 중앙당 지도부와 협의해보고 별다른 성과가 없으면 내각 차원에서 새로운 선거를 요청하기로 의견을 모았다.

히틀러는 그 협의를 손쉽게 성과 없이 끝냈다. 히틀러의 요청에 중앙당 당수 몬시뇰 루트비히 카스Ludwig Kass는 협의의 전제로 질문 목록을 제시했는데, 히틀러에게 어디까지나 헌법에 근거해서 통치할 것을 요구하는 내용이었다. 그러나 카스와 각료들을 모두 속이고 있던 히틀러는 중앙당이 터무니없는 요구를 해와 합의할 가능성이 없다고 내각 회의에 보고했다. 그러고는 사정이 이러하니 대통령에게 제국의회 해산과 선거 실시를 요청하자고 제안했다. 후겐베르크와 파펜은 덫에 걸려들었음에도 선거 결과가 어떻게 나오든 내각을 바꾸지 않겠다는 나치 지도자의 엄숙한 확언을 듣고서 그의 제안에 찬성했다. 투표일은 3월 5일로 정해졌다.

이제 나치당은 처음으로—독일에서 마지막이 될 비교적 자유로운 선거에서—표를 얻기 위해 정부의 막대한 자원을 전부 활용할 수 있었다. 괴벨스는 희희낙락했다. 2월 3일 일기에는 "이제 싸움을 이어가기가 쉬운데, 국가의 자원을 총동원할 수 있기 때문이다. 라디오와 신문이 우리 수중에 있다. 우리는 선전의 일대 걸작을 선보일 것이다. 더욱이 이번에는 당연하게도 자금이 부족하지 않다"라고 썼다.[2]

조합 노동자들의 분수를 알게 해주고 기업 운영을 경영진의 의사에 맡겨둘 새로운 정부가 출범해 기분이 좋았던 거대 기업가들은 이제 돈을 내놓으라는 요구를 받았다. 2월 20일, 괴링의 제국의회 의장 관저에서 샤흐트 박사 주최로 회합이 열렸는데, 괴링과 히틀러가 정한 독일 재계의 큰손 20여 명이 참석했다. 하룻밤 사이에 열광적인 나치가 된 크루프 폰 볼렌Krupp von Bohlen, I. G. 파르벤의 카를 보슈Carl Bosch와 게오르크 폰 슈니츨러, 연합철강의 총수 알베르트 푀글러 등이 이 자리에서 헌금을 약속했다. 이 비밀 회합의 기록은 지금도 보존되어 있다.

히틀러는 긴 연설을 시작하면서 먼저 기업가들의 비위를 맞추었다. "민간기업은 민주주의 시대에는 유지될 수 없습니다. 사람들이 권위와 인격에 관해 건전하게 생각해야만 비로소 가능합니다. … 우리가 가진 모든 세속적 재화는 선택받은 사람들이 투쟁으로 안겨준 선물입니다. … 우리는 문화의 모든 혜택이 어느 정도는 철권으로 주어진 것임을 잊지 말아야 합니다." 그런 다음 기업가들에게 마르스크주의자들을 "제거"하고 국방군을 복원하겠다고 약속했다(국방군 관련 언급에 대해서는 재무장으로부터 얻을 것이 많은 크루프, 연합철강, I. G. 파르벤 같은 기업이 특별한 관심을 보였다). "지금 우리는 마지막 선거를 앞두고 있습니다"라고 단정한 히틀러는 "결과가 어떻든 후퇴는 없을 것입니다"라고 약속했다. 설령 선거에서 승리하지 못하더라도 "다른 수단 … 다른 무기로" 정권을 유지할 것이라고 했다. 더 시급한 사안에 대해 말한 괴링은 "재정적 희생"의 필요성을 강조하면서 "3월 5일의 선거가 분명 향후 10년 동안, 어쩌면 향후 100년 동안의 마지막 선거가 될 것임을 안다면 산업계로서는 희생을 감수하기가 훨씬 더 쉬울 것입니다"라고 결론지었다.

이 모든 말을 그곳에 모인 기업가들은 충분히 알아들었고, 지긋지긋한 선거와 민주주의, 군비 축소를 끝내겠다는 약속에 열광했다. 티센에 따르면 1월 29일 힌덴부르크에게 히틀러를 총리로 임명하지 말아달라고 했던 군수 산업의 제왕 크루프는 벌떡 일어나 총리가 "그토록 명료한 전망을 제시해준" 데 대해 기업가들을 대표해서 "감사"를 표했다. 그러자 샤흐트 박사가 기부금을 걷었다. "저는 300만 마르크를 모았습니다"라고 훗날 샤흐트는 뉘른베르크에서 회고했다.[3]

1933년 1월 31일, 히틀러가 총리로 임명되고 다음날 괴벨스는 일기에 이렇게 썼다. "총통도 참석한 회의에서 우리는 적색 테러에 맞선 싸움의 기본방침을 정했다. 당분간은 직접적 대항 조치를 삼가기로 했다. 볼셰비키의 혁명 시도가 먼저 화염으로 터져 나와야 한다. 우리는 적절한 순간에 타격할 것이다."

나치 측의 도발이 점점 심해졌음에도, 선거운동이 진행되는 동안 공산당도 사회민주당도 혁명의 불을 댕길 기미를 보이지 않았다. 2월 초, 히틀러 정부는 공산당의 모든 집회를 금지하고 공산당계 신문의 발행을 정지시켰다. 사회민주당의 집회도 금지되거나 돌격대 무뢰배에 의해 해산되었고, 주요 사회민주당계 신문들도 연이어 발행 정지 처분을 당했다. 가톨릭 중앙당조차 나치 테러를 면하지 못했다. 가톨릭 노동조합 지도자 아담 슈테거발트Adam Stegerwald는 집회에서 연설을 하려다가 갈색 셔츠단에게 두들겨 맞았고, 또다른 집회에서 브뤼닝은 많은 지지자들이 돌격대원들에게 부상을 당하자 경찰의 보호를 구해야 했다. 선거운동 기간에 모두 합해 51명의 반反나치가 피살자 명단에 올랐으며, 나치 측은 당원 18명이 살해당했다고 주장했다.

그 무렵부터 프로이센 내무장관이라는 괴링의 핵심 직책이 이목을 끌기 시작했다. 프로이센 총리인 파펜이 당연히 상급자인데도 괴링은 파펜의 제지를 무시한 채 공화국 시절의 관리 수백 명을 해임한 뒤 그 자리를 대부분 돌격대와 친위대 장교인 나치당원들로 대체했다. 그리고 주 경찰에 "어떤 희생을 치르더라도" 돌격대, 친위대, 철모단과의 교전을 피하는 동시에 "국가에 적대적인" 자들에게는 자비를 베풀지 말라고 명령했다. 또 경찰에 "화기를 사용하라"고 촉구하고 그렇게 하지 않는 자는 처벌하겠다고 경고했다. 이는 독일 국토의 3분의 2를 통제하는 주(프로이센)의 경찰 측에 히틀러에 반대하는 모든 사람을 사살하라고 노골적으로 요구한 것이었다. 이 조치가 무자비하게 꼭 실행되도록 괴링은 2월 22일에 5만 명의 보조 경찰대를 창설하고 그중 4만 명을 돌격대와 친위대에서, 나머지를 철모단에서 끌어모았다. 요컨대 프로이센의 경찰권을 대체로 나치 폭력배가 수행했던 것이다. 그러므로 나치 테러리스트로부터 보호해달라고 '경찰'에 호소하는 독일인은 분별없는 자였다.

그러나 이 모든 테러에도 불구하고 괴벨스와 히틀러, 괴링이 고대하던 "볼셰비키 혁명"은 "화염으로 터져 나오지" 않았다. 혁명을 도발할 수 없다면 날조라도 해야 하지 않겠는가.

2월 24일, 괴링의 경찰대는 베를린의 공산당 본부인 카를 리프크네히트 하우스를 급습했다. 그 본부는 이미 대부분 지하로 잠적하거나 조용히 러시아로 빠져나간 공산당 지도부가 몇 주 전부터 방치하던 곳이었다. 하지만 선전 팸플릿이 지하 창고에 수북이 쌓여 있었고, 그것만으로도 괴링은 공산당이 혁명을 일으키기 직전이었음을 입증하는 "문서들"을 압수했다고 공식 발표할 수 있었다. 그러나 일반 대중뿐 아니라 정부 내 보수파의 일부까지도 이 발표에 회의적인 반응을 보였다. 3월 5일 투표일 전에 더욱 센세이셔널한 무언가를 찾아내 대중을 단숨에 사로잡아야만 했다.

## 의사당 화재

———

2월 27일 저녁, 독일 최고 권력자 네 명이 베를린에서 두 명씩 따로 식사를 했다. 포스슈트라세에 자리한 회원제 신사클럽에서는 파펜 부총리가 힌덴부르크 대통령을 접대했다. 괴벨스의 자택에서는 손님으로 온 히틀러 총리가 주인네 가족과 함께 저녁을 들었다. 그들은 느긋하게 쉬면서 축음기로 음악을 듣고 담소를 나누었다. 나중에 괴벨스가 일기에 적었듯이 그때 "갑자기 한프슈텡글 박사에게서 전화가 걸려왔다. '의사당에 불이 났습니다!'라고 했다. 나는 그가 허풍을 친다고 넘겨짚고 총통에게는 전하지도 않았다".[4]

그러나 신사클럽에서 식사를 하는 사람들에게는 의사당이 지척이었다.

[파펜이 나중에 기록함] 갑자기 창문에 벌건 불빛이 비치고 거리에서 외치는 소리가 들렸다. 한 종업원이 내게 급히 와서 "의사당에 불이 났습니다"라고 속삭였고, 나는 대통령에게 똑같이 전했다. 대통령이 자리에서 일어났고, 창가에서 내다보니 의사당의 둥근 지붕이 마치 탐조등으로 비추는 양 환하게 보였다. 솟아오르는 불길과 자욱한 연기 탓에 이따금 건물 윤곽이 흐릿해졌다.[5]

부총리는 자신의 차로 노대통령을 댁까지 모셔다드린 뒤 부리나케 불타는 건물로 향했다. 그동안 괴벨스는 본인 설명에 따르면 푸치 한프슈텡글의 "허풍"이 신경쓰여서 몇 군데 전화를 걸어보고는 의사당이 정말로 불길에 휩싸였음을 알게 되었다. 잠시 후 그와 총통은 "범죄 현장을 향해 시속 60마일로 샤를로텐부르크 도로를" 질주했다.

화재 현장에 도착하자마자 이것은 범죄라고, 공산당의 범죄라고 두 사람은 단정했다. 이들보다 먼저 도착한 괴링은, 나중에 파펜이 회상한 대로, 땀을 흘리고 숨을 헐떡이며 사뭇 흥분해 넋을 잃은 채 하늘을 향해 "새 정부에 대한 공산당의 범죄다"라고 부르짖었다. 신임 게슈타포 수장 루돌프 딜스Rudolf Diels에게 괴링은 이렇게 소리쳤다. "이것은 공산주의 혁명의 시작이야! 한시도 지체할 수 없어. 자비는 없을 걸세. 공산당 당직자는 발견하는 즉시 모조리 사살해야 하네. 모든 공산당 의원을 오늘 밤 안으로 목매달아야 해."[6]

의사당 화재의 모든 진상은 아마 영원히 밝혀지지 않을 것이다. 그 전모를 알았던 사람들은 이제 대부분 죽고 없으며, 더욱이 대개는 화재 이후 몇 달 사이에 히틀러에 의해 살해되었다. 심지어 뉘른베르크 재판에서도 이 미스터리는 온전히 해명되지 않았다. 그렇지만 나치당이 자신들의 정치적 목적을 위해 방화를 계획하고 실행했다는 것을 의문의 여지가 없을 정도로 입증하는 충분한 증거가 있다.

괴링의 제국의회 의장 관저에서 의사당 건물까지는 중앙난방 장치를 위한 지하 통로로 연결되어 있었다. 전직 호텔 종업원에서 베를린 돌격대 지도자가 된 카를 에른스트Karl Ernst는 2월 27일 밤 소수의 돌격대 분대를 이끌고 바로 이 통로를 지나 의사당 내부로 들어가서 가솔린과 자연발화성 화학물질을 사방에 뿌리고는 그 통로를 통해 의장 관저로 재빨리 돌아왔다. 같은 시각, 네덜란드 출신의 얼빠진 공산주의자로 방화벽이 있는 마리뉘스 판 데르 뤼버Marinus van der Lubbe가 잘 모르는 이 거대하고 어두컴컴한 건물로 제 발로 들어가서 몇 군데에 작게 불을 질렀다. 이 심신미약 방화광은 나치 측으로서는 하늘이 내린 선물이었다. 며칠 전 한 술집에서 자신이 몇몇 공공건물에 불을 지르려 했고 다음번에는 의사당을 노릴 작정이라고 떠벌리는 소리를 돌격대 측에서 우연히 듣고서 미리 점찍어둔 인물이었다.

나치당이 자신들이 결행하려던 일을 그대로 하고 싶어 안달하는, 제정신이 아닌 공산주의자 방화범을 찾아냈다는 것은 믿기 힘든 우연의 일치처럼 보이지만, 그럼에도 증거로 뒷받침되는 사실이다. 방화라는 발상은 괴벨스와 괴링의 머리에서 나온 것이 거의 확실하다. 당시 프로이센 내무부의 관료였던 한스 기제비우스Hans Gisevius는 훗날 뉘른베르크 재판에서 "의사당에 불을 지른다는 것을 맨 먼저 떠올린 사람은 괴벨스였습니다"라고 증언했고, 게슈타포 수장 루돌프 딜스는 선서진술서에서 "괴링은 방화가 어떻게 시작될지 정확히 알고" 있었고 자신에게 "방화 직후에 체포할 사람들의 명단을 미리 준비"하도록 명령했다고 덧붙였다. 2차대전 초반에 독일 육군 참모총장을 지낸 프란츠 할더 장군은 괴링이 언젠가 자신의 행위를 다음과 같이 자랑스럽게 이야기했다고 뉘른베르크에서 회고했다.

1942년 총통의 생일을 축하하는 오찬 자리에서 대화의 주제가 의사당 건물과 그것의 예술적 가치로 옮겨갔습니다. 저는 괴링이 대화에 끼어들어 소리치는 말을 제 귀로 똑똑히 들었습니다. "의사당에 관해 제대로 알고 있는 사람은 나 하나뿐이지. 내가 불을 질렀으니까!" 이렇게 말하면서 그는 손바닥으로 자기 허벅지를 때렸습니다.[*]

판 데르 뤼버는 나치당에 속았던 것이 분명해 보인다. 뤼버는 의사당

---

[*] 심문 중에도 뉘른베르크 법정에서도 괴링은 의사당 방화에 관여한 혐의를 끝까지 부인했다.

에 불을 질러보라는 꼬드김을 받았다. 그러나 주요 공작은—물론 뤼버에게 알리지 않고서—돌격대가 담당했다. 실제로 뒤이은 라이프치히 재판에서 이 네덜란드인 정신지체자가 그토록 큰 건물에 그토록 빠르게 불을 지를 만한 도구를 가지고 있지 않았다는 사실이 확인되었다. 그가 들어가고 2분 30초 후에 의사당 중앙의 넓은 홀이 맹렬한 기세로 불타올랐다. 그에게 불쏘시개로 쓸 만한 것은 셔츠밖에 없었다. 재판에 출두한 전문가들의 증언에 따르면, 발화 현장에는 상당한 양의 화학물질과 가솔린이 뿌려져 있었다. 혼자 힘으로는 그렇게나 많은 양을 반입할 수 없었고, 그토록 짧은 시간 안에 그토록 많은 지점에다 불을 댕길 수는 없었다.

판 데르 뤼버는 현장에서 체포되었는데, 괴링은 훗날 법정에서 말했듯이 그를 즉각 교수형에 처하라고 요구했다. 이튿날 공산당 의원 에른스트 토르글러는 괴링이 자신을 공범으로 지목했다는 소식을 듣고서 경찰에 자진 출두했다. 또한 훗날 불가리아 총리가 되는 불가리아인 공산당원 게오르기 디미트로프Gerogi Dimitroff와, 다른 두 명의 불가리아인 공산당원 블라고이 포포프Blagoy Popov와 바실 타네프Vasil Tanev가 며칠 뒤 경찰에 체포되었다. 이후 라이프치히 대법원에서 열린 이들의 재판은 나치당, 특히 괴링에게는 일종의 낭패로 바뀌었는데, 디미트로프가 스스로를 변호하면서 일련의 통렬한 반대 심문으로 괴링을 손쉽게 도발하여 웃음거리로 만들었기 때문이다. 법정 기록에 따르면, 어느 순간 괴링은 디미트로프를 향해 "저놈 끌어내, 저 사기꾼을!" 하고 고함치기도 했다.

판사: [경관에게] 피고를 데려가세요.

디미트로프: [경관에게 끌려가면서] 제 질문이 두려우십니까, 각하?

괴링: 어디 이 법정 밖으로 끌려나가면 보자, 이 사기꾼아!

토르글러와 불가리아인 세 명은 무죄 판결을 받았다. 그러나 토르글러는 재판이 끝나자마자 '보호감호' 처분을 받고 2차대전 중에 사망할 때까지 이 처분에서 벗어나지 못했다〔이 서술은 저자의 오류로 보인다. 토르글러는 1963년에 죽었고, 1935년까지만 보호감호를 받았으며, 1940년부터 나치를 위해 일했다〕. 판 데르 뤼버는 유죄 판결을 받고 참수되었다.[7]

비록 법원이 나치 당국에 영합하기는 했지만, 이 재판은 괴링과 나치 당에 대한 커다란 의혹을 불러일으켰다. 그러나 실질적인 영향을 미치기에는 판결이 너무 늦게 나왔다. 그전에 히틀러가 때를 놓치지 않고 의사당 화재 사건을 최대한 활용했기 때문이다.

화재 다음날인 2월 28일, 히틀러는 "국민과 국가를 수호하기 위한" 긴급명령에 서명하도록 힌덴부르크 대통령을 설득했다. 헌법에서 개인과 시민의 자유를 보장하는 7개 항을 유예하는 내용이었다. "국가를 위태롭게 하는 공산당의 폭력 행위에 대한 방어 조치"라고 불린 그 긴급명령에는 다음과 같은 내용이 적시되어 있었다.

개인의 자유 제한, 보도의 자유를 포함해 의견을 자유롭게 표명할 권리 제한, 집회와 결사의 권리 제한, 우편과 전신 및 전화에 의한 통신의 비밀 침해, 가택 수색 영장, 재산의 몰수 또는 제한 명령 등도 별도로 규정하지 않는 한 법적 제약을 넘어 허용된다.

이에 더해 긴급명령은 필요할 경우 연방 주들의 전권을 넘겨받을 권한을 중앙정부에 부여했고, 무장한 사람들에 의한 "심각한 치안 교란"을 포함하는 다수의 범죄에 사형 판결을 내릴 수 있게 했다.[8]

요컨대 히틀러는 일거에 정적들의 입에 재갈을 물리고 그들을 자기

뜻대로 체포할 수 있을 뿐 아니라 공산당의 위협을 날조해 '공식화'함으로써 이를테면 일주일 후의 선거에서 국가사회주의당에 투표하지 않으면 볼셰비키가 정권을 잡을지도 모른다는 공포의 도가니로 중간계급 및 농민층 수백만 명을 몰아넣을 수도 있었다. 공산당 당직자 약 4000명과 사회민주당 및 자유주의 진영의 지도부 대다수가 체포되었다. 그중에는 법률상 체포할 수 없는 제국의회 의원들까지 포함되었다. 이때 독일 국민은 정부의 지원을 받는 나치의 테러를 처음으로 경험했다. 트럭에 탄 돌격대원들이 독일 전역의 거리에서 고성을 지르며 돌아다니다가 민가에 들이닥쳐 희생자들을 검거한 다음 돌격대 병영까지 데려가서 고문하고 구타했다. 공산당의 간행물과 정치 집회는 탄압당했다. 사회민주당계 신문들과 다수의 자유주의 잡지들은 발행 정지를 당했고, 민주적 정당들의 집회는 금지되거나 해산되었다. 나치당과 그 동맹인 국가인민당만이 험한 꼴을 당하지 않으면서 선거운동을 벌일 수 있었다.

중앙정부와 프로이센 주정부의 모든 편의를 누리고 대기업에서 들어온 거액의 자금을 금고에 쌓아둔 나치당은 독일에서 일찍이 본 적 없는 선거전을 펼쳤다. 최초로 국영 라디오가 히틀러와 괴링, 괴벨스의 목소리를 전국 구석구석까지 전달했다. 스와스티카 깃발이 내걸린 거리에서는 돌격대원들이 쿵쿵대며 걷는 소리가 울려 퍼졌다. 광장에서는 대중 집회와 횃불 행진이 벌어지고 확성기 소리가 울려댔다. 현란한 나치 포스터가 게시판을 도배했고, 밤이면 모닥불이 언덕을 환하게 밝혔다. 유권자들은 독일 낙원을 약속하는 달콤한 말에 솔깃해하면서도 길거리에 횡행하는 갈색 공포에 겁을 먹고 공산당의 '혁명'에 대한 '폭로'에 깜짝 놀라곤 했다. 프로이센 주정부는 의사당 화재 이튿날 발표한 장문의 성명에서 공산당의 "문서들"이 발견되어 다음과 같은 것이 입증되었다고 공언했다.

정부 청사, 박물관, 대저택, 주요 공장을 불태워버릴 속셈이었다. … 여성과 어린이를 테러 집단의 면전으로 보낼 속셈이었다. … 의사당 방화로 유혈 폭동과 내전의 신호를 보낼 속셈이었다. … 오늘을 기해 독일 전역에서 개개인, 사유재산, 평화로운 국민의 목숨과 신체를 겨냥해 테러를 자행하고 전면적인 내전을 시작하려던 것으로 확인되었다.

"공산당의 음모를 입증하는 문서들"을 공표하겠다던 약속은 끝내 지켜지지 않았다. 그렇지만 프로이센 주정부가 그 문서들이 진짜라고 보증했다는 사실 자체가 많은 독일인에게 깊은 인상을 주었다.

누구에게 투표할지 흔들리던 사람들은 괴링의 위협에도 깊은 인상을 받았을 것이다. 그는 3월 3일에 프랑크푸르트에서 이렇게 외쳤다.

동포 여러분, 저의 조치는 어떠한 법률적 판단에 의해서도 훼손되지 않을 것입니다. … 저는 정의에 관해서 걱정할 필요가 없습니다. 저의 사명은 오로지 파괴하고 박멸하는 것, 그것뿐입니다! … 물론 저는 국가와 경찰의 권력을 최대한으로 사용할 것이니, 친애하는 공산당원 여러분, 부디 그릇된 결론을 도출하지 마십시오. 그럼에도 끝까지 싸우겠다면, 저기에 있는 사람들, 갈색셔츠단과 함께 앞장서서 제 손으로 여러분의 모가지를 움켜잡을 것입니다.[9]

같은 날 연설한 전 총리 브뤼닝의 목소리는 거의 들리지 않았다. 중앙당은 헌법을 유린하려는 모든 시도에 저항할 것이라고 그는 선언하면서 의사당 화재에 대한 진상 규명을 요구하고, 힌덴부르크 대통령에게는 "억압자들에 맞서 피억압자들을 보호"할 것을 요청했다. 부질없는 호소였다! 연로한 대통령은 침묵을 지켰다. 이제 국민이, 동요하는 국민이 발언할 차례였다.

1933년 3월 5일, 히틀러의 생애에서 마지막으로 민주적 선거를 치른 날에 독일 국민은 투표를 통해 발언했다. 온갖 테러와 위협에도 불구하고, 독일인의 과반은 히틀러를 거부했다. 나치당은 가장 많은 1727만 7180표를 얻었다. 이는 지난번보다 약 550만 표 늘어난 성적이었지만 총 투표수의 44퍼센트에 지나지 않았다. 분명 과반수는 여전히 히틀러를 외면하고 있었다. 선거를 앞둔 몇 주간에 걸쳐 온갖 박해와 탄압이 가해졌음에도 불구하고, 중앙당의 득표수는 423만 600표에서 442만 4900표로 증가했다. 같은 가톨릭 계열인 바이에른인민당의 득표수와 합치면 550만 표나 되었다. 심지어 사회민주당도 7만 표 줄어든 718만 1629표를 얻어 제2당의 지위를 유지했다. 공산당은 100만 표가 줄었음에도 484만 8058표를 획득했다. 파펜과 후겐베르크가 이끄는 국가인민당은 313만 6760표라는 성적에 실망한 기색이 역력했는데, 이는 총 투표수의 8퍼센트에 불과했고 지난번보다 겨우 20만 표 늘어난 수치였다.

그럼에도 나치당의 288석에 국가인민당의 52석을 보태면 제국의회에서 과반수를 16석이나 넘길 수 있었다. 이 정도면 정부의 일상 업무를 수행하기에 충분했을 테지만, 의회의 동의를 얻어 독재정을 수립하려던 히틀러의 새롭고 대담한 계획에 필요한 3분의 2 다수에는 한참 못 미쳤다.

## 일체화: 제국의 '조정'

___

그 계획은 믿을 수 없을 정도로 단순했고, 절대 권력의 장악에 합법성의 외피를 두를 수 있다는 장점이 있었다. 계획의 내용인즉 향후 4년간 히틀러 내각에 배타적 입법권을 부여하는 '수권법Ermächtigungsgesetz'(전권위임법)을 통과시키도록 제국의회에 요청한다는 것이었다. 더 간단하게 말하자면, 제국의회는 헌법상의 기능을 히틀러에게 넘겨주고 긴 휴가에 들어간다는 것이다. 그러나 이렇게 하려면 우선 헌법을 개정해야 했으므로 의원 3분의 2의 찬성이 필요했다.

그 3분의 2의 찬성을 어떻게 확보하느냐가 1933년 3월 15일 내각 회의의 주요 의제였다—그 의사록이 뉘른베르크 법정에 제출되었다.[10] 문제의 일부는 공산당 의원 81명을 제국의회에 '불출석'시킴으로써 해결할 수 있었다. 괴링은 나머지 문제도 "사회민주당 의원 몇 명의 입장을 금지"함으로써 쉽게 해결할 수 있다고 확신했다. 히틀러는 활달하고 자신만만한 모습이었다. 의사당 화재 이튿날인 2월 28일 힌덴부르크를 설득해 서명을 받아낸 긴급명령 덕에 결국 3분의 2 찬성을 확보하는 데 필요한 만큼의 야당 의원들을 체포할 수 있었기 때문이다. 가톨릭 중앙당이 보증을 요구한다는 문제가 있었지만, 히틀러는 이 당이 자신에게 동조할 것이라고 확신했다. 히틀러의 손아귀에 모든 권력을 맡기고 싶지 않았던 국가인민당 지도자 후겐베르크는 수권법에 의해 내각에 주어진 법안 제출에 관여할 권한을 대통령에게 부여하자고 요구했다. 이미 자신의 미래를 나치당에 걸기로 결심한 대통령 비서실장 마이스너는 "연방 대통령의 협력은 필요하지 않을 것입니다"라고 답변했다. 마이스너는 공화국 시절의 역대 총리들처럼 완고한 노대통령에게 속박당하는 처지를 히틀러가 원하지 않는다는 것을 금세 알아차렸다.

그런데 히틀러는 이 단계에서 노원수와 군부, 민족주의 보수파에게 거창한 제스처를 보냄으로써 자신의 난폭하고 혁명적인 정권을 힌덴부르크의 명망이나 과거 프로이센의 군사적 영광과 연결하려 했다. 이를 위해 선전장관에 취임(3월 13일)한 괴벨스와 함께 절묘한 술책을 꾸몄다. 히틀러는 조만간 파괴할 새로운 제국의회의 개회식을 포츠담의 수비대 교회Garnisonkirche에서 치르기로 했다. 이 교회는 프로이센주의의 거룩한 성지이자 수많은 독일인에게 제국의 영광과 위엄의 기억을 상기시키는 장소였다. 또한 프리드리히 대왕의 유해가 묻힌 곳, 호엔촐레른 가문의 역대 왕들이 예배를 올린 곳, 1866년 독일에 처음으로 통일을 가져다준 오스트리아-프로이센 전쟁에서 돌아오던 젊은 근위장교 힌덴부르크가 맨 먼저 들른 곳이었다.

제3제국 초대 의회 개회식이 열릴 3월 21일이라는 날도 뜻깊은 선택이었다. 1871년에 비스마르크가 제2제국 초대 의회를 개회한 날과 같았기 때문이다. 전 황태자와, 해골경기병대의 위압적인 복장과 모자를 착용한 아우구스트 폰 마켄젠August von Mackensen 전 원수를 필두로 지난 제정 시절의 연로한 원수들과 장군들, 제독들이 번쩍이는 제복 차림으로 수비대 교회에 모였을 때에는 프리드리히 대왕이나 철혈 재상 비스마르크의 망령이 머리 위를 맴돌았을 것이다.

힌덴부르크는 감동한 기색이 역력했다. 이 행사를 연출하고 라디오 전국 중계를 총괄하던 괴벨스는 노원수가 눈물을 머금은 모습까지 보았다―그리고 일기에 기록했다. 격식을 차리고자 앞자락을 비스듬히 재단한 모닝코트를 입고 불편해하는 히틀러를 곁에 둔 채, 힌덴부르크는 검독수리대훈장이 달린 암회색 제복을 입고 한손에는 뿔 달린 철모를, 다른 손에는 원수장을 쥐고서 통로를 천천히 걷다가 황실석의 비어 있는 카이저 빌헬름 2세 자리에 멈춰 서서 경례를 한 다음 제단 앞에 서서 새로 출범한 히틀러 정부를 축복하는 짧은 축사를 낭독했다.

이 고명한 성소에 깃든 오랜 정신이 오늘의 세대에 스며들게 하시고, 우리를 이기심과 당쟁에서 해방하고 민족적 자의식으로 결집하여 자랑스럽고 자유로운 독일, 그 자체로 통일된 독일을 축복하게 하소서.

히틀러의 답사는 왕년의 군인들이 너무나 번쩍거리는 광채로 드러내는 구질서에 대한 공감에 호소하면서 그 신뢰를 얻기 위해 빈틈없게 작성한 것이었다.

카이저도 정부도 국민도 전쟁을 원하지 않았습니다. 오로지 국가가 무너진 까닭에, 쇠약해진 민족이 가장 신성한 신념을 저버린 채 전쟁의 책임을 뒤집어쓸 수밖에 없었던 것입니다.

그런 다음 히틀러는 몇 걸음 떨어진 의자에 꼿꼿하게 앉아 있는 힌덴부르크를 돌아보며 말을 이었다.

지난 몇 주간의 유례없는 격동으로 우리나라의 명예가 회복되었고, 원수 각하의 양해 덕분에 오랜 위대함의 상징과 새로운 힘의 상징의 결합이 축하를 받았습니다. 우리는 각하께 경의를 표합니다. 신의 섭리로 각하께서는 우리나라의 새로운 세력을 거느리게 된 것입니다.[11]

히틀러는 이제 일주일 내에 그 정치권력을 박탈할 속셈이면서도 겉으로는 깊은 존경을 표하기 위해 단에서 내려가 힌덴부르크에게 깍듯이 인사하고 그의 손을 잡았다. 카메라 플래시들이 터지고 괴벨스가 마이크와 함께 요소요소에 배치한 촬영기들이 찰각대며 돌아가는 가운데, 독일인 원수와 오스트리아인 상병이 옛 독일과 새 독일을 잇는 엄숙한 악수를 나누는 장면이 독일 국민과 세계 사람들을 위해 사진과 영상으로 기록되었다.

당시 현장에 있었던 프랑스 대사는 나중에 이렇게 썼다. "포츠담에서 히틀러가 현란한 맹세를 한 마당에 그의 정당의 권한 남용이나 오용을 걱정 어린 시선으로 바라보기 시작한 사람들─힌덴부르크와 그 측근들, 융커들과 군주제를 지지하는 귀족들, 후겐베르크와 독일국가인민당 구성원들, 국가방위군의 장교들─이 어떻게 그런 우려를 일축하지 않을 수 있었겠는가? 더욱이 그들이 히틀러에게 완전한 신뢰를 보낼지 말지, 그의 모든 요청을 들어줄지 말지, 그가 요구하는 전권을 넘겨줄지 말지 어떻게 망설일 수 있었겠는가?"[12]

답은 이틀 후인 3월 23일, 의회가 열린 베를린의 크롤 오페라하우스〔의사당 화재 이후 이 오페라하우스가 의회 건물로 쓰였다〕에서 나왔다. 의회에는 이른바 수권법─정식 명칭은 "민족과 국가의 위난을 제거하기 위한 법률Gesetz zur Behebung der Not von Volk und Reich"─이 상정되어 있었다. 간략하게 5개 조로 구성된 이 법은 향후 4년간 국가 예산 통제, 외국과의 조약 승인, 개헌 발의 등을 포함하는 입법권을 의회로부터 빼앗아 내각에 넘겨준다는 내용이었다. 그뿐 아니라 내각이 제정하는 법률은 총리에 의해 입안되고 "헌법에서 벗어날 수 있다"고 명시했다. 또 어떠한 법률도 "제국의회 및 제국참의원 제도에 영향을 미치지" 않아야 했고─분명 가

장 잔인한 농담이었다—대통령의 권한은 "건드리지" 말아야 했다.[13]

　오랫동안 한결 가벼운 오페라 작품을 전문으로 상연해온 이 화려한 오페라하우스에 모인 의원들에게 히틀러는 뜻밖에도 자제력 있는 연설로 이 마지막 두 개의 논점을 거듭 언급했다. 극장 통로에는 갈색셔츠를 입은 돌격대원들이 줄지어 서 있었는데, 흉터가 남은 그들의 험악한 얼굴은 국민의 대표들이라도 허튼짓을 하면 가만두지 않겠다는 의중을 내비쳤다.

> [히틀러가 약속함] 정부는 반드시 필요한 조치를 취하는 데 불가결한 경우에만 이런 권한을 행사할 것입니다. 제국의회도 제국참의원도 그 존재가 위협받지 않을 것입니다. 대통령의 지위와 권한에도 변함이 없습니다. … 연방주들의 개별 권한도 폐지되지 않을 것입니다. 교회의 권리는 축소되지 않고 국가와의 관계도 변경되지 않을 것입니다. 이런 법률에 의지해야 할 내적 필요성이 있는 경우는 지극히 제한적일 것입니다.

　언제나 성질이 불같은 나치 지도자의 말은 무척 온건하고 겸허하게 들렸다. 제3제국의 생애가 이제 막 시작된 터라 야당 의원들마저도 히틀러가 말하는 약속의 가치를 잘 알지 못했다. 그럼에도 그들 중 한 명, 사회민주당 당수 오토 벨스Otto Wells가 같은 당 의원 10여 명이 경찰에 '억류'된 상황에—밖에서 돌격대원들이 "전권을 넘겨라, 안 그랬다간!" 하고 아우성치는 가운데—자리에서 일어나 독재자가 되려는 총리에게 반기를 들었다. 벨스는 차분하고도 대단히 위엄 있는 어조로 정부가 사회민주당에게서 권한을 빼앗을 수는 있어도 명예를 빼앗을 수는 없다고 힘주어 말했다.

우리 독일 사회민주당은 이 역사적인 순간에 인도주의와 정의, 자유와 사회주의의 원칙을 지키겠다고 엄숙히 맹세합니다. 수권법은 당신에게 영원한 불멸의 이상을 훼손할 권력을 주는 것이 아닙니다.

격분한 히틀러는 자리에서 벌떡 일어났고, 급기야 의원들 앞에서 본색을 드러냈다.

당신들은 늦게 왔지만 그래도 왔다! [그는 소리쳤다.] … 당신들은 더 이상 필요하지 않다. … 이제 독일의 별은 떠오르고 당신들의 별은 질 것이다. 당신들의 조종은 벌써 울렸다. … 당신들의 표결 따위는 필요 없다. 독일은 자유로워질 테지만 당신들을 통해서는 아니다! [우레와 같은 박수갈채.]

공화국의 약체화에 무거운 책임이 있는 사회민주당은 적어도 자기네 원칙을 지키고—이번만은—저항하면서 쓰러져갈 터였다. 그러나 지난날 문화투쟁Kulturkampf〔1870년대에 주로 교육 통제권과 성직자 임명권을 놓고 독일 가톨릭교회와 국가 사이에 벌어진 투쟁〕에서 철혈 재상과 대결해 성공을 거두었던 중앙당은 달랐다. 중앙당 당수 몬시뇰 카스는 히틀러에게 대통령의 거부권을 존중하겠다는 서면 약속을 요구한 바 있었다. 그러나 히틀러는 수권법 표결 전에 약속을 해놓고도 끝내 서약서를 주지 않았다. 그럼에도 중앙당 당수는 일어나서 자기네 당은 법안에 찬성하겠다고 언명했다. 브뤼닝은 줄곧 침묵했다. 이내 표결이 이루어졌다. 찬성 441, 반대 84(모두 사회민주당)였다. 나치당 의원들은 벌떡 일어나 소리를 지르고 발을 구르더니 돌격대원들과 함께 〈호르스트 베셀의 노래〉를 부르기 시작했다. 이 노래는 머지않아 〈독일, 만물 위에 있는 독일〉과 함께 두 개의 국가國歌 중 하나가 될 터였다.

깃발을 높이 올려라! 대열을 바싹 좁혀라!
돌격대가 행진한다, 확고하고 조용한 걸음으로 …

이렇게 해서 독일 의회민주주의가 결국 매장되었다. 공산당 의원들과
일부 사회민주당 의원들이 체포된 것을 제쳐두면, 비록 테러를 수반하긴
했지만 모든 것이 아주 합법적으로 진행되었다. 의회는 헌법상 권한을
히틀러에게 넘겨줌으로써 스스로 목숨을 끊었다. 다만 의회의 시체는 방
부 처리가 된 상태로 제3제국의 마지막까지 잔존하다가 이따금 히틀러
의 벼락같은 성명을 전하는 공명판 기능을 했다. 그리고 이때부터 나치
당이 의원들을 선발했다. 실질적인 선거가 더 이상 없었기 때문이다. 히
틀러 독재의 법적 토대를 이루는 것은 이 수권법 하나뿐이었다. 1933년
3월 23일부터 히틀러는 사실상 독일의 독재자였다. 의회로부터 아무런
제약도 받지 않았고, 모든 실질적 사안에서 늙고 지친 대통령의 제지를
받지도 않았다. 물론 나라와 제도 전체를 나치의 발 아래 두려면 아직 할
일이 많았지만, 후술하듯이 이 목표 역시 노골적이고 잔인한 권모술수로
숨가쁘게 달성했다.

앨런 불록Alan Bullock의 말마따나 "거리의 갱단이 위대한 근대 국가의
자원을 장악하고 밑바닥 사람들이 권력을 잡았다". 그러나 히틀러가 쉽
없이 자랑한 대로 그들은 '합법적으로', 의회의 압도적 찬성으로 집권했
다. 독일인은 스스로를 탓할 수밖에 없었다.

독일에서 가장 강력한 제도들도 차례차례 히틀러에게 굴복한 채 아무

런 저항도 없이 조용하게 사라져갔다.

독일 역사를 통틀어 저마다의 권력을 완강히 고수해온 주(영방)들이 맨 먼저 쓰러졌다. 3월 9일 저녁, 수권법 통과를 2주 앞둔 시점에 히틀러와 프리크의 명령을 받은 에프 장군은 돌격대원 몇 명의 도움을 받아 바이에른 주정부를 몰아내고 나치 정권을 수립했다. 일주일 사이에 각각의 주를 장악할 제국판무관들이 임명되었다. 이미 괴링이 실권을 틀어쥔 프로이센 주는 예외였다. 3월 31일, 히틀러와 프리크는 처음으로 수권법을 적용해 프로이센을 제외한 모든 주의 의회를 해산하고 지난번 제국의회 선거의 득표수에 근거해 의회를 재구성하도록 명령하는 법률을 공포했다. 공산당의 의석은 채우지 않기로 했다. 그러나 이 조치는 채 일주일도 가지 않았다. 열에 들떠 정신없이 일하던 총리는 4월 7일에 새로운 법률을 공포하여 모든 주에 제국주총감Reichsstatthalter을 임명하고 그들에게 지방정부 해체, 의회 해산, 지방관리 및 법관 임면 등의 권한을 주었다. 신임 주총감들은 전원 나치였고, "제국총리가 정한 전반적인 방침"을 수행할 것을 "요구"받았다.

이렇게 해서 제국의회로부터 전권을 받고 2주도 지나기 전에 히틀러는 비스마르크, 빌헬름 2세, 바이마르 공화국이 감히 시도조차 못했던 목표를 달성했다. 다시 말해 유서 깊은 각 주의 개별 권한을 박탈하고 자기 수중에 있는 중앙정부의 권위에 종속시킨 것이다. 그는 독일 역사상 처음으로 그 오랜 연방적 성격을 제거함으로써 전국을 실제로 통일했다. 1934년 1월 30일, 총리 취임 1주년을 맞은 히틀러는 독일재건법에 의해 이 과제를 공식적으로 완수하려 했다. 각 주의 '민회'는 폐지되었고 주의 통치권은 국가로 넘어갔으며, 모든 주정부는 중앙정부에 종속되고 주총감은 독일 내무장관의 감독을 받게 되었다.[14] 이 내무장관으로서 프리크는 "주정부들은 이제부터 제국의 행정기구에 지나지 않는다"라고 설명했다.

1934년 1월 30일에 공포된 독일재건법의 전문前文에는 이 법을 "제국의회의 만장일치 찬성으로 공포"한다고 적혀 있었다. 이는 사실이었는데, 그전에 나치당을 제외한 독일 내 모든 정당을 신속히 제거했기 때문이다.

독일 정당들이 끝까지 싸우다가 패퇴했다고는 말할 수 없다. 1933년 5월 19일, 사회민주당 의원들―투옥되지도 추방되지도 않은 사람들―은 제국의회에서 히틀러의 외교정책에 아무런 이의 없이 찬성투표를 했다. 그 9일 전에 괴링이 지휘하는 경찰은 이 당의 여러 사무소와 신문사를 장악하고 그 재산을 압류했다. 그럼에도 사회민주당은 여전히 히틀러의 비위를 맞추려 했다. 그들은 총통을 공격하는 외국의 동지들을 비난했다. 6월 19일, 그들은 당 위원들을 새로 선출했지만, 사흘 뒤 프리크가 "국가를 전복할 우려가 있고 비우호적"이라는 이유로 이 당을 해산함으로써 그들의 타협 시도에 종지부를 찍었다. 국내에 잔류한 지도자 파울 뢰베Paul Löbe와 제국의회 의원 몇 명은 체포되었다. 물론 공산당은 이미 제압당한 상태였다.

중간계급 정당들은 아직 남아 있었지만 오래가지 못했다. 3월 9일 나치 쿠데타에 의해 주정부가 쫓겨난 바이에른의 가톨릭 바이에른인민당은 7월 4일 해산을 발표했고, 그 동맹 정당으로서 지난날 비스마르크에게 그토록 완강히 저항했고 또 공화국 시절 국가의 방벽이었던 중앙당도 이튿날 해산을 선언했다. 이로써 독일에 근대 역사상 처음으로 가톨릭 정당이 존재하지 않게 되었다―이런 사실에도 불구하고 바티칸은 2주 후 히틀러 정부와 협약을 체결했다. 슈트레제만의 옛 정당인 독일인민당은 7월 4일 할복했고, 독일민주당은 이미 일주일 전에 할복한 터였다.

그렇다면 히틀러의 정부 내 파트너인 국가인민당—이 당의 협력 없이는 히틀러가 합법적으로 집권할 수 없었다—은 어땠을까? 힌덴부르크, 군부, 융커, 대기업과 가까웠고 히틀러에게 받아낼 몫이 있었음에도 국가인민당은 다른 정당과 똑같은 길을 똑같이 유순하게 걸어갔다. 6월 21일, 경찰과 돌격대가 독일 전역에서 국가인민당의 사무소를 접수했고, 6월 29일에는 불과 6개월 전까지만 해도 히틀러가 총리직에 오를 수 있도록 도왔던 뻣뻣한 당수 후겐베르크가 각료직에서 사임하고 그의 보좌관들이 당을 '자발적으로' 해산했다.

이로써 홀로 남은 나치당은 7월 14일에 다음과 같은 법령을 포고했다.

국가사회주의독일노동자당은 독일에서 유일한 정당이다.

누구든 다른 정당의 조직기구를 유지하거나 새로운 정당을 결성하려는 자는, 그 행위가 다른 법규들에 의해 더 중한 벌을 받지 않는 한, 3년 이하의 징역 또는 6개월 이상 3년 이하의 금고에 처한다.[15]

일말의 반대나 저항마저 거의 없이, 제국의회가 그 민주적 책무를 포기한 뒤 불과 넉 달도 지나기 전에 나치당은 일당 전체주의 국가를 성취했다.

앞에서 언급했듯이 한때 총파업을 선언하는 단순한 방법으로 파시스트적인 카프 폭동을 분쇄했던 자유노조도 정당이나 여러 주와 마찬가지로 간단히 처리되었다—다만 교묘한 계략에 걸리기 전까지는 무너지지 않았다. 지난 50년간 5월 1일은 독일—그리고 유럽—노동자들의 전통적인 기념일이었다. 노동조합을 타격하기에 앞서 노동자들과 그 지도부를 안심시키기 위해 나치 정부는 1933년의 메이데이를 국경일로 선포하고 '민족 노동의 날'이라는 정식 명칭을 붙이면서 전에 없는 성대한 기념식을 준비했다. 노조 지도부는 나치당이 노동계급에 보여준 이 뜻밖의 친절에 속아넘어가 기념일 행사를 성공적으로 치르고자 정부와 나치당에 직극 협력했다. 독일 전역에서 노동계 지도자들이 베를린으로 모여들었고, 나치 정권과 노동자의 연대를 칭송하는 수천 개의 깃발이 펄럭였으며, 템펠호프 비행장에서는 괴벨스가 전례 없는 대규모의 대중집회 연출을 준비했다. 엄청난 집회 전에 히틀러는 노동계 대표들을 친히 접견하면서 "여러분은 [나치] 혁명이 독일 노동자를 겨냥한다는 말이 어느 정도나 거짓이고 부당한지 보게 될 것입니다. 오히려 정반대입니다"라고 단언했다. 그 후 비행장에 모인 10만여 명의 노동자들 앞에서 연설하면서 "노동을 찬미하고 노동자를 존경하라!"라는 표어를 제시하고 향후 "수백 년에 걸쳐" 독일 노동계를 위해 5월 1일을 기념하겠다고 약속했다.

그날 밤 늦게 괴벨스는 자신이 너무도 탁월하게 연출한 5월 1일 기념식에 노동자들이 얼마나 열광했는지를 일기에 화려한 문투로 묘사하고는 흥미로운 대목을 덧붙였다. "내일 우리는 노동조합 사무소들을 점거할 것이다. 저항은 거의 없을 것이다."*16

실제로 이 말대로 되었다. 5월 2일에 독일 전역의 노동조합 본부들이

---

* 뉘른베르크 법정에 제출된 문서에 따르면, 나치당은 그전부터 노조 분쇄 계획을 세우고 있었다. 라이 박사가 서명한 4월 21일자 기밀 명령에는 5월 2일을 기해 노조들을 "조정"하기 위한 상세한 지시가 담겨 있었다. 돌격대와 친위대가 "노조 시설 점거"를 수행하고 모든 노조 지도부를 "보호감호 처분"할 예정이었다.17 기독교(가톨릭)계 노조들은 5월 2일에 봉변을 당하지 않았다. 그들의 최후는 6월 24일에 찾아왔다.

점거되고 조합기금이 압류되었다. 조합이 해산되고 그 지도자들이 체포되었다. 많은 이들이 구타당하고 강제수용소에 처박혔다. 독일노동조합총연맹의 두 지도자 테오도어 라이파르트Theodor Leipart와 페터 그라스만Peter Grassmann은 이미 나치 정권에 협력하겠다고 공공연히 맹세한 터였다. 하지만 그들은 체포되었다. 히틀러로부터 노조들을 접수하고 독일노동전선Deutsche Arbeitsfront을 설립하라는 임무를 받은 쾰른 지구당의 술고래 우두머리 로베르트 라이 박사는 이렇게 말했다. "라이파르트 무리나 그로스만 무리는 총통에게 헌신하겠다고 얼마든지 위선적으로 선언할 수 있을 것이다―하지만 그들은 감옥에 있는 편이 더 낫다." 이 말대로 그들은 투옥되었다.

그럼에도 히틀러와 라이 둘 다 처음에는 노동자들의 권리가 보호될 것이라며 그들을 안심시키려 했다. 첫 성명에서 라이는 이렇게 말했다. "노동자들이여! 여러분의 제도는 우리 국가사회주의당으로서도 신성한 것이다. 나 자신이 가난한 농민의 아들이기에 빈곤에 관해 잘 알고 있다. … 나는 익명 자본주의의 착취에 관해서도 알고 있다. 노동자들이여! 여러분께 맹세하건대 우리는 현존하는 모든 것을 지킬 뿐 아니라 노동자들의 보호책과 권리를 더욱 증진할 것이다."

이로부터 3주가 지나기 전에 나치의 약속이 공허하다는 사실이 또 드러났다. 히틀러가 단체교섭을 종료하고 이제부터 자신이 임명하는 "노동신탁위원들"이 "노동계약을 조정"하고 "노동의 평화"를 유지한다는 내용의 법률을 공포했던 것이다.[18] 신탁위원의 결정은 법적 구속력을 가지므로 이 법은 사실상 파업을 불법화하는 것이었다. 라이는 "공장의 본래 지도자, 즉 고용주의 절대적 지도권을 회복"하겠다고 약속했다. "고용주만이 결정할 수 있다. 많은 고용주들이 오랫동안 '집안의 가장' 자리를 요구해야 했다. 이제 그들은 다시 '집안의 가장'이 될 것이다."

한동안 기업 경영진은 기뻐했다. 수많은 고용주들이 국가사회주의독일노동자당에 넉넉히 건넸던 기부금이 이제 보상을 받고 있었다. 그러나 기업이 번창하려면 사회가 어느 정도 안정되어야 하건만, 봄과 초여름 내내 독일에서는 광적인 갈색셔츠 갱단이 거리를 휘젓고 다니다가 누구든 내키는 대로 체포하고 구타하고 때로 죽이기까지 하는데도 경찰관은 수수방관했다. 법과 질서가 무너지고 있었다. 이런 길거리 테러는 프랑스 혁명 때처럼 국가의 권위가 무너진 결과가 아니라 오히려 독일 역사상 더없이 강력하고 중앙집중화된 권위를 가진 국가가 조장하거나 대개 명령한 결과였다. 판사들은 위협을 당했다. 그들은 돌격대원이 잔인한 살인을 저질렀다 해도 자칫 유죄 판결을 내리고 형을 선고하기라도 하면 자기 목숨이 날아가지 않을까 걱정했다. 괴링의 말마따나 이제는 히틀러가 곧 법이었다. 1933년 5월과 6월에도 총통은 "국가사회주의 혁명은 아직 완수되지 않"았고 "새로운 독일 국민이 교육을 받아야만 비로소 승리로 완수될 것"이라고 역설했다. 나치의 어법에서 '교육한다'는 말은 모든 국민이 나치 독재와 그 야만 행위를 고분고분히 받아들일 때까지 '협박한다'는 것을 의미했다. 히틀러가 수없이 대놓고 천명한 대로 그에게 유대인은 독일인이 아니었다. 그가 당장 유대인을 절멸시킨 것은 아니지만(처음 몇 달 동안은 비교적 소수인 수천 명만이 강탈이나 구타, 살해를 당했다) 그들을 공직이나 대학, 전문직에서 배제하는 법률을 공포했다. 그리고 1933년 4월 1일에는 전국의 유대인 상점에 대한 보이콧을 선언했다.

골칫거리 노동조합이 분쇄되자 한껏 열광했던 기업가들은 이제 나치당에서 사회주의를 신봉하는 좌파 당원들이 고용주 협회를 장악하고 대형 백화점을 파괴하고 산업을 국유화하려 시도하는 광경을 목도하고 있었다. 나치당의 남루한 당직자 수천 명이 히틀러를 지지하지 않는 기업가들의 사업장에 몰려들어 더러는 그곳을 장악하겠다고 위협하고 더러는 보수가 좋은 관리 부문 일자리를 요구하기도 했다. 괴짜 경제학자 고트프리트 페더 박사는 당 강령—대기업의 국유화, 이익 배분, 불로소득과 '이자 노예제'의 철폐—을 실행에 옮기자고 주장하고 있었다. 더욱이 재계를 경악시킨 것으로 충분하지 않다는 듯이, 얼마 전 농업장관에 임명된 발터 다레는 농장주들의 자금 채무를 대폭 줄여주고 남은 채무의 이자율을 2퍼센트까지 낮추겠다고 발표하여 은행가들을 안절부절못하게 했다.

왜 안 그랬겠는가? 1933년 중반이면 히틀러는 독일의 주인이 되어 있었다. 이제 자신의 공약을 실행할 수 있었다. 파펜은 온갖 간계를 부렸음에도 앞날이 막막한 신세였고, 자신과 후겐베르크를 비롯한 구질서의 옹호자들이 내각에서 8 대 3으로 우위를 점하고 있으므로 히틀러를 통제하거나 보수파의 목적에 맞게 그를 활용할 수도 있겠다고 계산했다가 도리어 봉변을 당했다. 파펜은 또 프로이센 총리직에서 밀려났고, 그 자리를 괴링이 차지했다. 아직 독일의 부총리이긴 했지만 파펜 자신이 훗날 가련하게 인정한 대로 "그 직책은 변칙적인 것이었다". 재계와 금융계의 사도使徒 후겐베르크는 퇴출되고 그의 당은 해산되었다. 나치당의 3인자 괴벨스는 3월 13일에 국민계몽선전부 장관으로 입각했다. 괴벨스와 마찬가지로 '급진주의자'로 여겨진 다레는 농업장관이 되었다.

독일 경제체제의 중추인 제국은행의 보수적인 총재 한스 루터Hans Luther 박사는 히틀러에 의해 해임된 뒤 워싱턴 주재 대사로 쫓겨났다. 그 공석은 1933년 3월 17일 제국은행 전 총재이자 나치즘의 "진리와 필연성"을 깨닫고서 히틀러의 헌신적인 추종자가 된 샤흐트 박사가 의기양양하게 차지했다. 히틀러가 제3제국의 경제력을 키우고 2차대전을 위한 재무장을 추진하는 과정에서 샤흐트만큼 공을 세운 사람은 독일을 통틀어 없었다. 샤흐트는 나중에 경제장관과 전시경제 전권위원이 되었다. 2차대전 발발 전에 샤흐트가 자신의 우상에 등을 돌리다가 결국 모든 직책에서 물러나거나 해임되고, 심지어 히틀러 암살 음모에까지 관여했던 것은 사실이다. 그러나 나치 지도자에게 오랫동안 충성을 바치고 위신과 재능을 빌려주었던 샤흐트는 그 즈음이면 어차피 히틀러 밑에서 끝까지 버티지 못할 처지였다.

## "2차 혁명은 없다!"

히틀러는 더없이 손쉽게 독일을 정복했지만 1933년 여름으로 접어들 무렵에는 몇 가지 난관에 봉착했다. 적어도 다섯 가지의 중대한 문제가 있었다. 첫째, 2차 혁명을 막아야 했다. 둘째, 돌격대와 군대의 불편한 관계를 정리해야 했다. 셋째, 독일을 경제적 수렁에서 구출하고 실업자 600만 명에게 일자리를 제공해야 했다. 넷째, 제네바 군축회의에서 독일의 군비 평등권을 확보하고 이미 공화국 시절부터 은밀히 추진해온 재무장에 박차를 가해야 했다. 다섯째, 병약한 힌덴부르크가 사망하면 누가 후임자가 될지 결정해야 했다.

'2차 혁명'이라는 표현을 만들고 또 이를 완수해야 한다고 역설한 이는 돌격대 대장 룀이었다. 룀의 주장에 동조한 괴벨스는 1933년 4월 18일 일기에 이렇게 썼다. "국민 누구나 반드시 도래해야 하는 2차 혁명에 대해 말하고 있다. 1차 혁명으로 끝이 아니라는 뜻이다. 이제는 **반동**을 척결해야 한다. 혁명은 어디서도 멈춰서는 안 된다."[19]

나치당은 좌파를 분쇄했지만 아직 우파, 즉 대기업, 금융계, 귀족, 융커 지주층, 그리고 군을 단단히 틀어쥔 프로이센 장군들이 남아 있었다. 나치 운동에서 룀과 괴벨스를 비롯한 '급진파'는 우파까지 척결하고 싶어했다. 당시 무려 200만―육군 병력의 20배―에 달한 돌격대를 거느린 룀은 6월에 다음과 같은 경고를 날렸다.

> 독일 혁명의 도정에서 한 차례 승리를 거두었다. … 독일 혁명을 추진하는 중대한 책임을 짊어진 돌격대와 친위대는 도중에 혁명을 배반하는 것을 용납하지 않을 것이다. … 속물들이 국가 혁명을 너무 길게 지속한다고 생각한다면 … 지금이야말로 국가 혁명을 끝내고 국가사회주의 혁명으로 이행할 적기다. … 우리는 계속 싸워야 한다. 그들과 함께, 또는 그들을 제외하고. 그리고 필요하다면 그들에 맞서. … 우리는 독일 혁명의 성취를 위한 고결한 보증인들이다.[20]

그리고 8월 연설에서는 이렇게 말했다. "아직도 혁명의 정신을 전혀 이해하지 못하는 사람들이 공적인 지위에 있다. 그들이 반동적인 생각을 실행에 옮기려 한다면, 우리는 그들을 가차없이 제거해야 할 것이다."

그러나 히틀러의 생각은 정반대였다. 그에게 나치당의 사회주의 구호는 그저 선전이고, 권력에 이르는 길에서 대중을 끌어들이기 위한 방편일 뿐이었다. 이제는 권력을 잡은 이상 그런 구호에는 관심이 없었다. 히틀러에게는 자신과 국가의 지위를 공고히 다질 시간이 필요했다. 당분간 적어도 우파―재계, 군, 대통령―에게는 유화책을 펴야 했다. 독일을 파산시키고 그리하여 자기 정권의 존속 자체를 위험에 빠뜨릴 생각 따위는 그에게 없었다. 2차 혁명은 없어야 했다.

이 점을 히틀러는 7월 1일 연설에서 돌격대와 친위대 지도부에게 똑똑히 전했다. 지금 독일에 필요한 것은 질서라고 말이다. "나는 현존 질서를 어지럽히는 모든 시도를 무자비하게 탄압할 것이며, 혼란으로 귀결될 뿐인 소위 2차 혁명에 대해서도 그렇게 할 것이다." 그는 7월 6일 총리 관저에 모인 나치 제국주총감들 앞에서도 같은 경고를 되풀이했다.

혁명은 영속적인 사태가 아니며 그런 사태가 되어서도 안 된다. 흐르기 시작한 혁명의 물줄기는 진화라는 안전한 수로로 인도되어야 한다. … 그러므로 우리는 어느 기업가가 훌륭한 기업가라면 설령 국가사회주의자가 아니라 해도, 특히 그의 뒤를 이을 국가사회주의자가 경영을 전혀 모른다면, 그 기업가를 내쫓아서는 안 된다. 기업 경영에서는 능력이 유일한 판단 기준이 되어야 한다. …

역사는 우리가 얼마나 많은 경제인을 내쫓고 투옥했는지 여부가 아니라 과연 일자리를 제공하는 데 성공했는지 여부에 따라 우리를 심판할 것이다. … 당 강령의 이념은 우리에게 바보처럼 행동하고 모든 것을 망칠 의무를 지우는 것이 아니라 사고를 현명하고 신중하게 실현할 의무를 지우는 것이다. 길게 보면 우리의 정치권력은 그것을 경제적으로 뒷받침하는 데 성공할수록 더 굳건해질 것이다. 그러므로 주총감들은 당 조직이 정부의 기능을 가로채 개개인을 해임하거나 임명하지 않도록 유의하기 바란다. 그럴 권한은 중앙정부에 있고, 기업 경영 사안이라면 경제장관 소관이다.[21]

나치 혁명은 정치 혁명이지 경제 혁명이 아니라는 것을 밝히는 전에 없이 권위 있는 발언이었다. 자신의 발언을 뒷받침하기 위해 히틀러는 고용주 협회들을 장악하려 시도했던 다수의 나치 '급진주의자들'

을 해임했다. 그리고 크루프 폰 볼렌과 프리츠 티센을 고용주 협회의 지도자 지위로 복귀시켰고, 대형 백화점들을 괴롭힌 중소소매상투쟁동맹Kampfbund für den gewerblichen Mittelstand을 해산했으며, 후겐베르크의 후임으로 쿠르트 슈미트Kurt Schmitt 박사를 경제장관에 임명했다. 독일 최대 보험사 알리안츠의 이사회 의장으로서 정통파 경영인이었던 슈미트는 장관에 취임하기 무섭게, 당 강령을 진지하게 받아들일 정도로 순진했던 국가사회주의자들의 계획에 종지부를 찍었다.

이렇게 되자 나치 평당원들, 특히 히틀러의 대중운동에서 주축을 이룬 돌격대원들은 엄청난 환멸을 느꼈다. 그들 대다수는 재산은 없고 불만은 많은 남루한 부류였다. 그들은 경험을 통해 반자본주의자가 되었고, 혁명을 위해 길거리에서 날뛰었던 보답으로 이제 전리품을 차지하고 기업이나 정부에서 좋은 일자리를 얻을 수 있으리라 믿었다. 그런데 1933년 봄에 과도하게 난동을 부린 뒤로 그들의 희망은 박살이 났다. 나치당원이든 아니든 간에 기존 패거리가 일자리를 유지하거나 계속 통제한다는 것이었다. 하지만 이것이 돌격대가 흔들린 유일한 이유는 아니었다.

돌격대의 지위와 목표를 둘러싼 히틀러와 룀의 해묵은 다툼이 다시 불거졌다. 나치 운동의 초기부터 히틀러는 돌격대가 군사적 세력이 아니라 정치적 세력이 되어야 하고, 그 임무는 나치당의 집권을 강제할 수 있도록 물리적 폭력, 즉 테러를 가하는 데 있다고 역설했다. 반면에 룀은 돌격대가 나치 혁명의 중추일 뿐 아니라 장차 혁명군의 중핵이 되어, 프랑스 혁명 이후 징집군이 나폴레옹을 위해 수행한 역할을 히틀러를 위해 수행할 것이라고 보았다. 지금이야말로 반동적인 프로이센 장군들―그가 경멸조로 부른 "늙다리 돌대가리들"―을 모조리 쓸어버리고, 독일의 거리를 정복한 그 자신과 휘하의 거친 부관들이 이끄는 혁명적인 전투부대, 즉 국민의 군대를 조직할 때라고 룀은 생각했던 것이다.

히틀러의 생각과는 천양지차였다. 히틀러는 육군 장군들의 지원이나 적어도 묵인이 없었다면 자신이 집권할 수 없었다는 것과, 당분간은 실권자로서의 자신의 존속 자체가 얼마간 그들의 지속적인 지지에 달려 있다는 것을 룀이나 다른 어떤 나치보다도 분명하게 알고 있었다. 마음만 먹으면 자신을 제거할 수 있는 물리력을 그들이 여전히 쥐고 있었기 때문이다. 또한 히틀러는 분명 머지않아 찾아올 결정적인 순간, 즉 86세인 힌덴부르크 최고사령관이 타계하는 순간에 자기 개인에 대한 군의 충성이 필요할 것이라고 내다보았다. 더욱이 나치 지도자는 단기간에 강하고 규율 잡힌 군대를 양성하려는 자신의 목표를 달성할 수 있는 주체도 상무 전통과 능력을 지닌 장교단뿐이라고 확신했다. 돌격대는 폭도에 지나지 않았다. 길거리 싸움질에는 뛰어나지만 현대식 군대로서는 별반 가치가 없었다. 더욱이 돌격대는 이미 쓰임을 다한 만큼 이제부터는 전면에서 교묘하게 몰아내야 했다. 히틀러의 견해와 룀의 견해는 양립할 수 없었다. 나치 운동의 베테랑이자 가까운 친구 사이인 두 사람은(에른스트 룀은 히틀러가 친밀함을 담은 인칭대명사 du(그대)로 부르는 유일한 남자였다) 1933년 여름부터 이듬해 6월 30일까지 문자 그대로 사투를 벌였다.

룀은 1933년 11월 5일 베를린 스포츠궁에서 돌격대 장교 1만 5000명을 향해 연설하면서 돌격대원들 사이에 팽배한 깊은 실망감을 표명했다. 그는 "돌격대가 존재 이유를 완전히 상실했다는 말이 … 자주 들린다"라고 하면서, 실은 그렇지 않다고 단언했다. 그러나 히틀러는 확고부동했다. 이미 8월 19일 바트고데스베르크에서 "돌격대와 육군의 관계는 정치 지도부와 육군의 관계와 같아야 한다"라고 경고한 바 있었다. 그리고 9월 23일 뉘른베르크에서는 더욱 분명하게 말했다.

오늘 우리는 무엇보다 우리 군이 담당했던 역할을 기억해야 합니다. 우리 모두 잘 아는 대로 우리의 혁명기에 군이 우리 편에 서지 않았다면, 우리는 오늘 이곳에 서지 못했을 것이기 때문입니다. 우리는 이 점을 결코 잊지 않겠다는 것, 군을 우리의 영광스러운 군사 전통의 계승자로 여긴다는 것, 그리고 우리의 온 마음과 힘을 다해 이 군인 정신을 지지하겠다는 것을 군에 보증할 수 있습니다.

이보다 한참 전에 히틀러는 은밀히 군부에 확약하는 방법으로 다수의 고급장교를 자기편으로 끌어들였다. 총리로 취임하고 사흘 후인 1933년 2월 2일, 히틀러는 육군 총사령관 하머슈타인 장군의 자택에서 최고위 장군들과 제독들을 향해 두 시간 동안 연설했다. 에리히 레더Erich Raeder 제독은 훗날 뉘른베르크 재판에서 나치 총리와 장교단이 처음 만난 이 자리가 어떤 성격의 것이었는지 밝혔다.[22] 히틀러는 군이 내전에 관여하게 될지 모른다는 군부 엘리트들의 우려를 덜어주고, 이제 육해군이 신생 독일의 신속한 재무장이라는 주요 임무에 아무런 방해 없이 전념할 수 있도록 하겠다고 약속했다. 레더 제독은 해군 재건의 전망에 무척 기뻐했음을 인정했으며, 1933년 1월 30일 국장방관에 서둘러 취임하여 히틀러가 총리직에 오르는 데 저항하려는 육군 측의 움직임을 진압했던 블롬베르크 장군은 훗날 미발표 회고록에서 총통이 "장차 엄청난 가능성을 품은 활동 분야"를 열어젖힌 셈이었다고 지적했다.

군 수뇌부의 열정을 더욱 북돋우기 위해 히틀러는 이미 4월 4일에 제국방위위원회Reichsverteidigungsrat를 창설하여 새로운 비밀 재무장 프로그램에 한층 박차를 가했다. 석 달 후인 7월 20일에는 새로운 육군법을 공포하여 군인에 대한 민간법정의 재판권을 정지시키고 사병들의 선출에 의한 대표제를 폐기함으로써 장교단에게 그들의 오랜 군사적 특권을 돌려주었다. 그러자 꽤 많은 장군들과 제독들이 나치 혁명을 이전보다는 한층 호의적으로 보기 시작했다.

히틀러는 또 룀을 달래기 위해 1933년 12월 1일 그를 나치당 부당수인 루돌프 헤스와 함께 입각시키고 1934년 1월 1일에는 이 돌격대 대장에게 따뜻하고 우호적인 편지를 보냈다. 히틀러는 "육군은 우리 국경 너머의 세계에 맞서 국가 방위를 보장해야 한다"고 거듭 말하면서도 "돌격대의 임무는 국가사회주의 혁명의 승리를 확보하고 국가사회주의 국가의 존립을 유지하는 것"이라며 돌격대의 성공은 "무엇보다" 룀 덕분이었음을 인정했다. 편지는 이렇게 끝을 맺었다.

그러니 국가사회주의 혁명의 해가 저물어가는 지금, 친애하는 에른스트 룀 그대가 국가사회주의 운동과 독일 국민에게 바친 불멸의 봉사에 감사하지 않을 수 없네. 또 그대와 같은 남자들을 친구로 부르고 전우로 부를 수 있는 운명에 얼마나 고마워하고 있는지 말해두고 싶네.

참된 우정과 감사의 마음을 담아
그대의 아돌프 히틀러[23]

친밀함이 담긴 '그대'라는 표현을 쓴 이 편지는 나치당의 주요 일간지인 《민족의 파수꾼》 1934년 1월 2일자에 실려 한때나마 돌격대의 분노를 크게 덜어주었다. 크리스마스에서 신년으로 이어지는 연말의 평화로운 분위기 속에서 돌격대와 육군의 경쟁관계도, '2차 혁명'을 부르짖는 나치 급진파의 아우성도 잠시나마 진정되었다.

## 나치 외교 정책의 시작

----

"적이 없었으니 승리가 아니다."《서구의 몰락》의 저자 오스발트 슈펭글러는 히틀러가 1933년에 얼마나 간단히 독일을 정복하고 나치화했는지에 관해 논평하면서 그해 초에 이렇게 썼다. "연일 너무도 요란하게 칭송되는 이 권력 장악을 나는 의심스럽게 지켜보고 있다. 실질적이고 결정적인 성공, 즉 외교 분야에서 성공을 거두는 날까지는 칭송을 아껴두는 편이 나을 것이다. 그런 성공 외에는 없으니까."[24]

역사철학자로서 짧은 순간 나치당의 우상이었다가 환멸의 대상이 되고 그 자신도 나치당을 환멸했던 슈펭글러의 이 지적은 지나치게 성급한 것이었다. 히틀러는 세계 정복에 나서기 전에 독일을 정복해야 했다. 그러나 일단 국내의 적들을 정리하고 나자—또는 그들 스스로 정리되고 나자—히틀러는 언제나 최대 관심사였던 외교문제로 지체 없이 눈길을 돌렸다.

1933년 봄, 세계에서 독일의 위치는 그보다 더 나쁠 수 없는 지경이었다. 제3제국은 외교적으로 고립되었고 군사적으로 무력했다. 전 세계가 나치의 과도한 행위, 특히 유대인 박해를 역겨워했다. 인접국들, 특히 프랑스와 폴란드는 독일을 적대시하고 의심했으며, 단치히에서 폴란드군이 시위행동을 한 이후 1933년 3월에 유제프 피우수츠키Józef Piłsudski〔폴란드의 독재자이자 폴란드군 원수〕는 프랑스 측에 독일을 상대로 공동 예방전쟁을 벌이는 편이 바람직하지 않겠느냐고 제안했다. 겉으로는 두 번째 파시스트 정권의 출현을 환영한 무솔리니마저 실은 히틀러의 집권에 열광하지 않았다. 이탈리아보다 월등한 잠재력을 지닌 독일의 총통이 머지않아 두체duce〔수령 또는 영도자를 뜻하는 무솔리니의 칭호〕를 그늘로 내몰

지도 모를 일이었다. 광적인 범독일주의 제국이 이탈리아 독재자가 이미 영유권을 주장하고 있는 오스트리아나 발칸 반도에 흑심을 품을 수도 있었다. 1921년 이후로 공화국 독일의 유일한 우방이었던 소비에트연방은 명백히 나치 독일을 적대시했다. 제3제국은 적의에 찬 세계 속에서 그야말로 고립무원이었다. 더욱이 고도로 무장한 인접국들에 비하면 무장 해세 상태나 마찬가지였다.

이런 이유로 당시 히틀러 외교 정책의 전략과 전술은 독일의 약체화, 고립화라는 엄중한 현실에 의해 좌우되었다. 그렇지만 아이러니하게도 이 상황으로 인해 히틀러 자신이 진심으로 원하고 또 독일인 절대다수가 바라던 두 가지 목표가 자연스럽게 정해졌다. 바로 제재를 유발하지 않으면서 베르샤유 조약의 족쇄를 제거하는 한편 전쟁을 무릅쓰지 않으면서 재무장하는 것이었다. 히틀러로서는 이 두 가지 단기 목표를 달성하여 자유와 군사력을 확보한 뒤에야 장기 외교를 추구할 수 있었다. 이러한 외교의 목표와 방법은 이미 《나의 투쟁》에 매우 솔직하고도 구체적으로 적어놓은 터였다.

명백히 맨 먼저 할 일은 군축과 평화를 강조하여 유럽 내 독일의 적들을 교란하고 그들의 공동 방위에 어떤 약점이 있는지 날카롭게 주시하는 것이었다. 1933년 5월 17일, 히틀러는 제국의회에서 '평화 연설'을 했다. 히틀러의 생애를 통틀어 가장 뛰어난 축에 드는 이 연설은 기만적 선전술의 걸작으로서 독일 국민을 깊이 감동시켜 자신을 지지하도록 결속시키는 동시에 대외적으로도 무척 호의적인 인상을 주었다. 그 전날 루스벨트 대통령은 세계 44개국의 수반들에게 군축과 평화를 지지하는 미국의 계획과 희망을 개괄하고 모든 공격 무기—폭격기, 전차, 이동식 중포—의 폐기를 호소하는 내용의 울림 있는 메시지를 전했다. 히틀러는 루스벨트의 제의를 곧장 받아들여 최대한 활용했다.

어젯밤에 들은 루스벨트 대통령의 제안에 독일 정부는 더없이 진실한 마음
으로 감사를 표합니다. 독일 정부는 국제 위기를 극복하는 이 방법에 동의
할 의향이 있습니다. … 미국 대통령의 제안은 평화의 유지를 위해 협력하
려는 모든 이에게 한 줄기 안도의 빛입니다. … 무장한 국가들이 저마다 공
격 무기를 파기한다면, 독일도 모든 공격 무기를 포기할 용의가 있습니다.
… 인접국들이 똑같이 하겠다면, 독일은 모든 군사시설을 해체할 뿐만 아
니라 남은 소량의 무기도 파괴할 용의가 있습니다. … 독일은 엄숙한 불가
침 협약에 얼마든지 동의할 용의가 있습니다. 공격이 아니라 오직 안보의
달성만을 생각하기 때문입니다.

이 연설에는 평화 애호를 표명하는 다른 온건한 내용도 많이 담겨 있
었던 터라 불안한 세계에 뜻밖의 희소식으로 들렸다. 독일은 전쟁을 원
하지 않는다고 했다. 전쟁은 "제어되지 않은 광기"라고 했다. 전쟁은 "현
존하는 사회 질서와 정치 질서의 붕괴를 야기"한다고 했다. 나치 독일은
다른 국민들의 "독일화"를 원하지 않는다고 했다. "폴란드인과 프랑스인
을 독일인으로 만들려 했던 지난 세기의 심성은 우리에게 낯선 것입니
다. … 프랑스인이든 폴란드인이든 다른 어느 나라 국민이든 모두 우리
의 이웃이며, 우리는 역사적으로 상상할 수 있는 어떠한 사건도 이 현실
을 바꿀 수 없다는 것을 알고 있습니다."

한 가지 경고가 들어 있기는 했다. 독일은 특히 무장이라는 점에서 다
른 모든 국가들과 동등한 대우를 요구했다. 이 요구가 받아들여지지 않
을 경우 독일은 제네바 군축회의와 국제연맹에서 모두 탈퇴하는 편이 나

을 거라고 했다.

이 경고는 예상치 못한 히틀러의 합리적인 발언에 서구 세계가 환호하는 가운데 그만 잊히고 말았다. 런던의 《타임스The Times》는 히틀러의 그런 요구가 "반박할 수 없는" 것이라는 데 동의했다. 영국 노동당의 공식 기관지인 런던의 《데일리 헤럴드Daily Herald》는 히틀러의 말을 액면 그대로 받아들이자고 요구했다. 런던의 보수적 주간지 《스펙테이터The Spectator》는 히틀러가 루스벨트의 손을 잡았고 이 몸짓이 고통 받는 세계에 새로운 희망을 준다고 결론지었다. "대통령은 히틀러가 자신의 제안을 수락한 데 대해 열광적으로 기뻐한다"라고 워싱턴에서 루스벨트 대통령의 비서가 말했다고 독일 관영 통신사는 전했다.

나치 선동꾼 독재자의 입에서 나온 것은 많은 이들이 예상했던 야만적인 협박이 아니라 우아함과 지성이었다. 이 반전에 세계가 매료되었다. 심지어 수감 중이거나 망명 중이지 않은 사회민주당 의원들마저 제국의회에서 히틀러의 외교 정책 선언을 이의 없이 만장일치로 승인했다.

그러나 히틀러의 경고는 공허한 것이 아니었다. 10월 초, 연합국이 자신들의 무장을 독일과 동일한 수준으로까지 축소하는 데 8년의 유예 기간을 두겠다고 고집한다는 것이 분명하게 드러나자 10월 14일에 히틀러는 돌연 제네바에서 다른 열강이 권리의 평등을 거부했으므로 독일은 군축회의와 국제연맹에서 즉각 탈퇴한다고 발표했다. 그는 또 이와 동시에 세 가지의 다른 조치를 취했다. 제국의회를 해산했고, 제네바 군축회의에서 탈퇴한다는 자신의 결정을 국민투표에 부치기로 했으며, 국방장관 블롬베르크 장군에게 명령하여 국제연맹이 제재에 나설 경우 무장 공격에 저항하라고 군에 비밀 지시를 내리도록 했다.[25]

이 느닷없는 조치로 히틀러가 봄에 했던 유화적인 연설도 공수표였음이 드러났다. 이 조치는 히틀러가 외교 문제에서 처음으로 감행한 공공연한 도박이었다. 향후 나치 독일은 모든 군축 합의와 베르사유 조약을 무시하고 재무장에 나서겠다는 의사표시였다. 이는 계산된 위험—또한 장차 몇 번이고 무릅쓸 계산된 위험 중 첫 번째—이었으며, 나중에 뉘른베르크 재판에서 밝혀졌듯이 블롬베르크가 육해군에 내린 비밀 지시는 히틀러가 제재 가능성에 관해 도박을 걸었다는 것뿐 아니라 실제로 제재 조치가 취해졌다면 독일에 가망이 없었으리라는 것까지 알려준다.* 그 지시에는 독일군이 서부에서 프랑스에, 동부에서 폴란드와 체코슬로바키아에 맞서 "최대한 오랫동안 유지해야 할" 방어선이 명시되어 있었다. 블롬베르크의 지시를 보건대 적어도 독일 장군들은 방어선을 잠시나마 유지할 수 있으리라는 환상을 조금도 품지 않았던 것이 분명하다.

　이 위기는 이후 3년간—1936년에 독일이 라인 강 좌안의 비무장 지대를 재점령하기까지—이어질 여러 위기 중 첫 번째였다. 이 기간에 연합국은 히틀러가 군축회의와 국제연맹에서 이탈한 것 때문이 아니라 독일이 적어도 2년간, 심지어 히틀러 집권 이전부터 베르사유 조약의 군축 조항을 위반해왔다는 이유로 제재를 가할 수 있었다. 이 시기에 연합국이 독일을 간단히 제압할 수 있었을 것이고, 그런 제재 조치를 통해 제3제국이 탄생한 해에 그 생명줄을 끊어버릴 수도 있었으리라는 것 역시 분명했다. 그러나 한때 오스트리아인 부랑자였던 히틀러에게는 천재성이 있었으니, 국내의 적들을 능숙하고도 이상할 정도로 정확히 파악했던

---

* 몇 달 전인 5월 11일, 영국 전쟁장관 헤일섬(Hailsham) 경은 독일의 어떠한 재무장 시도든 강화 조약 위반이며 조약에 따라 제재를 받을 것이라고 공개적으로 경고했다. 독일에서는 제재라고 하면 무력 침공이라고 여겨졌다.

것 못지않게 국외의 적들의 성향도 이전부터 훤히 꿰뚫어보았다. 장차 1939년까지 치달을 더 큰 위기 국면들에서처럼 이 위기 국면에서도 승전 연합국은 아무런 조치도 취하지 않았다. 너무 분열되고 너무 무기력한 데다 라인 강 건너편에서 벌어지는 사태의 성격이나 추이에 너무 무지했기 때문이다. 이 점에 대한 히틀러의 계산은, 그 이전이나 이후 자국민에 관해서도 그러했듯이, 부척이나 정확했다. 자신이 1933년 11월 12일에—나치당 후보자들로만 제국의회 의원을 뽑는 새로운 선거와 동시에—실시하기로 정한 국민투표에서 어떤 반응이 나올지 히틀러는 잘 알고 있었다. 그날은 1918년의 휴전협정을 기념하는, 독일인에게 여전히 한스러운 기억으로 남아 있는 암울한 날의 다음날이었다.

11월 4일, 브레슬라우의 선거 유세장에서 히틀러는 이렇게 말했다. "이날이 나중에 우리 국민의 역사에 구원의 날로 기록되도록 할 것입니다. 그 기록은 이러할 것입니다. 11월 11일, 독일 국민은 공식적으로 명예를 잃었다. 15년 후 11월 12일이 찾아왔고, 이날 독일 국민은 명예를 되찾았다." 선거 전날인 11월 11일, 존경받는 힌덴부르크가 대국민 방송을 통해 히틀러를 지지했다. "내일 국민 여러분의 굳건한 결속과 정부와의 연대를 보여주십시오. 나뿐 아니라 제국총리와 더불어 평등한 권리와 명예로운 평화의 원칙을 지지하고, 세계에 우리가 되살아났다는 것, 신의 가호로 독일의 통일을 유지해나가리라는 것을 보여주십시오!"

15년간을 패전이라는 결과에 좌절하고 분개해온 독일 국민의 반응은 거의 만장일치였다. 등록 유권자의 96퍼센트가 투표했고 그중 95퍼센트가 독일의 제네바 군축회의 탈퇴에 찬성했다. 나치당 후보자(후겐베르크와 비나치 6명 포함)들로만 제국의회 의원을 뽑는 새로운 선거의 찬성률은 92퍼센트였다. 심지어 다하우 강제수용소의 수감자 2242명 중 2154명이 자신들을 감금한 정부에 찬성투표를 했다! 여러 자치단체에서 투표를 하지 않거나 그릇된 방식으로 투표하는 사람들을 협박했던 것은 사실이다. 또 더러는 정부에 반대표를 던진 자를 모조리 색출해 처벌할 것이라는 두려움도 있었다. 그러나 이런 문제를 고려하더라도 11월 12일의 선거, 적어도 집계는 정확하게 이루어진 이 선거는 아돌프 히틀러의 놀라운 승리였다. 외부 세계에 대항하는 히틀러가 독일 국민의 압도적 지지를 받았다는 것은 의심할 여지가 없었다.

국민투표와 제국의회 선거를 치르고 사흘 뒤, 히틀러는 신임 폴란드 대사 유제프 립스키Józef Lipski를 초청했다. 두 사람은 회담을 마치고 공동 성명을 발표하여 독일 국민뿐 아니라 외부 세계까지 깜짝 놀라게 했다. 폴란드 정부와 독일 정부는 "양국 모두의 현안들을 직접 교섭이라는 수단으로 처리하고 유럽의 평화를 공고히 하기 위해 상호 간에 무력의 사용을 일체 포기"하기로 합의한다는 내용이었다.

독일인의 심정에서 보자면 폴란드는 프랑스보다도 더 증오하고 경멸하는 적이었다. 그들이 보기에 베르사유 강화조약 조인자들의 가장 악랄한 범죄는 폴란드 회랑으로 동프로이센을 독일 본국에서 떼어놓고, 단치히를 따로 분리하고, 비록 폴란드계 주민이 다수이긴 하지만 과거 폴란드 분할[18세기에 프로이센, 러시아, 오스트리아가 폴란드 영토를 세 차례에 걸쳐 분할한 사건] 시절부터 줄곧 독일의 영토였던 포젠 지역 및 슐레지엔의 일부를 폴란드 측에 넘겨준 일이었다. 공화국 시절에 독일 정치인 어느 누구도 폴란드의 영토 획득을 영구적인 결과로 여기려 하지 않았다. 슈트레제만은 독일의 서부와 관련된 로카르노 조약을 보완하는 뜻에서 폴란드와 동부 로카르노 조약을 체결하는 방안을 고려하는 것조차 거부했다.

국가방위군의 아버지이자 공화국 초기 외교 정책의 결정권자였던 젝트 장군은 1922년에 "폴란드의 존재는 견딜 수 없고, 독일의 삶에 필수적인 조건과 양립할 수 없다"라고 정부에 진언하면서 폴란드는 "사라져야 하고 사라질 것이다"라고 역설했다. 그리고 이어서 폴란드의 소멸이 "독일의 정책에서 기본적인 동인 중 하나가 되어야 한다. … 폴란드가 사라지면 베르사유 체제의 건실한 기능 중 하나인 프랑스의 패권이 무너질 것이다"라고 덧붙였다.[26]

히틀러는 폴란드를 제거하려면 먼저 이 나라를 프랑스와의 동맹관계에서 떼어내야 한다고 보았다. 그가 개시한 이 방침에는 폴란드 제거라는 궁극적인 이점 외에도 몇 가지 즉각적인 이점이 있었다. 우선 폴란드에 대해 무력을 사용하지 않는다고 선언함으로써 자신의 평화 선전을 강화하는 한편 제네바 군축회의에서 급하게 탈퇴한 결과 서유럽과 동유럽에서 불거진 의구심을 가라앉힐 수 있었다. 또 폴란드를 독일과 직접 교섭하도록 유도함으로써 국제연맹을 우회하고 그 권위를 약화시킬 수 있었다. 더욱이 국제연맹의 '집단 안보' 구상에 타격을 줄 뿐 아니라 폴란드를 보루로 삼은 프랑스의 대對동유럽 동맹을 훼손할 수도 있었다. 예로부터 폴란드인을 증오해온 독일 국민이 이 방침을 이해하지 못할 수도 있었지만, 히틀러가 보기에 독재정이 민주정보다 나은 이유 중 하나는 궁극적으로 중요한 결과를 가져올 법한 인기 없는 정책을 한동안 별다른 논란 없이 추진할 수 있다는 것이었다.

1934년 1월 26일, 집권 1주년을 기념하려고 제국의회에 등원하기 나흘 전에 히틀러는 독일과 폴란드가 10년 기한의 불가침 조약을 체결했다고 발표했다. 이날 이후, 피우수츠키 원수의 독재 아래 스스로 의회민주주의의 마지막 잔재를 털어내고 있던 폴란드는 1919년 이래로 자국의 보호자 역할을 해온 프랑스로부터 서서히 멀어지는 동시에 나치 독일에 더 가까이 다가서기 시작했다. 하지만 그 길은 "우호와 불가침" 조약의 기한이 만료되기 한참 전에 폴란드의 파멸로 귀결될 터였다.

1934년 1월 30일의 제국의회 연설에서 히틀러는 독일 역사상 전례가 없는 1년간의 성취를 되돌아볼 수 있었다. 12개월 만에 바이마르 공화국을 전복하고, 공화국의 민주정을 자기 개인의 독재정으로 대체하고, 나치당을 제외한 다른 모든 정당을 파괴하고, 각 주의 정부와 의회를 분쇄하여 연방제를 폐지하고, 노동조합을 쓸어버리고, 모든 종류의 민주적 결사를 짓밟고, 유대인을 공직과 전문직에서 몰아내고, 언론과 출판의 자유를 부정하고, 법원의 독립성을 훼손하고, 독일 국민의 유서 깊고 교양 있는 정치적·경제적·문화적·사회적 생활을 나치의 통치 아래 '조정'했다. 이 모든 성취와, 독일을 제네바 군축회의라는 국제 공조의 틀에서 빼내고 독일도 다른 강대국과 평등한 대우를 받아야 한다고 역설했던 결연한 외교 행보는 1933년 가을의 국민투표와 선거의 결과로 드러났듯이 국민 절대다수의 지지를 받았다.

그러나 독재정 2년째로 접어들 무렵, 나치 체제의 지평선에는 암운이 감돌고 있었다.

### 1934년 6월 30일의 피의 숙청
———

하늘이 어두워지는 이유는 서로 연관된 세 가지의 미해결 문제에 있었다. 나치당 급진파와 돌격대 지도부가 계속 부르짖는 '2차 혁명', 돌격대와 육군의 대립, 그리고 1934년 봄이면 마침내 수명을 다할 힌덴부르크 대통령의 후임 문제가 그것이었다.

당시까지 250만 명으로 불어난 돌격대의 참모장 룀은 자신을 각료로 임명한 히틀러의 제스처나 다정한 연하 편지에도 고집을 꺾지 않았다. 2월에 룀은 내각에 제출한 장문의 각서에서 돌격대를 새로운 국민군의 모체로 삼을 것과, 군대와 돌격대, 친위대, 모든 퇴역군인 단체를 하나로 뭉뚱그려 국방장관—이 표현의 함의는 뻔했다—의 관할 아래 둘 것을 제안했다. 장교단으로서는 이보다 더 불쾌한 제안은 상상할 수도 없었다. 고급장교들은 룀의 제안을 만장일치로 거부했을 뿐 아니라 힌덴부르크에게도 자신들을 지지해달라고 호소하기까지 했다. 막돼먹은 룀과 소란스러운 갈색셔츠단이 군을 통제할 경우 군인 계층의 전통이 모조리 무너질 게 뻔했다. 게다가 장군들은 당시 널리 퍼지기 시작한, 돌격대 대장을 둘러싼 동성애자 패거리의 타락과 방탕에 관한 이야기에 충격을 받았다. 훗날 발터 폰 브라우히치Walther von Brauchitsch 장군은 "재무장이야말로 공금횡령자나 주정뱅이나 동성애자에게 맡기기에는 너무도 막중하고 어려운 과제였다"라고 증언했다.

당분간은 군의 감정을 해치지 않는 편이 낫다는 판단에서 히틀러는 룀의 제안을 지지하지 않았다. 이뿐 아니라 2월 21일 교착 상태에 빠진 군축 교섭을 타개하기 위해 베를린을 찾은 영국 관료 앤서니 이든Anthony Eden에게 히틀러는 돌격대의 3분의 2를 줄이고 나머지 대원들이 군사 훈련이나 무기를 받지 않는다는 것을 보여주기 위해 사찰 제도를 받아들일 의향도 있다고 은밀히 전했다—그러나 이 제안은 누설되어 룀과 돌격대의 분노를 더욱 부채질했다. 1934년 여름이 다가오는 동안 돌격대 참모장과 육군 최고사령부의 관계는 점점 악화되었다. 내각 회의에서 룀과 블롬베르크 국방장관은 몇 차례 험악한 장면을 연출했으며, 3월에는 국방장관이 히틀러에게 돌격대가 대규모 특수부대를 비밀리에 중기관총으로 무장시키고 있다고 항의하기도 했다—이 조치는 육군만 위협하는 것이 아니라 너무도 공공연하게 이뤄지는 탓에 국가방위군의 후원 아래 은밀히 진행 중인 독일의 재무장까지도 위협한다고 블롬베르크 장군은 덧붙였다.

이 국면에서 히틀러는 완고한 룀이나 그 측근들과 달리 병약한 힌덴부르크가 숨을 거두고 난 뒤의 일을 미리 생각하고 있었던 것이 분명하다. 히틀러는 고령의 대통령은 물론이고 육군이나 다른 보수 세력까지도 노원수가 사망하자마자 호엔촐레른 군주정을 부활시키려 한다는 것을 알고 있었다. 그러나 히틀러는 별도의 계획을 품고 있었고, 4월 초에 노이데크 지역로부터 대통령의 수명이 얼마 남지 않았다는 정보가 믿을 만한 소식통을 통해 그와 블롬베르크에게 은밀히 전해지자 곧 과감한 수를 써야겠다고 판단했다. 그 성공을 확실하게 하려면 장교단의 지지가 필요했으며, 장교단의 지지를 얻기 위해서는 무슨 일이든 해야겠다고 히틀러는 생각했다.

군과 은밀하게 협상할 기회는 곧 찾아왔다. 4월 11일, 총리는 블롬베르크 장군, 육군 총사령관 베르너 폰 프리치Werner von Fritsch 장군, 해군 총사령관 에리히 레더 제독을 대동한 채 킬 항구에서 순양함 도이칠란트Deutschland 호에 올랐다. 동프로이센에서 벌어지는 춘계 기동훈련을 참관하기 위해 쾨니히스베르크로 향하는 길이었다. 두 총사령관은 힌덴부르크의 건강 악화 소식을 들어 알고 있었는데, 고분고분한 블롬베르크의 지지를 받는 히틀러가 자신이 국가방위군의 축복을 받아 대통령의 후임이 되면 어떻겠냐고 직설적으로 제안했다. 군부의 지지에 대한 보답으로 히틀러는 룀의 야망을 억눌러 돌격대를 대폭 축소하고, 제3제국에서 육해군만이 계속 무기를 소지할 수 있도록 보장하겠다고 제안했다. 히틀러는 프리치와 레더에게 자신의 편이 되어주면 육해군을 엄청나게 확대할 수 있다는 전망까지 내비쳤던 것으로 보인다. 알랑거리는 레더가 이 제안에 동의하리라는 것은 의심할 여지가 없었지만, 조금은 뻣뻣한 프리치는 먼저 선배 장군들과 상의해봐야 한다고 답했다.

그 상의는 5월 16일 바트나우하임에서 이루어졌고, '도이칠란트 호협정'에 관한 설명을 들은 육군의 최고위 장교들은 히틀러를 힌덴부르크 대통령의 후임으로 만장일치로 지지했다.[27] 육군에 이 **정치적인** 결정은 장차 역사적인 의미를 갖게 될 터였다. 과대망상적인 독재자의 고삐 풀린 손아귀에 자진해서 몸을 맡김으로써 육군은 제 운명을 확정해버린 셈이었다. 반면에 히틀러는 이 거래 덕에 더할 나위 없는 독재정을 손에 넣을 터였다. 완고한 노원수라는 걸림돌을 치워버리고 호엔촐레른 가의 복위 전망을 말끔히 지워버린 채 스스로 정부 수반이자 국가 원수가 된 히틀러는 이제 누구의 방해도 받지 않고 자기 길을 갈 수 있었다. 이렇게 히틀러가 최고의 권좌에 오르기 위해 치른 대가는 대수로운 것이 아니었다. 바로 돌격대의 희생뿐이었다. 이제 모든 권한을 틀어쥔 히틀러에게 돌격대는 더 이상 필요 없었다. 돌격대는 그를 난처하게 만들 뿐인 요란한 오합지졸에 불과했다. 한편, 장군들의 편협한 태도에 대한 히틀러의 경멸감은 1934년 봄에 분명 크게 높아졌을 것이다. 놀랄 만큼 적은 비용으로 그들을 포섭할 수 있다고 생각했을 텐데, 이 판단을 히틀러는 마지막까지, 1934년 6월의 불쾌한 한때를 제외하면 그 자신과 장군들이 최후를 맞을 때까지 바꾸지 않았다.

그러나 여름에 접어들 무렵에도 히틀러의 고민들은 아직 해소되지 않았다. 불길한 긴장감이 베를린을 감싸기 시작했다. '2차 혁명'을 요구하는 외침이 부쩍 늘었고, 룀과 돌격대뿐 아니라 괴벨스까지도 연설이나 자신이 통제하는 신문을 통해 그런 요구를 토해냈다. 융커부터 유수의 기업가에 이르기까지 파펜과 힌덴부르크를 중심으로 하는 보수 우파는 혁명이나 자의적인 체포, 유대인 박해, 교회 습격을 중단하고, 돌격대의 오만방자한 행태에 재갈을 물리고, 나치당이 조직하는 전반적인 테러를 끝낼 것을 요구했다.

나치당 내에서도 무자비한 권력 투쟁이 새로 벌어졌다. 룀의 가장 강력한 적수인 괴링과 힘러가 그에게 공동으로 맞서고 있었다. 4월 1일, 아직까지 돌격대의 한 부문으로서 룀의 지휘 아래 있던 검은 제복의 친위대 대장 힘러는 괴링에 의해 프로이센 주 게슈타포의 수장으로 임명되었고, 즉시 자신의 비밀경찰 제국을 건설하기 시작했다. 1933년 8월에 힌덴부르크에 의해 (이미 항공장관이었음에도) 보병대장General der Infanterie 으로 임명된 괴링은 자신의 낡아 빠진 돌격대 제복을 기꺼이 벗어던지고 새로운 직책의 더 화려한 제복으로 갈아입었는데, 이는 상징적인 변화였다. 군인 계층 출신의 장군으로서 괴링은 룀과 돌격대에 맞선 싸움에서 재빠르게 육군의 편에 섰다. 당시 벌어지던 냉혹한 싸움에서 살아남기 위해 괴링은 수천 명 규모의 사설 경찰대인 '괴링 장군 향토경찰대'Landespolizeigruppe General Göring를 창설하고 리히터펠데에 있는 옛 사관학교에 본부를 두었다. 괴링 자신의 군 생활의 출발점이었던 이 학교는 베를린 교외의 전략적인 위치에 있었다.

음모와 역음모에 관한 소문들이 수도 베를린의 긴장감을 더욱 높였다. 세상에서 잊히는 신세를 품위 있게 견디지 못한 슐라이허 장군은 힌덴부르크와 장군들, 보수파의 신임을 더 이상 얻지 못하는 까닭에 자신에게 힘이 없다는 사실도 잊은 채, 다시 한 번 정치에 관여하기 시작했다. 슐라이허는 에른스트 룀, 그레고어 슈트라서와 접촉했는데, 히틀러의 귀에도 들어간 몇몇 설들에 따르면 자신은 옛 정적 파펜을 대신해 부총리가 되고, 룀은 국방장관이 되고, 돌격대는 육군과 합치는 거래를 성사시키려 분주하다는 것이었다. 베를린에서는 10여 종류의 각료 '명단'이 나돌았는데, 그중 몇몇에서 브뤼닝은 외무장관, 슈트라서는 경제장관 물망에 올라 있었다. 이런 소문들은 거의 근거가 없었지만 각각의 이유로 룀과 돌격대를 파멸시키는 동시에 슐라이허와 불만 많은 보수파에게 앙갚음을 하려던 괴링과 힘러에게 좋은 먹잇감이 되었다. 두 사람은 그런 설들을 윤색해 히틀러에게 전했는데, 구태여 그렇게 자극하지 않더라도 히틀러의 의구심은 어차피 가실 날이 없었다. 괴링과 게슈타포 수장은 돌격대를 숙청하는 목표만이 아니라 지난날 히틀러에게 반대했고 이제 더는 정치적으로 활동하지 않는 일부 인사를 포함해 좌파와 우파의 다른 적들을 제거하는 목표까지 염두에 두었다. 5월 말, 브뤼닝과 슐라이허는 살해 대상으로 찍혔다는 경고를 받았다. 브뤼닝은 변장한 채 조용히 국외로 빠져나갔으며, 슐라이허는 바이에른으로 휴가를 떠났지만 6월 말에 베를린으로 돌아왔다.

6월 초 히틀러는 룀과 담판을 지었는데, 나중에 그가 제국의회에서 직접 설명한 바에 따르면 이 담판은 거의 다섯 시간에 걸쳐 "자정까지 질질 이어졌다". 히틀러의 말마따나 그것은 나치 운동을 함께해온 가장 가까운 친구와 합의에 이르기 위한 "마지막 시도"였다.

나는 무수한 소문, 오랜 인연의 충직한 당원들과 돌격대 간부들의 수많은 진술을 듣고서 양심 없는 분자들이 독일에 막대한 불행을 가져올 뿐인 전국 규모의 볼셰비키식 행동을 준비하고 있다는 인상을 받았노라고 그에게 말했습니다. ··· 그러면서 그에게 이 정신 나간 짓을 자진해서 그만두고 어떠한 경우에도 재앙으로 끝날 수밖에 없는 사태를 막기 위해 그의 권위를 빌려달라고 마지막으로 간청했습니다.

히틀러에 따르면 룀은 "사태를 바로잡기 위해 가능한 한 무슨 일이든 하겠다고 확약"하고서 자리를 떴다. 그러나 사실 룀은 "나를 제거할 준비"를 시작했다고 나중에 히틀러는 주장했다.

이 주장은 분명 거짓이었을 것이다. 의사당 화재와 마찬가지로 룀 숙청의 전모는 결코 밝혀지지 않겠지만, 이제껏 드러난 모든 증거를 보건대 돌격대 대장은 히틀러를 제거할 음모를 꾸민 적이 없었다. 안타깝게도, 압수된 문서들은 의사당 화재는 물론이고 숙청 사건에 대해서도 말해주는 바가 별로 없다. 두 경우가 다 그렇지만, 범죄행위와 관련이 있는 문서는 모두 괴링의 명령으로 파기되었을 공산이 크다.

나치 베테랑 두 사람이 나눈 긴 대화가 어떤 성격의 것이었든 간에, 하루나 이틀 후에 히틀러는 돌격대 측에 7월 한 달 동안 휴가를 가라고 명령하면서 그 기간에 대원들은 제복을 입지도 말고 행진이나 훈련에 참가하지도 말라고 지시했다. 6월 7일, 룀은 병가를 쓰겠다고 발표하면서도 반항조의 경고문을 냈다. "돌격대의 적들이 돌격대가 휴가 후에 재소집되지 않거나 일부만 재소집되기를 희망한다면, 우리는 그들이 그 한순간의 희망을 즐기도록 허락할 것이다. 그들은 필연적이라고 생각되는 때에 필연적이라고 생각되는 형태로 우리의 답변을 들을 것이다. 돌격대는 독일의 운명이며 앞으로도 그러할 것이다."

베를린을 떠나기 전, 룀은 6월 30일에 뮌헨 근교의 휴양지 비스제Wiessee에서 돌격대 지도부와 상의하자며 히틀러를 초대했다. 히틀러는 선뜻 수락했고 실제로 약속을 지켰다. 그러나 룀으로서는 상상할 수도 없는 방식으로 지켰다. 아마 히틀러 자신도 이 시점에는 예견할 수 없었을 것이다. 나중에 제국의회에서 인정한 대로 "최종 결정을 내리기 전에 몇 번이고" 주저했기 때문이다. "나는 나치 운동과 나의 돌격대가 그런 의견 충돌의 수모를 겪지 않도록 하고 또 심각한 갈등 없이 해악을 제거할 수 있으리라는 은밀한 희망을 여전히 품고 있었습니다."

"5월 말에 심란한 사실이 연달아 드러났다는 점을 고백해야겠습니다"라고 히틀러는 덧붙였다. 그런데 과연 그랬을까? 훗날 히틀러는 룀과 그의 공모자들이 베를린을 장악하고 자신을 감금할 준비를 했다고 주장했다. 그런데 이 주장이 참이라면 어째서 6월 초에 돌격대 지도부 전원이 베를린을 떠났던 것일까? 그리고 (이 점이 더 중요한데) 히틀러는 왜 이 시점에 독일을 떠나, 그 틈에 국가 통제권을 장악할 기회를 돌격대 간부들에게 주었던 것일까?

6월 14일, 총통은 베네치아로 날아가 동료 파시스트 독재자 무솔리니와 회담을 했다. 이후 여러 차례 이어질 두 사람의 회담 중 첫 번째였다. 그런데 독일 지도자의 입장에서 이 회견은 잘 풀리지 않았다. 반짝거리는 훈장이 주렁주렁 달린 멋진 검은색 파시스트 제복 차림에 손님에게 거들먹거리는 경향이 있는 이 능구렁이 두체 앞에서 때문은 레인코트와 낡은 중절모 차림의 히틀러는 어딘가 불편해 보였다. 적잖이 짜증이 난 상태로 귀국한 히틀러는 6월 17일 일요일 튀링겐의 소도시 게라Gera로 당 간부들을 소집해 무솔리니와의 회담을 보고하고 악화되는 국내 정세를 분석했다. 그런데 공교롭게도 그 일요일에 유서 깊은 대학 도시 마르부르크에서 또다른 모임이 열렸다. 그 모임은 독일 국내외에서 훨씬 더 주목을 받았고, 당시의 중대한 국면을 절정으로 끌고가는 데 일조했다.

히틀러와 괴링에 의해 거칠게 따돌려졌음에도 아직까지 명목상 부총리였고 여전히 힌덴부르크의 신임을 받고 있던 딜레탕트 정치가 파펜이 그 모임에서 용기를 내어 지난날 자신이 국민들에게 떠맡기는 데 크게 기여했던 현 정권의 과도한 행태에 공개적으로 반기를 든 것이었다. 그에 앞서 5월에 파펜은 병든 대통령을 뵈러 노이데크에 갔다가―생전의 비호자를 만난 것은 이때가 마지막이었다―회색곰 같은 체구이지만 이제는 쇠약해진 힌덴부르크에게 이런 말을 들었다. "상황이 나쁘게 돌아가고 있네, 파펜. 이 상황을 바로잡기 위해 자네가 무엇을 할 수 있는지 알아보게."

이 말에 고무된 파펜은 6월 17일 마르부르크 대학에서 연설해달라는 요청을 받아들였다. 연설문은 파펜의 개인 보좌관으로 뮌헨의 총명한 변호사, 저술가이자 개신교도인 에트가어 융Edgar Jung이 주로 썼으며, 부총리의 비서인 헤르베르트 폰 보제Herbert von Bose와 가톨릭행동(가톨릭 평신도들이 사회에 영향을 끼치려는 운동)의 지도자 에리히 클라우제너Erich Klausener가 몇 가지 아이디어를 제공했다―세 사람 모두 이 공동 작업의 대가로 곧 목숨을 잃게 된다. 용기 있는 발언이었고 융 덕분에 문체가 유려하고 어조에 위엄이 있었던 이 연설문은 혁명을 종결하고, 나치의 테러 행위를 종식하고, 통상적인 품위를 회복하고, 자유 특히 언론의 자유를 어느 정도 돌려줄 것을 요구했다. 선전장관 괴벨스 박사를 겨냥해 파펜은 이렇게 말했다.

남자답게 공개 토론을 하는 편이 가령 독일 언론의 현 상태에 비하면 훨씬 더 국민에게 이로울 것입니다. 정부는 "약골만이 비판받지 않는다"라는 옛 격언을 유념해야 합니다. … 위대한 인물은 선전으로 만들어지지 않습니다.

… 국민과의 친밀한 접촉과 화합을 바란다면, 국민의 이해력을 과소평가해서는 안 됩니다. 국민을 언제까지고 속박해서는 안 됩니다. … 아무리 뛰어난 조직이나 선전이라도 길게 보면 그것만으로는 신뢰를 유지할 수 없습니다. 국민 가운데 무력한 이들을 선동하고 … 위협하는 방법이 아니라 국민과 대화를 나누는 방법으로만 신뢰와 헌신을 유지할 수 있습니다. 그렇지만 얼간이 취급을 받는 국민은 내어줄 신뢰가 없습니다. … 지금이야말로 우애로 똘똘 뭉쳐 모든 동포를 존중하고, 진지한 사람들의 노동을 방해하지 말고, 광신자들의 입을 막을 때입니다.[28]

이 연설 내용은 곧 외부에 알려지고 독일에 널리 보도되었다. 하지만 게라에 모인 소수의 나치 간부들에게는 마치 폭탄선언처럼 들렸으며, 괴벨스는 연설 내용이 되도록 덜 알려지게 서둘러 손을 썼다. 괴벨스는 당일 저녁으로 예정되어 있던 연설 녹음 방송을 금지했을 뿐 아니라 언론에서 그것을 일체 언급하지 못하게 막았고, 연설문의 일부가 실린 채 거리에 배포된 《프랑크푸르터 차이퉁》을 압수하라고 경찰에 명령했다. 그러나 선전장관의 절대권력으로도 도전적인 연설 내용이 국내외에 알려지는 것을 막을 수는 없었다. 간교한 파펜이 베를린 주재 외국 통신원들이나 외교관들에게 예정 원고를 미리 제공하는 한편 자신이 운영하는 신문 《게르마니아Germania》의 인쇄기들로 수천 부를 부리나케 찍어 비밀리에 배포했기 때문이다.

마르부르크 연설을 알게 된 히틀러는 격노했다. 같은 날 오후 게라에서 연설하는 중에 히틀러는 "몇 마디 말로 국민 생활의 거대한 쇄신을 막을 수 있다고 생각하는 소인배"를 맹비난했다. 파펜 역시 연설의 보도가 금지되자 길길이 날뛰었다. 6월 20일에는 히틀러에게 달려가 "하급자 장관"의 그런 금지 조치를 용납할 수 없다고 말하고 자신은 "대통령의 뜻을 받들어" 연설한 것이라고 강조한 다음 사임서를 제출하면서 "대통령에게 이 일에 대해 즉시 보고"하겠다는 경고를 덧붙였다.[29]

이 협박에 히틀러는 속을 태웠는데, 이번 사태를 불쾌하게 여긴 대통령이 계엄령을 선포하고 육군에 권력을 넘겨주는 것까지 고려하고 있다는 정보가 들어와 있었기 때문이다. 나치 정권의 존속 자체를 위협하는 이 위기의 심각성을 가늠해보려고 히틀러는 이튿날인 6월 21일 힌덴부르크를 만나러 노이데크로 날아갔다. 그곳에서 히틀러의 불안감은 더 커지기만 했다. 블롬베르크 장군을 만난 히틀러는 평소 자신에게 굽신거리던 국방장관의 태도가 별안간 사라졌다는 것을 금방 알아챘다. 이제는 엄격한 프로이센 장군의 모습이 된 블롬베르크는 히틀러에게 대통령을 대리하여 말하건대 작금의 긴장 상태를 신속히 해소하지 않으면 대통령이 계엄령을 선포하고 국가 통제권을 육군에 넘겨줄 것이라고 무뚝뚝하게 통보했다. 그리고 블롬베르크가 동석한 가운데 히틀러가 힌덴부르크를 몇 분간 만날 수 있었을 때 노대통령은 그러한 최후통첩을 재확인했다.

나치 총리에게는 재앙과도 같은 반전이었다. 대통령의 후계자가 되려던 계획만 위태로워진 게 아니었다. 육군이 대통령의 권한을 넘겨받는다면 그 자신과 나치 정부도 끝장이었다. 같은 날 베를린으로 돌아오는 기내에서 히틀러는 분명 이제 살아남을 길은 하나밖에 없다고 생각했을 것이다. 육군과의 약속을 이행하여 돌격대를 탄압하고, 돌격대 지도부가 이어가야 한다고 고집하는 혁명을 중단하는 조치였다. 존경받는 대통령을 등에 업은 육군으로서는 그 이외의 선택은 납득할 수 없을 터였다.

그럼에도 이 결정적인 6월 마지막 한 주 동안 히틀러는 망설였다―적어도 너무나 많은 빚을 진 돌격대 수뇌부를 얼마나 과감하게 처리할지를 두고 고심했다. 하지만 그때 총통이 결단을 내리도록 괴링과 힘러가 도왔다. 두 사람은 진즉부터 갚아주고 싶었던 과거의 원한 목록을, 즉 제거하고 싶은 현재 및 과거의 적들을 나열한 긴 명단을 작성해둔 터였다. 남은 일은 총통에게 그에 맞선 '음모'의 극악무도함과 신속하고 가차없는 조치의 필요성을 납득시키는 것뿐이었다. 내무장관이자 히틀러의 가장 충직한 부하 중 한 명이었던 빌헬름 프리크가 뉘른베르크 법정에서 한 증언에 따르면, 룀이 폭동을 일으키려 한다는 것을 히틀러에게 마침내 납득시킨 인물은 힘러였다. 프리크는 "총통은 힘러에게 그 폭동을 진압하라고 명령했습니다"라고 말한 다음 힘러는 바이에른에서, 괴링은 베를린에서 폭동 진압을 지시받았다고 설명했다.[30]

육군 역시 히틀러를 재촉했고, 이로써 조간만 자행될 만행의 책임을 자초했다. 6월 25일, 총사령관 프리치 장군은 육군에 비상대기 태세를 발령하여 모든 휴가를 취소하고 영내에 대기하도록 했다. 6월 28일, 룀이 독일 장교연맹에서 제명되었다―돌격대 참모장이 곤경에 처할 것이라는 분명한 경고였다. 그리고 육군이 어느 편에 섰는지에 대해 어느 누구도, 특히 룀이 절대 착각하지 않도록 쐐기를 박는 의미에서 블롬베르크는 6월 29일자《민족의 파수꾼》에 서명이 들어간 기고문을 싣는 전례 없는 조치를 취했다. "육군은 … 여전히 우리의 일원인 … 아돌프 히틀러를 지지한다"라고 확언하는 글이었다.

이처럼 육군은 돌격대 숙청을 압박하면서도 제 손을 더럽히려 하지 않았다. 그 일은 히틀러, 괴링, 힘러가 나치당의 검은 제복 친위대와 괴링의 특수경찰을 동원해 처리해야 한다는 입장이었다.

히틀러는 6월 28일 목요일 에센 지역의 나치 대관구장 요제프 테르보

펜Josef Terboven의 결혼식에 참석하기 위해 베를린을 떠났다. 이 여행의
용건으로 보건대 히틀러가 중대 위기가 임박했다고 판단했을 가능성은
별로 없다. 같은 날 괴링과 힘러는 친위대의 특수분견대와 '괴링 경찰'에
대비 태세를 유지하라는 명령을 내렸다. 히틀러가 수도를 비우자 자기네
끼리 자유롭게 행동할 수 있다고 생각했던 것이 분명하다. 이튿날 29일,
총통은 베스트팔렌에서 노동봉사단 숙소를 시찰한 뒤 오후에는 라인 강
변의 고데스베르크로 돌아와 옛 전우 드레젠Dreesen이 운영하는 강기슭
의 호텔에 묵었다. 그날 저녁, 어느 진영에 합류할지 망설여온 듯한 괴벨
스가—그는 룀과 은밀히 접촉해온 터였다—고데스베르크에 도착했을
때는 마음을 정하고 훗날 히틀러가 베를린에서 온 "험악한 기밀"이라 부
른 것을 보고했다. 전직 호텔 종업원이자 동성애자들이 자주 드나드는
카페의 문지기였다가 룀에 의해 베를린 돌격대 지도자로 임명된 카를 에
른스트가 돌격대에 경보를 발령했다는 소식이었다. 잘생겼으나 영리하
지는 않았던 청년 에른스트는 그 시점뿐 아니라 24시간 남짓 남은 생애
의 마지막까지도 우파가 폭동을 일으킨 줄로 믿고서 자랑스레 "하일 히
틀러!"를 외치며 죽어갔다.

　나중에 히틀러가 주장한 바로는, 6월 29일 이 시점까지는 그저 "참모
장[룀]을 해임한 뒤 당분간 감금하고 범죄 혐의가 명백한 여러 돌격대 간
부들을 체포하고 … 나머지 구성원들에게는 다시 임무를 맡길 것이라고
진심으로 호소"할 작정이었다.


[7월 13일 제국의회에서 발언함] 그런데 … 새벽 1시에 베를린과 뮌헨으로부
터 비상소집에 관한 두 통의 지급 전보를 받았습니다. 첫 번째 전보는, 베
를린에서 오후 4시까지 집결하라는 비상령이 내려졌고 … 오후 5시에 기습

과 동시에 행동을 개시할 예정이라고 했습니다. 정부 청사들을 점거할 예정이라고 했습니다. … 두 번째 전보는, 뮌헨에서 이미 돌격대에 비상소집령이 내려졌다고 했습니다. 밤 9시 정각에 집결하라는 명령이었습니다. … 그것은 반란이었습니다! … 이런 상황에서 내가 내릴 수 있는 결정은 하나밖에 없었습니다. 이제 반란의 확산을 막을 방법은 무자비한 유혈 저지뿐이었습니다. …

새벽 2시에 나는 뮌헨으로 날아갔습니다.

히틀러는 "지급 전보"의 발신인을 끝내 밝히지 않았지만, 이 발언에서는 넌지시 괴링과 힘러를 가리킨다. 두 사람이 몹시 과장해서 보고했던 것은 확실하다. 베를린 돌격대 지도자 에른스트는 그주 토요일에 신부와 함께 차를 타고 브레멘까지 가서 배로 갈아타고 마데이라 섬으로 신혼여행을 떠나는 것보다 더 과격한 일은 생각하지도 않았다. 그리고 그 남쪽 섬 어디에 돌격대 '음모자들'이 집결했단 말인가?

6월 30일 새벽 2시에 히틀러가 괴벨스와 함께 본에서 가까운 항겔라어 비행장에서 이륙했을 무렵, 룀 대위와 그의 돌격대 부관들은 테게른제 호숫가의 비스제에 자리한 한슬바우어 호텔의 침대에서 평온하게 자고 있었다. 살인 전과자에 악명 높은 동성애자로 피아노 운반인 같은 건장한 체격에 소녀 같은 얼굴을 한 슐레지엔 돌격대 상급집단지도자Obergruppenführer 에드문트 하이네스Edmund Heines는 어느 젊은 사내와 동침하고 있었다. 룀이 직속 호위대를 뮌헨에 남겨두고 온 것으로 미루어 보건대 돌격대 간부들은 반란을 일으킬 생각이 전혀 없었다. 돌격대 지도부는 흥청망청 놀았던 모양이지만 음모는 꾸미지 않았다.

히틀러와 소수의 일행(총통의 언론담당관 오토 디트리히, 특색 없지만 충직한 하노버 돌격대 지도자 빅토어 루체Viktor Lutze도 함께했다)은 6월 30일 토요일 오전 4시에 뮌헨에 착륙했고, 이미 어느 정도 조치가 취해진 사실을 확인했다. 당내 법정인 조사중재위원회 위원장 발터 부흐 소령과 바이에른 내무장관 아돌프 바그너Adolf Wagner가 히틀러의 초기 동지들, 이를테면 겔리 라우발의 사랑을 놓고 히틀러와 경쟁하기도 했던 전과자 에밀 마우리체, 한때 카바레 문지기로 일했던 말장수 크리스티안 베버 등의 지원을 받아 뮌헨 돌격대 간부들을 체포해둔 터였다. 그중에는 뮌헨 경찰청장이기도 한 돌격대 상급집단지도자 아우구스트 슈나이트후버August Schneidhuber도 포함되었다. 이제 스스로 흥분해 극심한 히스테리 상태가 된 히틀러는 바이에른 내무부에서 구금자들을 대면했다. 전 육군 대령 슈나이트후버에게는 성큼성큼 다가가 나치 휘장을 확 잡아떼고 "반역자!"라며 욕설을 퍼부었다.

새벽녘에 히틀러 일행을 태운 긴 자동차 행렬은 서둘러 뮌헨을 떠나 비스제로 향했다. 도착해보니 룀과 그의 친구들은 아직 한슬바우어 호텔에 잠들어 있었다. 다짜고짜 그들을 깨웠다. 하이네스와 그의 젊은 애인을 침대에서 끌어내 호텔 밖으로 데려가 히틀러의 명령에 따라 즉결로 총살했다. 오토 디트리히의 진술에 따르면 총통은 룀의 방에 혼자 들어가 그를 마구 질책하고는 뮌헨으로 돌아가 슈타델하임 형무소에 처박히라고 명령했다. 그 형무소는 돌격대 대장이 지난 1923년에 히틀러와 함께 맥주홀 폭동을 벌였다가 복역한 곳이었다. 제3제국의 출범, 그 테러 행위와 타락에 대한 책임이 다른 누구보다도 크고, 때로 의견 충돌을 빚기도 했지만 위기와 패배와 실의의 순간마다 힘을 합했던 히틀러와 룀 두 사람이 14년의 파란만장한 나날 끝에 갈림길에 이르렀다. 그리고 히틀러와 나치즘을 위해 싸워온, 얼굴에 흉터가 있는 떠들썩한 투사의 그 폭력적인 삶도 종점에 이르렀다.

히틀러는 자기 딴에는 배려랍시고 마지막 조치로 오랜 전우의 감방 탁자에 권총을 놓아두라고 명령했다. 룀은 권총 사용을 거부했고, "나를 죽이려거든 아돌프더러 직접 하라고 해!"라고 말했다고 한다. 당시 상황을 목격한 어느 경위가 23년 후인 1957년 5월 뮌헨에서 열린 전후 재판에서 증언한 바에 따르면, 그러자 돌격대 장교 두 명이 감방에 들어가 룀에게 리볼버를 겨누고는 지근거리에서 발사했다. "룀은 무어라 말을 하려 했지만 돌격대 장교가 입을 다물라는 몸짓을 했습니다. 그러자 룀은 경멸감 가득한 얼굴로—웃통이 벗겨져 있었습니다—차렷 자세를 취했습니다."* 그렇듯 룀은 자신이 다른 어떤 독일인도 도달하지 못한 높이까지 오르도록 도왔던 친구를 경멸하면서, 그때까지 폭력적으로 살았던 것처럼 폭력적으로 죽었다. 그날 학살당한 다른 수백 명—일례로 슈나이트후버는 "아니, 이게 대체 무슨 일인지 모르겠지만 어쨌든 빗나가지 않게 해줘!"라고 소리쳤다고 한다—과 마찬가지로, 룀도 이것이 배신행위라는 것 말고는 대관절 무슨 일인지, 또는 상황이 왜 이렇게 돌아가는지 제대로 알지 못한 채 살해된 것이 거의 확실하다. 그토록 오랫동안 배신과 함께 살았고 스스로 몇 번이고 배신한 그였지만 아돌프 히틀러에게

---

* 1957년 5월에 열린 뮌헨 재판은 1934년 6월 30일의 숙청에 관해 그 목격 증인들과 가담자들이 공개적으로 말한 첫 자리였다. 제3제국 치하에서는 그런 일이 불가능했을 것이다. 내가 개인적으로 기억하기로 제3제국에서 가장 잔인한 사람들 중 한 명인 제프 디트리히(Sepp Dietrich)가 1934년에 히틀러를 경호하는 친위대 요인 경호대를 지휘하고 슈타델하임 형무소에서의 처형을 지시했다. 훗날 전시에 무장친위대의 최상급집단지도자였던 제프는 1944년 벌지 전투 때 미군 포로 사살 사건을 공모한 혐의로 징역 25년형을 선고받았다. 10년 후에 석방된 그는 1957년 다시 뮌헨으로 불려와 5월 14일에 지난 1934년 6월 30일의 처형에 관여한 혐의로 징역 18개월형을 선고받았다. 제프 디트리히, 그리고 실제로 룀을 살해한 두 명의 친위대 장교 중 한 명인 미카엘 리페르트(Michael Lippert)에 대한 선고는 돌격대 숙청에 가담한 나치 처형자들에게 내려진 첫 번째 처벌이었다.

배신당하리라고는 미처 예상하지 못했을 것이다.

한편, 베를린에서는 괴링과 힘러가 분주히 움직였다. 약 150명의 돌격대 간부가 일제히 검거되어 리히터펠데의 옛 사관학교 벽 앞에 세워진 뒤, 힘러의 친위대와 괴링의 특수경찰 분대에 의해 사살되었다.

그중에는 자동차로 브레멘 근처까지 갔다가 총을 든 친위대원들에 의해 신혼여행을 저지당한 카를 에른스트도 있었다. 아내와 운전사는 부상을 입었고, 그 자신은 얻어맞아 의식을 잃은 상태로 베를린으로 도로 끌려가 처형당했다.


피로 얼룩진 이 여름 주말에 돌격대원들만 쓰러졌던 것은 아니다. 6월 30일 아침, 사복 차림의 친위대 분대가 베를린 교외에 있는 슐라이허 장군 저택의 초인종을 눌렀다. 장군은 문을 열자마자 그 자리에서 사살되었고, 불과 18개월 전에 결혼한—그전까지 장군은 미혼이었다—아내가 나오다가 역시 그 자리에서 살해되었다. 슐라이허의 막역한 친구 쿠르트 폰 브레도브Kurt von Bredow 장군도 그날 저녁에 비슷한 운명을 맞았다. 그레고어 슈트라서는 토요일 정오에 베를린 자택에서 체포되고 몇 시간 뒤 괴링의 개인적 명령에 의해 프린츠-알브레히트슈트라세에 있는 게슈타포 구치소의 독방으로 보내졌다.

파펜은 한결 운이 좋았다. 목숨은 건졌다. 그러나 그의 집무실은 친위대 분대에 의해 난장판이 되었고, 수석 비서 보제는 책상에 앉은 채로 사살되었으며, 며칠 전 게슈타포에 체포된 은밀한 협력자 에트가어 융은 구치소에서 살해되었다. 또다른 협력자인 가톨릭행동의 지도자 에리히 클라우제너는 중앙정부 운송부 내의 자기 사무실에서 살해되었고, 개인 비서 슈토칭겐Stotzingen 여남작을 포함한 파펜의 나머지 부하들은 강제수용소로 끌려갔다. 파펜이 괴링에게 항의하러 갔을 때, 훗날 회상하기로, 한가하게 이야기할 시간이 "별로" 없었던 괴링은 파펜을 그 자리에서 내쫓아버렸다. 그러고는 파펜 자신의 별장에 구금하고, 중무장한 친위대원들로 주위를 에워싸고, 전화선을 끊어버리며 외부와의 접촉을 일체 금지했다―이렇듯 거듭되는 굴욕을 일국의 부총리는 놀라우리만치 잘 참아냈다. 한 달도 지나지 않아 파펜은 자기 친구들을 살해한 나치당의 제안, 즉 빈 주재 독일 대사직을 맡아달라는 제안을 받아들임으로써 스스로를 더럽혔다. 그때는 오스트리아 나치당이 빈에서 돌푸스 총리를 살해한 직후였다.

숙청 중에 얼마나 많은 이들이 살해되었는지는 명확히 밝혀지지 않았다. 7월 13일 제국의회 연설에서 히틀러는 19명의 "돌격대 고위 간부들"을 포함해 61명이 사살되고 그 밖에 13명이 "체포에 저항"하다가 죽고 3명이 "자살"했다고 발표했다―총 77명이다. 파리에서 독일 망명자들이 발간한 《숙청 백서白書》에는 401명이 살해되었다고 나와 있지만, 그중 신원이 확인된 사망자는 116명에 불과했다. 1957년 뮌헨 재판에서 제시된 수치는 "1000명 이상"이었다.

많은 이들이 히틀러에게 반대했다는 이유로 순전히 보복 차원에서 살해되었고, 어떤 이들은 너무 많이 안다는 이유로 살해된 듯 보인다. 또한 적어도 한 명은 다른 사람으로 오인되는 바람에 살해당했다. 앞에서 상술했듯이 1923년에 맥주홀 폭동을 진압했던 구스타프 폰 카르는 정계에서 은퇴한 지 오래였음에도 곡괭이로 짓이겨진 듯한 송장의 상태로 다하우 근처 늪에서 발견되었다. 히틀러는 카르를 잊지도 용서하지도 않았던 것이다. 또 앞에서 언급했듯이 《나의 투쟁》의 편집을 도왔고 나중에 히틀러의 연인 겔리 라우발이 자살한 이유에 대해 아는 바를 너무 많이 말했던 히에로니무스회 신부 베른하르트 슈템플레의 시체는 뮌헨 인근 하를라힝의 숲에서 목이 부러지고 심장에 총알 세 발을 맞은 상태로 발견되었다. 하이덴에 따르면 슈템플레를 죽인 살인자 무리를 이끈 사람은 히틀러와 마찬가지로 겔리 라우발에게 구애했던 전과자 에밀 마우리체였다. '너무 많이 알고 있던' 다른 이들 중에는 의사당 방화 때 카를 에른스트를 도운 돌격대원 세 명이 포함되었다. 그들은 에른스트와 함께 처형되었다.

그 외에 언급할 만한 살인이 한 건 있다. 뮌헨의 주요 일간지 《뮌헤너 노이에스테 나흐리히텐Münchner Neueste Nachrichten》의 저명한 음악평론가 빌리 슈미트Willi Schmid 박사는 6월 30일 저녁 7시 20분에 뮌헨 샤크슈트라세에 있는 아파트의 서재에서 첼로를 켜고 있었고, 그의 아내는 저녁을 준비하고 있었으며, 각각 아홉, 여덟, 세 살인 세 자녀는 거실에서 놀고 있었다. 그때 초인종이 울리고 네 명의 친위대원들이 들이닥치더니 아무런 설명도 없이 슈미트 박사를 연행했다. 나흘 후 그는 시신이 되어 입관된 채 절대로 열지 말라는 게슈타포의 명령과 함께 돌아왔다. 정치에 관여한 적이 전혀 없는 그를 친위대 폭력배들이 지역 돌격대 간부 빌리 슈미트Willi Schmidt와 착각했던 것으로, 후자는 다른 친위대 특수분견대에 체포되어 사살되었다.*

---

* 빌리 슈미트 박사의 아내였던 케이트 에바 회를린(Kate Eva Hoerlin)은 1945년 7월 7일 뉴욕 빙엄턴에서 이뤄진 선서진술에서 남편이 살해당한 경위를 술회했다. 회를린은 1944년에 미국 시민이 되었다. 당시의 잔혹행위를 은폐하기 위해 루돌프 헤스가 직접 회를린을 찾아와 "착각한 실수"에 대해 사과하고 독일 정부에서 연금을 지급하기로 약속했다. 이 선서진술은 뉘른베르크 문서 L-135, *NCA*, VII, pp. 883-890에 실려 있다.

과연 히틀러를 겨냥한 음모가 있었던 것일까? 그것에 관해서는 공식 성명과 7월 13일 제국의회 연설에 담긴 히틀러 본인의 발언밖에 없다. 히틀러는 그 어떤 증거도 제시하지 않았다. 룀은 돌격대가 새로운 육군의 중핵이 되어야 하고 자신이 그 수장이 되어야 한다는 야망을 숨긴 적이 없었다. 분명 룀은 이 계획과 관련해 슐라이허와 접촉했고, 슐라이허가 총리로 있을 때 이 문제를 처음 논의했다. 히틀러의 말마따나 필시 그레고어 슈트라서도 "끌어들였을" 것이다. 하지만 그런 정도의 이야기는 확실히 반역이 아니었다. 오토 슈트라서에 따르면 히틀러 자신도 그레고어 슈트라서와 접촉해 6월 초에 경제장관직을 제안하기도 했다.

처음에 히틀러는 룀과 슐라이허가 "외세"—명백히 프랑스를 가리킨다—의 지원을 추구했다고 비난하고 브레도브 장군에게 "외교 정책" 중 개인 혐의를 씌웠다. 이는 그들을 "반역자"로 고발한 이유 중 하나였다. 그리고 히틀러는 제국의회 연설에서 이 혐의를 거듭 강조하며 "슐라이허와 룀의 만남을 완전히 무해한 것으로 설명하는 어느 외국 외교관[프랑스 대사 프랑수아-퐁세 말고 다른 사람일 수는 없었다]"에 대해 비꼬듯이 말하면서도 자신의 고발 내용을 입증할 수 없었다. 제3제국에서 책임 있는 자리에 있는 어떤 독일인이든 히틀러 자신 모르게 외국 외교관을 만나기만 해도 범죄가 되고도 남는다고 궁색하게 말했을 뿐이다.

독일에서 세 명의 반역자가 … 외국 정치인과의 만남을 … 준비하고 그 만남에 대한 어떤 말도 내 귀에 닿지 않도록 하라고 명령했다면, 내게 비밀로 한 그런 회담에서 설령 날씨나 옛날 동전 같은 화제 외에 아무것도 말하지 않았다는 것이 사실로 입증된다 해도, 나는 그런 자들을 총살할 것입니다.

프랑수아-퐁세가 자신이 룀의 "음모"에 가담했음을 시사하는 이 연설에 격렬히 항의하자 독일 외무부는 프랑스 정부 측에 그런 비난은 전혀 근거가 없는 것이고 독일 정부는 이 대사가 직책에 남아 있기를 바란다고 공식 통지했다. 나 역시 증언할 수 있듯이, 사실 그 후로 프랑수아-퐁세는 민주국가의 다른 어떤 사절보다도 원만하게 히틀러와의 인간관계를 유지했다.

최초의 몇몇 공식 성명에서, 특히 총통의 언론담당관 오토 디트리히가 일반에 공개한 섬뜩한 목격담에서, 심지어 히틀러의 제국의회 연설에서까지 크게 강조된 것은 총살당한 룀과 그 밖의 돌격대 간부들의 타락한 도덕성이었다. 디트리히는 비스제의 호텔에서 한 청년과 동침하던 하이네스를 체포한 장면을 "차마 묘사할 수 없다"라고 잘라 말했으며, 히틀러는 첫 처형 직후인 6월 30일 정오, 뮌헨에 잔존해 있던 돌격대 간부들에게 연설하면서 처형당한 이들은 타락한 도덕성 하나만으로도 죽어 마땅하다고 단언했다.

그러나 히틀러는 당의 초창기부터 가장 가깝고 중요한 추종자들 중 상당수가 변태 성욕자나 살인 전과자라는 것을 줄곧 알고 있었다. 일례로 하이네스가 돌격대원들을 독일 전역으로 보내 적당한 남성 애인을 물색한다는 것은 다 아는 이야기였다. 이런 일을 히틀러는 그저 눈감아주는 데 그치지 않고 옹호하기까지 했다. 어떤 남자가 나치 운동을 위해 싸우는 광적인 투사라면 그의 개인적 도덕성에 너무 결벽증을 보이지 말라고 당 동지들에게 여러 차례 경고했다. 그러던 그가 1934년 6월 30일에는 가장 오랜 부하들 중 몇몇의 도덕적 타락에 충격을 받았다고 고백했던 것이다.

살육은 7월 1일 일요일 오후에는 거의 마무리되었다. 전날 밤 뮌헨에서 베를린으로 날아온 히틀러는 이날 오후 총리 관저의 정원에서 다과회를 열었다. 월요일에 힌덴부르크 대통령은 "단호한 조치와 용감한 직접 개입으로 반역의 싹을 잘라 독일 국민을 중대한 위험에서 구했다"며 히틀러에게 감사를 표했다. 또 "대역죄"를 진압한 괴링의 "정력적이고 성공적인 조치"를 칭찬했다. 화요일에 블롬베르크 장군은 돌격대 학살을 "국가 방위를 위해" 필요한 조치라고 "합법화"한 내각의 축사를 총리에게 전했다. 또 블롬베르크는 육군에 내린 통지에서 사태 전환에 대한 최고사령부의 만족감을 표명하고 "새로운 돌격대와 우호적인 관계"를 맺겠다고 약속했다.

육군이 경쟁 상대인 돌격대의 제거에 기뻐한 것은 당연한 일이었다. 하지만 독일 역사상 전례가 없는 학살을 실행하고 그 과정에서 육군에서 손꼽히는 두 장교 슐라이허 장군과 브레도브 장군을 반역자로 낙인찍고 냉혹하게 살해한 정부를 장교단은 용납했을 뿐 아니라 공공연히 칭송하기까지 했다. 장교단의 체면은 말할 것도 없고 대체 명예심은 어디로 갔던 것일까? 두 동료 장교를 살해하고 그들에게 반역 혐의를 씌운 정부의 조치에 항의하며 목소리를 높인 이는 85세의 전 원수 마켄젠과 전 육군 총사령관 하머슈타인 장군뿐이었다.* 장교단의 이런 태도는 육군의 명예를 더럽히는 것이었다. 또한 육군의 믿기 힘든 근시안적 행태를 보여주

---

\* 두 고위 장교는 슐라이허와 브레도브의 오명을 씻어주려고 계속 노력했고, 1935년 1월 3일 베를린에서 가진 나치당 지도부와 군 수뇌부의 비밀회의에서 히틀러로부터 두 장군을 "착오로" 살해했다는 인정을 받아내고, 두 이름을 각 소속 연대의 명예전사자 명단에 올리기로 발표한다는 약속을 받아냈다. 이 '복권'은 독일에서 끝내 발표되지 않았지만, 장교단은 그 정도 선에서 받아들였다. (Wheeler-Bennett, *The Nemesis of Power*, p. 337 참조)

는 것이었다.

1934년 6월 30일 조직폭력이나 다름없는 히틀러의 무법 행위에 동조함으로써 장군들은 장차 국내뿐 아니라 국외에서도, 심지어 자기들이 표적이 될 때조차 나치의 테러리즘에 반대할 수 없는 입장을 자초한 셈이었다. 육군은 자신이 곧 법이 되었다는 히틀러의 주장을 지지하고 있었기 때문이다. 7월 13일의 제국의회 연설에서 히틀러는 "누군가 나를 비난하면서 왜 정식 법원을 거치지 않느냐고 묻는다면 나는 이렇게 말할 수 있습니다. 지금 나는 독일 국민의 운명을 책임지고 있고 따라서 독일 국민의 최고 재판영주oberster Gerichtsherr가 되었다고 말입니다"라고 주장했다. 그리고 한술 더 떠서 "앞으로 언제든 손을 쳐들어 국가를 타격하는 자는 누구든 자신의 운명이 곧 확실한 죽음이라는 것을 명심해야 합니다"라고 덧붙였다. 이 경고는 마침내 한층 절박한 일부 장군들이 "최고 재판영주"를 내려치기 위해 감히 손을 쳐들기까지 10년간 두고두고 장군들의 발목을 잡을 터였다.

게다가 자신들의 전통적인 특권과 권력에 대한 나치 운동의 위협을 6월 30일에 영원히 제거했다는 장교단의 판단은 착각에 지나지 않았다. 돌격대의 자리를 친위대가 차지했기 때문이다. 7월 26일, 친위대는 처형 수행에 대한 보답으로 돌격대로부터 독립했고, 힘러는 친위대 제국지도자로서 히틀러에게만 충성을 다할 책임을 지게 되었다. 훨씬 더 규율이 강하고 충직한 이 세력은 오래지 않아 과거 어느 시점의 돌격대보다도 훨씬 더 강력해지고, 육군의 경쟁 상대로서 룀의 오합지졸 갈색셔츠단이 실패했던 과제를 성취해낼 터였다.

그렇지만 장군들은 당장은 자신만만했다. 7월 13일의 제국의회 연설에서 히틀러가 거듭 다짐했듯이 육군은 "무기의 유일한 소지자"로 남을 터였다. 총통은 최고사령부의 요구에 따라 감히 이 금언에 반발한 돌격대를 제거했다. 이제는 육군이 '도이칠란트 호 협정'에서 약속한 역할을 수행해야 할 때였다.

## 힌덴부르크의 죽음

———

불사신처럼 여겨진 힌덴부르크는 여름 내내 날로 쇠약해지더니 8월 2일 오전 9시에 87세를 일기로 사망했다. 세 시간이 지나 정오에, 그 **전날** 내각 회의에서 제정된 법에 따라 총리직과 대통령직이 하나로 합쳐졌고 아돌프 히틀러가 국가수반의 권한과 군 최고사령관의 권한을 넘겨받았다는 발표가 나왔다. 대통령 칭호는 폐지되었으며, 히틀러는 총통 겸 제국총리로 불리게 되었다. 이로써 히틀러의 독재권은 완전해졌다. 빈틈을 남겨두지 않고자 히틀러는 군대의 모든 장병에게서 충성 선서를 받아냈다—독일 국가에 대해서도 아니고, 힌덴부르크의 후임을 선거로 뽑는다는 규정을 히틀러 스스로 위반한 독일 헌법에 대해서도 아니고, 히틀러 개인에게 바치는 충성 선서였다. 그 서약문은 다음과 같았다.

이 신성한 선서를 하느님께 맹세하오니, 나는 독일 제국과 국민의 총통, 군대의 최고사령관인 아돌프 히틀러에게 무조건 복종하고 언제라도 이 선서를 위해 용맹한 군인으로서 나의 목숨을 바칠 것입니다.

이렇게 해서 그때까지 마음만 먹으면 나치 정권을 간단히 전복할 수 있었던 장군들은 1934년 8월 이후 아돌프 히틀러 개인에게 스스로 구속되었다. 다시 말해 히틀러를 독일 내 최고의 적법한 권위로 인정했고, 장군들 자신과 조국을 아무리 타락시킨다 해도 어떠한 상황에서든 복종한다는, 그들의 명예가 걸린 충성 선서를 히틀러에게 바침으로써 스스로를 옭아맸던 것이다. 장차 상당수의 고급장교들은 그들이 지도자로 인정한 인물이 그들의 바람과 반대로 국가를 오로지 파멸로 이끌 듯한 발걸음을 내디뎠을 때 양심의 가책을 느낄 터였다. 반면에 6월 30일의 도륙을 겪으면서 히틀러의 실체를 목격했던 더욱 많은 장교들은 최고사령관의 명령에 따라 이루 말할 수 없는 범죄를 수행하면서도 이미 충성 선서를 했다는 이유로 자신들에게는 아무런 개인적 책임도 없다고 변명할 터였다. 이 시점부터 독일 장교단의 소름 끼치는 비행은 이런 '명예'의 충돌에서 비롯되었다—내가 개인적인 경험으로 증언할 수 있듯이, 장교단은 이 명예라는 단어를 자주 입에 올렸고 아주 묘한 명예 개념을 가지고 있다. 나중에 장교들은 걸핏하면 이 선서의 명예를 지킨다면서 인간으로서의 명예를 저버리고 장교단의 도덕률을 진흙탕에 처박곤 했다.

힌덴부르크가 사망하자 선전장관 괴벨스는 공식 성명을 내며 노원수의 유언장이 발견되지 않았고 또 없을 것으로 추정된다고 발표했다. 그런데 8월 15일, 히틀러의 대통령직 승계에 찬성하는지를 묻는 국민투표를 나흘 앞두고 힌덴부르크의 정치적 유서가 발견되었고, 다름 아닌 파펜을 통해 히틀러에게 전해졌다. 그 유서에 담긴 히틀러에 대한 찬사는 선거운동 막판에 괴벨스에 의해 강력한 탄약으로 쓰였고, 투표 전날에 오스카어 폰 힌덴부르크 대령의 라디오 방송으로 보강되었다.

제 아버지는 아돌프 히틀러를 자신의 국가수반직을 계승할 사람으로 보았으며, 저는 아버지의 의향대로 독일의 모든 남녀에게 아버지의 직책을 총통 겸 제국총리에게 넘기는 것에 찬성할 것을 요청하는 바입니다.[*]

이 발언은 분명 진실이 아니었을 것이다. 입수 가능한 최선의 증거에 비춰보건대, 힌덴부르크의 마지막 바람은 자기 사후에 군주정이 복원되는 것이었기 때문이다. 유서의 이 부분을 히틀러는 감추었다.

고령의 대통령이 남긴 유서의 진실을 둘러싼 수수께끼의 일부는 전후에 파펜의 뉘른베르크 재판 심문 과정과 그 후의 회고록에서 분명하게 밝혔다. 그리고 파펜이 전적으로 신뢰할 수 있는 증인도 아니고 그 자신이 아는 바를 전부 실토하지 않았을 수 있다고 해도 그의 증언을 무시할수는 없다. 파펜은 힌덴부르크의 유서 초고를 직접 썼거니와, 그에 따르면 대통령의 요청으로 썼기 때문이다.

[회고록에서 말함] 나의 초고에서는 대통령의 사후에 입헌군주정을 채택하도록 권고했고, 대통령직과 총리직을 통합하는 것은 현명하지 못하다고 주장했다. 히틀러의 심기를 건드리지 않기 위해 나치 정권의 몇 가지 긍정적인 업적을 인정하는 발언도 집어넣었다.

파펜은 이 초고를 1934년 4월에 힌덴부르크에게 건넸다고 한다.

며칠 후 힌덴부르크는 나를 다시 불러 내가 제안한 형식의 유서를 승인하지 않기로 결정했다고 말했다. 그는 … 국민 전체가 그들이 바라는 국가의 형태를 결정해야 한다고 생각했다. 이런 이유로 그는 자신의 봉직에 관한 언급만 유언으로 삼고, 군주정 복원에 관한 권고는 히틀러에게 보내는 친서에

---

* 그러자 히틀러는 오스카어를 대령에서 소장으로 진급시켰는데, 이는 흥미로울 뿐 아니라 사뭇 의미심장하다.

서 자신의 마지막 소원으로 표명할 의도였다. 물론 이는 내가 초고에서 제안한 의견을 완전히 배제했다는 뜻인데, 이제 군주정 복원 권고를 국민에게 하는 것이 아니었기 때문이다. 이 사실을 히틀러는 나중에 최대한 활용했다.

히틀러가 그것을 어떻게 활용하는지 관찰하기에 파펜만큼 나은 위치에 있는 사람도 없었다.

타넨베르크에서 힌덴부르크의 장례를 마치고 베를린으로 돌아왔을 때 히틀러가 전화를 걸어왔다. 히틀러는 힌덴부르크의 정치적 유서가 존재하는지, 있다면 어디에 있는지 아느냐고 내게 물었다. 나는 오스카어 폰 힌덴부르크에게 물어보겠다고 답했다. "그 문서를 가급적 일찍 내게 전해주시면 고맙겠소"라고 히틀러는 말했다. 그래서 나는 개인비서 카게네크Kageneck를 노이데크로 보내 힌덴부르크의 아들에게 유서는 존재하는지, 있다면 내가 히틀러에게 전달해도 괜찮을지 물어보았다. 5월 말에 힌덴부르크가 베를린을 떠난 후로는 그를 만난 적이 없었으므로 그가 유서를 없앴는지 여부를 나는 알지 못했다.

아버지 사후에 그 중요한 문서를 발견하지 못했던 오스카어는 별안간 그것을 찾아냈다. 파펜에 대한 탈나치화denazification 재판에서 힌덴부르크의 부관 슐렌부르크Schulenburg 백작이 증언한 바에 따르면, 그 발견은 그리 어려운 일이 아니었다. 슐렌부르크는 대통령이 5월 11일에 두 건의 문서, 즉 유서와 마지막 소원을 적은 문서에 서명했다고 밝혔다. 전자는 '독일 국민'에게, 후자는 '제국총리'에게 보내는 것이었다. 힌덴부르크가 마지막으로 베를린을 떠나 노이데크로 향할 때 슐렌부르크는 이 문서들을 챙겨서 갔다. 파펜은 당시 이 사실을 알지 못했다고 한다. 하지만 적절한 시점에 파펜의 비서가 오스카어 폰 힌덴부르크에게서 받은 두 통의 봉인된 봉투를 가지고 노이데크에서 돌아왔다.

8월 15일, 파펜은 베르히테스가덴에서 히틀러에게 그 두 통의 봉투를 넘겨주었다.

히틀러는 두 문서 모두 무척 신중하게 읽어보고는 그 내용에 관해서 우리와 논의했다. 마지막 소원을 적은 문서에서 힌덴부르크가 권고한 사항은 분명 히틀러의 의중과 어긋나는 것이었다. 그런 이유로 히틀러는 그 봉투에 적힌 수취인이 "제국총리 아돌프 히틀러"라고 되어 있는 사실을 활용했다. "대통령의 이 권고는 내게 개인적으로 전하는 것이오. 이것을 공표할지, 공표한다면 언제 할지는 내가 차후에 결정하겠소"라고 그는 말했다. 나는 두 문서 모두 공표하라고 간청했으나 허사였다. 히틀러가 언론담당관에게 공표하라며 건넨 것은 힌덴부르크가 자신의 봉직에 관해 언급한 문서뿐으로, 거기에는 히틀러에 대한 칭찬의 말도 들어 있었다.[31]

히틀러가 아니라 호엔촐레른 가문 출신자가 국가수반이 되기를 권고하는 두 번째 문서에 대해 파펜은 아무 말도 하지 않았는데, 아마도 그는 그 내용을 몰랐을 것이다. 두 번째 문서는 나중에 압수된 수백 톤의 나치 기밀문서들에서도 발견되지 않은 것으로 보아 히틀러가 즉시 없애버렸을 공산이 크다.

히틀러가 용기를 내서 정직하게 그 문서를 공표했더라도 상황은 별로 달라지지 않았을 것이다. 힌덴부르크가 서거하기도 전에 히틀러는 이미 내각으로 하여금 대통령의 권한을 자신에게 부여하는 법을 공포하도록 했다. 그날은 8월 1일로, 힌덴부르크가 죽기 하루 전이었다. 지난날의 오스트리아인 상병이 이제 법 자체가 된 독일에서는 이 '법'이 불법이라 해도 별로 달라질 것이 없었다. 불법이라는 것은 명백했다. 1932년 12월 17일, 슐라이허 임기에 제국의회는 새로운 대통령 선거를 실시하기 전까지 총리가 아닌 대법원장이 대통령직을 대행하도록 규정하는 헌법 수정안을 정족수 3분의 2의 찬성으로 통과시켰다. 그리고 히틀러 독재의 '법적' 기반인 수권법은 헌법에서 벗어나는 법을 제정할 권한을 총리에게 부여하면서도, 대통령제의 규정을 건드리는 것만은 콕 집어 금하고 있었다.

하지만 당시에 법이 뭐 그리 중요했겠는가? 빈 주재 대사로서 기꺼이 히틀러를 섬기고 나치에 의한 돌푸스 총리 살해 후의 혼란을 수습하기 위해 오스트리아로 떠난 파펜에게 법은 중요하지 않았다. 히틀러의 군대를 증강하는 과제에 의욕적으로 착수한 장군들에게도 법은 중요하지 않았다. 재무장이라는 수익성 좋은 사업에 열정적으로 뛰어든 기업가들에게도 법은 중요하지 않았다. 전통적인 보수파, 예컨대 외무장관 노이라트 남작이나 제국은행 총재 샤흐트 박사 같은 '품위 있는' 독일인들은 사임하지 않았다. 아무도 사임하지 않았다. 실제로 샤흐트 박사는 히틀러가 대통령의 서거로 그 권한을 차지한 8월 2일에 경제장관직까지 추가로 맡았다.

그렇다면 독일 국민들은 어땠을까? 8월 19일 국민투표 날에 등록 유권자의 약 95퍼센트가 투표했고 그중 90퍼센트, 3800만 명이 넘는 사람들이 히틀러의 전권 탈취에 찬성표를 던졌다. 425만 명의 국민만이 반대표를 던질 용기 또는 의사를 가지고 있었다.

9월 4일, 뉘른베르크에서 열린 나치당 전당대회에서 히틀러가 자신만만하게 굴었던 것도 놀랄 일이 아니다. 이튿날 아침 나는 깃발로 장식된 거대한 루이트폴트 아레나에서 군악대가 〈바덴바일 행진곡Badenweiler Marsch〉을 요란하게 연주하고 3만 명의 참가자가 팔을 쭉 뻗어 나치식 경례를 하는 가운데 히틀러가 마치 개선하는 황제처럼 중앙 통로를 성큼성큼 걸어가는 모습을 지켜보았다. 잠시 후 히틀러가 넓은 무대의 중앙에 위풍당당하게 착석해 팔짱을 낀 채 눈빛을 빛내고 있을 때, 바이에른 대관구장 아돌프 바그너가 총통의 성명을 대독하기 시작했다.

앞으로 천 년간 이어질 독일인의 생활 형태는 명확히 정해져 있다. 19세기라는 불안의 시대는 우리와 함께 막을 내렸다. 향후 천 년 동안 독일에 혁명은 없을 것이다!

필멸하는 인간이니 히틀러가 천 년을 살 리는 없었지만, 살아 있는 동안에는 이 위대한 국민을 그들의 역사상 가장 강력하고도 무자비한 전제 군주로서 통치할 것이었다. 히틀러의 권위에 이의를 제기할 만한 존경받는 힌덴부르크는 이제 없고, 독일 군인이라면 아무도 가볍게 어기지 못할 선서에 따라 복종해야 하는 육군은 히틀러의 수중에 있었다. 마지막 저항 세력이 제거되거나 영원히 사라진 당시에는 실제로 독일 전역과 독일인 모두가 히틀러의 피 묻은 손 안에 있었다.

행진과 연설, 이교적인 화려한 행사, 그리고 당시까지 내가 목격하기로 공적 인물에 대한 가장 열렬한 아첨이 빽빽하게 이어진 한 주일이 끝난 날, 총통은 뉘른베르크에서 외국 통신원들에게 "굉장합니다!"라고 의기양양하게 말했다. 빈의 빈민굴을 떠난 뒤로 몰라보게 출세한 아돌프 히틀러였다. 불과 45세였고, 이제 겨우 시작이었다. 공화국이 종언을 고한 뒤 독일로 처음 돌아오는 사람이라도, 히틀러의 반인도적 범죄 행위가 어떻든 간에, 그동안 독일 국민들 사이에 갇혀 있던 이루 헤아릴 수 없는 역동적인 힘을 그가 단번에 해방시켜 놓았음을 알 수 있었다. 히틀러가 이미 《나의 투쟁》이나 100여 차례 연설에서 천명한 그 힘의 목표를 제3제국 내부와 특히 외부의 수많은 사람들―거의 모든 사람들―은 간과하거나 무시하거나 조롱해온 터였다.

# 제8장

# 제3제국의 삶

1933~1937

바로 그 무렵인 1934년 늦여름에 나는 제3제국으로 가서 업무를 보기 시작했다. 외국인 관찰자가 보기에 신생 독일에는 인상적인 일, 어리둥절한 일, 심란한 일이 많았다. 절대다수의 독일인은 개인의 자유를 빼앗겼다는 사실, 그들 문화의 태반이 파괴되고 무분별한 미개 상태로 전락했다는 사실, 또는 대대로 극심한 통제에 익숙해진 국민조차 경험한 적 없을 정도로 생활과 노동을 통제받는다는 사실에 개의치 않는 듯했다.

물론 그 배경에는 선을 넘어버린 사람, 한때 공산당원이나 사회민주당원이었던 사람, 지나치게 자유주의적이거나 평화주의적이었던 사람, 그리고 유대인을 노리는 게슈타포의 테러와 강제수용소의 공포가 도사리고 있었다. 1934년 6월 30일의 피의 숙청은 새로운 지도부가 얼마나 무자비할 수 있는지를 알리는 경고였다. 그러나 초기에는 나치 테러 때문에 생활에 지장을 받는 독일인이 비교적 적었으며, 외부에서 새로 들어온 관찰자의 눈에는 뜻밖에도 이 나라 사람들 스스로가 파렴치하고 잔혹한 독재정에 위협을 받는다거나 짓눌린다고 느끼지 않는 듯 보였다. 오히려 그들은 독재정을 진심으로 열렬히 지지했다. 아무튼 나치 독재정은 국민에게 새로운 희망과 새로운 자신감, 자국의 미래에 대한 놀라운 신뢰를 불어넣고 있었다.

히틀러는 과거를 모든 좌절이나 실망과 함께 청산하고 있었다. 한 단계씩, 그리고 (뒤에서 살펴볼 것처럼) 신속하게 베르사유 조약의 족쇄로부터 독일을 해방시키고, 승전한 연합국을 당혹하게 만들고, 독일을 다시 군사 강국으로 바꿔가고 있었다. 이것은 대다수 독일인이 원하던 바였다. 이 목표를 이루기 위해 그들은 지도자가 요구하는 희생, 즉 개인의 자유의 상실, 스파르타식 식사("버터보다 총을!"), 고된 노동을 감수하려 했다. 1936년 가을까지 실업 문제가 대체로 해결되어 거의 모든 사람이 다시 일자리를 얻었고,* 노조 결성 권리를 빼앗긴 노동자들이 충실한 도시락 통을 앞에 두고서 적어도 히틀러 치하에서는 더 이상 굶주릴 자유가 없다고 농담을 한다는 이야기도 들렸다. 이 무렵 "사익보다 공익!Gemeinnutz vor Eigennutz!"이 나치의 인기 있는 구호였으며, 괴링을 비롯해 다수의 당 간부들이 몰래 자기 배를 불리고 있었음에도 일반 대중은 겉보기에 개인의 이익보다 사회의 안녕을 우선시하는 새로운 '국가사회주의'에 속아 넘어갔다.

독일 사회에서 유대인을 배제하는 인종법은 외국인 관찰자에게는 원시 시대로 퇴행하는 난폭한 법으로 보였지만 그래도 인기가 없지는 않았다. 나치 인종론에서는 독일인을 세상의 소금이자 지배인종으로 칭송했기 때문이다. 내가 만난 소수의 독일인—전 사회민주당원들이나 자유주의자들, 또는 옛 보수계층 출신의 독실한 기독교도들—은 유대인 박해에 혐오감을 느끼거나 저항하기까지 했지만, 여러 개별 사례에서 유대인

---

* 1933년 2월부터 1937년 봄 사이에 등록 실업자 수는 600만 명에서 100만 명 이하로 줄었다.

의 곤경을 덜어주는 데 일조할 수는 있어도 대세를 막을 만한 일은 아무 것도 할 수 없었다. 그들이 무엇을 할 수 있었겠는가? 거듭되는 이 질문에 답하기란 쉽지 않았다.

독일 사람들은 자국의 검열된 신문이나 라디오 방송이 외국에서 반발을 산다는 소식을 얼핏 전해 듣긴 했지만, 그러거나 말거나 외국인 관광객은 제3제국으로 몰려들며 독일인의 환대를 즐기는 듯했다. 나치 독일은 소비에트 러시아와는 비교할 수 없을 정도로 전 세계의 시선에 스스로를 드러냈다.* 제3제국에서는 관광업이 번창하여 그토록 절실했던 외화를 엄청나게 벌어들였다. 겉보기에 나치 지도부는 숨기는 것이 없었다. 나치에 아무리 반대하는 외국인일지라도 독일에 가서 원하는 것을 보고 원하는 것을 연구할 수 있었다―다만 강제수용소, 그리고 어느 나라나 마찬가지겠지만 군사시설은 예외였다. 많은 이들이 그렇게 했는데, 그들은 설령 나치즘으로 전향하지는 않았더라도 적어도 "신생 독일"을 용인하고 나치가 말하는 "적극적인 성취"를 목격했다고 믿었다. 심지어 1918년 독일에 대한 영국의 승리를 이끌고 같은 해에 "카이저를 목매달자"라는 구호로 선거를 치렀던 로이드 조지Lloyd George 같은 명민한 사람도 1936년 오버잘츠베르크에서 히틀러를 만나고는 그만 매료된 채 귀국하여 독일 지도자는 현대 국가의 사회 문제들을 해결할 식견과 의욕을 지닌 "위대한 인물"이라고 공공연하게 칭찬했다―무엇보다 실업 문제를

---

* 소련과 달리 나치 독일은 비밀경찰의 블랙리스트에 오른 수천 명을 제외한 모든 시민에게 외국 여행을 허용했다. 다만 국내의 외화 부족에 따른 통화 반출 제한 때문에 실제로 외국 여행에 심각한 제약이 있었다. 그러나 1945년 이후의 영국에 비하면 통화 반출 제한이 더 엄격했던 것은 아니다. 요컨대 나치 지도부가 보통의 독일인이 민주국가를 방문하더라도 그곳의 반나치즘에 오염될지 모른다고 걱정하지는 않은 듯하다는 것이다.

해결했는데, 이는 영국에서 여전히 골머리를 앓던 난제였으며, 이와 관련해 지난날 자유당의 위대한 전시 지도자 로이드 조지가 '우리는 실업을 극복할 수 있다'라는 정책을 펼쳤지만 국내적으로 거의 관심을 받지 못한 바 있었다.

1936년 베를린에서 개최된 올림픽은 제3제국의 성취를 전 세계에 각인시킬 절호의 기회를 제공했고, 나치당은 그 기회를 최대한 활용했다. "유대인 사절Juden unerwuenscht" 안내판을 상점과 호텔, 노천 맥줏집, 공중오락 시설에서 살짝 치우고는 유대인과 두 기독교 종파(가톨릭 및 개신교)에 대한 탄압을 일시 중단하고 전국 어디서나 최대한 올바르게 행동하도록 조치했다. 그때까지 올림픽 대회에서 독일만큼 화려한 구성과 풍성한 오락거리를 제공한 나라도 없었다. 괴링, 리벤트로프, 괴벨스는 외국 손님들을 위해 휘황찬란한 파티를 선보였다—선전장관이 반제 근처 공작새 섬Pfaueninsel에서 '이탈리아의 밤' 파티를 연 날에는 천 명이 넘는 손님이 모여들어 천일야화의 하룻밤을 연상시킬 정도였다. 방문객들, 특히 영국과 미국에서 온 손님들은 눈으로 직접 본 것에 큰 감명을 받았다. 행복하고 건강하고 친절해 보이는 사람들이 히틀러 아래 단결해 있는 모습은 자신들이 베를린 특파원의 기사를 읽으며 떠올린 광경과는 영 딴판이었다.

그러나 늦여름의 화려한 베를린 올림픽 기간에 관광객의 눈을 벗어난 곳에서는 대다수 독일인이 못 본 체하거나 놀라울 정도로 아무런 저항감 없이 받아들인 것, 즉 독일인의—적어도 한 외국인인 내가 보기에는—타락하는 듯한 삶이 이어지고 있었다.

물론 히틀러가 포고한 반유대인법이나 이 불운한 사람들에 대한 정부 주도의 박해에는 숨기는 것이 전혀 없었다. 1935년 9월 15일에 제정된 이른바 뉘른베르크법은 유대인에게서 독일 시민권을 박탈하고 그들을 '종속민' 신분으로 묶어두었다. 또한 유대인과 아리아인의 결혼뿐 아니라 혼외관계까지 금지하고 유대인이 45세 이하의 아리아인 여성을 가정부로 고용하지 못하도록 했다. 그다음 수년 동안에는 뉘른베르크법을 보완하는 무려 13개의 법령이 제정되어 유대인을 완전히 법적 보호 바깥에 두게 되었다. 그러나 독일이 올림픽을 개최해 서구 방문객을 매료시키던 1936년 여름 무렵이년 유대인은 이미 법이나 나치 테러에 의해—대개 후자가 전자에 선행했다—공공 및 민간 일자리에서 배제되어, 적어도 유대인 절반에게는 호구지책이 없을 정도였다. 제3제국의 첫해인 1933년에 유대인은 관공서, 공무원직, 신문, 라디오, 농업경영, 교직, 연극, 영화에서 배척당했고, 1934년에는 증권거래소에서 쫓겨났다. 유대인이 법조 및 의료 관련 직업에 종사하거나 사업에 관여하는 것을 막는 금지령은 1938년까지 법제화되지 않았지만, 나치 통치의 처음 4년이 끝나갈 즈음이면 유대인은 사실상 이들 분야에서 밀려난 상태였다.

더욱이 유대인에게는 대부분의 생활 편의시설뿐 아니라 흔한 생활필수품마저도 허락되지 않았다. 여러 도시에서 유대인은 식료품을 구입하기가 설령 불가능하진 않더라도 제법 어려웠다. 식료품점이나 정육점, 빵집, 유제품 가게의 입구에는 "유대인 출입 금지"라고 적힌 안내판이 붙어 있었다. 많은 도시에서 유대인은 어린 자녀에게 먹일 우유마저 구할 수 없었다. 약국에서는 그들에게 약을 팔지 않았고, 호텔에서는 그들의 숙박을 막았다. 그리고 어디를 가든 "이 도시에서는 유대인 엄금"이라거나 "유대인의 안전은 보장 못함" 따위의 어처구니없는 안내판이 보였다. 루트비히스하펜 근처 도로의 급커브에는 "운전 주의! 급커브! 유대인은 시속 75마일로!"라고 적힌 표지판이 있었다.*

독일에서 올림픽 대회가 열린 시기에 유대인은 이런 곤경에 처해 있었다. 그 곤경은 머지않아 집단학살에 의한 유대인 절멸로 이어진 길의 시작에 불과했다.

## 두 기독교 종파에 대한 박해

———

두 기독교 종파를 상대로 벌이는 싸움을 나치당은 한층 온건하게 시작했다. 명목상 가톨릭교도인 히틀러는 《나의 투쟁》에서 정치적 가톨릭주의에 독설을 퍼붓고 인종 문제에 대한 인식이 없다는 이유로 두 기독교 종파를 싸잡아 공격했지만, 앞에서 언급했듯이 같은 책에서 "과거의 모든 역사적 경험으로 보건대 순전히 정치적인 당파가 종교적 개혁에 성공한 사례는 없다는 것을 정당이라면 한순간도 잊어서는 안 된다"라고 경고하기도 했다. 나치당 강령 제24조는 "게르만 인종의 풍속과 도덕적 감정에 위배되지 않는 한 종교의 자유가 보장되어야 한다"라고 요구하고 "당은 적극적인 기독교 신앙을 옹호한다"라고 언명했다. 독일 입법부가 제 기능을 독재자에게 위임한 1933년 3월 23일에 히틀러는 제국의회 연설에서 "독일 국민의 영혼을 보호하기 위한 필수 요소"로서의 기독교 신앙에 경의를 표하며 기독교의 여러 권리를 존중하겠다고 약속하고, 자기 정부가 "바라는 것은 교회와 국가의 평온한 융화"라고 단언한 뒤, 자신에게 찬성표를 던진 가톨릭 중앙당을 고려하여 "우리는 교황청과의 우호적 관계를 다지기를 희망합니다"라고 덧붙였다.

---

\* 나는 올림픽 대회 기간에 이런 반유대주의 안내판 중 일부가 철거되고 있다는 기사를 송고했다는 이유로 독일 신문과 라디오로부터 맹렬한 공격과 추방 위협을 받았다.

불과 넉 달 후인 7월 20일, 나치 정부는 가톨릭교의 자유와 "교회의 일을 스스로 규제할" 권리를 보장하는 정교협약을 바티칸과 체결했다. 이 정교협약은 파펜이 독일을 대표하고 훗날 교황 비오 12세가 되는 몬시뇰 파첼리Pacelli가 당시 국무원장 추기경으로서 교황청을 대표하여 문서에 서명하기 무섭게 나치 정부에 의해 위배되었다. 그러나 독일 신정부의 초기 횡포에 전 세계에서 혐오감이 일던 때에 체결된 이 협약은 분명 히틀러 정부가 간절히 필요로 하던 위신을 그들에게 안겨주었을 것이다.*

바티칸과의 정교협약을 비준하고 닷새 후인 7월 25일, 독일 정부는 단종법斷種法을 공포하여 특히 가톨릭교회의 심기를 건드렸다. 그로부터 닷새 후, 가톨릭청소년협회를 해산시키기 위한 첫 조치가 취해졌다. 그 후 수년간 수천 명의 가톨릭 사제, 수녀, 평신도 지도자가 체포되었는데, 그중 상당수는 '부도덕'이나 '외화 밀수' 같은 날조된 혐의를 뒤집어썼다. 가톨릭행동의 지도자 에리히 클라우제너는 앞에서 언급했듯이 1934년 6월 30일의 숙청 때 살해되었다. 가톨릭 출판물 수십 종이 발행 금지 처분을 받았고, 고해실의 성스러움마저 게슈타포 요원에 의해 더럽혀졌다. 1937년 봄까지 독일의 가톨릭 성직자단은 대부분의 개신교 성직자들과 마찬가지로 처음에는 새 정권에 협조하려 했지만 나중에는 그야말로 환멸을 느끼게 되었다. 1937년 3월 14일, 교황 비오 11세는 회칙 〈불타는 심정으로Mit Brennender Sorge〉를 발표해 나치 정부가 정교협약을 "회

---

* 1945년 6월 2일 추기경회에 내린 훈시에서 교황 비오 12세는 자신이 서명했던 이 정교협약을 옹호하면서도, 나중에 알게 되었듯이, 국가사회주의를 가리켜 "예수 그리스도를 저버리는 오만한 배교(背敎), 그리스도의 교리와 구원 사역에 대한 부정, 폭력 숭배, 인종과 혈통의 우상화, 인간의 자유와 존엄성의 전복"이라고 말했다.

피"하고 "위반"한다고 고발하고 "의심, 불화, 증오, 비방의 씨, 그리스도와 그 교회에 대한 은밀하고도 공공연한 근본적 적대감의 씨"를 뿌린다고 힐난했다. 교황은 "독일의 지평선에 … 절멸 말고는 다른 목적이 없는 … 파멸적인 종교 전쟁의 불길한 먹구름"이 보인다고 말했다.

마르틴 니묄러Martin Niemöller 목사는 개인적으로 1933년 나치당의 집권을 환영했다. 그해에 자서전 《U보트에서 설교단까지Vom U-Boot zur Kanzel》를 출간했다. 1차대전 시기의 한 잠수함 함장이 어떻게 저명한 개신교 목사가 되었는지를 이야기하는 이 책은 나치 신문에서 유독 찬사를 받아 베스트셀러가 되었다. 많은 개신교 성직자들처럼 니묄러 목사도 공화국의 14년을 "암흑의 시절"[1]로 보았고, 자서전 말미에 나치 혁명이 마침내 승리를 거두어 자신이 그토록 오랫동안—수많은 나치 간부를 배출한 자유군단에 한동안 속해 있기도 했다—싸워온 이유였던 "국가의 부활"을 이루어냈다고 만족스러운 투로 덧붙였다.

니묄러는 머지않아 끔찍한 환멸을 경험할 터였다.

미국에서도 그랬지만 독일 개신교는 많은 교파로 갈라져 있었다. 4500만 명의 신도 중 고작 15만 명만이 침례교나 감리교 같은 여러 자유 교회에 속해 있었다. 나머지는 28개 루터파와 개혁파 교회에 속해 있었으며, 그중 규모가 가장 큰 것은 신도가 1800만 명에 달하는 '구舊 프로이센 교회연합'이었다. 국가사회주의가 대두하면서 개신교는 더욱 분열되었다. 그중 한층 광신적인 나치당원들은 1932년에 '독일적 기독교인 신앙운동Glaubensbewegung Deutsche Christen'을 조직했는데, 이 운동의 가장 맹렬한 지도자는 동프로이센 군관구의 군목軍牧 루트비히 뮐러Ludwig Müller라는 자로, 지난날 블롬베르크 장군이 이 군관구를 통솔할 때 장군과 총통의 첫 만남을 주선했던 열성적인 히틀러 추종자였다. '독일적 기독교인'은 나치의 인종론과 지도자 원리를 열렬히 지지했고 이를 독일 교회에 적용하여 모든 개신교도를 하나의 포괄적인 기구로 끌어들일 수 있기를 바랐다. 1933년에 '독일적 기독교인'은 총 1만 7000명의 목사 가운데 약 3000명을 거느렸으며, 매주 교회에 가는 평신도 중에서는 그 비율이 더 높았을 것이다.

'독일적 기독교인'의 반대편에는 스스로를 '고백교회'라고 칭하는 또 다른 소수집단이 있었다. 후자는 목사의 수가 전자와 거의 같았고 결국 니묄러가 이끌게 되었다. 고백교회는 개신교 교회의 나치화에 반대하고, 나치의 인종론을 배격하고, 로젠베르크를 비롯한 나치 지도부의 반기독교적 교리를 비난했다. 두 단체 사이에는 다수파 개신교도가 있었다. 둘 중 한쪽에 가담하기에는 너무 소심했던 듯한 그들은 어정쩡하게 사태를 관망하다가 결국에는 대부분 히틀러의 품에 안겨, 교회 내부의 문제에 개입하는 그의 권위를 받아들이고 공개적인 항의 없이 그의 명령에 복종했다.

두 가지를 알지 못하고는 나치 초기 독일 개신교도 대다수의 이런 행위를 이해하기 어려울 것이다. 바로 그들의 역사와 마르틴 루터의 영향이다.* 개신교의 위대한 창시자는 열렬한 반유대주의자이자 정치적 권위에 대한 절대 복종의 철저한 신봉자였다. 루터는 독일에서 유대인을 내쫓고 싶어했고, 그들을 쫓아낼 때 "현금과 보석과 은과 금을 모조리" 빼앗고 "그들의 회당이나 학교에 불을 지르고, 그들의 집을 때려부수고 … 그들을 집시처럼 하나의 거처나 마구간에 밀어넣어 … 비참한 감금 상태

---

* 혹시 모를 오해를 피하기 위해 이쯤에서 내가 개신교도임을 밝혀두는 편이 좋겠다.

에서 우리에 대해 신에게 끊임없이 한탄하고 불평하게" 만들자고 말했다—400년 후에 이 충고를 히틀러, 괴링, 힘러가 충실하게 실행했다.[2]

독일 역사에서 단 한 번밖에 없는 듯한 민중 반란, 즉 1525년의 농민 봉기 때에 루터는 제후들에게 "미친개들"—제후들에게 짓밟혀온 절박한 농민들을 루터는 이렇게 불렀다—을 상대로 가장 무자비한 조치를 취하라고 조언했다. 유대인에 관해 발언할 때와 마찬가지로 이번에도 루터는 나치 시대에 이르기까지 역사상 유례가 없을 정도로 상스럽고 잔인한 언어를 구사했다. 이 출중한 인물의 영향은 독일에서, 특히 개신교도 사이에서 대대로 전해졌다. 다른 결과 중 하나는 독일 개신교가 16세기 이래로 왕후들이 폐위된 1918년까지 왕이나 제후의 절대주의의 손쉬운 도구가 되었다는 것이다. 세습 군주들과 지역 통치자들은 저마다의 영지에서 개신교 교회의 최고위 주교를 겸했다. 이런 이유로 프로이센에서는 호엔촐레른 국왕이 교회의 수장이었다. 제정帝政 러시아를 제외하면, 성직자가 전통에 따라 국가의 정치적 권위에 이토록 완전하게 굴종하는 나라도 없었다. 소수의 예외를 제쳐두면, 독일 성직자들은 늘 국왕, 융커 계층, 육군을 확고하게 지지했고, 19세기에 자유주의 운동과 민주주의 운동이 세력을 키워가자 거기에 충직하게 맞섰다. 대다수 개신교 목사들은 바이마르 공화국마저 혐오했는데, 공화정이 왕후들을 폐위시켰을 뿐 아니라 주로 가톨릭교도와 사회민주당원으로부터 지지를 얻고 있었기 때문이다. 제국의회 선거를 치를 때면 개신교 목회자들—니묄러가 전형적이었다—은 국가인민당뿐 아니라 심지어 공화국의 적인 나치당까지 아주 대놓고 지지하는 모습을 보였다. 니묄러처럼 대다수 목사들은 1933년 아돌프 히틀러의 총리 취임을 환영했다.

얼마 지나지 않아 그들은 히틀러에게 정치권력을 선사한 나치의 매우 고압적인 전술에 익숙해졌다. 1933년 7월, 개신교계 대표들은 새로운 '제국교회Reichskirche'의 회칙을 기초했고, 7월 14일에 정식으로 제국의회의 승인을 얻었다. 그 직후 초대 제국주교Reichsbischof 선출을 둘러싸고 치열한 싸움이 벌어졌다. 히틀러는 자신이 개신교계 문제 고문으로 임명해둔 친구 뮐러 군목에게 이 최고 지위를 주어야 한다고 고집했다. 교회연합 지도부는 저명한 신학자인 프리드리히 폰 보델슈빙Friedrich von Bodelschwingh을 추천했다. 그러나 그들은 순진했다. 나치 정부가 개입해 다수의 지방 교회조직을 해산시키고, 개신교계의 요직에 있는 몇 명을 정직시키는 한편, 저항하는 성직자들에게 돌격대와 게슈타포를 보냈다—실제로 보델슈빙을 지지하는 모든 성직자를 테러로 위협했다. 제국주교를 선출할 교회회의 대의원들을 뽑는 선거 전날에 히틀러는 직접 라디오 방송에 나와 뮐러를 후보로 낸 '독일적 기독교인' 쪽에 투표할 것을 "촉구"했다. 이 협박은 효과 만점이었다. 5월 26일에 제국주교로 선출된 보델슈빙은 결국 사임을 강요받았고, 루터가 로마 교황청에 처음 반기를 들었던 곳인 비텐베르크에서 9월에 다시 치른 교회회의 '선거'에서 다수파 '독일적 기독교인'은 뮐러를 제국주교로 선출했다.

그러나 새로 수장이 된 고압적인 뮐러는 교회를 통합하지도, 개신교도들을 완전히 나치화하지도 못했다. 1933년 11월 13일, 국민투표에서 히틀러가 압도적 지지를 얻은 다음날, '독일적 기독교인'은 베를린 스포츠궁에서 대규모 집회를 열었다. 그때 이 운동의 베를린 지구 지도자 라인하르트 크라우제Reinhardt Krause 박사가 구약성서를 "그 가축 상인들 및 포주들의 이야기와 함께" 내다버리고 "국가사회주의의 요구사항에 완전히 부합하는" 예수의 가르침에 맞추어 신약성서를 수정하도록 제안했다. 그리고 결의문을 작성했는데, "하나의 민족, 하나의 제국, 하나의 신앙"

을 요구하고, 모든 목사로 하여금 히틀러에게 충성 선서를 하도록 요청하고, 모든 교회에서 아리아인 조항Arierparagraph〔조직이나 기업, 거주지 등에서 구성원의 자격을 아리아인으로 국한하고 비아리아인, 특히 유대인을 배제하는 조항〕을 마련하고 개종 유대인을 배척할 것을 역설하는 내용이었다. 이것은 교회 전쟁에 전혀 참여하지 않았던 소심한 개신교도가 보기에도 도를 넘은 조치였던 터라, 뮐러 제국주교는 크라우제 박사를 정직시키고 그의 제안을 거부할 수밖에 없었다.

사실 나치 정부와 교회의 싸움은 무엇을 카이사르의 몫으로 돌리고 무엇을 하느님의 몫으로 돌릴지를 둘러싼 오래된 싸움이었다〔마태복음 22장 17절 "카이사르의 것은 카이사르에게 돌리고 하느님의 것은 하느님께 돌려라."〕. 개신교도에 관한 한, 히틀러는 나치의 '독일적 기독교인'이 복음주의 교회들을 뮐러 제국주교 아래 일치단결시킬 수 없다면 정부가 직접 교회 통제권을 장악해야 한다는 입장을 고집했다. 히틀러는 자신의 출신국인 가톨릭 오스트리아에서는 극소수에 불과했지만 독일에서는 인구의 3분의 2를 차지하는 개신교도를 항상 경멸해온 터였다. 언젠가 히틀러는 보좌관들에게 "그들에게는 뭐든 해도 괜찮아"라고 말했다. "그들은 복종할 거야. … 개처럼 고분고분한 하찮은 무리라서 말이라도 걸면 당황해서 땀을 흘리지."[3] 개신교계에서 나치화에 저항하는 이들은 소수의 목사들과 그보다 더 소수의 신자들이라는 사실을 히틀러는 잘 알고 있었다.

1934년 초, 나치에 환멸을 느낀 니뮐러 목사는 저항하는 소수파인 고백교회와 목회자긴급동맹Pfarrernotbund의 정신적 지주였다. 1934년 5월 바르멘에서 열린 정례 교회회의와 11월 베를린 외곽 달렘에 있는 니뮐러의 예수그리스도 교회Jesus Christus Kirche에서 열린 특별 회의에서 고백교회는 자신들이 독일의 정통 개신교 교회라고 천명하고 임시 지도부를 선출했다. 이로써 각기 정통 교회라고 자처하는 두 단체―제국주교 뮐러의 단체와 니묄러의 단체―가 존재하게 되었다.

전자의 군목은 히틀러와 가까웠음에도 개신교 교회를 통합하는 데 실패했음이 분명했고, 게슈타포가 고백교회 목사 700명을 체포한 후 1935년 말에 제국주교직에서 사임하고 무대에서 사라졌다. 이미 1935년 7월에 히틀러는 나치당원인 변호사 친구 한스 케를Hanns Kerrl 박사를 교회부 장관에 임명하고 개신교 교회를 통합하기 위한 두 번째 시도를 지시했다. 나치라고는 해도 온건하고 신중한 편이었던 케를은 처음에 상당한 성공을 거두었다. 다수파인 보수적 성직자들을 자기편으로 끌어들였을 뿐 아니라, 모든 교파로부터 존경받는 덕망 높은 빌헬름 칠너Wilhelm Zöllner 박사를 의장으로 하는 교회위원회를 신설하여 전반적인 합의를 이끌어내기까지 했다. 그러나 니묄러의 단체는 이 위원회에 협조적이면서도 자신들이 유일한 정통 교회라는 주장을 굽히지 않았다. 1936년 5월에 고백교회가 히틀러에게 보낸 정중하지만 단호한 각서에서 정권의 반기독교적 경향에 항의하고, 정부의 반유대주의를 비난하고, 국가가 교회 내부 문제에 개입하는 것을 그만두도록 요구하자, 나치 내무장관 프리크는 무자비한 조치로 응수했다. 고백교회의 목사 수백 명을 체포하고, 각서에 서명한 일원인 프리드리히 바이슬러Friedrich Weissler 박사를 작센하우젠 강제수용소로 보내 살해했다. 또 고백교회의 기금을 몰수하고 헌금 모금을 금지했다.

1937년 2월 12일, 칠너 박사는 자신의 직무를 교회부 장관이 고의로 방해한다고 항의하면서―목사 아홉 명이 체포되어 있는 뤼베크를 방문하려다가 게슈타포에 저지당했다―교회위원회 의장직에서 사임했다. 이에 케를 장관은 이튿날 고분고분한 목회자들 앞에서 덕망 높은 칠너가 나치의 인종 교의, 즉 '피와 흙Blut und Boden' 교의를 이해하지 못한다고 비난하며 개신교와 가톨릭 양측에 대한 정부의 적대감을 뚜렷하게 드러내는 연설을 했다.

당은 [케를 박사의 말마따나] 적극적인 기독교 정신이라는 기반 위에 서 있으며, 적극적인 기독교 정신이란 **곧** 국가사회주의입니다. … 국가사회주의는 하느님의 뜻대로 행하는 것입니다. … 하느님의 뜻은 독일인의 피로 드러납니다. … 쵤너 박사와 갈렌 백작[뮌스터의 가톨릭 주교]은 기독교가 하느님의 아들 그리스도에 대한 신앙이라는 것을 내게 이해시키려 했습니다. 그런 시도에 나는 웃음이 납니다. … 아닙니다, 기독교 정신은 사도신경에 있지 않습니다. … 참된 기독교 정신은 당에 의해 대변되며, 독일 국민은 이제 당의 부름, 특히 총통의 부름을 받아 참된 기독교 정신으로 향하고 있습니다. … 총통은 새로운 계시의 전령입니다.[4]

1937년 7월 1일, 니묄러 목사는 체포되어 베를린의 모아비트 형무소에 수감되었다. 그에 앞서 6월 27일에 그는 늘 신도로 만원인 달렘의 교회에서 설교했다. 그로서는 제3제국에서 마지막이 될 설교였다. 마치 앞날을 예감한 듯 그는 이렇게 말했다. "옛 사도들과 마찬가지로 우리는 권력의 팔에서 벗어나기 위해 힘을 부릴 생각이 더 이상 없습니다. 하느님께서 우리에게 말하라 명하실 때 인간의 명령에 침묵할 생각이 더 이상 없습니다. 우리는 인간이 아닌 하느님께 복종해야 하고, 또 늘 그래야 하기 때문입니다."

니묄러는 8개월간 수감된 뒤 1938년 3월 2일, 나치가 국사범을 처리하기 위해 설치한 특별법원 중 하나인 '특별재판소Sondergericht'에서 재판

을 받았고, "국가에 대한 간악한 공격"이라는 주요 혐의에서 무죄를 선고
받긴 했으나 "설교단을 남용"하고 교회에서 헌금을 거두었다는 죄목으로
2000마르크의 벌금과 7개월의 금고형을 선고받았다. 이미 이 형기 이상
으로 옥살이를 했기 때문에 법정은 니묄러의 석방을 명했지만, 재판소에
서 나오자마자 게슈타포가 그를 '보호감호'에 처하고 강제수용소에 가두
었다. 처음에는 작센하우젠 수용소에서, 다음에는 다하우 수용소에서,
니묄러는 연합군에 구출될 때까지 7년을 보냈다.

　1937년에 고백교회에서 무려 807명의 다른 목사들과 주요 평신도들
이 체포되었고, 그다음 2년간 수백 명이 더 체포되었다. 고백교회에서
니묄러 파의 저항은 비록 완전히 무너지진 않았다 해도 분명 눈에 띄게
꺾였다. 개신교의 대다수 목사들에 대해 말하자면, 독일 내 거의 모든 사
람과 마찬가지로 나치 테러에 굴복했다. 1937년 말에 매우 존경받는 하
노버 주교 아우구스트 마라렌스August Marahrens가 케를 박사의 설득에 넘
어가, 니묄러 같은 한층 강경한 성직자들에게는 틀림없이 치욕으로 느
껴졌을 법한 공개 선언을 했다. "국가사회주의의 인생관은 독일인의 인
간성을 결정하고 특징짓는 국가적·정치적 가르침이다. 그러므로 그것은
독일 기독교인의 의무이기도 하다." 1938년 봄에 마라렌스 주교는 자기
교구의 모든 목사에게 총통을 상대로 일일이 충성 선서를 하라고 명령하
는 최종 조치를 취했다. 그러자 단기간에 개신교 성직자 대다수가 그 선
서를 마침으로써 법적으로나 도덕적으로나 독재자의 명령에 복종해야
하는 굴레를 스스로 뒤집어썼다.

　개신교와 가톨릭에 대한 나치 국가의 박해가 독일 국민의 마음을 갈
기갈기 찢어놓았다거나 국민 대다수를 크게 각성시켰다는 인상을 준다
면 오해를 초래할 것이다. 그렇지 않았다. 정치적·문화적·경제적 자유

를 그토록 가볍게 단념했던 사람들은, 비교적 소수를 제외하면, 신앙의 자유를 지키기 위해 목숨을 걸지도, 투옥의 위험을 감수하지도 않았다. 1930년대에 독일인을 정말로 고무시킨 것은 일자리를 제공하고, 번영을 이루어내고, 독일의 군사력을 재건하고, 외교 정책에서 연이어 승리를 거둔 히틀러의 눈부신 성공이었다. 다수의 독일인은 목사나 사제 수천 명이 체포되더라도, 또는 여러 개신교 교파끼리 싸우더라도 별로 애를 태우지 않았다. 히틀러의 지지를 받는 로젠베르크, 보어만, 힘러의 지도 아래 나치 정권이 가능만 하다면 결국 독일에서 기독교를 박멸하려는 의도, 기독교를 그 옛날 부족의 신들을 믿던 게르만의 이교 신앙과 나치 극단주의자들의 새로운 이교 신앙으로 대체하려는 의도를 품고 있다는 데 대해 잠시라도 곰곰이 생각해본 독일인은 더욱 적었다. 히틀러의 최측근 중 한 명인 보어만이 1941년에 공개적으로 말했듯이, "국가사회주의와 기독교는 양립 불가능"했다.

히틀러 정부가 자국의 종교와 관련해 무엇을 구상하고 있었는지는 로젠베르크가 2차대전 중에 작성한 '독일제국교회'의 30개조 강령에서 분명하게 드러난다. 노골적인 이교도였던 로젠베르크의 여러 직책 중 하나는 '나치당의 모든 정신적·세계관적 교육과 육성의 감시를 위한 총통특임위원Beauftragte des Führers für die Überwachung der gesamten geistigen und weltanschaulichen Schulung und Erziehung der NSDAP'이었다. 30개 조항 가운데 핵심적인 몇 개 조항은 다음과 같다.

제1조. 독일제국교회는 제국 국경 내의 모든 교회를 통제할 배타적 권리와 배타적 권한을 가질 것을 단정적으로 주장한다. 독일제국교회는 모든 교회가 독일 제국의 민족교회임을 선언한다.

제5조. 독일제국교회는 불길한 해였던 서기 800년에 외국에서 수입된 낯설고 이질적인 기독교 신앙을 … 돌이킬 수 없이 근절할 것을 다짐한다.

제7조. 독일제국교회는 서기, 목사, 예배당 목사, 사제를 두지 않고 교회 안에서 설교할 독일제국설교자를 둔다.

제13조. 독일제국교회는 독일에서 성서의 발행과 보급을 즉각 중단할 것을 요구한다. …

제14조. 독일제국교회는 교회와 독일 민족에게 총통의 《나의 투쟁》이 모든 문헌 가운데 가장 위대한 문헌으로 판명되었다고 선언한다. 《나의 투쟁》은 … 가장 위대한 내용을 담고 있을 뿐 아니라 우리 민족의 현재와 미래의 삶을 위한 가장 순수하고도 진실한 윤리를 구현하고 있다.

제18조. 독일제국교회는 앞으로 모든 십자가, 성서, 성상을 교회 제단에서 치울 것이다.

제19조. 제단 위에는 《나의 투쟁》(독일 민족에게, 따라서 하느님에게 가장 신성한 책이다)만 두어야 하고 제단 왼편에는 검을 두어야 한다.

제30조. 독일제국교회의 창립일에 모든 교회, 대성당, 예배당에서 그리스도 십자가를 치우고 … 정복할 수 없는 유일한 상징인 스와스티카를 두어야 한다.[5]


## 문화의 나치화

———

1933년 5월 10일 저녁, 히틀러가 총리가 되고 넉 달 보름가량 지난 때에 서양에서 중세 후기 이래 한 번도 본 적 없는 광경이 베를린에서 펼쳐졌다. 자정 무렵에 학생 수천 명의 횃불 행렬이 베를린 대학 맞은편, 운터 덴 린덴 대로에 면한 광장에서 걸음을 멈추었다. 그곳에 미리 쌓아놓은 거대한 책더미에 횃불을 가져다 대자 불길이 치솟으며 책들을 덮쳤고, 무려 2만 권을 다 태울 때까지 불길 속으로 책을 계속 던져넣었다. 다른 몇몇 도시에서도 비슷한 광경이 연출되었다. 분서가 시작되었던 것이다.

그날 밤 괴벨스 박사가 흐뭇하게 지켜보는 가운데 학생들이 불길 속으로 신나게 집어던진 책들의 태반은 세계적으로 이름난 저자들이 쓴 것이었다. 그중에 독일 저자로는 토마스와 하인리히 만 형제, 리온 포이히트방거, 야코프 바서만, 아르놀트 츠바이크, 슈테판 츠바이크, 에리히 마리아 레마르크, 발터 라테나우, 알베르트 아인슈타인, 알프레트 케르, 그리고 바이마르 헌법을 기초한 학자 후고 프로이스 등이 있었다. 하지만 독일 저자 수십 명의 책만 불탔던 건 아니다. 잭 런던, 업턴 싱클레어, 헬렌 켈러, 마거릿 생어, H. G. 웰스, 해블록 엘리스, 아르투어 슈니츨러, 지크문트 프로이트, 앙드레 지드, 에밀 졸라, 마르셀 프루스트 등 여러 외국 저자들의 작품도 함께 불탔다. 어느 학생의 선언에 따르면 "우리의 미래를 뒤엎으려 하거나 독일의 사상적 뿌리, 독일의 가정, 독일 국민의 활력에 타격을 가하는" 모든 서적은 불길에 휩싸일 운명이었다.

이제부터 독일 문화를 나치의 구속복 안에 욱여넣을 신임 선전장관 괴벨스 박사는 책들이 활활 타며 재가 되는 동안 학생들 앞에서 연설을 했다. "독일 국민의 영혼은 스스로를 다시금 표현할 수 있습니다. 이 불꽃은 낡은 시대의 최종 결말을 보여줄 뿐 아니라 새 시대를 환히 밝혀주기도 합니다."

나치에 의한 독일 문화의 새로운 시대를 보여주는 실례는 분서의 불길, 혹은 그만큼 상징적이지는 않더라도 더 효과적인 방법인 수백 종의 도서의 판매와 도서관에서의 열람을 금지하고 신간의 발행까지 금지한 조치만이 아니었다. 근대 서양의 어떤 나라도 경험한 적 없는 규모로 실행된 엄격한 문화 통제도 그런 실례였다. 일찍이 1933년 9월 22일에 괴벨스의 지시에 따라 법적으로 뒷받침된 제국문화원Reichskulturkammer이 설립되었다. 관련법에 적시된 제국문화원의 목표는 다음과 같았다. "독일의 문화 정책을 추진하기 위해서는 모든 분야의 창조적 예술가들을 제국의 지도를 받는 하나의 통합된 조직으로 모을 필요가 있다. 제국은 문화적 진보의 물질적·정신적 방향을 정할 뿐 아니라 문화계를 지도하고 조직하는 일도 해야 한다."

제국문화원은 문화생활의 모든 분야를 지도하고 통제하기 위해 산하에 미술, 음악, 연극, 문학, 신문, 방송, 영화 등 7개 분과를 두었다. 이들 분야에 종사하는 모든 사람은 각 분과에 가입해야 했으며, 각 분과의 결정과 지시에는 법적 효력이 있었다. 각 분과는 여러 권한 중 하나로 특히 "정치적으로 신뢰할 수 없는" 회원을 제명할―또는 가입을 거부할―권한을 가졌는데, 이는 국가사회주의에 미온적인 자세를 보이기만 해도 직업 활동이나 예술 활동에서 배제되어 생계 수단을 빼앗길지도 모른다는 뜻이었고, 실제로 대개 그렇게 되었다.

1930년대에 독일에서 살면서 그런 문화 통제를 우려했던 사람이라면 누구나 오랜 세월에 걸쳐 그토록 높은 수준으로 유지되었던 국민 문화가 역겨우리만치 저열해진 과정을 결코 잊지 못할 것이다. 물론 나치 지도부에서 예술, 문학, 신문, 방송, 영화가 오로지 새 정권의 선전 목표와 그 기괴한 철학에만 이바지해야 한다고 결정한 순간, 이런 결과는 불가피했다. 나치 정권 초기의 에른스트 윙거Ernst Jünger와 에른스트 비헤르트Ernst Wiechert를 제외하면, 나치 시대에 조금이라도 중요한 독일인 생존 작가는 자국에서 작품을 펴낼 수 없었다. 토마스 만을 필두로 그들 대부분이 이민을 갔고, 국내에 남은 소수는 침묵하거나 침묵을 강요당했다. 책이나 희곡의 모든 원고는 먼저 선전부에 제출해 승인을 받은 뒤에야 출간하거나 상연할 수 있었다.

그나마 음악 쪽은 사정이 괜찮았다. 무엇보다 예술의 여러 분야 중에서 음악이 정치와는 가장 거리가 멀 뿐 아니라 바흐에서 모차르트, 베토벤, 브람스에 이르기까지 독일의 음악 자산이 풍성했기 때문이다. 그러나 멘델스존의 경우는 그가 유대인이라는 이유로 연주가 금지되었고 (유대인 작곡가의 작품은 모조리 금지되었다), 당대 독일의 주요 작곡가 파울 힌데미트Paul Hindemith의 음악도 마찬가지였다. 유명한 교향악단이나 오페라단에서도 유대인은 금세 퇴출되었다. 작가들과 달리 독일 음악계의 주요 인물들 대다수는 나치 독일에 남는 길을 택했고 자신의 명성과 재능으로 신체제를 돕기까지 했다. 20세기 최고의 지휘자들 중 한 명인 빌헬름 푸르트뱅글러는 나치 독일에 남았다. 힌데미트를 비호했다가 1934년 1년간 정권의 눈 밖에 나기도 했지만, 그 후 복귀해 본연의 활동을 이어 갔다. 세계 음악계를 선도하는 생존 작곡가라 할 만한 리하르트 슈트라우스도 독일에 남았고 한동안 제국음악원 원장직을 맡아, 문화를 저열한 목적에 써먹는 괴벨스에게 자신의 엄청난 명성을 빌려주기까지 했다. 저명한 피아노 연주자 발터 기제킹Walter Gieseking은 선전장관이 독일 '문화'를 소개하기 위해 마련하거나 승인한 외국 순회공연을 하는 데 많은 시간을 들였다. 그러나 음악가들이 이민을 가지 않은 덕에, 그리고 고전음악의 위대한 자산 덕에, 제3제국 시대 사람들은 격조 높은 교향곡이나 오페라를 들을 수 있었다. 이 점에서는 베를린 필하모니 관현악단과 베를린 국립오페라단이 발군이었다. 훌륭한 음악 공연은 나치 치하에서 다른 예술 분야나 삶의 대부분이 타락하는 현실을 잊는 데 큰 도움이 되었다.

연극계는 적어도 고전극에 관한 한 여전히 탁월한 수준을 유지했다는 것을 꼭 말해야겠다. 막스 라인하르트는 물론이고 다른 유대인 제작자나 연출가, 배우들은 독일을 떠나고 없었다. 우스꽝스러울 정도로 형편없었던 나치 극작가들의 작품은 관객의 외면을 받아 매번 단기간에 막을 내렸다. 제국연극원 원장은 한스 요스트Hans Johst라는 그저 그런 극작가로, 누군가 '문화'라는 단어를 언급할 때마다 권총에 손을 뻗고 싶다고 공공연히 떠벌리던 직자였다. 그러나 무슨 작품을 무대에 올리고 누가 출연하고 연출할지를 결정한 요스트나 괴벨스라 해도 독일 연극계에서 괴테나 실러, 셰익스피어의 작품을 상연하여 이따금 감동적이라는 평을 듣는 것까지 막을 수는 없었다.

퍽 이상하게도, 조지 버나드 쇼의 희곡 몇 편은 나치 독일에서도 공연 허가를 받았다—아마도 쇼가 영국인을 웃음거리로 삼고 민주주의를 풍자했기 때문일 것이고, 어쩌면 그의 재치와 좌파적인 정치관을 나치 당국이 알아채지 못했기 때문일 것이다.

가장 이상한 것은 독일의 위대한 극작가 게르하르트 하우프트만의 경우였다. 하우프트만은 열렬한 사회주의자였던 까닭에 그의 작품은 카이저 빌헬름 2세 시절에 황실극장에서의 상연을 금지당했다. 공화국 시절에 그는 독일에서 가장 인기 있는 극작가였고, 제3제국 시대에 들어서도 그것은 변함이 없었다. 그의 작품은 꾸준히 상연되었다. 희곡《대성당의 딸Die Tochter der Kathedrale》 첫날 공연을 마치고서 이 덕망 높은 인물이 흰 머리카락을 검은 망토 위까지 아무렇게나 늘어뜨린 모습으로 괴벨스, 요스트와 손을 잡은 채 극장 밖으로 성큼성큼 걸어나가던 광경을 나는 결코 잊지 못할 것이다. 하우프트만은 독일의 다른 여러 저명인사들과 마찬가지로 히틀러와 사이가 좋았으며, 기민한 괴벨스는 그것을 선전에 효과적으로 써먹었다. 지난날 사회주의자였고 보통사람의 옹호자이자 당대 독일 최고의 극작가가 제3제국에 머무르며 꾸준히 작품을 써서 무대에 올리고 있다는 사실을 독일 안팎에 끊임없이 상기시키려 했던 것이다.

이 연로한 극작가가 얼마나 진심이었는지, 기회주의적이었는지, 아니면 그저 변덕스러웠는지는 전후에 일어난 일로 추측해볼 수 있을지도 모른다. 미 점령군 당국은 하우프트만이 나치 세력에 지나치게 영합했다고 판단하여 서베를린 미군 점령지구의 극장에서 그의 작품이 상연되는 것을 금지했다. 그러자 소련 당국은 하우프트만을 동베를린으로 초청해 영웅으로 환대하고 현지 극장에서 그의 작품들을 특별히 연달아 상연토록 했다. 1945년 10월 6일, 하우프트만은 공산당이 장악한 '독일의 민주적 부활을 위한 문화동맹' 측에 메시지를 보내 우의를 표명하며 독일 국민의 "정신적 재탄생"이 이루어지기를 소망한다고 말했다.


일찍이 알브레히트 뒤러와 루카스 크라나흐를 배출했던 독일은 근대 들어 미술 분야에서 두각을 나타내지 못했다. 그렇지만 독일 회화의 표현주의와 뮌헨 바우하우스Bauhaus의 건축은 흥미롭고도 독창적인 운동이었으며, 독일 예술가들은 인상주의, 입체파, 다다이즘으로 대표되는 20세기 예술의 모든 진화와 분출에 참여했다.

청년기에 빈에서 예술가로는 실패했음에도 스스로를 진정한 예술가로 여겼던 히틀러에게 현대 예술은 모두 타락하고 무분별한 것이었다. 히틀러는《나의 투쟁》에서 예술에 대해 장황하고도 신랄한 비난을 퍼부었고, 집권한 뒤 맨 먼저 단행한 조치 중 하나로 독일에서 "퇴폐" 예술을 "일소"하고 새로운 "게르만적" 예술로 대체하려 했다. 그리하여 현대 회화 약 6500점—코코슈카나 그로스 같은 독일 화가의 작품뿐 아니라 세

잔, 반 고흐, 고갱, 마티스, 피카소 등 다른 많은 이들의 작품까지—이 독일의 미술관들에서 치워졌다.

그 빈자리를 채울 것들은 1937년 여름 히틀러가 뮌헨에서 '예술의 집Haus der Kunst'을 공식 개관했을 때 모습을 드러냈다. 히틀러가 설계에 일조한 이 칙칙한 의擬고전적 건물은 그의 말대로라면 "비할 바 없고 흉내낼 수 없는" 건축술로 지은 것이었다. 사전에 출품된 1만 5000점 중에서 고른 약 900점이 나치 예술의 첫 전시회를 미어터지도록 채웠는데, 내가 어느 나라에서도 본 적 없는 최악의 쓰레기들이었다. 히틀러 본인이 최종 낙점을 했는데, 당시 곁에 있었던 당원들에 따르면 제국미술원장인 평범한 화가 아돌프 치글러*의 주재로 나치 심사위원회에서 선정한 그림들 중 일부를 살펴본 히틀러가 격노하여 그것들을 치워버리라고 명령하는 데 그치지 않고 몇 점을 군홧발로 걷어차 구멍을 내기까지 했다고 한다. 전시회 첫날의 긴 연설에서 히틀러는 "만일 운명이 내게 권력을 쥐여준다면 이 일[예술의 판정]에 관해서는 상의하지 않고 결정하겠다고 예전부터 다짐해왔습니다"라고 말했다. 과연 이 말대로 스스로 결정한 그였다.

히틀러는 1937년 7월 18일의 이 연설에서 "독일 예술"과 관련한 나치의 노선을 규정했다.

이해할 수 없는 예술 작품, 그 존재 가치를 장황하게 설명해야 하는 예술 작품, 몹시 어리석거나 어처구니없는 허튼수작을 선뜻 받아들이는 신경증 환자의 눈에 드는 예술 작품을 앞으로 독일 민족에게 널리 선보이는 일은

---

* 치글러가 제국미술원장직에 오른 것은 운 좋게도 겔리 라우발의 초상화를 그렸기 때문이다.

없을 것입니다. 아무도 착각해서는 안 됩니다! 국가사회주의는 독일 제국과 국민의 존재 및 특성을 위협할 만한 모든 영향을 일소하는 작업에 착수했습니다. … 이 전시회의 개회와 더불어 예술적 광기는 끝났고 우리 국민이 예술에 오염되는 일도 끝났습니다. …

그럼에도 독일인 중 적어도 일부는, 특히 독일의 예술 중심지 뮌헨에서는, 예술에 오염되는 편을 선호했다. 뮌헨의 다른 지역에 있는 또다른 화랑은 좁은 계단을 올라가야 하는 위치에 금방이라도 무너질 듯한 곳이었는데, 히틀러가 독일 국민을 무엇으로부터 구출했는지 보여주기 위해 괴벨스 박사가 기획한 "퇴폐 예술Entartete Kunst" 전시회가 거기에서 열리고 있었다. 그곳에는 현대 회화의 찬란한 작품들―코코슈카나 샤갈의 작품, 표현주의나 인상주의 작품―이 모여 있었다. 내가 제법 널찍한 뮌헨 예술의 집을 서둘러 둘러본 뒤 그 화랑을 방문한 날, 그곳은 관람객들로 미어터졌다. 삐걱거리는 계단에서 이어지는 긴 행렬이 거리까지 뻗어 있었다. 실제로 화랑을 에워싸듯 늘어선 사람들이 너무 많아지자 격분하고 당황한 괴벨스 박사는 곧 그곳을 폐쇄해버렸다.

## 신문, 라디오, 영화 통제

매일 아침 베를린 일간지의 편집책임자들과 제국 각지에서 발행되는 일간지의 통신원들은 선전부에 출두해서 괴벨스 박사나 그의 보좌관들 중 한 명으로부터 어떤 뉴스를 인쇄하고 삭제할지, 뉴스를 어떻게 쓰고 어떤 제목을 붙일지, 어떤 캠페인을 중지하거나 시작할지, 어떤 사설이 바람직한지 등에 대해 들었다. 선전부는 조금의 오해도 없도록 매일 구두 지시와 함께 서면 지시를 전달했다. 더 작은 규모의 지방지들과 정기 간행물들에는 전보나 우편으로 지시사항을 보냈다.

제3제국에서 편집책임자가 되려면 우선 정치와 인종 면에서 '깨끗해야' 했다. 1933년 10월 4일에 공포된 제국언론법은 저널리즘을 법률의 규제를 받는 '공적 직업'으로 만들었는데, 모든 편집책임자는 독일 국적을 가져야 하고, 아리아인의 혈통이어야 하며, 유대인과 결혼한 사이가 아니어야 한다고 규정했다. 언론법 제14조는 편집책임자에게 "어떤 식으로든 공중을 호도할 수 있는 뉴스, 자기 본위의 목적과 공동체의 목적을 혼동하는 뉴스, 외부적으로든 내부적으로든 독일 제국의 힘, 독일 국민의 공통적 의사, 독일의 방위, 독일의 문화와 경제를 약화시키는 경향이 있는 뉴스, … 또는 독일의 명예와 존엄을 해치는 뉴스를 신문에 싣지 않을 것"을 명령했다. 이 법이 1933년 이전에 발효되었다면 독일 내 모든 나치 편집책임자와 나치 간행물이 탄압을 받을 수밖에 없었을 것이다. 그런데 이제는 나치가 아니거나 나치가 되기를 거부하는 언론과 언론인이 축출당하는 상황이 되었다.

언론계에서 맨 먼저 축출된 신문 중 하나는 《포시셰 차이퉁Vossische Zeitung》이었다. 1704년에 창간되어 프리드리히 대왕, 레싱, 라테나우 등도 기고가로 이름을 올렸던 이 매체는 런던의 《타임스》, 뉴욕의 《뉴욕 타임스》에 비견될 만한 독일의 대표적 신문이었다. 그러나 자유주의적 성향에 유대계의 울슈타인 출판사Ullstein Verlag가 소유하고 있었다. 230년의 발행 역사를 가진 이 신문은 1934년 4월 1일에 폐간되었다. 세계적으로 유명한 또다른 자유주의 신문 《베를리너 타게블라트》는 1937년까지 조금 더 버텼지만, 유대인 사주 한스 라흐만-모세Hans Lachmann-Mosse는 1933년 봄에 자신의 지분을 넘겨주어야 했다. 독일에서 세 번째로 큰 자유주의 신문《프랑크푸르터 차이퉁》도 유대인 사주와 편집책임자를 내보낸 뒤 발행을 이어갔는데, 이 신문의 런던 특파원이던 친영파 자유주의자 루돌프 키르허Rudolf Kircher가 후임 편집책임자가 되었다. 루돌프 키르허는 나치 정권을 잘 섬겼고, 총통의 언론담당관 오토 디트리히가 언젠가 과거의 "반대파 신문들"에 대해 언급한 대로, 자주 "교황보다 더 교황처럼〔나치보다 더 나치처럼〕" 굴었다─베를린의 보수지《도이체 알게마이네 차이퉁Deutsche Allgemeine Zeitung》의 런던 특파원을 지냈고 로즈 장학생Rohdes scholar, 열렬한 영국 예찬자, 자유주의자였던 카를 질렉스Karl Silex도 마찬가지였다. 이 세 신문이 살아남은 것은 어느 정도는 독일 외무부의 의향 때문이었는데, 외무부는 국제적으로 유명한 이 신문들을 외부 세계에 좋은 인상을 주기 위한 일종의 전시물로 남겨두고 싶어했다. 이들 신문은 나치 독일의 위신을 세워주는 동시에 정부의 선전 활동을 거들었다.

독일 내 모든 신문이 어떤 기사와 사설을 싣고 또 어떻게 쓸지 지시받는 상황에서는 전국의 언론이 획일적일 수밖에 없었다. 엄격한 통제에 복종하고 권위에 선뜻 따르는 사람들마저도 비슷비슷한 일간지 지면에는 싫증을 낼 정도였다. 조간《민족의 파수꾼》과 석간《데어 안그리프》 같은 나치의 주요 일간지들까지도 발행부수가 감소했다. 그리고 신문들이 차례차례 파산하거나 나치 발행인들에게 넘어감에 따라 신문 전체의 총 발행부수가 급격히 줄어들었다. 제3제국의 첫 4년간 일간지의 수는 3607종에서 2671종으로 줄었다.

그러나 독일에서 자유롭고 다양한 신문이 감소하는 것이 나치당에는─적어도 재정 면에서는─이득이 되었다. 1차대전 때 히틀러의 선임병이었고 나치당 소유인 에어 출판사 사장이 된 막스 아만이 독일 언론계의 경제적 독재자였다. 제국신문원장 겸 언론 부문 제국지도자로서 아만은 어떤 간행물이든 발행을 금지할 법적 권한을 가지고 있었고, 따라서 어떤 것이든 헐값에 사들일 만한 힘이 있었다. 에어 출판사는 단기간에 거대한 출판제국이 되었는데, 아마도 세계에서 가장 크고 가장 수익성 좋은 출판사였을 것이다.* 다른 여러 나치 간행물의 판매량이 떨어졌음에도, 2차대전 발발 무렵 일간지 총 발행부수 2500만 부의 3분의 2가 나치낭 혹은 나치당원 개개인이 소유하거나 지배하는 일간지들의 차지였다. 아만은 뉘른베르크 재판의 선서진술서에 어떻게 언론을 조종했는지 기술했다.

1933년 당이 권력을 잡은 뒤 … 유대인 이익단체나 정치적·종교적으로 나치당에 적대적인 이익단체가 소유하거나 지배하는 이를테면 울슈타인Ullstein 같은 회사들은 대부분 산하의 신문이나 자산을 에어 출판사에 매각하는 편이 유리했습니다. 그러한 자산 매각에서는 자유시장이라는 것이 없었고, 대체로 에어 출판사가 유일한 입찰자였습니다. 그렇게 해서 에어 출판사는 자사가 소유하거나 지배하고 있던 출판사들과 함께 성장하여 독일의 신문 업계를 독점하기에 이르렀습니다. … 이런 출판업에 대한 당의 투자는 재정 면에서 매우 성공적이었습니다. 진실하게 말해서 나치의 언론 정책이 추구한 기본 목표는 당에 적대적인 모든 언론을 제거하는 데 있었습니다.[6]

1934년에는 아만과 괴벨스가 고분고분한 편집책임자들에게 신문 지

---

* 아만 개인의 연수입도 1934년 10만 8000마르크에서 1942년에는 380만 마르크로 급증했다. (출처는 이 나치 출판사의 현존 기록을 연구한 오론 J. 헤일 교수가 내게 보내준 편지다.)

면을 조금 덜 단조롭게 꾸미도록 주문한 적도 있었다. 아만은 "신문의 지금과 같은 지나친 획일성은 정부의 시책 탓이 아니거니와 정부의 의향과도 부합하지 않는다"라고 책망했다. 그러자 주간지 《그뤼네 포스트Die Grüne Post》의 경솔한 편집책임자 엠 벨케Ehm Welke라는 자가 아만과 괴벨스의 말을 곧이곧대로 받아들이는 실수를 저질렀다. 그는 선전부의 관료적 형식주의와, 신문을 억압하고 몹시 따분하게 하는 엄격한 통제가 문제라고 비난했다. 그 즉시 그의 주간지는 3개월 발행 정지를 당했고, 그 자신은 괴벨스에 의해 쫓겨나 강제수용소로 끌려갔다.

방송과 초기 영화도 금세 제압되어 나치 국가의 선전에 봉사하게 되었다. 괴벨스는 전부터 라디오를(아직 텔레비전이 등장하기 전이었다) 현대사회에서 가장 중요한 선전 수단으로 여겨온 터였고, 선전부의 제4국인 방송국과 제국방송원〔제국문화원 산하〕을 통해 방송을 완전히 장악하고 자신의 목적에 맞게 바꾸었다. 다른 유럽 국가들처럼 독일에서도 국가가 방송을 독점 소유하고 운영했으므로 괴벨스로서는 과제를 수행하기가 한결 수월했다. 1933년, 나치 정부는 자동으로 제국방송협회Reichs-Rundfunk-Gesellschaft를 소유하게 되었다.

영화는 계속 사기업들의 수중에 있긴 했지만, 선전부와 제국영화원은 영화산업의 모든 면을 통제했고, 공식 논평한 대로 "영화산업을 자유주의적 경제사상의 단계에서 벗어나게 하고 … 그리하여 국가사회주의 국가에서 완수해야 하는 과제를 받아들일 수 있도록" 강제하려 했다.

그 결과, 일간지나 정기간행물만큼이나 공허하고 지루한 라디오 프로그램과 영화가 독일 국민을 괴롭히게 되었다. 그러자 당국에서 좋다고 하면 대체로 군말 없이 복종하는 대중마저도 반발했다. 관객들은 나치 영화를 멀리하는 한편 괴벨스가 허가한 몇몇 외국 영화(대부분 B급 할리

우드 영화였다)를 상영하는 영화관으로 몰렸다. 1930년대 중반의 어느 시점에는 내무장관 빌헬름 프리크가 "영화 관객들의 반역적인 태도"에 엄중히 경고했을 정도로 독일 영화를 야유하는 목소리가 비등했다. 영화와 마찬가지로 라디오 프로그램도 호된 비판에 시달리자 제국방송원장 호르스트 드레슬러-안드레스Horst Dressler-Andress는 그런 트집잡기는 "독일 문화에 대한 모욕"이며 간과하지 않을 것이라는 성명을 냈다. 이 무렵만 해도 독일 청취자들은 개전 이후와 달리 목이 잘릴 위험 없이 다이얼을 돌려 10여 개의 외국 라디오 방송국 채널에 주파수를 맞출 수 있었다. 그리고 아마도 상당수가 실제로 그렇게 했을 것이다. 다만 내가 보기에 라디오야말로 정권의 가장 효과적인 선전 수단, 독일 국민을 히틀러의 목적에 맞게 계도하는 단연 효과적인 전달 장치라는 괴벨스 박사의 지론이 시간이 갈수록 입증되었다.

　나는 전체주의 국가에서 검열을 받고 거짓말을 하는 신문과 라디오에 사람들이 얼마나 쉽게 속아 넘어가는지를 몸소 체험했다. 대다수 독일인과 달리 나는 매일 외국 신문들, 특히 하루 늦게 도착하는 런던, 파리, 취리히의 신문들을 접할 수 있었고 또 주기적으로 BBC를 비롯한 외국 방송들을 들었음에도, 직업상 부득이하게 날마다 많은 시간을 들여 독일 신문을 샅샅이 훑고, 독일 라디오를 체크하고, 나치 관료와 상의하고, 당 집회를 보러 가야 했다. 나는 사실을 확인할 기회가 있었고 정보원이 나치인 경우에는 처음부터 의구심을 품었음에도, 몇 년 동안 조작되고 왜곡된 정보를 꾸준히 접하다 보니 특정한 인상을 받게 되고 종종 그런 정보에 호도되는 경험을 하면서 깜짝 놀라고 때로 간담이 서늘해지곤 했다. 전체주의 국가에서 몇 년간이든 살아보지 않은 사람은 정권의 계획적이고 끊임없는 선전의 영향에서 벗어나기가 얼마나 어려운지 상상할 수도 없을 것이다. 대개 독일의 가정이나 사무실에서, 때로는 식당, 맥줏집, 카페에서 낯선 이와 일상적인 대화를 하는 중에도 나는 교양 있고 총명해 보이는 사람들로부터 허무맹랑한 주장을 듣곤 했다. 분명 그들은 라디오에서 듣거나 신문에서 읽은 허튼소리의 어떤 부분을 앵무새처럼 되풀이했다. 이따금 그런 지적을 하고 싶었지만, 실제로 말하고 나면 마치 내가 전능한 신을 모독이라도 한 것처럼 주변에서 불신의 눈빛으로 노려보고 충격에 입을 다물곤 했다. 그래서 정신이 뒤틀린 사람이나, 히틀러와 괴벨스의 발언이나 진실을 무시하는 그들의 냉소적인 태도를 인생의 현실로 받아들이는 사람과 접점을 찾아보려는 시도마저도 얼마나 부질없는 일인지를 나는 깨닫게 되었다.

## 제3제국의 교육

1934년 4월 30일, 돌격대 상급집단지도자, 전 하노버 대관구장, 1920년대 초부터 나치당원이자 히틀러의 친구였던 베른하르트 루스트Bernhard Rust가 제국학술교육인민교양부Reichsministerium für Wissenschaft, Erziehung und Volksbildung[비공식적으로는 '제국교육부'라 불렸다] 장관에 임명되었다. 국가사회주의라는 기괴하고 뒤죽박죽인 사회에서 루스트는 그 직책에 딱 맞는 인물이었다. 지방의 교사였던 루스트는 1930년에 정신 불안 증세가 있다는 이유로 하노버의 공화국 당국에 의해 해임된 뒤 줄곧 실업자 신세였는데, 그의 광적인 나치즘도 교직에서 쫓겨난 이유 중 하나였을 것이다. 루스트 박사는 괴벨스의 열의와 로젠베르크의 흐리멍덩함으로 나치 복음을 설교했기 때문이다. 1933년 2월에 프로이센 문화부 장관에 임명된 루스트는 하룻밤 사이에 "지적인 곡예 기관으로서의 학교를 일소"하는 데 성공했다고 자랑했다.

　이토록 분별없는 인간에게 독일의 학술, 공립학교, 고등교육 기관, 청소년 단체에 대한 독재적 통제권을 맡겼던 것이다. 히틀러가 구상한 제3제국의 교육은 갑갑한 교실에 국한되지 않고 연령대에 따라 연이어 가입하는 청소년 단체들에서 받는 스파르타식 정치·군사 훈련으로 확장되었고, 그 정점은 소수만이 다니는 종합대학이나 공과대학이 아니라 우선 18세에 들어가는 강제적인 노동봉사단과 그 후에 징집병으로서 복무하는 군대였기 때문이다.

　히틀러는 '교수들'이나 지적인 학구생활에 대한 경멸감을 곳곳에서 드러낸 《나의 투쟁》에서 자신의 교육관을 밝히기도 했다. "민족국가의 교육 전체는 그저 지식을 채워넣는 것이 아니라 뼛속까지 속속들이 건강한 신체를 단련하는 것을 주된 목표로 삼아야 한다." 그러나 그 책에서 강조한 대로 더 중요한 점은 청소년의 마음을 붙잡아 "새로운 민족국가"에 봉사하도록 훈련시키는 것이었다—이는 히틀러가 독재자가 된 후에도 몇 번이고 상기시킨 주제였다. 1933년 11월 6일 연설에서 히틀러는 이렇게 말했다. "상대방이 '나는 당신들 편으로 넘어가지 않을 거요'라고 말한다면 나는 차분하게 '당신 자식은 이미 우리편에 있소. … 당신은 어떻소? 당신은 결국 사라질 것이오. 그렇지만 당신 자손은 지금 새로운 진영에 있소. 머지않아 그들은 이 새로운 공동체 말고는 아무것도 알지 못하게 될 것이오'라고 말합니다." 그리고 1937년 5월 1일에는 다음과 같이 단언했다. "이 새로운 제국은 청소년을 아무에게도 넘겨주지 않을 것이고, 오히려 직접 맞아들여 독자적으로 교육하고 양육할 것입니다." 이 말은 허풍이 아니었다. 실제로 이 말대로 되고 있었다.

　독일의 학교들은 초등학교 1학년부터 대학까지 빠르게 나치화되었다.

교과서가 부리나케 다시 쓰였고, 교과과정이 바뀌었으며, 《나의 투쟁》이 ㅡ교육자들의 공식 기관지 《도이체 에르치어Der Deutsche Erzieher》의 말을 빌리자면ㅡ"절대 오류가 없는 교육의 길잡이별"이 되었고, 그런 새로운 빛을 놓치는 교사들은 퇴출되었다. 대다수 교원들은 정식 당원은 아니라 해도 심정적으로는 나치에 가까웠다. 당국은 교원들의 이데올로기를 강화하기 위해 그들을 전문시설로 보내 히틀러의 인종론에 중점을 둔 국가사회주의의 원리들을 집중적으로 교육했다.

유치원부터 대학까지 교직에 있는 모든 사람은 국가사회주의교원동맹Nationalsozialistische Lehrerbund에 가입할 것을 강요받았는데, 이 단체는 법적으로 "모든 교원을 국가사회주의 신조에 부합하도록 이데올로기적·정치적으로 조정할 책임"이 있었다. 1937년에 제정된 공무원법은 교원에게 "당이 지지하는 국가 의지의 집행자"가 될 것과 "어느 때든 국가사회주의 국가를 주저 없이 옹호할" 것을 요구했다. 그 이전의 한 법령은 교원을 공무원으로, 따라서 인종법의 적용을 받는 직군으로 규정했다. 물론 유대인은 교직에 임할 수 없었다. 모든 교사는 "아돌프 히틀러에게 충성을 다하고 복종하겠습니다"라는 선서를 했다. 나중에는 돌격대나 노동봉사단, 또는 히틀러청소년단에 소속된 적이 없는 사람은 교사가 될 수 없었다. 대학 강사직 지망자는 관찰 캠프에 들어가 6주 동안 나치 전문가들에게 각자의 견해와 성격을 심사받았으며, 이 전문가들이 보고서를 올리면 교육부에서 지망자의 정치적 '신뢰도'에 근거하여 강사 자격증을 발급했다.

1933년 이전에 독일 공립학교는 각 지방 당국에서 관할했고 대학은 각 주에서 관할했다. 그런데 1933년 이후로는 모든 학교가 제국교육부 장관의 통괄 아래 철저한 규제를 받게 되었다. 종래에는 각 대학에서 교수회 전원이 선거로 뽑았던 총장이나 학장도 교육부 장관이 임명했다. 모든 대학생이 속한 대학생연맹의 지도자와 모든 강사가 속한 강사연맹의 지도자도 교육부 장관이 임명했다. 고참 나치들의 엄격한 통제를 받은 국가사회주의독일강사동맹Nationalsozialistischer Deutscher Dozentenbund은 대학에서 가르칠 강사를 선발하고 교육 내용이 나치 이론에 부합하는지 판정하는 중요한 역할을 맡았다.

이토록 철저한 나치화는 독일의 교육과 학문연구에 재앙적인 결과를 가져왔다. 역사는 새로운 교과서와 교사의 수업으로 인해 우스꽝스러울 정도로 왜곡되었다. 독일인을 지배인종으로 찬미하고 유대인을 세상에 존재하는 거의 모든 악의 근원으로 지목하는 '인종학' 강의는 더욱 우스꽝스러웠다. 지난날 그토록 쟁쟁한 학자들이 강단에 섰던 베를린 대학만 보더라도 돌격대원이자 직업이 수의사인 신임 총장이 인종학Rassenkunde 강좌 25개를 신설했고, 대학을 사실상 해체할 때까지 자신의 직업과 관련된 강좌를 86개나 개설했다.

예전부터 독일이 탁월한 성과를 낸 자연과학 분야의 교육 수준도 급속히 저하되었다. 물리학의 알베르트 아인슈타인과 제임스 프랑크, 화학의 프리츠 하버, 리하르트 빌슈테터, 오토 바르부르크 같은 쟁쟁한 교수들이 해직되거나 퇴직했다. 대학에 남은 교수들 대다수는 나치의 궤변에 열광하며 그것을 순수과학에 적용하려 했다. 그들은 이른바 **독일** 물리학, **독일** 화학, **독일** 수학을 가르치기 시작했다. 실제로 1937년에는《독일 수학Deutsche Mathematik》이라는 잡지까지 등장했고, 창간호의 첫 논설에서 수학을 인종과 무관한 것으로 판단할 수 있다는 모든 생각은 "독일 과학을 파괴할 싹을 품고 있다"라고 준엄하게 선언했다.

이런 나치 과학자들의 망상은 비전문가가 보기에도 도무지 믿기 어려울 정도였다. "독일 물리학?" 제3제국의 학식 높고 국제적으로 존경받는 과학자들 중 한 명인 하이델베르크 대학의 필리프 레나르트Philipp Lenard 교수는 그런 말을 던지고는 다음과 같이 덧붙였다. "그러면 이렇게 답하 겠지요. '하지만 과학은 국제적인 것이고 앞으로도 그럴 것입니다'라고 요. 틀렸습니다. 사실 과학은 인간의 다른 모든 산물과 마찬가지로 인종 적이고 혈통에 좌우되는 것입니다." 드레스덴 물리학연구소의 소장 루돌 프 토마셰크Rudolf Tomaschek 교수는 한 걸음 더 나아가 이렇게 썼다. "현 대 물리학은 북방인의 과학을 파괴하기 위한 [전 세계] 유대인의 도구이 다. … 진정한 물리학은 독일 정신의 소산이다. … 사실 유럽의 모든 과 학은 아리아인의 사상, 더 정확히 말하면 독일 사상의 결실이다." 독일 국립물리공학연구소의 소장 요하네스 슈타르크Johannes Stark 교수도 같 은 생각이었다. "물리학 연구의 창시자들, 그리고 갈릴레오에서 뉴턴, 나 아가 우리 시대 물리학의 개척자들에 이르는 위대한 발견자들은 거의 전 부 아리아인이었고 대개 북방 인종이었다."

또한 아헨 공과대학의 빌헬름 뮐러Wilhelm Müller 교수는 《유대인과 과 학Judentum und Wissenschaft》이라는 저서에서 과학을 오염시키고 그리하여 문명을 파괴하려는 유대인의 전 세계적 음모에 대해 말했다. 뮐러에게는 상대성 이론을 개진한 아인슈타인이야말로 악당 중의 악당이었다. 현 대 물리학의 너무도 중요한 기반인 아인슈타인의 이론도 이 독특한 나 치 교수가 보기에는 "어머니 대지로부터 태어나고 혈통으로 맺어진, 생 명의 본질로 이루어지는 생명력 넘치는 세계—즉 비유대적인 세계—를 변혁하는 목표, 그 세계에 주문을 걸어 유령 같은 추상적인 세계로 만드 는 목표를 처음부터 끝까지 겨냥하는" 것이었다. "그 세계에서는 국민들 과 민족들의 모든 개별적 차이, 인종들의 모든 내적 한계가 비현실 속에서 사라지고, 기하학적 차원들의 실체 없는 다양성만이 살아남아, 모든 사상事象이 법칙에 대한 무신론적 복종의 충동에서 생겨나게 된다." 상대성 이론을 발표한 아인슈타인에게 쏟아진 전 세계적 찬사도 뮐러 교수에 의하면 "독일인의 인성을 영원히 돌이킬 수 없는 생기 없는 노예 수준으로 깎아내리려는 유대인의 세계 지배 방법"에 환호하는 소리일 따름이었다.

베를린 대학의 루트비히 비버바흐Ludwig Bieberbach 교수에게 아인슈타인은 "외국인 돌팔이"였다. 필리프 레나르트 교수마저 "유대인은 진리에 대한 이해력을 현저히 결여하고 있고 … 이 점에서 진리를 향한 세심하고 진지한 의지를 지닌 아리아인 연구자들과 대비된다. … 이처럼 유대인의 물리학은 일종의 환영幻影이자 독일 물리학을 근저에서 타락시키는 현상이다"라고 보았다.[7]

그러나 1905년부터 1931년까지 열 명의 유대계 독일인이 과학에 기여한 공로로 노벨상을 받았다.


제2제국 시절에 대학 교수들은 개신교 성직자들과 마찬가지로 보수적인 정부와 그 팽창주의적인 목표를 무작정 지지했으며, 강의실은 맹렬한 민족주의와 반유대주의의 온상이었다. 바이마르 공화국은 학문의 완전한 자유를 역설했는데, 그 결과 중 하나로 절대다수를 점하는 반자유주의적이고 반민주적이고 반유대주의적인 대학 교수들이 민주정 체제를 허무는 데 일조하게 되었다. 대다수 교수들은 보수적인 군주정 독일로 돌아가기를 바라는 광적인 민족주의자였다. 1933년 이전의 나치는 지나치게 소란스럽고 난폭해서 교수들 상당수도 지지하기를 꺼렸지만, 그들의 설교는 장차 나치즘이 등장할 무대를 마련하는 데 도움이 되었다. 1932년 무렵에 학생들 다수는 히틀러에게 열광하는 것으로 보였다.

1933년 이후에는 대학 교수진 중 놀라울 정도로 많은 이들이 고등교육의 나치화에 굴복했다. 나치 정권의 처음 5년 사이에 해직된 교수와 강사가 공식적으로 2800명—전체의 약 4분의 1—에 달하긴 했지만, 국가사회주의를 거부했다는 이유로 교직을 잃은 이의 비율은 1933년 마르부르크 대학에서 해직된 빌헬름 뢰프케 교수의 말대로 "극히 적었다". 비록 낮은 비율이었지만, 그중에는 카를 야스퍼스Karl Jaspers, E. I. 굼벨Gumbel, 테오도어 리트Theodor Litt, 카를 바르트Karl Barth, 율리우스 에빙하우스Julius Ebbinghaus 등 10여 명을 포함해 독일 학계의 유명한 인물들이 들어 있었다. 그들은 대부분 이민을 갔는데, 우선 스위스, 네덜란드, 잉글랜드로 갔다가 결국 미국으로 건너갔다. 그중 테어도어 레싱Theodor Lessing 교수는 체코슬로바키아로 달아났다가 뒤쫓아온 나치 폭력배들에게 붙잡혀 1933년 8월 31일 마리안스케 라즈네에서 살해당했다.

그렇지만 교수들 대다수는 교직에 남았으며, 일찍이 1933년 가을에 외과의사 페르디난트 자우어브루흐Ferdinand Sauerbrugh, 실존주의 철학자 마르틴 하이데거Martin Heidegger, 미술사가 빌헬름 핀더Wilhelm Pinder 같은 유명 인사들을 필두로 약 960명이 히틀러와 국가사회주의 정권을 지지하겠다고 공개적으로 맹세했다.

훗날 뢰프케 교수는 그 일을 가리켜 "독일 학문의 영광스러운 역사를 더럽히는 매춘의 현장이었다"라고 썼다.[8] 그리고 율리우스 에빙하우스 교수는 1945년에 당시의 혼란상을 회고하며 이렇게 말했다. "독일 대학들은 아직 시간이 있었음에도 지식과 민주국가를 파괴하는 행위에 전력을 다해 공개적으로 반대하지 않았다. 그들은 폭정의 밤을 밝힐 자유와 권리의 횃불을 치켜들지 않았다."[9]

그 대가는 컸다. 나치화가 진행된 6년 동안 대학생의 수는 절반 이하로 줄었다—12만 7920명에서 5만 8325명으로. 독일에서 과학자와 공학자를 배출하던 기술 연구소들에 등록된 인원은 더 큰 폭으로 감소했다—2만 474명에서 9554명으로. 학문 수준도 현기증이 날 만큼 추락했다. 1937년 무렵에 과학과 공학 분야의 젊은 학자들은 머릿수만이 아니라 자질까지 부족했다. 나치 정권이 추진하는 재무장을 돕느라 분주하던 화학업계는 전쟁이 발발하기 한참 전부터 기관지《화학공업Die Chemische Industrie》을 통해 독일이 화학 분야에서 선두 자리를 빼앗기고 있다고 불평했다. 국가 경제만이 아니라 국가 방위까지 위태로워진다고 투덜댔고, 공과대학의 수준이 낮은 탓에 젊은 과학자의 수가 부족하고 자질도 그저 그런 것이라고 비난했다.

나치 독일의 손실은 자유세계의 이득이 되었는데, 특히 원자폭탄 개발 경쟁에서 그러했다. 힘러를 위시한 나치 지도부가 원자력 프로그램을 좌절시키는 데 성공한 이야기는 여기서 상술하기에는 너무 길고 복잡하다. 다만 미국에서 원자폭탄 개발에 지대한 공헌을 한 두 인물이 그 인종 때문에 나치 독재정과 파시스트 독재정에서 망명을 떠난 과학자, 즉 독일에서 건너온 아인슈타인과 이탈리아에서 건너온 페르미였다는 사실은 운명의 아이러니가 아닐 수 없다.

아돌프 히틀러는 자신이 일찌감치 때려치운 공립학교보다는 히틀러청소년단Hitlerjugend 조직을 통해 자신이 구상한 목표대로 청소년을 교육하려 했다. 나치당이 권력 투쟁을 하던 기간에 히틀러청소년단 운동은 그리 대수로운 것이 아니었다. 공화국의 마지막 해인 1932년에 히틀러청소년단의 총 등록자 수는 고작 10만 7956명이었던 데 비해, 독일청소년협회 전국위원회로 통합된 여러 단체에 속해 있던 청소년의 수는 대략 1000만 명이었다. 바이마르 공화국만큼 청소년 운동의 활기와 규모가 대단했던 나라도 일찍이 없었다. 이를 알아챈 히틀러는 청소년 운동을 가로채 나치화하기로 결심했다.

이 임무를 맡은 히틀러의 주요 부관은 두뇌는 평범하지만 추진력은 뛰어난 잘생긴 청년 발두어 폰 시라흐였다. 히틀러의 매력에 사로잡혀 1925년 18세로 입당해 1931년에는 나치당 청소년지도자에 임명되었다. 얼굴에 흉터가 있는 난잡한 갈색셔츠단원들 사이에서 시라흐는 특이하게도 미국 대학생처럼 생기 있고 앳되어 보였으며, 이는 아마도 앞에서 언급했듯이 미국인 선조들(독립선언문에 서명한 두 명도 포함되었다) 때문이었을 것이다.[10]

시라흐는 1933년 6월 '제국청소년지도자'에 임명되었다. 당 지도부 선배들의 수법을 흉내낸 그의 첫 조치는 히틀러청소년단의 건장한 50명으로 이루어진 무장한 무리를 보내 독일청소년협회 전국위원회의 사무소를 점거한 것이었다. 위원장인 옛 프로이센 육군 장교 포크트Vogt 장군은 패주했다. 그다음으로 시라흐는 독일에서 가장 유명한 해군 영웅들 중 한 명인 아돌프 폰 트로타Adolf von Trotha 제독과 대결했다. 1차대전 때 대양함대 참모장을 지낸 제독은 '청소년협회' 회장으로 있었다. 이 덕망 높은 제독 역시 패주했고, 그의 직책은 사라지고 조직도 해체되었다. 주로 독일 전역에 산재하는 유스호스텔 수백 채로 이루어진 수백만 달러 상당의 협회 자산은 압류되었다.

1933년 7월 20일의 정교협약에는 가톨릭청소년협회의 존속을 방해하지 않는다고 명시되어 있었다. 그러나 히틀러는 1936년 12월 1일, 이 협회를 포함해 모든 비나치 청소년 단체를 금지하는 법령을 제정했다.

… 제국 내 독일 청소년은 모두 히틀러청소년단에 편입된다.

독일 청소년은 가정과 학교에서 훈육받는 것 외에 히틀러청소년단을 통해 … 육체적·지적·도덕적으로 국가사회주의의 정신을 교육받아야 한다.[11]

그동안 교육부 소속이었던 시라흐의 조직은 히틀러에게 직속되는 조직으로 바뀌었다.

스물아홉 살 먹은 미숙한 청년, 히틀러를 찬양하는 감상적인 시를 쓰고("이 천재가 별들을 스쳐가네") 로젠베르크의 기괴한 이교 사상과 슈트라이허의 맹렬한 반유대주의에 물든 청년이 제3제국의 청소년을 지배하는 독재자가 된 것이다.

6세부터 노동봉사단과 군대에 징집되는 18세까지, 청소년은 남녀 모두 히틀러청소년단의 여러 조직에 편입되었다. 자녀가 이들 조직에 가입하는 것을 막으려는 부모는 유죄를 선고받고 무거운 징역형에 처해졌다. 임신 비율이 말도 안 되게 높은 몇몇 봉사단에 딸을 가입시키려는 조치에 반대하기만 한 부모도 이런 처벌을 받았다.

6세부터 10세까지 소년은 유년단원Pimpf으로서 히틀러청소년단을 위한 일종의 수습 교육을 받았다. 모든 아동은 성적 기입장을 받았는데, 거기에는 이데올로기적 성장을 포함해 나치 청소년 운동 전체에 걸친 발달상이 기록되었다. 10세에 체육, 야영, 나치화된 역사를 적당히 평가하는 시험을 통과하고 나면 독일소년단으로 진급해 다음과 같은 선서를 했다.

우리의 총통을 상징하는 이 피의 깃발 앞에서 저는 조국의 구원자 아돌프 히틀러에게 저의 모든 기운과 힘을 바칠 것을 맹세합니다. 저는 총통을 위해 제 목숨을 기꺼이 바칠 것을 각오하오니, 신이시여 저를 도우소서.

14세에 소년은 히틀러청소년단에 정식으로 가입해 18세까지 소속되어 있다가 노동봉사단과 군대로 넘어갔다. 히틀러청소년단은 돌격대와 비슷하게 준군사적 노선에 따라 편성된 방대한 조직으로, 성인에 가까워진 남성에게 야영, 스포츠, 나치 이데올로기뿐 아니라 병사로서의 생활까지 체계적으로 훈련시켰다. 나는 주말에 베를린 근교로 소풍을 갔다가 소총을 쥐고 무거운 군용 배낭을 맨 채 숲을 헤치거나 들판을 가로질러 달려가는 히틀러청소년단 탓에 수시로 방해를 받곤 했다.

때로는 젊은 여성까지 군사훈련을 받았는데, 히틀러청소년단 운동은 소녀도 가만두지 않았기 때문이다. 10세부터 14세까지의 독일 소녀는 소녀단Jungmädelbund에 등록했다. 이들 역시 흰색 블라우스, 넉넉한 파란색 치마, 양말, 무거운—그리고 가장 여성답지 않은—행군화로 이루어진 제복 차림이었다. 훈련은 동년배 남자들과 비슷해서, 주말에 무거운 배낭을 매고 장거리 행군을 하거나, 나치 철학이론을 주입받기도 했다. 하지만 특별히 강조된 것은 제3제국 여성으로서의 역할—건강한 자녀의 건강한 어머니가 되는 것—이었다. 이는 소녀가 14세에 독일소녀동맹의 일원이 되면 더욱 강조되었다.

18세가 되면 독일소녀동맹(21세까지 이 조직에 소속되었다)의 단원 수천 명이 1년간 농장에서 봉사했다—이른바 '토지의 해Land Jahr'라 불린 이 봉사 활동은 청년 남성의 노동봉사단 복무에 상응하는 것이었다. 임무는 가정과 농장에서 일손을 돕는 것이었다. 소녀들은 이따금 농가에서, 보통은 시골 지역에 있는 소규모 야영지에서 생활하면서 아침마다 트럭을 타고 농장으로 갔다. 곧 도덕적인 문제가 생겼다. 아리따운 도시 여성의 존재는 때로 농민 가정을 어지럽혔고, 자기 딸이 농장에서 임신을 했다는 부모들의 성난 목소리가 들리기 시작했다. 문제는 그것만이 아니었다. 젊은 여성들의 야영지는 대개 젊은 남성들의 노동봉사단 야영지 근처에 있었다. 이것 역시 숱한 임신의 원인이었던 것으로 보인다. 독일 전역에 다음과 같은 2행시—독일노동전선 산하의 '기쁨을 통한 힘Kraft durch Freude'〔나치 독일에서 노동자들에게 여가 활동을 제공한 조직〕을 풍자한 시였지만 특히 젊은 여성들의 '토지의 해'에 꼭 들어맞았다—가 퍼져나 가기도 했다.

논밭과 들판에서
나는 기쁨을 통해 힘을 잃는다.

이와 비슷한 도덕적인 문제가 히틀러청소년단의 소녀 약 50만 명이 1년간 도시 가정에서 집안일 봉사를 하는 '가사의 해'에도 발생했다. 그런데 신실한 나치일수록 그런 일을 전혀 도덕적인 문제로 여기지 않았다. 나는 독일소녀동맹의 여성 지도자들—하나같이 수수한 편이었고 대개 미혼이었다—이 젊은 단원들에게 히틀러의 제국을 위해 아이를 낳는 도덕적이고도 애국적인 의무에 대해 강연하는 것을 한 차례 이상 들었다—가급적 혼인관계 속의 출산이 좋지만 필요하다면 혼외 출산도 괜찮다고 했다.

1938년 말에 히틀러청소년단은 772만 8259명에 달했다. 이렇게 규모가 컸음에도 약 400만 명의 청소년이 용케 가입을 피했던 까닭에, 1939년 3월에 정부는 군대에 징집하는 것과 동일한 기준으로 모든 청소년을 히틀러청소년단에 강제로 가입시키는 법령을 공포했다. 반항하는 부모에게는 자녀를 낚아채 고아원이나 다른 가정으로 넘기겠다고 경고했다.

제3제국의 교육을 일그러뜨린 마지막 조치는 엘리트 교육을 위해 세 종류의 학교, 즉 히틀러청소년단의 지시를 받는 아돌프 히틀러 학교Adolf-Hitler-Schulen, 국가정치교육기관Nationalpolitische Erziehungsanstalten, 기사단 성Ordensburgen을 설립한 것이었다―뒤의 두 학교는 나치당의 비호를 받았다. 아돌프 히틀러 학교는 가장 유망해 보이는 12세의 아이들을 독일 소년단에서 선발해 당과 공직에서 지도력을 행사할 수 있도록 6년간 강도 높게 훈련시켰다. 학생들은 학교의 엄격한 규율에 따라 생활했고, 졸업하면 대학에 입학할 자격을 얻었다. 1937년 이후 10개의 히틀러 학교가 설립되었으며 그중 브라운슈바이크의 아카데미Akademie가 으뜸이었다.

국가정치교육기관의 목표는 옛 프로이센 군사학교에서 실시된 유형의 교육을 복원하는 것이었다. 공식 설명에 따르면 이는 "용기, 의무감, 소박함을 신조로 하는 군인 정신"을 함양하는 것이었다. 여기에 나치의 행동규범에 관한 특별 훈련이 더해졌다. 이 학교는 친위대의 감독을 받았고 교장과 대다수의 교사도 친위대에서 파견되었다. 1933년에 세 학교가 설립된 뒤 2차대전 발발 전까지 31개로 늘었으며, 그중 세 곳은 여학교였다.

이 피라미드의 꼭대기에 이른바 기사단 성이 있었다. 14세기와 15세기 튜턴기사단 성의 분위기가 나는 이곳에서는 나치 엘리트 중의 엘리트를 훈련시켰다. 튜턴기사단은 단장Ordenmeister에 대한 절대 복종을 근본 규율로 삼았고, 동방에서 슬라브인의 땅을 정복하고 그곳 토착민을 노예화하는 데 전념했다. 나치의 기사단 성도 비슷한 규율과 목표를 표방했다. 아돌프 히틀러 학교와 정치교육기관의 최우등 졸업생들 중에서도 가장 광신적인 청년 국가사회주의자들만 선발되었다. 기사단 성은 네 개가 있었고, 학생들은 이 네 곳 모두를 번갈아 다녔다. 6년 과정 중 첫해에는 '인종학'과 나치 이데올로기의 여러 면을 전문으로 가르치는 성에서 지냈다. 여기서는 정신 훈련과 규율에 역점을 두었고, 신체 단련은 부차적이었다. 둘째 해의 성에서는 반대로 등산과 낙하산 강하 등의 체육과 스포츠를 우선시했다. 그다음 1년 반을 보내는 셋째 성에서는 정치 교육과 군사 교육을 제공했다. 마지막 넷째 단계로 학생들은 폴란드 국경에서 가까운 동프로이센의 말보르크 성으로 가서 1년 반을 보냈다. 500년 전에는 튜턴기사단의 본거지였던 이 진짜 성채의 벽 안에서 학생들은 동방문제, 그리고 '생존공간'을 찾아 슬라브인의 땅으로 영토를 넓혀야 하는 독일의 필요성(그리고 권리!)에 초점을 맞춘 정치 훈련과 군사 훈련을 받았다—나중에 독일이 의도한 대로 벌어진 1939년과 그 이후의 사태를 고려하면, 이는 훌륭한 예비교육인 셈이었다.

이런 식으로 청소년은 제3제국에서의 삶과 노동과 죽음에 대비해 훈련을 받았다. 나치 당국이 그들의 정신을 의도적으로 병들게 하고, 정규 학교교육을 방해하고, 양육에 관한 한 가정의 의미를 크게 바꿔놓았음에도 소년소녀, 남녀 청소년들은 한없이 행복하고 히틀러청소년단의 생활에 대한 열의로 가득한 것처럼 보였다. 그리고 모든 계급과 신분의 아이들, 즉 가난한 집안과 부유한 집안, 노동자 가정, 농민 가정, 사업가 가정, 귀족 가정의 아이들을 한곳에 모아 공통의 과제를 부여한 것은 분명 그 자체로 훌륭하고 건강한 실천이었다. 도시의 소년소녀가 6개월간 강제 노동봉사단에서 지내면서 야외에서 생활하고, 육체노동의 가치를 배우고, 출신이 다른 아이들과 어울리는 것은 대부분의 경우에 해가 되지 않았다. 이 무렵에 독일을 이리저리 여행하면서 야영지에 있는 청소년들과 이야기하고 그들이 일하고 놀고 노래하는 모습을 지켜본 사람이라면, 그 교육이 얼마나 불길한 것이든 간에 거기에 믿기 어려울 정도로 역동적인 청소년 운동이 있다는 사실을 인정하지 않을 수 없었다.

제3제국의 청소년은 튼튼하고 건강한 신체, 자국의 미래와 자기 자신에 대한 믿음, 모든 계급적·경제적·사회적 장벽을 깨부수는 연대감과 동지애를 가진 성인으로 자라나고 있었다. 이런 생각이 나로서는 나중에, 1940년 5월에 들었다. 그때 아헨과 브뤼셀을 잇는 도로를 따라 운전하다가 독일군 병사들과 영국군 포로들의 대조적인 모습을 보았는데, 전자는 햇빛을 받고 식사를 충분히 하면서 청소년기를 보낸 터라 구릿빛 피부에 말쑥한 외모였던 데 반해 후자는 가슴팍이 움푹하고 등이 굽고 안색이 창백하고 치아 상태가 나빴다—영국이 양차대전 전간기에 너무도 무책임하게 방치한 청소년들의 비극적인 실례였다.

### 제3제국의 농민

———

1933년 히틀러가 집권했을 때 독일 농민은 대다수 국가들의 농민과 마찬가지로 절망적인 곤경에 처해 있었다. 《프랑크푸르터 차이퉁》의 기사에 따르면, 농민의 상황은 독일 국토를 초토화시킨 1524~25년의 재앙적인 농민 전쟁 이후로 최악이었다. 1932~33년의 농업 소득은 전후 최악이었던 1924~25년에 비해서도 10억 마르크 이상 적은 수준으로 뚝 떨어졌다. 농민층의 차입금은 120억 마르크에 달했는데, 거의 전부가 지난 8년간 생긴 것이었다. 이 차입금에 대한 이자가 전체 농업 수입의 약 14퍼센트에 달했고, 여기에 세금과 사회복지 분담금으로 엇비슷한 부담이 추가되었다.

히틀러는 총리가 되자마자 "당 동지 여러분, 이 한 가지만은 명심하십시오. 독일 농민에게는 마지막, 정말로 마지막 한 번의 기회밖에 없습니다"라고 경고했고, 1933년 10월에는 "독일 농민의 파멸은 독일 국민의 파멸이 될 것입니다"라고 단언했다.

나치당은 수년간 농민층의 지지를 얻으려고 애쓰던 터였다. "변경 불가"인 나치당 강령 제17조는 농민에게 "토지 개혁 … 공공의 목적을 위한 토지 무상몰수법 제정, 지대 폐지, 일체의 토지 투기 금지"를 약속했다. 이 강령의 다른 대다수 조항들과 마찬가지로 농민에게 한 이 약속도 지켜지지 않았다—토지 투기를 막겠다는 마지막 약속은 예외였다. 나치가 집권하고 5년이 지난 1938년에도 독일 내 토지 분배는 여전히 서양의 다른 어떤 나라보다도 불균형적이었다. 그해의 《통계연감》에 발표된 공식 수치를 보면, 250만 영세 농가의 토지 면적이 상위 1퍼센트의 토지 면적보다도 작았다. 바이마르 공화국의 사회민주당-부르주아 정부들과 마찬가지로, 나치 독재정은 엘베 강 동쪽에 펼쳐진 융커 계층의 광대한 봉건적 사유지를 감히 분할할 엄두를 내지 못했다.

그러면서도 나치 정권은 광범한 새로운 농업 프로그램을 개시하면서 '피와 흙'을 운운하고 농민을 세상의 소금이자 제3제국의 최고 희망으로 일컫는 매우 감상적인 선전 활동을 전개했다. 이 프로그램을 실행할 인물로 히틀러는 발터 다레를 지명했는데, 다레는 비록 나치 신화를 곧이곧대로 받아들이기는 해도 당 지도부 중에서는 자신의 분야를 전문가처럼 잘 아는 극소수 중 한 명이었다. 적절한 학문적 훈련도 받은 뛰어난 농업 전문가인 다레는 프로이센 농업부와 중앙정부 농업부에서 근무한 경력이 있었다. 상관들과 충돌해 두 부처를 그만두어야 했던 그는 1929년에 라인란트의 자택으로 물러나 《북방 인종의 생명의 원천으로서의 농민》이라는 책을 썼다. 이런 제목은 나치의 관심을 끌기 마련이었다. 루돌프 헤스가 다레를 히틀러에게 데려갔고, 다레에게 감탄한 히틀러는 당을 위해 적절한 농업 프로그램을 구상할 것을 주문했다.

1933년 6월, 후겐베르크가 해임되고 다레가 식량농업부 장관이 되었다. 9월에 다레는 자신의 계획으로 독일 농업을 뜯어고칠 준비가 되어 있었다. 같은 달에 공포된 두 기본법은 농민을 위해 농산물 가격을 높일 목적으로 생산과 거래의 구조 전체를 재편하는 동시에 독일 농민을 새로운 기반 위에 올려놓았다—역설적이게도 이 목표를 달성하기 위해 다레는 아주 오래된 방법, 즉 과거 봉건 시대처럼 토지의 상속인을 한정하여 (아리아계 독일인에 한해) 농민과 그 상속인들을 특정한 토지 구획에 언제까지나 강제로 묶어두는 방법을 동원했다.

1933년 9월 29일에 제정된 세습농지법은 농민층을 중세 시대로 다시 떠미는 조치와 현대 금융 시대의 악폐로부터 보호하는 조치를 혼합한 희한한 법이었다. 한 가족이 남부끄럽지 않게 생활할 만한 308에이커(125헥타르) 이하의 모든 농지는 상속인을 한정하는 아주 오래된 법의 적용을 받는 세습농지로 지정되었다. 그런 농지는 매각할 수도, 분할할 수도, 차입금을 이유로 저당을 잡거나 압류할 수도 없었다. 농지 소유자가 죽으면 지역 관습에 따라 큰아들이나 막내아들에게, 또는 가장 가까운 남성 친척에게 소유권이 넘어갔고, 새로운 소유자는 자신의 형제자매가 성년이 될 때까지 생계를 뒷받침하고 교육을 제공할 의무가 있었다. 1800년까지 거슬러 올라가 자기 혈통의 순수성을 입증할 수 있는 아리아계 독일인만이 그런 농지 소유자가 될 수 있었다. 그리고 세습농지법에 명시된 대로 그런 남성만이 '명예로운 칭호'인 농민Bauer으로 불릴 수 있었고, '농민 명예 규범'을 위반하거나 무능력 또는 그 밖의 이유로 농사를 적극적으로 짓지 못할 경우 이 칭호를 박탈당했다. 그래서 제3제국 초기에 차입금이 많은 독일 농민은 농장을 압류당하거나 면적이 줄어드는 일을 피할 수 있었지만(빚을 갚기 위해 농장의 일부를 매각하지 않아도 괜찮았다), 동시에 봉건 시대의 농노만큼이나 농지에 얽매여 꼼짝할 수가 없었다.

그리고 농민의 생활과 노동의 모든 면은 제국식량국Reichsnährstand에 의해 엄격히 규제되었다. 다레가 1933년 9월 13일의 법령에 의거해 창설한 이 방대한 조직은 농산물의 생산, 거래, 가공처리와 관련해 생각할 수 있는 모든 부문에 대한 권한을 가졌고, 다레 자신이 제국농민지도자Reichsbauernführer로서 직접 이끌었다. 제국식량국의 주요 목표는 두 가지로, 농민층을 위해 수익이 나는 안정적인 가격을 확보하고 독일에서 식량의 자급자족을 이루어내는 것이었다.

이 목표를 얼마나 달성했을까? 처음에는 분명히 우쭐댈 만했다. 재계와 노동계의 이해관계만을 중시하는 듯한 국가에서 너무나 오랫동안 무시당해왔다고 생각하던 농민들은 별안간 엄청난 관심을 받으며 국가의 영웅이자 명예로운 시민이라는 칭송을 듣게 되었기 때문이다. 다레가 수익이 나는 수준으로 가격을 임의로 정하면서 농산물 가격을 끌어올리자 농민들은 더욱 기뻐했다. 나치 정권의 첫 2년간 농산물 도매가격은 20퍼센트 상승했다(채소와 유제품, 가축의 가격은 조금 더 올랐다). 그러나 그런 이익은 농민이 구입해야 하는 다른 물품들―무엇보다 농기계와 화학비료―의 가격도 덩달아 오르는 바람에 어느 정도 상쇄되었다.

식량의 자급자족에 관해 말하자면, 앞으로 살펴볼 것처럼 이미 전쟁을 획책하고 있던 나치 지도부는 이 목표를 반드시 이루어야 한다고 생각하면서도 결국 달성하지 못했거니와, (독일의 인구 대비 농지의 질과 양을 고려할 때) 애초에 달성할 수도 없었다. 나치 정권에서 '생산 전투'를 널리 선전하며 온갖 노력을 기울였음에도 자급률 83퍼센트가 최고였으며, 독일인이 2차대전 기간에 최대한으로 버틸 수 있었던 것은 자급자족 덕분이 아니라 외국 영토를 정복해 충분한 식량을 확보한 덕분이었다.

## 제3제국의 경제

___

집권 초기 히틀러의 성공의 토대는 수많은 무혈 정복을 이루어낸 외교전의 승리에만 있었던 것이 아니다. 당내 인사들은 물론이고 외국의 일부 경제학자들까지도 기적이라며 찬사를 보낸 독일의 경제 회복 역시 성공의 토대였다. 실제로 수많은 이들에게 히틀러의 성공은 기적으로 보였을 것이다. 1920년대와 1930년대 초의 골치 아픈 문제였던 실업자 수는 앞에서 언급했듯이 1932년 600만 명에서 4년 후 100만 명 이하로 줄어들었다. 1932년에서 1937년까지 국민생산은 102퍼센트 증가하고 국민소득은 갑절이 되었다. 한 관찰자에게 1930년대 중반의 독일은 하나의 거대한 벌집처럼 보였다. 산업의 바퀴가 윙윙거리며 돌아가는 가운데 모든 사람이 벌처럼 바삐 움직이고 있었다.

대체로 샤흐트 박사가 결정한—히틀러는 경제에 대해 아무것도 몰라 따분하게 여겼다—나치 첫해의 경제 정책은 공공사업을 대폭 확대하고 민간기업을 자극하는 방법으로 실업자를 일터로 돌려보내는 데 중점을 두었다. 실업대책 관련 특별법 제정으로 정부의 신용이 보강되는 가운데 설비 투자와 고용을 늘리는 기업들에게 후한 세제 혜택을 주었다.

그렇지만 독일 경제 회복의 진정한 기반은 나치 정권이 1934년부터 재계와 노동계—아울러 장군들—의 에너지를 쏟아부은 재무장에 있었다. 독일 경제 전체는 나치 용어로 전쟁경제Wehrwirtschaft라고 알려졌는데, 이는 전시만이 아니라 평시에도 전쟁으로 귀결되는 기능을 수행하도록 계획적으로 설계된 경제였다. 루덴도르프 장군은 1935년에 독일에서 출간된 저서 《총력전Der Totale Krieg》(영어판 제목은 《전시 국가The Nation at War》로 잘못 번역되었다)에서 총력전을 적절히 준비하기 위해 다른 모든 부문과 마찬가지로 국가경제 역시 전체주의적 기준에 의거해 동원할 필요성을 강조했다. 이는 독일에서는 완전히 새로운 발상은 아니었는데, 앞에서 언급했듯이 18세기와 19세기에 프로이센에서는 정부 세입 가운데 무려 7분의 5가 육군을 위해 지출되었고, 언제나 국가경제 전체가 주로 국민 복지의 수단이 아닌 군사 정책의 수단으로 여겨졌기 때문이다.

나치 정권의 과제는 그런 국방경제를 1930년대에 걸맞게 바꾸는 것이었다. 그 결과는 국방군 참모본부 군수경제국장 게오르크 토마스Georg Thomas 소장이 다음과 같이 정직하게 요약하고 있다. "한 나라가 평시에도 전쟁의 요건을 채우기 위해 모든 경제력을 계획적·조직적으로 쏟아부은 사례는 역사상 극히 드물 텐데, 양차대전 전간기에 독일이 부득이하게 그렇게 했다."[12]

물론 독일이 그런 규모의 전쟁을 "부득이하게" 준비했던 것은 아니다—그것은 히틀러의 계획적인 결정이었다. 히틀러는 1935년 5월 21일에 제정된 비밀 국방법에 의거해 샤흐트를 전쟁경제 전권위원으로 임명하면서 "평시에 미리 작업에 착수"할 것을 명령하고 "전쟁을 위한 경제적 준비를 지시"할 권한을 부여했다. 타의 추종을 불허하는 샤흐트 박사는 1935년 봄까지 기다리지 않고 그전에 독일 경제를 전쟁을 위해 재편하기 시작했다. 1934년 9월 30일, 경제장관에 임명된 지 두 달도 지나기 전에 샤흐트는 총통에게 〈1934년 9월 30일자 전쟁경제 동원 현황 보고서〉를 제출하고 여기서 경제부가 "전쟁을 위한 경제적 준비 임무를 맡은" 사실을 자랑스럽게 강조했다. 1935년 5월 3일, 전쟁경제 전권위원으로 임명되기 4주 전에 샤흐트가 히틀러에게 제출한 개인 의견서는 이렇게 시작되고 있다. "방대한 무장 프로그램을 신속하게 완수하는 것, **이것이야말로** 독일의 정치 문제입니다. 그러므로 다른 모든 것은 이 목표에 종속되어야 합니다. [강조는 샤흐트]" 샤흐트는 히틀러에게 그 이유를 설명하면서 "1935년 3월 16일까지[이날 히틀러는 육군의 36개 사단을 위한 징집을 발표했다] 무장을 철저히 위장해야 하기 때문에 인쇄기를 사용해" 첫 단계의 자금을 확보할 필요가 있다고 말했다. 또 꽤나 고소해하는 어조로 국가의 적들(대부분 유대인이었다)로부터 몰수하거나 외국의 동결된 계좌에서 압수한 자금을 히틀러의 무기 대금을 치르는 데 보탰다고 보고하고 있다. "요컨대 우리의 무장에 투입된 자금의 일부는 우리 정적들의 돈으로 마련한 것입니다"라고 샤흐트는 으스댔다.[13]

뉘른베르크 재판에서 샤흐트는 침략전쟁을 벌이려는 나치의 음모에 가담했다는 고발에 대해 완전 결백을 주장하긴 했지만―자신은 오히려 정반대로 했다고 역설했다―1939년에 히틀러가 일으킨 전쟁의 **경제적** 준비에 샤흐트만큼 깊이 관여한 사람도 없다는 사실에는 변함이 없다. 이 사실을 육군은 터놓고 인정했다. 샤흐트의 60세 생일에 육군은 1937년 1월 22일자《군사주보Militär-Wochenblatt》에서 그를 가리켜 "국방군의 재건을 경제적으로 가능케 한 인물"이라고 칭송했다. 그리고 "방위군은 온갖 통화 위기에 굴하지 않은 샤흐트의 수완과 뛰어난 능력 덕택에 과거의 10만 육군에서 현재의 규모로 성장할 수 있었다"라고 덧붙였다.

세상이 인정한 샤흐트의 재정 마법은 모두 제3제국의 전쟁 준비 자금을 마련하는 데 쓰였다. 지폐를 찍어내는 것은 그런 방책들 중 하나에 지나지 않았다. 그가 얼마나 교묘하게 통화를 조작했던지, 한때는 외국의 경제학자들이 독일 통화의 가치를 237가지로 평가했을 정도였다. 그는 (독일 측에) 놀랍도록 유리한 물물교환 거래를 수십 개 나라를 상대로 성사시켰고, 어느 나라에 빚을 더 많이 지고 있을수록 그 나라와 더 많은 거래를 한다는 것을 실증하여 정통파 경제학자들을 깜짝 놀라게 했다. 유동자본이 거의 없고 준비금도 거의 바닥인 나라에서 그가 신용을 창출한 것은 천재의 수완 아니면 (누군가의 말대로) 조작 달인의 수완이었다. 그가 발명한 이른바 '메포Mefo' 어음이 좋은 예다[Mefo는 나치 정권이 세운 유령회사인 유한회사 야금연구협회Metallurgische Forschungsgesellschaft의 줄임말이다]. 제국은행이 발행하고 국가가 보증하는 이 어음은 군수업체들에 대금을 지불하는 데에만 쓰였다. 이 어음은 독일의 어느 은행에서나 받아주었고 결국에는 제국은행에서 할인해 사들였다. 제국은행의 공식 재무제표에도, 정부의 예산서에도 등장하지 않은 까닭에 이 어음은 독일의 재무장 규모를 계속 감추는 데 도움이 되었다. 1935년부터 1938년까지 메포 어음은 재무장 대금을 지불하는 데에만 쓰였고 총액이 120억 마르크에 달했다. 격무에 지친 재무장관 슈베린 폰 크로지크 백작은 언젠가 히틀러에게 메포 어음에 대해 설명하면서 이는 그저 "돈을 찍어내는" 한 방법일 뿐이라고 말했다.[14]

1936년 9월, 히틀러 못지않게 경제에 무지한 괴링이 샤흐트를 대신해 경제 독재자가 되어 철저한 통제 아래 4개년 계획을 개시한 시점에 독일은 총력전 경제로 옮겨갔다. 이 계획의 목표는 4년 내에 독일이 자급자족을 달성하여 전시 봉쇄에 질식당하지 않게 하는 것이었다. 수입이 최소한으로 억제되고, 물가와 임금에 대한 엄격한 통제가 도입되고, 배당 지급률이 6퍼센트로 제한되었다. 또한 독일에서 나는 원료로 합성고무, 섬유, 연료 등을 생산하기 위한 대형 공장들이 세워지고, 독일산 저질 광석을 사용하는 대규모 제철소 '헤르만 괴링 제국공업Reichswerke Hermann Göring'이 설립되었다. 요컨대 독일 경제 전체가 전쟁을 위해 동원되었고, 기업가들은 비록 이윤이 급증하긴 했지만 전쟁기계의 톱니에 불과한 신세, 온갖 규제 속에 수많은 서류를 작성해야 하는 신세가 되었다. 샤흐트의 후임으로 1937년 경제장관에, 1939년 제국은행 총재직에 오른 발터 풍크 박사가 애처로운 말투로 "요즘 독일 제조업자들이 받는 우편물의 절반 이상은 관공서에서 보내온 통지"라고 토로하고 "수출업의 경우 매일 4만 건의 거래를 기록하는데, 단 한 건의 거래를 위해 무려 40가지의 서류를 작성해야만 한다"는 것을 인정할 수밖에 없을 정도였다.

지난날 노동조합을 파괴하고 아무런 제약 없이 기업 활동을 할 수 있는 여건을 제공할 것으로 기대하며 히틀러 정권을 열렬히 환영했던 재계는 산더미 같은 공문 작성에 시달리고, 무엇을 얼마만큼 어떤 가격에 생산할지를 국가로부터 지시받고, 점점 늘어나는 세금에 짓눌리고, 나치당에 터무니없는 액수의 '특별 기부금'을 수시로 뜯기는 상황에 직면하자 극심한 환멸감에 젖게 되었다. 그중에는 나치당에 가장 먼저 가장 많은 금액을 기부한 기업가들 중 한 명인 프리츠 티센도 있었다. 전쟁이 발발하자 외국으로 도피한 티센은 "나치 정권이 독일 산업을 망가뜨렸다"고 인정하고 현지에서 만난 모든 사람에게 "나는 정말 바보였습니다!"라고 털어놓았다.[15]

그렇지만 처음에 기업가들은 어리석게도 나치 정권을 자신들의 온갖 기도에 대한 응답이라고 믿었다. 물론 "변경 불가"한 나치당 강령 중에서 트러스트의 국유화, 도매업의 이익 분배, "대형 상점의 지역 공유화와 소상인에 대한 염가 대여"(제16조), 토지 개혁, 담보대출 이자 폐지 등의 조항은 기업가들에게 불길한 예언처럼 들렸을 것이다. 그러나 산업계와 금융계 인사들은 히틀러에게 당 강령의 경제 관련 조항들 중 어느 하나라도 이행할 마음이 조금도 없다는 것을 금세 알아차렸다—급진적인 약속은 그저 표를 얻기 위해 내뱉은 것이었다. 1933년의 처음 몇 달 동안 나치당의 소수 급진파가 기업협회를 통제하고 백화점을 장악하거나, 무솔리니가 구상하던 조합국가를 수립하려고 시도했다. 그러나 그들은 금세 히틀러에 의해 내쫓기고 보수적인 기업가들로 대체되었다. 히틀러의 초기 경제 고문으로 '이자 노예제' 폐지를 외치던 괴짜 고트프리트 페더가 경제부 차관으로 임명되긴 했지만, 그의 상관 쿠르트 슈미트 박사는 돈을 빌려주고 이자를 받으면서 살아온 보험업계의 거물로 페더에게 아무런 일거리도 주지 않았다. 결국 후임 경제장관 샤흐트는 페더를 해임해 버렸다.

나치당의 주요 지지층으로 히틀러 총리에게 큰 기대를 걸었던 소상공인들은 얼마 안 가서 대부분 박멸당하고 임금노동자 신분으로 돌아갈 수밖에 없었다. 1937년 10월에 공포된 법은 자본금 4만 달러 이하의 모든 기업에 해산 명령을 내리고 자본금 20만 달러 이하의 기업 신설을 금지한다는 내용이었다. 이로써 소규모 사업체 중 5분의 1이 순식간에 사라졌다. 반면에 공화국 시절에도 편애를 받았던 대규모 카르텔들은 나치당에 힘입어 더욱 강력해졌다. 사실 1933년 7월 15일에 공포된 법에 의해 경제장관은 새로운 카르텔을 강제적으로 결성시키거나 기업을 기존 카르텔에 합류시킬 권한을 부여받았다.

나치 정권은 공화국 시절에 설립된 수많은 기업협회나 업계단체의 체계를 유지하면서도 1934년 2월 27일에 제정된 기본법에 의거해 지도자 원리에 따라 효율적으로 재편하여 국가의 통제 아래 두었다. 모든 사업체가 이러한 조직에 가입하도록 강요받았다. 믿기 어려울 정도로 복잡한 이런 조직의 꼭대기에는 제국경제평의회가 있었다. 국가에서 의장을 임명한 제국경제평의회는 7개 전국경제단체, 23개 경제회의소, 100개 상공회의소, 70개 수공업회의소를 관할했다. 이런 미로 같은 조직, 경제부의 온갖 직책과 기관, 4개년 계획, 폭포처럼 쇄도하는 수천 개의 특별 법령과 법률 속에서는 빈틈없는 기업가조차 자주 방향을 잃어, 회사를 제대로 운영하기 위해서는 전문 변호사들을 고용할 수밖에 없었다. 중대한 명령을 결정할 수 있는 핵심 관료들에게 접근하거나 정부 및 업계단체의 수많은 규칙과 규제를 우회하는 데 필요한 뇌물은 1930년대 후반에 천문학적 액수에 달했다. 어느 기업가는 나에게 그런 뇌물을 가리켜 "경제적 필수품"이라고 말했다.

그렇지만 이런 식으로 괴롭힘을 당하면서도 기업가들은 큰 수익을 올렸다. 재무장의 수혜를 제일 많이 입은 중공업의 수익률은 호황 연도인 1926년의 2퍼센트에서 연중 평화로웠던 마지막 해인 1938년의 6.5퍼센트로 증가했다. 배당지급률을 6퍼센트로 제한하는 법도 기업들에게 고통을 주지 않았다. 오히려 정반대였다. 그 법에 따르면 이론상 6퍼센트 넘게 이익이 나면 모두 국채에 투자해야 했다―정부는 몰수할 생각이 전혀 없었다. 그렇지만 실제로 대다수 기업들은 미배당 이익을 자기네 사업에 재투자했으며, 그 액수는 1932년 1억 7500만 마르크에서 1938년 50억 마르크로 증가했다. 이에 비해 1938년 저축은행들의 총 수신고는 이 미배당 이익의 절반에도 못 미치는 20억 마르크에 불과했고, 배당 이익은 총 12억 마르크에 그쳤다. 기업가들은 흡족한 수익 외에 히틀러가 노동자들에게 그 분수를 깨우쳐준 방식에도 환호했다. 부당한 임금 인상 요구는 더 이상 없었다. 실제로 생활비가 25퍼센트 증가했음에도 임금은 소폭 감소했다. 그리고 무엇보다 큰 손실을 내는 파업이 없었다. 실은 파업이 아예 없었다. 그런 불손한 의사 표시는 제3제국에서 금지된verboten 일이었다.

## 노동의 노예화

제3제국에서 노동조합, 단체교섭권, 파업권을 빼앗긴 노동자들은 중세의 농노가 장원 영주에게 속박당했던 것만큼이나 고용주에게 속박당하는 산업 노예가 되었다. 명목상 옛 노동조합들을 대체한 이른바 '노동전선'은 노동자를 대표하는 조직이 아니었다. 노동전선을 창설한 1934년 10월 24일의 법에 따르면 그것은 "두뇌와 주먹을 지닌 창의적인 독일인의 조직"이었다. 노동전선은 임금 및 봉급 생활자뿐 아니라 고용주와 전문직 종사자까지 끌어들였다. 사실 노동전선은 방대한 선전 조직이었고, 일부 노동자의 말마따나 거창한 사기였다. 법에 명시된 노동전선의 목적은 노동자를 보호하는 것이 아니라 "모든 독일인의 진정한 사회적·생산적 공동체를 창출하는 것"이었고, "그 임무는 모든 개인이 노동을 최대한으로 수행할 … 수 있도록 감독하는 것"이었다. 노동전선은 독립적인 행정 조직이 아니라 나치 독일에서 군을 제외한 거의 모든 단체와 마찬가지로 나치당의 불가분한 일부였고, 노동전선 총재 라이 박사―티센의 표현을 빌리자면 "말더듬이 술고래"―의 말대로 "당의 한 기관"이었다. 실제로 10월 24일에 제정된 법은 노동전선의 간부들이 나치당과 과거 나치 계열 노동조합, 돌격대 및 친위대 출신이어야 한다고 규정했다―그리고 정말로 그러했다.

그에 앞서 1934년 1월 20일에 공포된 민족노동질서법Gesetz zur Ordnung der Nationalen Arbeit, 즉 '노동 헌장'이라 알려진 이 법은 노동자를 찍어누르고 고용주를 절대적인 주인이라는 먼 과거의 위치로 복귀시켰다— 물론 고용주라 해도 전능한 국가의 간섭을 받았다. 고용주는 '기업지도자Betriebsführer'가 되고 노동자는 추종자Gefolgschaft가 되었다. 이 법의 제 2절은 "기업지도자는 피고용인과 노동자를 대신해 기업과 관련한 모든 사안을 결정한다"라고 규정했다. 그리고 먼 과거에 주인이 종복들의 안녕을 책임지기로 되어 있었던 것처럼 고용주는 이 나치 법에 따라 "피고용인과 노동자의 복지에 책임"이 있었다. 그 대가로 "피고용인과 노동자는 충실을 기할 의무"가 있었다. 다시 말해 장시간 열심히 노동해야 했고, 말대꾸를 하거나 임금에 불평을 해서도 안 되었다.

임금은 노동전선에서 임명하는 이른바 노동관리단Treuhänder der Arbeit이 정했다. 사실상 이들은 고용주들이 바라는 대로 임금을 정했다—그런 사안에서 노동자 측과 상의해야 한다는 규정조차 없었다. 1936년 이후 군수산업에서 일손이 부족해져 일부 고용주들이 인력을 모으기 위해 임금을 올리려고 시도하자 국가가 다시 내리라고 명령하기도 했다. 히틀러는 아주 노골적으로 임금을 낮게 유지했다. 일찍이 집권 초기에 히틀러는 "국가사회주의 통치의 철칙은 시급 인상을 결코 허용하지 않고 실적 향상을 통한 소득 증대만을 허용하는 것이다"라고 선언했다.[16] 임금의 적어도 일부가 대개 성과급에 달려 있는 나라에서 이 말은 노동자가 돈을 더 많이 벌려면 노동의 속도를 높이고 시간을 늘려야만 한다는 뜻이었다.

미국과 비교해 독일의 임금은 생활비나 사회복지의 차이를 감안하더라도 언제나 낮았다. 나치 치하의 임금 수준은 그 이전보다 조금 낮았다. 제국통계청에 따르면 숙련노동자의 시급은 대공황이 한창이던 1932년 20.4센트에서 1936년 중반 19.5센트로 낮아졌다. 같은 기간 비숙련노동자의 시급은 16.1센트에서 13센트로 줄어들었다. 1936년 뉘른베르크 전당대회에서 라이 박사는 노동전선 상근 노동자들의 일주일 평균 소득이 6.95달러라고 말했다. 제국통계청이 제시한 독일 노동자 전체의 일주일 평균 소득은 6.29달러였다.

일자리가 수백만 개 늘어나긴 했지만, 국민소득에서 독일 전체 노동자의 소득이 차지한 비중은 불황기인 1932년의 56.9퍼센트에서 호황기인 1938년의 53.6퍼센트로 낮아졌다. 같은 기간 국민소득에서 자본 및 사업 소득이 차지하는 비중은 17.4퍼센트에서 26.6퍼센트로 높아졌다. 일자리가 대폭 늘어난 덕에 임금 및 봉급 생활자의 총 소득이 250억 마르크에서 420억 마르크로 66퍼센트 증가한 것은 사실이다. 하지만 자본 및 사업 소득이 훨씬 더 가파르게―146퍼센트―증가했다. 히틀러를 비롯한 제3제국의 선전가들은 공개 연설에서 부르주아와 자본가를 꾸짖고 노동자와의 연대를 천명하기 일쑤였다. 그러나 공식 통계에 대한 냉철한 연구―독일에서는 굳이 그런 연구에 나선 사람이 거의 없지만―를 통해 나치 정책의 최대 수혜자는 노동자들이 아니라 욕을 잔뜩 먹은 자본가들이라는 사실이 드러났다.

마지막으로 지적할 점은 독일 노동자들의 실수령액이 줄었다는 것이다. 엄격한 소득세, 병자에 대한 강제 부담금, 실업보험 및 장애보험, 그리고 노동전선 회비 외에도 육체노동자는―나치 독일의 모든 국민과 마찬가지로―나치의 갖가지 자선사업에 대한 기부 압박에 끊임없이 시달려야 했다. 그런 자선사업 중 으뜸은 동계구호사업Winterhilfswerk이었는데, 이 사업에 많은 노동자들이 기부하지 않거나 너무 적게 기부했다는 이유로 일자리를 잃었다. 예고 없이 이루어진 해고 조치에 대해 어느 노동법원은 고용주 편을 들면서, 동계구호사업에 기부하지 않은 것은 "국민 공동체에 적대적인 행위요 … 가장 강하게 비난받을 만한 행위"라고 말했다. 1930년대 중반에는 독일 노동자의 총 임금에서 각종 세금과 기부금으로 15~35퍼센트를 공제했을 것으로 추정되었다. 주당 소득 6.95달러에서 그만큼을 제하고 나면 의식주와 여가에 쓸 만한 돈이 별로 남지 않았다.

중세의 농노처럼 히틀러 시대 독일의 노동자는 점점 더 노동하는 장소에 속박되었다. 다만 그렇게 속박한 주체는 고용주가 아닌 국가였다. 제3제국의 농민이 세습농지법에 의해 어떻게 자기 농지에 속박되었는지는 앞에서 이미 살펴보았다. 이와 마찬가지로 농업 노동자도 법에 의해 토지에 속박되었고, 도시로 일자리를 구하러 떠나는 것이 금지되었다. 그렇지만 나치의 이 법이 농업 분야에서는 실제로 지켜지지 않았다는 점을 지적해야겠다. 1933년부터 1939년까지 100만 명 이상(130만)의 농업 노동자가 상공업 분야로 일자리를 옮겼다. 그러나 공업 노동자에게는 이법이 강제되었다. 1934년 5월 15일의 노동통제 관련법을 시작으로 정부의 여러 법령은 노동자의 이직의 자유를 심각하게 제한했다. 1935년 6월 이후에는 제국직업소개원이 고용에 대한 배타적 통제권을 얻어 누구를 어디에서 무슨 일에 고용할지를 결정했다.

1935년 2월에는 '노동수첩Arbeitsbuch' 제도가 도입되었고, 결국 이 수첩이 없는 노동자는 일자리를 구할 수 없게 되었다. 노동수첩에는 노동자의 기능과 근무 이력이 꾸준히 기록되었다. 그러다보니 노동수첩은 노동자 개개인에 관한 최신 정보를 국가와 고용주에 제공했을 뿐 아니라 노동자를 직장에 묶어두는 데에도 쓰였다. 어떤 노동자가 이직을 원할 경우 고용주는 그의 노동수첩을 보관해둘 수 있었는데, 이는 그가 다른 곳에서 합법적으로 고용될 수 없다는 뜻이었다. 마지막으로, 1938년 6월 22일에는 4개년 계획 사무국에서 공포한 특별 법령으로 징용이 제도화되었다. 이 법령으로 모든 독일인은 국가가 지정하는 장소에서 노동할 의무를 졌다. 정당한 사유 없이 출근하지 않는 노동자는 벌금 또는 투옥의 대상이 되었다. 여기에는 분명 상반되는 측면도 있었다. 고용주는 이렇게 징용된 노동자를 정부 직업소개원의 동의 없이는 해고할 수 없었다. 노동자로서는 일종의 고용 보장을 받은 셈인데, 이는 공화국 시절에는 좀체 경험하지 못한 일이었다.

수많은 규칙에 꽁꽁 묶인 채 최저 생활수준을 겨우 넘는 임금을 받는 독일 노동자는 고대 로마의 무산계층처럼 자신들의 비참한 처지에서 눈을 돌릴 만한 구경거리를 제공받았다. "우리는 대중의 관심을 물질적 가치에서 정신적 가치로 돌려놓아야 했다"라고 라이 박사는 언젠가 설명했다. "그들의 배를 채우는 것보다 영혼을 채우는 것이 더 중요하다."

그리하여 라이 박사는 '기쁨을 통한 힘'이라는 조직을 구상했다. 이 조직은 획일화된 여가라고 부를 수밖에 없는 것을 제공했다. 과거에도 그랬겠지만 20세기에도 전체주의 독재정은 개인의 노동시간뿐 아니라 여가시간까지도 통제해야 한다고 생각했다. 바로 그것이 '기쁨을 통한 힘'이 수행한 일이다. 나치 이전 독일에는 체스나 축구에서 탐조探鳥에 이르기까지 수만 개의 동호회가 있었다. 반면에 나치 시절에는 '기쁨을 통한 힘'의 통제와 지시를 받는 경우가 아니라면 사교나 스포츠, 여가 단체의 어떠한 활동도 허용되지 않았다.

제3제국의 평범한 독일인에게는, 내 마음대로 하도록 당국이 내버려두리라는 희망을 가질 수 없을 바에는, 모든 사람을 아우르는 이 관제官制 여가 조직이라도 있는 편이 그나마 나았다. 예를 들어 이 조직은 노동전선 회원에게는 무료나 다름없는 가격으로 육지와 바다에서의 휴가 여행을 제공했다. 라이 박사는 2만 5000톤급 선박 두 척을 건조하여 그중 하나에 자기 이름을 붙였고, '기쁨을 통한 힘'을 위해 해상 유람선 여행을 추진하려고 다른 열 척을 전세내기도 했다. 나는 언젠가 그런 유람선 여행에 참가한 적이 있는데, 나치 지도부가 기획한 선상 생활이 (내게는) 고문에 가까웠음에도 독일 노동자들은 마냥 즐거워 보였다. 게다가 헐값이었다! 예컨대 독일 항구까지의 왕복 기차 요금을 포함해 마데이라 섬을 다녀오는 유람선 여행 비용이 고작 25달러였고, 다른 근거리 여행들 역시 저렴한 편이었다. 여름이면 바닷가와 호숫가마다 피서객이 수천 명씩 몰려들었다—개전 무렵까지 완공되지 않긴 했지만 발트 해 뤼겐 섬의 해변에 2만 명을 수용할 호텔이 필요했다. 또 겨울이면 바이에른 알프스로 떠나는 특별 스키 여행이 준비되었는데, 기차 요금, 식사를 제공하는 호텔 숙박비, 스키 대여료와 스키 강사료를 모두 포함해 일주일치 비용이 고작 11달러였다.

'기쁨을 통한 힘'은 스포츠의 모든 부문을 통제했고, 공식 수치에 따르면 매년 700만 명이 넘게 참여할 만큼 엄청난 규모로 조직했다. 또한 연극, 오페라, 음악회의 할인 티켓도 제공하여, 나치 관료들이 곧잘 자랑한 대로 노동자도 고급 공연을 즐길 수 있게 해주었다. '기쁨을 통한 힘'은 또 90인 규모의 교향악단을 조직해 전국 순회공연을 선사했는데, 이 악단은 평소 훌륭한 음악을 접하기 어려운 외진 곳에서도 자주 연주했다. 마지막으로, 이 조직은 공화국 시절에 번창했던 200여 성인 교육기관—이는 스칸디나비아에서 연원한 운동이었다—을 인수하여 계속 운영했다. 다만 교육 과정에 나치 이데올로기를 뚜렷하게 가미했다.

물론 결국에는 노동자가 그 비용을 부담해야 했다. 노동전선이 회비로 확보한 연간 수입은 라이 박사에 따르면 1937년에 1억 6000만 달러였고, 개전 무렵에는 2억 달러가 넘었다—회계는 국가가 아니라 결코 수지 결산을 공표한 적 없는 나치당 재무국에서 처리한 탓에 극히 모호했다. 회비 수입의 10퍼센트는 '기쁨을 통한 힘'의 몫이었다. 그러나 개개인이 휴가 여행이나 오락에 지불한 요금만 해도, 비록 저렴하긴 했지만, 전쟁 전해에 12억 5000만 마르크에 달했다. 임금노동자는 또다른 무거운 부담도 짊어져야 했다. 회원 수 2500만 명으로 나치당의 최대 단일 조직이었던 노동전선은 상근직원 수만 명을 고용한 거대 관료조직으로 불어났다. 실제로 노동전선 총수입의 20~25퍼센트가 자체 행정 비용으로 쓰인 것으로 추정된다.

히틀러가 독일 노동자에게 사기를 친 한 가지 특이한 사례도 여기서 언급해둘 만하다. 그 일은 폭스바겐Volkswagen('국민차')과 관련된 것으로, 총통 본인의 묘안이었다. 모든 독일인은, 또는 적어도 모든 독일 노동자는 미국인처럼 자동차를 한 대씩 가져야 한다고 히틀러는 말했다. 그때까지 50명 중 한 명만 자동차를 소유했던 이 나라에서(미국은 다섯 중 한 명) 노동자는 자전거나 대중교통을 이용해야 했다. 그런데 히틀러가 노동자를 위해 단돈 990마르크—공정 환율로 396달러—짜리 자동차를 만들라고 명했던 것이다. 일설에 따르면 오스트리아 자동차 엔지니어 페르디난트 포르셰Ferdinand Porsche가 감독한 실제 자동차 설계에 히틀러가 직접 관여했다고 한다.

민간기업에서 396달러짜리 자동차를 제조할 수는 없었던 까닭에, 히틀러는 국가가 직접 제조할 것을 명령하고 노동전선에 이 프로젝트에 대한 책임을 지웠다. 1938년, 라이 박사의 조직은 브라운슈바이크 인근 팔러슬레벤에 연간 150만 대를 생산할 수 있는 "세계 최대의 자동차 공장"

을 건설하는 작업에 즉시 착수했다—"포드 이상이다"라고 나치 선전가들은 말했다. 노동전선은 자본금 5000만 마르크를 선지급했다. 그러나 이는 자금을 조달하는 주된 방법이 아니었다. 라이 박사의 기발한 계획은 '물건을 받기 전에 미리 돈을 내는' 분할 지불 방식—일주일에 5마르크씩, 또는 형편이 괜찮으면 일주일에 10마르크나 15마르크씩—을 통해 노동자들 스스로 자금을 제공하도록 하는 것이었다. 750마르크를 지불한 구매자는 자동차가 생산되는 즉시 소유할 권리를 갖는 주문 번호를 받았다. 그렇지만 노동자들에게는 안타깝게도 제3제국 시대에 공장에서 생산되어 고객에게 인도된 국민차는 단 한 대도 없었다. 독일 임금노동자들이 지불한 수천만 마르크는 단 한 푼도 환불되지 않았다. 개전 무렵 폭스바겐 공장은 육군에 더 유용한 품목을 제조하는 쪽으로 바뀌었다.

제3제국의 독일 노동자는 이 사례뿐 아니라 다른 많은 사례에서 사기를 당했고 앞에서 언급했듯이 최저 생활수준의 임금을 받는 일종의 산업 노예로 전락했음에도, 그리고 독일 사회의 다른 어떤 부류보다도 나치즘을 덜 지지하거나 정부의 끊임없는 선전에 덜 속아 넘어가긴 했지만, 공정하게 말해서 자신들의 열악한 처지에 비통하게 분개하는 모습을 보이지 않았다. 1939년 9월 1일 새벽에 폴란드 국경을 향해 돌진한 독일의 거대한 전쟁기계는 독일 노동자의 지대한 기여가 없었다면 결코 구현될 수 없었을 것이다. 다른 모든 독일인과 마찬가지로 독일 노동자는 엄격히 통제되었고 때로 테러를 당했다—그리고 수백 년에 걸쳐 통제를 받다보니 지시를 기다렸다가 뭔가를 하는 데 익숙해졌다. 이런 문제를 일반화하려 시도하는 것은 현명하지 못한 일이겠지만, 내가 베를린이나 루르 지방의 노동자에게 받은 인상은 정권의 약속에 얼마간 냉소적이면서도 제3제국의 다른 어떤 집단 이상으로 반란을 갈망하지는 않는다는 것이었다. 조직되지도 않고 지도부도 없는 마당에 무엇을 할 수 있겠는가? 이렇게 노동자들은 반문하곤 했다.

그러나 노동자가 나치 독일에서 자신들의 역할을 받아들인 가장 중요한 이유는 다시 일자리를 얻고 그것을 유지하리라는 보장을 받았다는 데 있다. 이 점에는 의문의 여지가 없었다. 공화국 시절 노동자의 위태로운 처지를 웬만큼 아는 관찰자라면, 상근직으로 일할 수 있는 한 그들이 정치적 자유를 잃고 심지어 노동조합까지 잃는다 해도 어째서 절박하게 신경쓰지 않는지를 이해할 수 있었을 것이다. 지난날의 수많은 이들에게, 무려 600만 명의 남성과 그들의 가족에게 자유로운 인간의 여러 권리는 굶주릴 자유에 비하면 별것 아니었다. 이 굶주릴 자유를 덜어줌으로써 히틀러는 노동계급의 지지를 확보했다. 아마도 서구에서 가장 숙련되고 근면하고 규율 잡힌 노동계급이었을 것이다. 그들이 지지한 것은 히틀러의 설익은 이데올로기나 사악한 의도 자체가 아니라 자신들에게 가장 중요한 문제, 즉 군수물자의 생산이었다.

### 제3제국의 사법

권력을 잡은 자들이 자의적 체포와 구타, 살해를 대대적으로 벌이기 시작한 1933년 초엽부터 국가사회주의 독일은 더 이상 법에 기반하는 사회가 아니었다. "히틀러가 곧 법이다!"라고 나치 독일의 사법계 권위자들은 자랑스럽게 선언했으며, 괴링은 1934년 7월 12일 프로이센 검사들 앞에서 발언하면서 "법과 총통의 의지는 하나다"라고 강조했다. 이는 사실이었다. 독재자가 말하는 것이 곧 법이었고, 피의 숙청 같은 비상 국면에 히틀러가 유혈 사태 직후 제국의회 연설에서 말했듯이 자신은 독일 국민의 "최고 재판영주"로서 누구든 사형에 처할 수 있는 권한을 가지고 있다고 천명했다.

공화국 시절에 대다수 법관은 대다수 개신교 성직자나 대학 교수와 마찬가지로 바이마르 체제를 진심으로 싫어했고, 많은 이들의 생각대로 판결을 통해 독일 공화국의 역사에서 가장 어두운 페이지를 썼고 그리하여 공화국의 몰락에 일조했다. 그러나 어쨌든 바이마르 헌법 체계에서 법관은 독립적이었고, 법에만 복종했으며, 독단적인 해임으로부터 보호받았고, 법 앞에서의 평등을 보장하는 헌법 제109조에 적어도 이론상으로는 속박되어 있었다. 그들은 대체로 국가사회주의에 동조하면서도 머지않아 국가사회주의 국가에서 받게 될 처우에 대해서는 별다른 각오가 되어 있지 않았다. 1933년 4월 7일에 공포된 공무원법은 모든 법관에게 적용되어 유대인 법관뿐 아니라 나치즘에 대한 태도가 미심쩍은 법관이나, 법에 명시된 대로 "국가사회주의 국가를 위해 언제든 중재할 의향이 더 이상 없어 보이는" 법관까지 신속하게 사법부에서 축출했다. 이 법은 분명 많은 법관을 축출하지는 않았지만, 그들의 임무가 무엇인지를 똑똑히 알려주었다. 1936년, 나치당 법무국장 겸 제국법률지도자Reichsrechtsführer 한스 프랑크 박사는 그저 법관들이 충분히 이해했는지 확인하는 차원에서 "국가사회주의 이데올로기는, 특히 당 강령과 총통의 연설에서 설명된 이데올로기는 모든 기본법의 근간입니다"라고 말했다. 프랑크 박사는 다음과 같이 덧붙였다.

국가사회주의와 대립하는 법의 독립성은 없습니다. 판결할 때마다 여러분 자신에게 물어보십시오. "총통이라면 내 위치에서 어떻게 결정하실까?" 판결할 때마다 스스로 생각해보십시오. "이 판결이 독일 국민의 국가사회주의적 양심과 상반되는 것은 아닐까?" 그렇게 하면 여러분은 국가사회주의 인민국가의 통일성과 아돌프 히틀러의 의지의 영원성에 대한 여러분의 인식에 부합하는 확고한 기반을 얻을 것이고, 여러분의 본분인 판결의 영역에서 제3제국의 권위를 부여받을 것이며, 영원히 그러할 것입니다.[17]

이 말은 사뭇 명료해 보였는데, 법관을 포함해 "정치적으로 신뢰할 수 없는" 모든 공무원의 해임을 요구한 이듬해의 신공무원법(1937년 1월 26일)도 마찬가지였다. 더욱이 모든 법관은 국가사회주의독일법률가동맹에 가입해 프랑크가 이야기한 노선에 따른 강의를 자주 들어야 했다.

그러나 일부 판사는, 아무리 공화정에 반대했던 사람일지라도, 나치당의 노선에 열렬히 호응하지는 않았다. 실제로 소수의 판사는 법에 근거해 판결하려 시도했다. 나치가 보기에 최악의 실례 중 하나는 당시 독일 대법원인 제국법원Reichsgericht이 1934년 3월 의사당 화재 사건 재판에서 네 명의 공산당원 피고 중 세 명에게 증거에 근거해 무죄를 선고한 것이었다(범행을 자백한 얼빠진 판 데르 뤼버만 유죄였다). 이에 히틀러와 괴링이 대노한 결과 채 한 달도 지나지 않은 1934년 4월 24일, 당시까지 제국법원에서 전담해온 반역 사건을 재판하는 권한이 이 위엄 있는 기구에서 신설된 인민재판소Volksgerichtshof로 넘어갔다. 곧 독일에서 가장 두려운 법정이 된 인민재판소는 직업적인 재판관 두 명과, 나치당 간부 및 친위대, 군에서 선발된 다섯 명의 재판관으로 구성되었으며, 따라서 후자에 과반 투표권이 있었다. 판결이나 선고에 항소할 수 없었으며, 재판은 보통 비공개로 이루어졌다. 그렇지만 이따금 비교적 가벼운 형벌의 경우에는 선전 목적으로 외국 특파원들에게 재판 방청을 권하기도 했다.

그래서 나도 1935년에 인민재판소 재판을 한 차례 방청했다. 내 눈에는 일반법원 재판보다 약식 군사법원 재판에 더 가까워 보였다. 하루 사이에 재판 절차가 마무리되었고, 피고 측 증인이 출석할 기회는 사실상 없었으며(설령 '반역죄'로 법정에 선 피고를 변호하러 나설 대담한 증인이 있다 해도), 나치에 의해 '자격이 주어진' 변호인의 변론은 어처구니없을 정도로 허술했다. 판결만을 알리는 보도들에서 내가 받은 인상은, 불운한 피고들 대다수가(내가 방청한 날의 피고는 아니었지만) 사형 선고를 받는다는 것이었다. 인민재판소 소장으로서 엄청난 두려움의 대상이었던 롤란트 프라이슬러Roland Freisler(재판 중이던 건물이 미군의 폭격으로 파괴되면서 사망했다)가 1940년 12월에 "피고인의 4퍼센트만 처형되었다"라고 말하긴 했지만, 구체적인 숫자는 발표된 적이 없었다.

사악한 인민재판소보다도 먼저 설립된 특별재판소는 일반법원으로부터 정치범 사건을, 또는 이 새로운 재판소의 설립 근거인 1933년 3월 21일에 제정된 법의 조문대로 "국가에 대한 간악한 공격" 관련 사건을 넘겨받았다. 특별재판소는 세 명의 판사로 구성되었는데 하나같이 신뢰받는 당원이었고, 배심원단은 없었다. 나치 검사는 그런 사건을 일반법원에 기소할지 아니면 특별재판소에 기소할지 선택할 수 있었고, 뻔한 이유로 언제나 후자를 택했다. 인민재판소처럼 특별재판소에서도 피고 측 변호인은 나치 간부의 승인을 받은 사람이어야 했다. 때로는 그렇게 승인을 받은 변호인마저 곤경에 처했다. 일례로 피의 숙청 중에 살해된 가톨릭행동의 지도자 클라우제너 박사의 아내가 국가를 상대로 낸 손해배상 소송에서 그녀를 대변하려던 변호인들은 작센하우젠 강제수용소로 끌려가 소송을 정식으로 취하할 때까지 수용되어 있었다.

히틀러에게는—한동안 괴링에게도—형사소송 절차를 제지할 권한이 있었다. 뉘른베르크 문서[18]를 통해 밝혀진 한 사건에서, 법무장관은 게슈타포 고위 간부 한 명과 일군의 돌격대원들이 강제수용소 수감자들에게 경악스러운 고문을 가한 사실이 증거로 명백히 입증된다고 판단해 그들에 대한 기소를 강력히 권고했다. 그리고 히틀러에게 증거를 보냈다. 총통의 응답은 기소 중지 명령이었다. 괴링도 초기에는 그러한 권한을 보유했다. 1934년 4월에 괴링은 어느 유명 기업인에 대한 형사소송 절차를 중단시켰다. 피고가 괴링에게 무려 300만 마르크를 건넸다는 사실이 곧 알려졌다. 당시 베를린의 저명한 변호사 게르하르트 F. 크라머Gerhard F. Kramer가 훗날 말한 대로 "괴링이 그 실업가를 협박한 것인지 그 실업가가 프로이센 주 총리에게 뇌물을 준 것인지는 밝힐 수 없었다".[19] **밝혀진** 것은 괴링이 그 사건을 덮어버렸다는 사실이다.

한편, 총통대리Stellvertreter des Führers 루돌프 헤스는 자신이 보기에 너무 가벼운 형을 받은 피고에게 "무자비한 조치"를 취할 권한을 가지고 있었다. 당이나 총통, 국가를 공격해 유죄 판결을 받은 모든 사람의 법정 기록은 헤스에게 전달되었고, 헤스는 처벌이 너무 가볍다고 생각되면 "무자비한" 조치를 취할 수 있었다. 보통 그 조치는 희생자를 강제수용소로 끌고가거나 없애버리는 것이었다.

특별재판소의 판사들이 때로는 상당한 독립 정신을 보여주거나 법에 헌신하는 모습을 보여주었다는 점도 꼭 말해둬야겠다. 그럴 때면 헤스나 게슈타포가 끼어들었다. 예를 들어 앞에서 언급했듯이 니묄러 목사가 특별재판소에서 주요 혐의에 대해 무죄 판결을 받고 다른 건으로 이미 형기를 마친 단기간의 금고형만을 선고받았을 때, 게슈타포가 법정을 나서는 그를 잡아다가 강제수용소에 처넣었다.

히틀러처럼 게슈타포도 곧 법이었기 때문이다. 게슈타포는 본래 괴링이 1933년 4월 25일 프로이센 주에서 기존 프로이센 정치경찰의 1A과를 대신하는 기관으로서 창설했다. 처음에는 그저 비밀경찰국Geheimes Polizei Amt이라 부를 생각이었지만 독일어 머리글자 GPA가 소련의 GPU와 너무 비슷하게 들렸다. 이 새로운 부서를 위해 '요금별납 우편물' 스탬프를 만들어달라는 의뢰를 받은 어느 이름 모를 우체국 직원이 비밀국가경찰Geheime Staatspolizei ― 줄여서 GESTAPO ― 이라 부르자고 제안했고, 그리하여 먼저 독일 안에서, 나중에는 독일 밖에서까지 듣기만 해도 공포를 불러일으키는 이름이 생기게 되었다.

처음에 게슈타포는 괴링이 정권의 적을 체포하고 살해하는 데 동원한 개인적 테러 수단에 지나지 않았다. 1934년 4월, 괴링이 힘러에게 프로이센 비밀경찰의 수장 자리를 넘긴 뒤에야 게슈타포는 친위대의 한 부문으로서 팽창하기 시작했고, 한때 양계업자였던 온화하면서도 가학적인 새로운 지도자와, 친위대 보안국Sicherheitsdienst, SD의 수장으로서 악마 같은 기질[20]을 지닌 청년 라인하르트 하이드리히Reinhard Heydrich의 천재적인 지도 아래 모든 독일인에 대한 생사여탈권을 가진 징벌 기관으로 발돋움했다.

이미 1935년에 나치의 압력을 받은 프로이센 최고행정법원은 게슈타포의 명령과 행동은 사법심리의 대상이 아니라고 결정했다. 1936년 2월 10일에 공포된 게슈타포 기본법은 이 비밀경찰 조직을 법 위에 두었다. 법원은 게슈타포의 활동에 어떤 식으로든 개입할 수 없게 되었다. 게슈타포 내에서 힘러의 오른팔 중 한 명이었던 베르너 베스트Werner Best 박사는 "게슈타포가 지도부의 의지를 이행하는 한, 합법적으로 활동하는 것이다"라고 말했다.[21]

임의 체포나 강제수용소 감금에 '합법'이라는 외피를 씌웠던 것이다. 이런 조치는 '보호감호Schutzhaft'라 불렸고, 시민의 자유를 보장하는 헌법 조항들을 정지시킨 1933년 2월 28일의 법에 근거해 실행되었다. 그러나 더 문명화된 다른 나라들에서와 마찬가지로, 독일에서 보호감호는 시민을 예상되는 위해로부터 보호해주지 않았다. 오히려 철조망 안으로 밀어넣고 처벌했다.

초창기 강제수용소늘은 히틀러의 집권 첫해에 우후죽순으로 생겨났다. 주로 돌격대가 피해자들을 흠씬 두들겨패고 그들의 친척이나 친구로부터 되도록 많은 액수의 몸값을 뜯어내기 위해 설립한 강제수용소가 1933년 말이면 50개가 넘었다. 대체로 돈을 갈취하는 형태였지만, 때로는 순전한 가학행위나 잔혹행위로 수감자를 살해하기도 했다. 1933년 봄, 뮌헨 인근 다하우의 친위대 강제수용소에서 발생한 그런 사건 네 건이 뉘른베르크 재판에서 밝혀졌다. 어느 경우에나 수감자는 냉혹하게 살해되었는데, 한 명은 채찍질을 당해서, 다른 한 명은 목이 졸려서 죽었다. 이에 뮌헨의 검사들마저 항의했다.

1934년 6월의 피의 숙청 이후로는 나치 정권에 대한 저항이 더는 없었으므로, 대다수 독일인은 대규모 '보호감호' 체포 조치나 수천 명을 강제수용소에 감금하는 조치가 중단될 것이라고 생각했다. 1933년 크리스마스 전야에 히틀러는 강제수용소 수감자 2만 7000명을 사면한다고 발표했지만, 괴링과 힘러가 이 명령을 제대로 이행하지 않아 실제로는 소수만이 석방되었다. 그 이후 거수기 같은 관료인 내무장관 프리크가 1934년 4월에 대규모 보호감호 체포를 제한하고 강제수용소 수감도 제한하는 비밀 지령을 내려 나치 폭력배의 과도한 행태를 억제하려 했지만, 힘러가 프리크를 설득해 이 문제에서 손을 떼도록 했다. 친위대 지도자는 강제수용소의 목적이 정권의 적을 처벌하는 것만이 아니라 그 존재 자체로 국민을 공포에 떨게 하고 나치 통치에 저항할 엄두조차 못 내게 하는 데에도 있다는 사실을 내무장관보다 더 분명하게 알고 있었다.

룀 숙청 직후에 히틀러는 강제수용소 통제권을 친위대에 넘겼고, 친위대는 엘리트 조직에 걸맞은 효율성과 무자비함으로 수용소를 정비해 나갔다. 경비 임무는 온전히 해골부대Totenkopfverbände에 맡겨졌는데, 가장 난폭한 나치당원 중에서 선발된 대원들은 12년간 복무했고 검은색 상의에 두개골과 뼈 휘장이 달린 제복을 입었다. 해골부대의 초대 지휘관이자 다하우 수용소의 초대 소장인 테오도어 아이케Theodor Eicke가 모든 강제수용소를 관리하게 되었다. 돈벌이용 수용소들은 폐쇄되고 더 큰 수용소들이 건설되었는데, 그중 (전쟁이 시작되고 점령 지역으로 확대하기 전까지) 주된 것으로는 뮌헨 인근 다하우 수용소, 바이마르 인근 부헨발트 수용소, 초기에 유명했던 베를린 인근 오라니엔부르크 수용소를 대체한 작센하우젠 수용소, 메클렌부르크의 라펜스브뤼크 수용소(여성 전용), 그리고 1938년 오스트리아 점령 이후 설립된 린츠 인근 마우트하우젠 수용소 등이 있었다—이 이름들은 나중에 폴란드에 세워진 아우슈비츠, 베우제츠, 트레블링카 수용소와 함께 세계적으로 널리 알려지게 되었다.

이들 수용소가 다행히도 최후를 맞기 전에 그 안에서 불운한 수백만 명은 죽음을 맞았고, 다른 수백만 명은 상상조차 할 수 없는 학대와 고문을 당했다. 하지만 초기—1930년대—에 독일 내 나치 강제수용소들의 총 수용자 수는 어느 시점에도 2만~3만 명을 결코 넘지 않았을 것이고, 나중에 힘러의 부하들이 고안하고 자행한 끔찍한 일들은 아직 알려지기 전이었다. 수감자를 나치 '의학 연구'를 위한 실험 재료로 사용한 절멸수용소와 강제노동수용소는 개전 후에 출현했다.

그렇다고 해서 초기 수용소들이 인도적이었던 것은 아니다. 나는 다하우 수용소의 초대 소장 테오도어 아이케가 1933년 11월 1일에 작성한 이곳 규정집의 사본을 한 부 가지고 있는데, 곧 강제수용소 총감이 된 아이케는 이 규정을 모든 수용소에 적용했다.

제11조. 다음 위반자들은 선동가로 간주하여 교수형에 처한다. 누구든 … 정치를 논하는 자, 연설과 집회를 조장하는 자, 패거리를 이루는 자, 타인 주변에서 얼쩡거리는 자, 잔혹행위 이야기를 적의 선전용으로 제공하기 위해 강제수용소에 관한 진위 불문의 정보를 수집하는 자, 그런 정보를 받는 자, 숨기는 자, 타인에게 말하는 자, 수용소에서 몰래 빼내 외국인 방문자에게 건네는 자 등.

제12조. 다음 위반자들은 반란자로 간주하여 현장에서 사살하거나 후에 교수형에 처한다. 경비대원이나 친위대원을 물리적으로 공격하는 자, 차출되었을 때 복종이나 노동을 거부하는 자, … 행진하거나 노동하는 동안 떠들거나 소리치거나 선동하거나 연설하는 자.

"편지나 그 밖의 문서에서 국가사회주의 지도부나 국가, 정부를 깎아내리는 말을 하는 자 … 옛 민주정당들의 마르크스주의 또는 자유주의 지도부를 미화하는 말을 하는 자"는 2주간의 독방 감금과 채찍질 25회라는 비교적 가벼운 처벌을 받았다.

게슈타포와 협력관계인 보안국 역시 그 머리글자 SD로 모든 독일인을, 아울러 나중에 피점령지 주민을 공포에 떨게 했다. 원래는 1932년에 힘러가 친위대의 정보부서로 설치했다가 라인하르트 하이드리히 ─ 훗날 '교수형 집행자 하이드리히'로 세상에 널리 알려졌다 ─ 에게 지휘를 맡긴 보안국의 초기 기능은 당원들을 감시하며 수상한 동태를 낱낱이 보고하는 것이었다. 1934년에 보안국은 비밀경찰의 정보부서 역할도 겸하게 되었고, 1938년에는 새로운 법에 의거해 이 역할을 제국 전체로 확대했다.

1931년 26세에 조선업자의 딸과 약혼했다가 파혼했다는 이유로 레더 제독에 의해 불명예 제대를 당한 전 해군 정보장교 하이드리히는 보안국을 노련하게 관리하며 곧 10만 명의 비상근 정보원을 고용해 전국의 모든 시민을 염탐하고 나치 통치에 조금이라도 방해가 된다고 생각되는 언동을 보고하도록 지시하는 등 독일 전역에 그물을 쳤다. 숨겨진 보안국 마이크로 녹음되지는 않는지, 또는 보안국 요원이 엿듣지는 않는지부터 확인해보지 않은 채 '반나치적'이라고 해석될 수 있는 언행을 일삼는 사람은—바보가 아닌 한—없었다. 아들이든 아버지든 아내든 친척이든 막역한 친구든 상사든 비서든 누구나 하이드리히 조직의 정보원일 수 있었다. 누가 정보원인지 결코 알 수 없었고, 현명한 사람이라면 아무것도 당연시하지 않았다.

1930년대에 보안국의 상근 수사관은 3000명을 넘지 않았을 텐데, 대부분 할 일 없는 젊은 지식인들—정상적인 사회라면 가능했을 적당한 직장이나 안정적인 자리를 구할 수 없었던 대학 졸업자들—중에서 채용했다. 그래서 이 직업 스파이들 사이에는 언제나 학자연하는 이상한 분위기가 감돌았다. 이를테면 튜턴족 고고학이나 열등인종들의 두개골에 관한 연구, 지배인종의 우생학 같은 곁가지에 기이한 관심을 보였다. 거만하고 쌀쌀맞고 무자비한 성격인 하이드리히 본인은 이따금 금발의 젊은 폭력배들에게 둘러싸인 채 베를린의 한 나이트클럽을 들르기도 했지만, 외국인 관찰자가 이 별난 스파이들과 접촉하기는 어려웠다. 그들이 별로 눈에 띄지 않았던 것은 그 임무의 성격 때문만이 아니라 1934년과 1935년에 '룀 복수단Rächer Röhm'을 자처한 비밀 무리였기 때문이기도 한데, 이 무리는 룀이나 그의 공모자들을 염탐했던 사람들 중 상당수를 살해하고 그 주검에 자기네 이름[머리글자 R.R.]이 적힌 종잇조각을 핀으로 꽂아두었다.

부차적 임무이긴 해도 보안국의 흥미로운 임무 중 하나는 히틀러의 국민투표에서 누가 '반대' 투표를 했는지 알아내는 것이었다. 뉘른베르크 재판의 방대한 문서 가운데 보안국이 1938년 4월 10일 코헴Cochem에서 작성한, 국민투표에 관한 비밀 보고서가 있다.

카펠에서 '반대' 투표나 무효 투표를 한 자들의 명부 사본을 첨부한다. 이 조사는 다음과 같은 방법으로 이루어졌다. 선거관리위원회 관계자 몇 명이 모든 투표용지에 번호를 기입했다. 투표가 진행되는 동안 투표자 명단을 작성했다. 투표용지는 번호순으로 건네졌으므로 … 누가 '반대' 투표나 무효 투표를 했는지 알아낼 수 있었다. 번호는 투표용지 뒷면에 탈지유로 기입했다.

개신교 목사 알프레트 볼페르스Alfred Wolfers의 투표용지도 첨부한다.[22]

1936년 6월 16일, 독일 역사상 처음으로 전국의 경찰이 하나의 조직으로 통합되었고—그때까지 경찰은 각 주별로 따로 조직되었다—힘러가 독일 경찰청장을 맡게 되었다. 이는 1934년 룀의 '반란'을 진압한 이래 빠르게 권력을 키워가던 친위대의 수중에 경찰을 넘겨준 것이나 마찬가지였다. 유일한 총통 근위대, 당의 유일한 무장 파벌, 신생 독일의 미래 지도부를 배출할 유일한 엘리트 조직인 친위대가 이제 경찰력까지 틀어쥔 것이다. 모든 전체주의 독재정의 불가피한 전개로서 제3제국도 경찰국가가 되었다.

## 제3제국의 통치

———

바이마르 공화국은 파괴되었지만 히틀러는 바이마르 헌법을 공식적으로 폐지하지 않았다. 사실 아이러니하게도 히틀러는 통치의 '합법성'의 근거를 자신이 그토록 경멸하는 공화국 헌법에 두고 있었다. 예컨대 수천 개의 공포된 법—제3제국에는 그 이외의 다른 법이 없었다—의 명백한 근거는 1933년 2월 28일에 힌덴부르크가 헌법 제48조에 의거해 국민과 국가를 보호하기 위해 서명한 대통령 긴급명령이었다. 기억하겠지만, 고령의 대통령은 의사당 화재 다음날 공산주의 혁명의 위험이 심각하다고 역설하는 히틀러에게 속아 넘어가 긴급명령에 서명했다. 시민의 모든 권리를 유예한 이 긴급명령은 제3제국 내내 효력을 유지하여 총통으로 하여금 일종의 지속적인 계엄령으로 통치할 수 있게 해주었다.

제국의회가 1933년 3월 24일 가결하여 그 입법 기능을 나치 정부에 넘겨준 수권법 역시 히틀러 통치의 '합헌성'을 보증하는 기둥이었다. 그 이후 거수기처럼 고분고분한 제국의회는 4년마다 수권법을 다시 4년 연장했는데, 한때 민주적이었던 이 기관을 독재자가 폐지할 생각은 하지 않고 다만 비민주적으로 바꾸려 했기 때문이다. 개전 때까지 제국의회는 겨우 10여 차례 소집되어 불과 네 개의 법*만 '제정'했고, 토론이나 표결을 일체 하지 않았으며, 히틀러의 연설 말고는 다른 어떤 것도 듣지 않았다.

———

\* 1934년 1월 30일의 독일국 재건법과 1935년 9월 15일의 3개 반유대주의 '뉘른베르크법'.

1933년의 처음 몇 달 이후 내각은 진지한 토론을 중단했고, 1934년 8월 힌덴부르크가 사망한 후로는 내각 회의도 갈수록 뜸하게 소집되었으며, 1938년 2월 이후로는 아예 소집되지 않았다. 그렇지만 각료 개개인은 총통의 승인을 받아 명령을 공포할 수 있는 상당한 권한을 보유했다—공포된 명령은 자동으로 법이 되었다. 영국 총리 체임벌린에게 호감을 사기 위해 팡파르를 크게 울리며 설치한 듯한 비밀내각위원회Geheimer Kabinettsrat는 서류상으로만 존재했고, 단 한 번도 소집되지 않았다. 정권 초기에 히틀러가 주재하는 전쟁준비 기구로서 설립된 제국방위위원회는 공식적으로 겨우 두 번 소집되었지만, 산하의 몇몇 실행위원회는 매우 활동적이었다.

내각의 많은 기능은 총통대리(헤스, 나중에 마르틴 보어만), 전쟁경제 전권위원(샤흐트), 제국행정 전권위원(프리크), 4개년 계획 전권위원(괴링) 같은 직책의 특별 기관들에 위임되었다. 그 밖에 대부분 바이마르 공화국에서 이어받은 '최고정부기관', '국가행정기관' 같은 기관들이 있었다. 총통이 직접 관할하는 중앙정부의 실행기관은 모두 42개나 되었다.

앞에서 언급했듯이 독일 각 주의 의회와 정부는 나치 정권이 집권 첫해에 전국을 통일하는 과정에서 폐지되었고, 지방으로 격하된 각 주에는 히틀러에 의해 주 총감이 임명되었다. 독일인이 민주주의를 향한 진정한 진보를 이루어내는 것으로 보였던 유일한 분야인 지방자치 역시 싹 사라졌다. 1933년에서 1935년에 걸쳐 공포된 일련의 법은 지방자치체의 자율권을 박탈하고 제국내무장관의 직접적인 통제 아래 두었다. 인구 10만 이상인 자치체들의 경우 내무장관이 시장을 임명하고 지도자 원리에 따라 재편했다. 인구 10만 이하인 소도시들의 시장은 주 총감이 임명했다. 베를린, 함부르크, 빈(1938년 오스트리아가 점령된 이후)의 시장을 임명할 권리는 히틀러가 보유했다.

히틀러는 독재권력을 네 개의 사무기관을 통해 행사했다. 바로 대통령실(1934년 이후 대통령이라는 명칭은 없어졌다), 총리실(총리라는 명칭은 1939년에 폐지되었다), 나치당, 그리고 히틀러의 개인사를 관리하고 특별임무를 수행한 총통 비서실이었다.

사실 히틀러는 나날의 세세한 통치 업무에 싫증을 냈고, 힌덴부르크 사후에 자기 입지를 공고히 다진 뒤로는 그것을 대부분 보좌관들에게 넘겼다. 괴링, 괴벨스, 힘러, 라이, 시라흐 같은 오랜 당 동지들에게는 저마다 권력의 제국을—아울러 대개 이권을—쌓아올릴 재량권이 주어졌다. 초기에 샤흐트에게는 정부 지출을 확대하기 위해 어떠한 술책으로든 자금을 조달할 재량권이 주어졌다. 이 사내들이 권력이나 이권을 놓고 충돌할 때면 늘 히틀러가 나섰다. 히틀러는 그런 다툼에 특별히 개의치 않았다. 실은 그런 다툼을 곧잘 조장했는데, 그렇게 함으로써 최고 중재자로서의 자기 위신을 높이고 이 사내들이 자신에 맞서 뭉치는 것을 막을 수 있었기 때문이다. 이런 이유로 히틀러는 세 남자, 즉 외무장관 노이라트, 나치당 대외정책국장 로젠베르크, '리벤트로프 특무위원실Büro Ribbentrop'[나중에 Dienststelle Ribbentrop로 개칭]을 두고서 외교 정책에 손을 댄 리벤트로프가 외무 분야에서 경쟁하는 광경을 즐겁게 지켜보았던 듯하다. 이들은 견원지간이었으며, 히틀러는 결국 외무 분야에서 자신의 명령을 수행할 외무장관으로 머리가 둔한 리벤트로프를 선택할 때까지 세 사람의 경쟁관계 직책을 유지함으로써 계속 반목하게 했다.

이처럼 제3제국에서는 몸집을 마구 불려나가는 방대한 관료제가 이른바 지도자 원리에 따라 꼭대기부터 바닥까지 국가를 통치했다. 그 관료제는 흔히 독일인의 속성이라고 여기는 효율성을 거의 갖추지 못했고,

부정부패에 물들었으며, 당 실력자들이 아무렇게나 개입한 탓에 더욱 심화된 혼란과 살벌한 경쟁에 줄곧 시달린 데다가 친위대-게슈타포의 테러로 인해 자주 무력해지기까지 했다.

이렇게 우글거리는 무리의 꼭대기에는 한때 오스트리아의 부랑자였다가 이제 스탈린을 제외하면 세계적으로 가장 강력한 독재자가 된 인물이 있었다. 1936년 봄에 한스 프랑크 박사는 변호사 총회에서 "오늘날 독일에는 단 하나의 권위만 존재하며, 그것은 총통의 권위입니다"라고 일깨웠다.[23]

그 권위를 가지고 히틀러는 자신에게 반대하는 자들을 신속히 제거하고, 국가를 통일하여 나치화하고, 전국의 제도와 문화를 엄격히 통제하고, 개인의 자유를 억압하고, 실업을 일소하고, 상공업의 바퀴를 힘차게 굴렸다ㅡ총리 취임 후 3~4년 만에 이루어낸 적지 않은 성취였다. 이제 그는 자기 인생에서 가장 중요한 두 가지 열정으로 관심을 돌렸다. 바로 독일의 외교 정책을 전쟁과 정복 쪽으로 돌리고, 그런 목표 달성을 가능케 할 막강한 군사기구를 구축하는 일이었다.

이제 우리도 그 이야기로 관심을 돌려보자. 근대 역사의 다른 어떤 이야기보다도 문서로 충실하게 뒷받침되는 그 이야기는 이 비범한 남자가 위대하고 강력한 민족의 우두머리로서 자신의 목표를 어떻게 달성하려 했는지 알려준다.